Patricia Fara

UMA BREVE
HISTÓRIA
DA CIÊNCIA

EDITORA
FUNDAMENTO

2014, Editora Fundamento Educacional Ltda.
Reimpressão em 2025.

Editor e edição de texto: Editora Fundamento
Editoração eletrônica: Duilio David Scrok; Rosana Alves do Nascimento (Francielle Sambay);
　　　　　　　　　　Bella Ventura Eventos Ltda. (Lorena do Rocio Mariotto)
CTP e impressão: Hellograf
Tradução: Bresciani Edição de Textos e Digitação Ltda. (Karin Hueck)
Preparação de texto: Capelo Traduções e Versões Ltda. (Neuza Maria Simões Capelo)
Arte da capa: Zuleika Iamashita

Copyright de texto © 2009 Patricia Fara
Imagens de abertura dos capítulos foram fornecidas pelo banco de imagens Fotolia:
© psdesign1, © lily, © Corgarashu, © greir, © Tryfonov, © Andrey Armyagov, © okanakdeniz

Todos os direitos reservados. Nenhuma parte deste livro pode ser arquivada, reproduzida ou transmitida em qualquer forma ou por qualquer meio, seja eletrônico ou mecânico, incluindo fotocópia e gravação de backup, sem permissão escrita do proprietário dos direitos.

Dados Internacionais de Catalogação na Publicação (CIP)
(Câmara Brasileira do Livro, SP, Brasil)

Fara, Patricia
　Uma breve história da ciência / Patricia Fara ; [versão brasileira da editora] – 1. ed. – São Paulo, SP : Editora Fundamento Educacional Ltda., 2014.

Título original : Science : A four thousand year history

1. Ciência - História 2. Ciência e civilização. I. Título.

11-02149　　　　　　　　　　　　　　　　　　　　　CDD – 509

Índice para catálogo sistemático:
1. Ciência : História 509

Fundação Biblioteca Nacional

Depósito legal na Biblioteca Nacional, conforme Decreto nº 1.825, de dezembro de 1907.
Todos os direitos reservados no Brasil por Editora Fundamento Educacional Ltda.

Impresso no Brasil

Telefone: (41) 3015 9700
E-mail: info@editorafundamento.com.br
Site: www.editorafundamento.com.br

Este livro foi impresso em papel offset 90 g/m² e a capa em papel-cartão 250 g/m².

Sumário

Introdução 1
Parte 1 – Origens 6
  1. O Número Sete 7
  2. Babilônia 13
  3. Heróis 23
  4. Cosmos 28
  5. Vida 36
  6. Matéria 41
  7. Tecnologia 47
Parte 2 – Interações 53
  8. Eurocentrismo 54
  9. China 60
  10. Islã 69
  11. Conhecimento 77
  12. Europa 86
  13. Aristóteles 97
  14. Alquimia 106
Parte 3 – Experimentos 116
  15. Exploração 117
  16. Magia 127
  17. Astronomia 135
  18. Corpos 146
  19. Máquinas 153
  20. Instrumentos 161
  21. Gravidade 169
Parte 4 – Instituições 178
  22. Sociedades 179

23. Sistemas	187
24. Carreiras	196
25. Indústrias	206
26. Revoluções	214
27. Racionalidade	223
28. Disciplinas	230
Parte 5 – Leis	**239**
29. Progresso	240
30. Globalização	250
31. Objetividade	260
32. Deus	269
33. Evolução	278
34. Poder	288
35. Tempo	297
Parte 6 – Invisíveis	**306**
36. Vida	307
37. Germes	315
38. Raios	325
39. Partículas	335
40. Genes	343
41. Substâncias Químicas	352
42. Incertezas	362
Parte 7 – Decisões	**372**
43. Guerra	373
44. Hereditariedade	382
45. Cosmologia	391
46. Informação	401
47. Rivalidade	409
48. Meio Ambiente	418
49. Futuro	427
Posfácio	435

Introdução

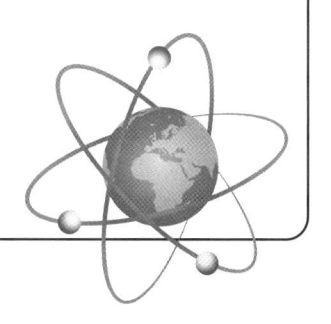

"Ver para crer." Isso pode ser verdade, mas o que vemos depende do nosso olhar. Logo à primeira vista, a figura 1 parece errada, apesar de não existir nenhuma razão intrínseca para que o mundo não seja retratado dessa maneira. Colocar o norte no alto é uma convenção estabelecida pelos antigos cartógrafos europeus, que enxergavam o mundo a partir de seu ponto de vista e nem sabiam da existência da Austrália e da Antártida. Criada por um australiano, essa imagem é menos um mapa do que uma declaração política. Ela também é uma metáfora visual para este livro: *Uma breve história da Ciência*.

Escrever uma história não é apenas juntar os fatos corretos e colocar os eventos na ordem certa: também envolve reinterpretar o passado – redesenhar o mundo –, fazendo escolhas sobre personagens e assuntos a serem mencionados. Nos livros tradicionais sobre o passado da ciência, os cientistas geralmente são celebrados como gênios, acima das pessoas comuns. Como corredores olímpicos dominados por uma insaciável sede de saber, eles passam o bastão da verdade abstrata, de uma grande inteligência para outra, sem serem corrompidos por preocupações mundanas. Por meio de experimentações meticulosas, raciocínio lógico e, às vezes, um lampejo de inspiração, eles desvendam os segredos da natureza para revelar a verdade absoluta.

Ao contrário, *Uma breve história da Ciência* não trata de heróis idealizados, mas de pessoas reais – homens (e algumas mulheres) que precisavam ganhar a vida, cometiam erros, passavam por cima dos concorrentes, até se aborreciam com o trabalho e buscavam outras atividades. Este livro explora o poder da ciência, argumentando que estar certo nem sempre é o suficiente: para uma ideia prevalecer, as pessoas devem acreditar nela. Essa nova versão da história desafia a noção da superioridade europeia, mostrando como a ciência foi construída a partir de conhecimentos e habilidades desenvolvidos em outras partes do mundo. Mais do que se concentrar em experiências esotéricas e teorias abstratas, *Uma breve história da Ciência* explica como a ciência faz parte do mundo real de guerra, política e negócios.

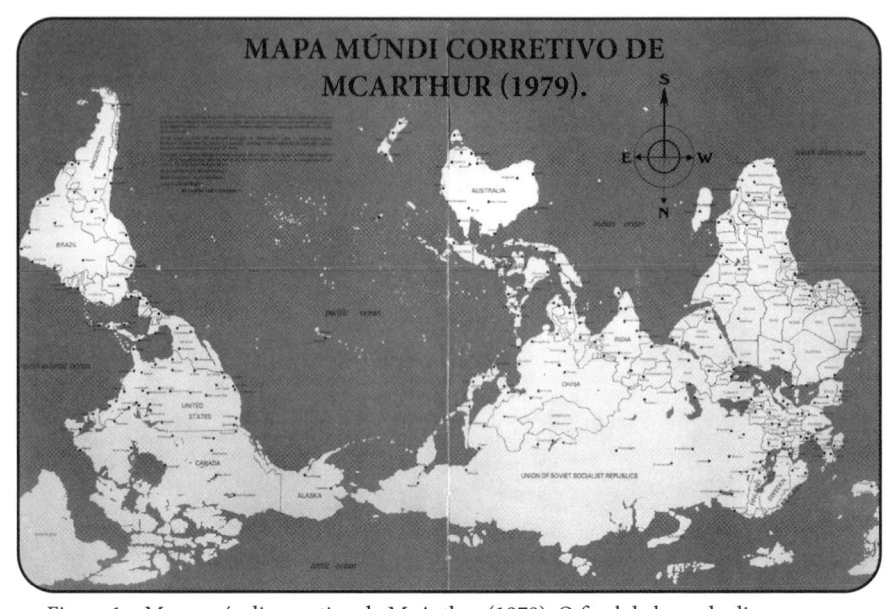

Figura 1 – Mapa-múndi corretivo de McArthur (1979). O final da legenda diz:

O Sul finalmente sobe.
O mundo se abre! O mapa se abre!
O Sul é superior. O Sul domina!
Vida longa à Austrália – Regente do Universo!

Diferentemente das áreas de um mapa geopolítico oficial, é difícil traçar linhas que delimitem a ciência. A Filosofia grega, a Astronomia chinesa e a Anatomia do Renascimento, guardam poucas semelhanças nítidas entre si ou com os projetos de pesquisas altamente tecnológicas concebidos nos dias de hoje, mas, de certa maneira, tudo parece ligado. Assim, torna-se difícil definir "ciência". Uma definição óbvia, mas um pouco irritante, é "ciência é o que os cientistas fazem", mas essa definição autorreferencial revela-se imperfeita, porque a palavra "cientista" só foi inventada em 1883. Escrever sobre a longa história da ciência envolve traçar as origens de algo que havia relativamente pouco tempo não existia, ou seja, envolve considerar pessoas que não faziam aquilo que os cientistas, hoje, fazem. Muitos dos personagens deste livro foram incluídos não por serem cientistas, mas por terem desenvolvido várias habilidades – navegar orientando-se pelas estrelas, fundir metais, preparar remédios à base de ervas, construir navios, desenhar canhões –, que contribuíram para os avanços globais da ciência.

Quando olhamos para o passado a partir de um novo ângulo, é tão importante decidir quais perguntas fazer quanto descobrir novas informações. Existem questões mais urgentes do que definir "ciência". A religião – qualquer uma delas – inibe ou encoraja a ciência? Magia e alquimia estão totalmente separadas da ciência? Houve mesmo poucas mulheres fazendo ciência, ou os historiadores distorceram o passado, contando histórias emocionantes sobre homens corajosos, que exploravam o mundo feminino da natureza? É possível haver diferentes tipos de ciência – todos válidos? E, se de fato, houve ciências diferentes em Patna, na Pérsia ou em Pisa, como se relacionavam umas com as outras e com a ciência moderna?

> O FATO CIENTÍFICO NÃO DEPENDE APENAS DO MUNDO NATURAL, MAS TAMBÉM DE ONDE, QUANDO E POR QUEM É FEITA A PESQUISA.

Essas questões não têm respostas definitivas, mas *Uma breve história da Ciência* explica sua importância e aponta uma abordagem. Surge então a pergunta fundamental: como a ciência se tornou tão importante? Homens como Kepler, Galileu e Newton com certeza eram brilhantes, mas só são celebrados por causa do atual poder da ciência. Esses homens parecem hoje mais influentes do que na época em que viveram, quando se conferia mais importância aos estudiosos dos clássicos e da Bíblia. Isaac Newton afirmou que seus estudos só eram possíveis porque ele se apoiava sobre os ombros de gigantes. No entanto, quando publicou um livro sobre a gravidade, em 1687, poucos se deram ao trabalho de ler. No começo do século 21, a ciência governava o mundo, e Newton se tornara um dos homens mais célebres que viveram. Para tentar explicar como isso aconteceu, este livro examina as mudanças simultâneas sofridas pela ciência e pela sociedade – investigando os interesses econômicos, as grandes ambições e os avanços acadêmicos que globalizaram a ciência.

Em visões racionais do mundo, a ciência ocupa uma área estanque, como se fosse um tipo único de atividade intelectual, capaz de produzir verdades incontestáveis. No entanto, o que conta como fato científico não depende apenas do mundo natural, mas também de onde, quando e por quem é feita a pesquisa. O conhecimento científico nunca viaja intacto de um ambiente para outro. É constantemente adaptado e absorvido de maneiras diferentes, pois tem geografias e histórias diferentes. Essa transformação continua a acontecer, de modo que o próprio significado da ciência ainda vem se alterando.

Paradoxalmente, à medida que a ciência alcança novos sucessos, os leigos se tornam mais céticos. Agora que os governos se preocupam com o aquecimento global, a manipulação genética e o poderio nuclear, ficou claro que os interesses científicos, comerciais e políticos estão interligados. De certa maneira, a história da ciência é a história de todas as coisas: ciência, tecnologia e medicina modernas se conectam intimamente a todas as outras atividades do planeta, em uma teia gigante. É o que acontece no mapa australiano, que se propunha a desafiar crenças aparentemente naturais, mas criadas artificialmente, *Uma breve história da Ciência* pretende provocar raciocínio e discussão, e não só oferecer informações. Este livro observa o passado para descobrir como chegamos ao presente. E para melhorar o futuro.

PARTE 1

ORIGENS

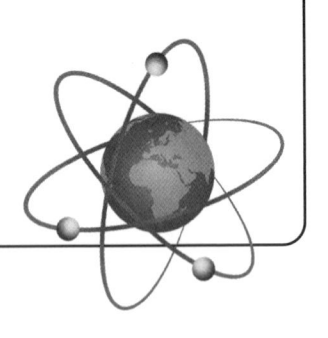

Quando e onde a ciência começou? Longe de ser banal, essa pergunta vai direto ao âmago da definição de ciência. Um olhar sobre o passado revela ideias e descobertas, mais tarde, incorporadas aos avanços científicos globais. Na época em que ocorreram, porém, elas atendiam a outros projetos: achar a melhor época para festividades religiosas, vencer guerras, explicar profecias bíblicas e, acima de tudo, garantir a sobrevivência. Este livro começa com antigas civilizações mesopotâmias, cuja enorme quantidade de conhecimentos práticos foi herdada e passada adiante, até chegar à ciência moderna. Conselheiros da corte babilônica desenvolveram conceitos astronômicos, matemáticos e médicos, não só por estarem interessados em Física teórica, mas porque tentavam prever o futuro. Por outro lado, os filósofos gregos preferiam criar sistemas grandiosos que explicassem o cosmos. Apesar de agora parecerem estranhas, muitas de suas teorias foram constantemente modificadas e assimiladas, dominando primeiro o pensamento islâmico e depois o pensamento europeu até o século 18. A própria base da ciência fundamentou-se em técnicas e conceitos, hoje descartados como sendo mágicos ou pseudocientíficos.

CAPÍTULO 1
O NÚMERO SETE

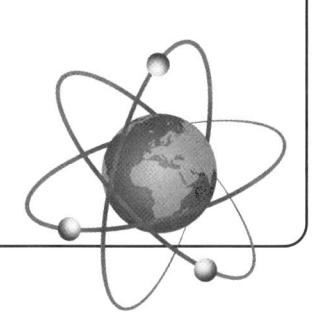

Amei-te, e por isso tomei nas minhas mãos esta maré de homens,
e escrevi a minha vontade em estrelas pelo céu
Para te dar a Liberdade, essa preciosa casa de sete pilares,
para que os teus olhos me fitassem, brilhantes
quando chegássemos.

T. E. Lawrence, *Os Sete Pilares da Sabedoria* (1935)

O "7" sempre foi um número muito especial. O mais antigo livro sagrado do sânscrito, o Rig Veda, descreve sete estrelas, sete continentes concêntricos e sete fontes de soma, a bebida dos deuses. De acordo com o Antigo Testamento judaico e cristão, o mundo foi criado em sete dias, e a pomba de Noé retornou sete dias depois do Dilúvio. Da mesma maneira, os egípcios mapearam sete caminhos para o céu, Alá criou um céu islâmico de sete níveis, e o Buda recém-nascido deu sete largos passos. O "7" também tem características matemáticas incomuns. Muitas delas parecem misteriosas para os leigos, mas, entre as mais práticas, só precisamos de sete cores para preencher um mapa em forma de toro (um anel ou uma rosca com um buraco no meio, por exemplo), sem que duas áreas adjacentes tenham as mesmas cores.

Basta um passo para que um número especial se torne um número mágico. Para os numerólogos, o "7" significa a criação porque é a soma do "3", espiritual, com o "4", material. Para os alquimistas, há paralelos claros entre os sete degraus que levam ao templo do rei Salomão e os sete estágios sucessivos que levam à purificação química e espiritual. Os gatos iranianos têm sete vidas, sete divindades trazem sorte no Japão, e uma receita tradicional judaica para a cura da febre envolve tomar sete espinhos de sete palmeiras e sete pregos de sete portas.

> CIÊNCIA OU SUPERSTIÇÃO? NEM SEMPRE É FÁCIL SEPARAR OS DOIS.

Ciência ou superstição? Nem sempre é fácil separar os dois. Quando os antigos astrônomos olhavam para o céu, viam sete planetas em torno da Terra. O Sol e a Lua eram os mais óbvios, mas conheciam-se outros cinco: Mercúrio, Vênus, Marte, Júpiter e Saturno (o seguinte, Urano, só foi identificado no fim do século 18). Encontrar planetas e descobrir como eles se movem é uma tarefa que exige habilidades importantes para a ciência moderna. Por outro lado, os primeiros observadores do céu não estavam interessados em descobrir como o universo funciona; tentavam relacionar os padrões das estrelas a grandes eventos na Terra, como escassez de víveres e pastos, secas e enchentes e mortes de soberanos.

Por isso, parece errado chamá-los de cientistas. Mas faz sentido chamá-los de mágicos ou astrólogos? Algumas de suas conclusões realmente se parecem com os horóscopos publicados atualmente. Esses dois exemplos da Assíria dão uma ideia: "Se Vênus se ergue cedo no céu, o rei terá vida longa. Se Vênus se ergue tardiamente, o rei desta terra morrerá em breve." Ou: "Se a Lua estiver cercada por uma aura, e as Plêiades (constelação com sete estrelas visíveis a olho nu) estiverem no caminho dela, naquele ano as mulheres terão filhos do sexo masculino."

É fácil lançar sobre essas interpretações um olhar pitoresco. No entanto, elas não resultaram da leitura das folhas de chá nem de visões em bolas de cristal; foram as conclusões de astrônomos habilidosos, com base em cálculos detalhados e observações meticulosas. Hoje a Astrologia é ridicularizada por muitos, mas diversas civilizações – incluindo a Europa Ocidental até o século 17 – acreditavam que as pessoas são integradas ao universo e estranhas ocorrências no céu podem estar relacionadas a acontecimentos incomuns aqui, na superfície da Terra. Assim como um dos objetivos da ciência é encontrar padrões de relação, os antigos adivinhos tentavam entender a vida, observando o mundo à sua volta. Eles acreditavam em um universo interligado e harmonioso, no qual os deuses, as estrelas e os seres humanos estavam unidos e agiam de comum acordo.

A Astronomia moderna se baseia em dados colhidos por especialistas que observavam estrelas e atuavam como astrólogos. Suas observações geralmente eram confiáveis, apesar da posterior rejeição de suas teorias. Muitos cientistas custam a aceitar que seu conhecimento seja fruto de crenças que consideram mágicas. Para aqueles que declaram a fé no progresso, tudo que pareça mágico ou sem sentido é eliminado por uma razão científica: magia e ciência são conceitos claramente antagônicos, e a simples suposição de que possuam origens em comum representa um sacrilégio no meio acadêmico. Mas essa visão simplista nem sempre está de acordo com os fatos históricos.

Veja o caso de Pitágoras, o grego que deu nome a um dos teoremas geométricos mais famosos do mundo (apesar de não ser criação sua). Esse célebre matemático era influenciado por visões místicas de harmonia cósmica que o levavam ao número sete. Segundo a tradição oral, conta-se que, certo dia, Pitágoras passava pela oficina de um ferreiro, quando reparou na sonoridade das batidas no ferro. Depois de algum estudo e muita inspiração, percebeu que o peso do martelo alterava a nota produzida, ao bater na bigorna. Daí, então, chegou a duvidosamente precisas e constantes relações numéricas entre pesos, tons e comprimentos de corda. Pitágoras estava seduzido pelos sete intervalos da escala musical: tal como muitos filósofos gregos, ele acreditava ser mais importante unificar o cosmo por meio da Matemática do que apenas fazer observações detalhadas. Pitágoras conferiu ao universo diversificados padrões, baseados no número sete, afirmando que as órbitas dos planetas e os instrumentos musicais eram governados pelas mesmas regras aritméticas.

O arco-íris de Isaac Newton é um exemplo ainda mais nítido de como ciência e magia se ligam por meio da força do número sete. Mais de 2 mil anos depois de Pitágoras, Newton foi o maior defensor das experimentações precisas. Ainda assim, acreditava tão firmemente no universo harmônico grego, que dividiu o arco-íris em sete cores, para corresponder às notas musicais. Antes disso, apesar de as opiniões divergirem, os artistas em geral retratavam o arco-íris em quatro cores. Obviamente, é impossível tomar uma decisão definitiva sobre o número correto, porque o espectro da luz visível varia continuamente: não há um limite claro entre faixas de diferentes cores. Por isso, a maneira como pensamos no arco-íris afeta o que enxergamos nele. Hoje em dia, as experiências com prismas, conduzidas por Newton, são consideradas a base da óptica moderna, e o mágico número sete faz parte da teoria científica das cores. Agora, honestamente: ao admirar um arco-íris, quem consegue estabelecer a diferença entre azul, anil e violeta?

Como Newton se tornou um símbolo da ciência, seria estranho afirmar que ele não praticava a ciência. Por outro lado, alguns cientistas modernos classificam muitas de suas atividades como bizarras ou mesmo antiéticas. Além das preocupações com números e interpretações bíblicas, Newton conduziu experiências de alquimia, debruçando-se sobre textos antigos e registrando cuidadosamente os próprios pensamentos e descobertas. Não se tratava de um *hobby*, apenas: Newton considerava a Alquimia um importante caminho para o conhecimento e o autoaperfeiçoamento, e incorporou os resultados a suas descobertas astronômicas. O exemplo de Newton ilustra como é difícil determinar quando a ciência surgiu.

> A CIÊNCIA NÃO TEM UM INÍCIO DEFINIDO, E CADA HISTORIADOR DEVE ESCOLHER O PRÓPRIO PONTO DE PARTIDA.

Lewis Carroll conhecia a dificuldade de saber quando começar a contar uma história.

– *Por favor, majestade, quando devo começar?* – o Coelho Branco perguntou ao rei.

Alice esperou a resposta.

– *Comece pelo começo* – o rei falou gravemente. – *E continue até chegar ao fim. Então, pare.*

A ciência não tem um início definido, e cada historiador deve, assim como o Coelho Branco, escolher o próprio ponto de partida. Mas nenhum deles parece ideal.

Uma das possibilidades é definir o início da ciência em 1687, quando Newton publicou seu importante livro sobre mecânica e gravidade. Mas isso significa deixar de fora grandes nomes como Galileu Galilei, William Harvey e Johannes Kepler. A opção mais popular é 1543, quando Nicolau Copérnico sugeriu que o Sol, e não a Terra, ocupava o centro do nosso sistema planetário. No entanto, há muitas objeções a essa escolha, inclusive porque exclui os gregos, cujas ideias exerceram forte influência até o século 18. Assim, outra possibilidade é começar na própria Grécia. Tales de Mileto, que viveu na costa da Turquia cerca de 2,5 mil anos atrás, é geralmente considerado o primeiro cientista. Excelente geômetro, ele previu com sucesso a ocorrência de um eclipse. Se o escolhermos, porém, deixaremos de fora importantes antecessores, como os egípcios e os babilônios.

Todo mundo tem antecessores. Quando tentavam estabelecer uma linha zero para suas observações astronômicas, os gregos chegaram à Babilônia de um milênio antes, sob o reinado de Nabonassar, que patrocinou diversos projetos de estudo do espaço celeste. Assim, a melhor hipótese talvez seja voltar ao passado mais longínquo possível e examinar evidências de qualquer atividade que possa ser considerada "científica". Ruínas encontradas em toda a Europa apontam a existência de povos, há muito desaparecidos, que acompanhavam o movimento do Sol e das estrelas. Mas é só. Infelizmente, elas pouco revelam sobre a origem da ciência.

A mais famosa dessas ruínas é Stonehenge, o notável círculo de pedras no sul da Inglaterra, onde os druidas ainda se reúnem para celebrar o solstício de verão. Muitos arqueólogos afirmaram que Stonehenge era um enorme observatório astronômico, alinhado com a passagem do Sol pelo céu. Usando complexas técnicas estatísticas, eles atribuíram significado a buracos e pedras, mesmo àquelas que haviam sido deslocadas ao longo dos cinco milênios anteriores. No entanto, sempre é possível descobrir algum tipo de ordem em padrões aleatórios, desde que estudados por tempo suficiente. Assim, em sua maioria, os cientistas atualmente concordam que, embora Stonehenge e outros monumentos similares se referissem simbolicamente aos céus, prestavam-se sobretudo a algum tipo de ritual, e não à pesquisa de um conhecimento astronômico preciso. A interpretação de mistérios ancestrais é fascinante, mas nem sempre ajuda a explicar as origens da ciência.

Outro problema é a conservação do saber. Diversas civilizações antigas – na América Latina, por exemplo – possuíam um profundo conhecimento das estrelas, que não foi passado às futuras gerações ao redor do mundo. Para traçar uma história ininterrupta da ciência, do passado ao presente, a busca por uma origem deve concentrar-se no norte da África e no leste do Mediterrâneo. Há aproximadamente 5 mil anos, cerca de um milênio antes de o monumento de Stonehenge tornar-se um local de adoração, os faraós egípcios trabalhavam em obras de engenharia igualmente impressionantes – as pirâmides. Esses antigos egípcios geralmente voltavam suas pirâmides em direção ao Sol, apesar de, assim como os construtores de Stonehenge, não estarem particularmente interessados em fazer observações detalhadas do céu. Para eles, era mais importante entender o comportamento do rio

Nilo, vital para a irrigação de suas plantações. Em seu calendário, o ano era dividido não pelas fases da Lua ou pela passagem do Sol, mas em três estações ditadas pelos padrões de transbordamento do Nilo.

Este livro começa em uma época similar, mais a leste, na Mesopotâmia, então uma região fértil localizada entre dois rios, onde hoje se situa o Iraque. Ao influenciar seus seguidores, os babilônios deixaram um legado indelével para a moderna cultura Científica – literalmente indelével, uma vez que, em vez de escrever sobre o frágil papiro, os babilônios usavam as duráveis placas de argila, das quais alguns milhares se mantiveram até hoje. Portanto, temos atualmente muito mais evidência material sobre o que os babilônios escreviam, apesar de serem anteriores aos gregos.

> A ABORDAGEM ADOTADA PELOS BABILÔNIOS PARA ENTENDER O UNIVERSO AINDA AFETA PROFUNDAMENTE AS PESSOAS.

A abordagem adotada pelos babilônios para entender o universo ainda afeta profundamente as pessoas. Eles desenvolveram técnicas complexas de Matemática, registraram as estrelas e fizeram previsões. Seus conhecimentos sobre o espaço, herdados por observadores posteriores, formam a base da Astronomia e estruturam a vida cotidiana moderna. Graças aos babilônios, as semanas têm sete dias, que correspondem aos intervalos entre as fases da Lua, cada minuto tem 60 segundos, e cada hora tem 60 minutos. Essa maneira ancestral de registrar a passagem do tempo talvez não seja a mais conveniente, mas está profundamente infiltrada na nossa vida; durante a Revolução Francesa, um sistema mais racional de um dia de dez horas e uma semana de dez dias foi introduzido, mas logo abandonado.

Calendários eurocêntricos apresentam outro aspecto irracional. Os anos começam no nascimento de Cristo, apesar de a história humana se estender para muito antes desse convencional ano zero. Imagine, então, viajar para o passado, para uma época simétrica à nossa, o século 21 antes de Cristo. É lá que este livro começa. Uma escolha pessoal, com certeza, mas não poderia haver outra, porque – não importa o que o rei tenha dito a Alice – a ciência não tem um começo definido.

CAPÍTULO 2
BABILÔNIA

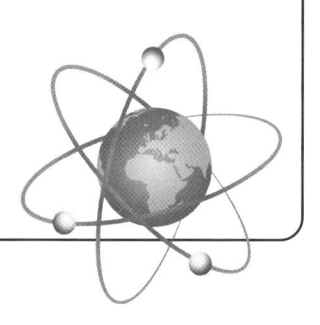

Esta é a maravilhosa tolice do mundo: quando as coisas não nos correm bem — muitas vezes por culpa dos nossos excessos — acusamos o Sol, a Lua e as estrelas... Meu pai se juntou à minha mãe sob a cauda do Dragão, e nasci sob a Ursa Maior: daí eu ser grosseiro e sensual. Bobagem! Eu teria sido o que sou, ainda que a mais pura estrela do firmamento piscasse no momento da minha formação.

- William Shakespeare, *Rei Lear* (1605-1606)

Há cerca de quatro milênios, houve uma troca de poder na região da Mesopotâmia. Em vez de pequenas e independentes cidades-Estado, formou-se um novo reino único centrado na Babilônia, uma cidade à beira do rio Eufrates, pouco mais de 100 quilômetros ao sul de Bagdá. Os babilônios herdaram uma invenção especialmente valiosa – a escrita cuneiforme, que já era usada havia aproximadamente 2 mil anos. Como madeira e pedra eram materiais raros, eles usavam placas de seu tradicional material de construção, a argila, para armazenar informações, inscrevendo caracteres em forma de cunha com um estilete. Esses textos antigos revelam a origem da moderna Matemática.

Extrair informações detalhadas das placas de argila é, obviamente, bastante difícil. Historiadores se deparam não só com o desafio de decodificar uma linguagem pouco familiar em uma escrita arcaica, mas também de remontar as placas a partir de fragmentos que mais pareciam cascalhos. Apesar da descoberta de centenas de milhares de placas, muitas mais ainda estão enterradas ou perderam-se para sempre. Assim, o trabalho se assemelha à tentativa de reconstrução de uma biblioteca gigantesca, com base em algumas páginas esparsas. A situação se agravou com a pilhagem praticada por arqueólogos europeus que saquearam as ruínas em busca de troféus, e não de informação. Arrancadas do solo mesopotâmio, que as preservava havia milênios, as placas foram parar nas vitrines de museus distantes. Felizmente, algumas dessas placas, de menor interesse, acabaram em porões, embrulhadas em jornais cujos nomes e datas ajudam a determinar os locais de onde foram extraídas.

A história das origens da Babilônia chegava aos europeus envolta em lendas. Até 300 anos atrás, a própria localização da cidade ainda era incerta, e hoje em dia tudo indica que mesmo os famosos jardins suspensos jamais existiram – embora talvez tenham existido alguns similares menores, mais ao norte. Escavações sistemáticas começaram a acontecer apenas na metade do século 19. A essa altura, a Babilônia já estava coberta por uma aura mitológica tão forte que foi escolhida pelo compositor italiano Giuseppe Verdi como cenário para sua ópera *Nabuco*, uma peça de crítica política que atacava o domínio austríaco sobre a Itália. Apresentada pela primeira vez em Milão, em 1842, *Nabuco* conta a história dramática de um rei fictício chamado Nabucodonosor, que se converteu ao judaísmo quando os hebreus reprimidos conseguiram se libertar da tirania babilônica. Apesar de Verdi e seus contemporâneos saberem pouco sobre a realidade da Babilônia, essa lendária cidade ancestral evocava um cenário misterioso, apropriado a sua alegoria moderna sobre a dominação estrangeira.

À medida que arqueólogos removiam um pouco da atmosfera de mistério, decifrando indícios, vinham à tona as conquistas científicas dessa civilização antiga. Equipes estrangeiras competiam entre si para encontrar peças valiosas, que enviavam por mar em enormes quantidades a colecionadores particulares ou museus. Um desses carregamentos afundou no rio Tigre. Especialistas em símbolos cuneiformes colecionavam, interpretavam e classificavam incontáveis placas que continham informações sobre peso, extensão e localização de estrelas. Por volta de 1950, esses estudiosos ainda acumulavam material, mas não pareciam ir além de copiar as placas e discutir a melhor maneira de transformá-las em equações algébricas modernas.

Na década de 1980, eles resolveram abandonar essa busca sem sentido e passaram a levantar novas questões. Em vez de procurar objetos e detalhes, começaram a interpretar as descobertas antigas de maneira diferente, tentando entender como os babilônios viviam e pensavam. Analisadas cuidadosamente, as placas revelam muito mais do que as palavras e os números escritos em sua superfície. Ao recriar a utilização daquele material, os especialistas em Mesopotâmia chegaram a importantes conclusões acerca do dia a dia da época e da influência que as atividades comuns vieram a exercer sobre a ciência.

Placas de argila podem parecer muito diferentes de folhas de papel, mas os babilônios entendiam de arquivamento. Assim como mantinham registros por escrito, seus antepassados haviam desenvolvido as operações matemáticas essenciais à administração de uma sociedade organizada e sedentária – utilizavam técnicas de contabilidade, construíam sistemas de irrigação, loteavam a terra. O controle ficava na mão de elites burocráticas que se agrupavam ao redor de legisladores locais, e esses centros de poderes distintos eram unidos pela escrita e pela Matemática. Esperava-se que os estudantes não apenas tivessem um desempenho excelente em Aritmética, mas também que fossem habilidosos com equipamentos práticos, como réguas graduadas e instrumentos de agrimensura. Para atrair a atenção dos alunos, os professores criavam situações que relacionavam questões abstratas de Aritmética ao mundo real dos negócios, da agricultura e da guerra. Por exemplo, em uma troca imaginária de cartas, um emissário avisa ao rei que não está conseguindo importar grãos suficientes para alimentar a população. Os números redondos indicam que o texto fazia parte de um exercício de aula, e não de uma situação real.

A quantia de 20 talentos de prata foi investida na compra de grãos ao preço de 1 siclo de prata por gur (cerca de 300 litros). Como soube que martus hostis entraram no seu território, não pude enviar o carregamento de 72.000 gur de grãos. (Aqui, o autor ajudou o aluno, oferecendo um número redondo...) Devido aos martus, que são mais fortes do que eu, estou condenado a esperar.

"Casa F" é o nome aleatório dado ao local onde foram conduzidas algumas dessas importantes pesquisas. Depois da Segunda Guerra Mundial, arqueólogos americanos revisitaram Nippur, uma antiga cidade no sul do Iraque, para continuar com escavações abandonadas no século 19. Quando eles chegaram à tal Casa F, perceberam estar diante de uma descoberta única: placas de argila descartadas tinham sido usadas ali para fazer reparos e construir bancos. Debaixo de uma camada de gesso, as paredes e o chão estavam cheios de textos literários e cálculos aritméticos. Desta vez, a equipe agiu com mais cuidado do que seus antecessores, e anotou a localização exata da descoberta, antes de distribuir o material entre museus de Bagdá e suas universidades de origem. Assim, muitas dessas placas ficaram dispersas, até que alguns estudiosos, com extrema dedicação, conseguiram desvendar seus segredos, quase 50 anos depois de terem sido descobertas.

Por volta do século 18 a.C., a Casa F era uma escola. Como a argila se desintegra na chuva, a casa tinha de ser reconstruída a cada 25 anos, em média. Especialistas sabem que se tratava de uma escola, porque muitas das placas eram cópias de listas e tabelas: as crianças aprendiam a ler, escrever e fazer cálculos aritméticos. Dentro das salas, arqueólogos encontraram tigelas e um forno, mas constataram que as aulas eram realizadas do lado de fora, nos jardins, onde havia tanques e argila fresca, para a reciclagem das placas. Os escribas preparavam as próprias placas, e como algumas apresentavam formas incertas, é possível concluir que as crianças aprendiam a prepará-las também. Quem segura um desses objetos sente o contorno do polegar e da palma de alguém que viveu há milhares de anos.

O treino de Matemática na Casa F era direcionado para a formação de escribas capazes de resolver disputas legais e financeiras. Assim como as crianças da era vitoriana eram obrigadas a conviver com *rods, poles* e *perches*, antes da introdução do sistema métrico, os alunos da Mesopotâmia passavam horas e horas passando medidas de uma unidade para outra. Para lidar com problemas práticos de Comércio, Direito e Agricultura, eles tinham de memorizar longas tabelas de multiplicação e divisão. Os professores tanto valorizavam a prática quanto o conhecimento abstrato. "Você escreveu uma placa, mas não consegue entender seu significado", dizia um professor em uma história (supostamente) educativa e engraçada, pensada para motivar estudantes preguiçosos. "Você vai dividir um terreno e não sabe nem segurar a trena e o bastão corretamente", reclamava o professor. "Sem calcular o tamanho do terreno, não conseguirá trazer a paz para os homens que brigam por ele, e permitirá que irmão brigue com irmão."

Os aspirantes a escriba aprendiam a misturar a argila com água, da qual separavam todos os gravetos, folhas e outros dejetos naturais que flutuassem na superfície. Eles cortavam junco dos rios, para fazer estiletes finos, como os *chopsticks* usados pelos japoneses para pegar a comida, e amassavam pilhas de argila molhada com os pés, tornando-a maleável e de consistência uniforme. Durante as aulas, modelavam pedaços de argila em formatos ovais e achatados, onde praticavam fazendo marcas verticais e horizontais com os estiletes, para representar os números. Assim como escrever com caneta, essas eram habilidades que precisavam ser aprendidas – o resultado final depende em muito do ângulo em que se mantém o estilete. Produzir uma placa simétrica, de superfície lisa, é mais difícil do que se imagina. Ao inscrever símbolos na argila macia, os estudantes iam espirrando água sobre a superfície, para evitar uma secagem rápida demais sob o calor do sol. De tempos em tempos, eles mergulhavam as placas antigas nos tanques de reciclagem e recomeçavam o trabalho.

O sistema numérico desenvolvido pelos mesopotâmios sofreu a influência da matéria-prima utilizada por eles – argila e junco, por exemplo. Eles contavam em blocos de 60, o que parece estranho para quem está acostumado com dezenas e centenas. No entanto, se tentarmos escrever com um estilete (um canudo de refrigerante cortado na diagonal produz um efeito parecido), vamos perceber que o número 60 faz muito mais sentido do que parece. Os babilônios usavam dois símbolos básicos: riscos verticais para unidades, e diagonais para as dezenas. Eles organizavam os primeiros nove dígitos em grupos de três, um embaixo do outro, porque o olho humano consegue distinguir imediatamente uma, duas ou três marcas adjacentes verticais – mas se confunde com quatro traços. Ler as marcas na horizontal é um pouco mais complicado, e os escribas desenvolveram um sistema que os permitia reconhecer um grupo de cinco traços instantaneamente. Assim, depois do 59 (cinco horizontais e três grupos de três verticais), eles deslocavam tudo uma casa para a esquerda e começavam de novo, assim como o 100 se diferencia do 10.

O equipamento moderno mais próximo desse sistema é o relógio digital, no qual o número de horas – grupos de 60 minutos – é mostrado à esquerda do visor. *Chips* microeletrônicos operam de maneira muito diferente das placas de argila, mas herdaram uma maneira de fazer contas desenvolvida há milhares de anos, compatível com a matéria-prima então disponível. E as convenções numéricas da Geometria moderna, segundo as quais um círculo tem 360 graus, originam-se dos contadores mesopotâmios que escreviam sobre placas de argila, e não de Euclides, na Grécia Antiga.

A passagem do tempo ganha um novo significado, quando se pensa que talvez algumas dessas placas antigas só venham a ser realmente desvendadas dentro de cinco séculos. Para um futuro estudioso da cultura europeia, seria o equivalente a imaginar Copérnico vivo hoje em dia. Apesar de a "civilização babilônica" nos parecer uma só, um milênio inteiro separa as crianças que aprendiam a contar na Casa F, do século 8 a.c, quando os babilônios fizeram suas primeiras observações astronômicas. No decorrer desses mil anos pouco estudados, os observadores do céu já registravam em placas o que se passava lá. Assim, deixaram como legado um enorme conhecimento de Astronomia. Ao codificar seu trabalho sobre a argila, os estudiosos babilônios deixaram provas concretas de suas ideias, influenciando não só seus descendentes imediatos, mas também pessoas – como eu e você – que viveriam milhares de anos depois.

> AS ESTRELAS REPRESENTAVAM UM TEXTO SAGRADO QUE PODERIA, SE INTERPRETADO CORRETAMENTE, REVELAR PRESSÁGIOS DE PROSPERIDADE OU CARÊNCIA, DE GUERRA OU PAZ.

Ao decifrar vestígios, os arqueólogos conseguiram reunir enormes quantidades de informação sobre as crenças na Babilônia. É frustrante, porém, que as placas de argila não revelem tudo. Especialistas ainda sabem pouquíssimo sobre a rotina das pessoas comuns, excluídas da elite intelectualizada. E mais: apesar de os estudiosos terem conseguido interpretar os registros dos astrônomos babilônios, eles ainda não sabem como esses dados foram coletados. Nenhum tipo de instrumento de medição das posições dos corpos celestes foi descoberto até hoje, mas parece provável que tenha sido utilizado algum tipo de régua de alinhamento parecida com o ponteiro de um relógio de sol.

Como alguns escribas assinavam seus trabalhos, os arqueólogos conseguiram organizar listas, não só de estrelas, mas também de astrônomos que se aglomeravam como constelações ao redor dos templos e dos reis. Não há como classificar esses consultores palacianos conforme suas descobertas científicas, porque os babilônios não separavam ciência de religião, racionalidade de espiritualidade, Astronomia de Astrologia. Para os antigos observadores de corpos celestes, as estrelas representavam um texto sagrado que poderia, se interpretado corretamente, revelar presságios de prosperidade ou carência, de guerra ou paz. Para confirmar as previsões, eles examinavam outros indícios, como o fígado de animais sacrificados, e realizavam rituais destinados a eliminar desastres iminentes. Eram homens influentes, cujos prognósticos podiam levar um rei a renunciar ao poder ou estabelecer uma nova corte em outra parte do território.

Além de registrar os eventos celestes, os babilônios começaram a prever quando eles iam acontecer. Isso se tornou possível porque uma restrita dinastia de famílias de estudiosos acumulou uma enorme quantidade de dados – cerca de 330 mil observações foram compiladas entre o século 8 a.C. e o século 1 d.C., no mais longo programa de registros da História. Ao estudar tais observações, os astrônomos babilônios conseguiram identificar ciclos de repetição, o que lhes permitia prever as futuras posições do Sol, da Lua e dos planetas. Algumas de suas análises eram realmente sofisticadas. Por exemplo: ao comparar tabelas de dados, os matemáticos puderam perceber as variações de velocidade do Sol, em sua jornada de um ano pelo céu, e transferir essa informação para os planetas.

Alguns aspectos dessa Astronomia antiga parecem estranhos. Ao contrário dos astrônomos modernos, os babilônios não faziam cálculos para registrar as órbitas planetárias, e, sim, para descobrir como o céu afetava os indivíduos. Essas investigações tinham motivação política, pois visavam à previsão de acontecimentos importantes, como a invasão da Babilônia por Alexandre. Outra diferença entre a Astronomia como era vista pelos babilônios e a visão atual é a noção de onde termina a Terra e começa o céu. Assim, eles consideravam a atmosfera parte das estrelas, e não do globo terrestre. As nuvens, hoje vistas como efeitos meteorológicos, eram ligadas a eclipses, planetas e meteoros. Daí vem o nome da ciência que estuda o clima – meteorologia. Essa maneira de classificar os fenômenos naturais foi assimilada pelos gregos e continuou influente na Europa até o fim do século 17.

No entanto, os gregos não compartilhavam da abordagem matemática do universo, adotada pelos babilônios. Os filósofos e astrônomos gregos raciocinavam geometricamente, representando o universo com uma visão tridimensional das estrelas girando ao redor da Terra, como se viajassem sobre a superfície de uma esfera celeste imaginária. Em contraste, os matemáticos babilônios pensavam algébrica e aritmeticamente, demonstrando a capacidade de chegar a novos resultados, em vez de apenas desenvolver técnicas para resolver problemas preexistentes. Assim, eles compilavam longas tabelas de observação e posicionamento de estrelas, mas não elaboravam diagramas geométricos tridimensionais; baseavam-se em complicadas sucessões de multiplicações e divisões. Os astrônomos babilônios aplicavam ao céu as mesmas técnicas que as crianças aprendiam na Casa F para calcular a área de terrenos, a profundidade de canais e a estrutura de represas.

Apesar de tão diferentes dos cientistas modernos, os observadores de estrelas babilônios deixaram importantes legados. A simples quantidade de cálculos e observações encontrados no Egito pelos astrônomos gregos, adeptos da Geometria, garantiu sua importância: os dados colhidos forneceram a base para os modernos catálogos de Astronomia. Outro importante conceito que se mantém até hoje é o sistema zodíaco, com 12 signos. O número 12 é mais versátil do que o número 10, porque pode ser facilmente dividido em terços e quartos. Além disso, combinava perfeitamente com o sistema numérico dos babilônios, de base 60, de modo que o círculo pudesse ser dividido em 360 graus – tal como hoje. Os babilônios dividiram o céu em 12 partes iguais, uma para cada mês lunar, com o nome de uma constelação conhecida. Traduzidos para o latim, esses nomes designam atualmente os 12 signos do zodíaco, tão familiares nos horóscopos de jornais, como Áries – o carneiro – ou Touro. No entanto, apesar de o número 12 ser uma escolha racional, outros componentes desse sistema não são mais usados na ciência moderna.

Especialistas babilônios também estabeleceram alguns aspectos da medição do tempo adotada hoje em dia: dividiram o tempo em seções de 60 (influenciando nossos segundos, minutos e horas) e 7 (dias da semana). Além disso, organizaram um sofisticado calendário baseado no movimento do Sol e da Lua. Assim como os astrônomos que viriam depois, eles buscaram conciliar o ano solar, que é um pouco mais longo do que 365 dias, com os meses lunares, que têm cerca de 29 dias e meio. Atualmente, essa dificuldade foi resolvida com meses de diferentes durações e com a introdução de anos bissextos, mas a solução encontrada pelos babilônios foi o acréscimo de um décimo terceiro mês a cada três anos.

Essa abordagem adotada pelos babilônios, que relacionava o tempo da humanidade à Lua, tornou-se a base dos calendários religiosos de cristãos e judeus. A Figura 2 mostra a página de setembro de um particularmente belo *Livro das Horas*, produzido no século 15 por um rico membro da nobreza e desenhado para expor o texto litúrgico apropriado para cada hora do dia. Pintada sobre pergaminho em fortes tons de azul, vermelho e dourado, essa marcante cena de outono (no Hemisfério Norte) mostra os camponeses curvados ou de pé, provando às escondidas as uvas que colhiam para o Château de Saumur, reproduzido em todos os seus detalhes arquitetônicos. Para cristãos devotos, um aspecto especialmente importante era o calendário semicircular no topo do desenho, que permitia localizar as datas das festividades religiosas de todos os anos.

Figura 2. *Les très riches heures du Duc de Berry: Septembre, ilustrado* pelos irmãos Limbourg (c.1412-16).

Esse calendário mostra como as influências ancestrais sobreviveram e se misturaram, ao serem absorvidas pela cultura europeia. Os anéis externos e internos estão escritos em algarismos arábicos (1, 2, 3, etc.), que chegaram à Europa no século 12 e são usados até hoje. Entre eles, duas linhas em latim indicam uma dupla herança romana – assim como os algarismos romanos, os nomes dos meses novembro e dezembro, que vieram das palavras latinas para "nono" e "décimo". Detalhes da Astronomia babilônica estão no arco mais largo, que mostra imagens dos signos de Virgem (a mulher à esquerda) e Libra (a balança à direita). As duas linhas centrais do arco interno vêm diretamente do calendário de 19 anos da Babilônia. Símbolos da Lua estão associados a diferentes letras do alfabeto, dispostas em uma sequência que se parece com um código. Ao usar o número 19 para decifrar sua mensagem, padres conseguiam prever a ocorrência da Lua nova em qualquer mês e ano.

Tal como seus predecessores distantes, muitos dos observadores do céu cujas teorias incorporaram ideias babilônicas tinham motivos religiosos ou políticos para se interessar em prever acontecimentos com base nas estrelas. Isso explica a inclusão de uma imagem religiosa em um livro sobre a história da ciência; embora a Astronomia seja hoje uma disciplina científica, seu conhecimento se fundamenta em séculos de associações com profecias, ritos e músicas. Não existe uma ligação direta entre a ciência moderna e o passado na Mesopotâmia. Ainda assim, se os astrônomos gregos no Egito não tivessem herdado e desenvolvido a Astronomia da Babilônia, nossos atuais mapas do céu e medidas das estrelas seriam bem diferentes.

CAPÍTULO 3
HERÓIS

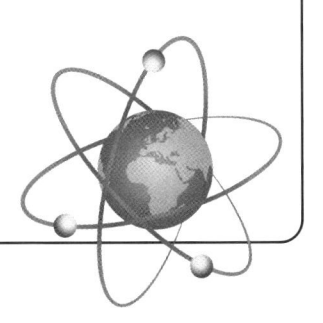

Na ciência, o crédito vai para o homem que convence o mundo, não para o homem a quem a ideia primeiro ocorreu.

- Francis Darwin, *Eugenics Review* (1914)

Em inglês, a palavra "história" carrega dois significados distintos: tanto se refere ao passado quanto à descrição do passado. Estranhamente, talvez, os historiadores podem relatar de maneira diferente os mesmos acontecimentos ou períodos históricos porque, apesar de apoiados em fatos, não eliminam a criatividade ao escrever. Para descobrir o que realmente aconteceu, eles constroem a narrativa como um enredo, com início e fim, e prestam muita atenção a momentos decisivos, como a vitória em uma batalha, a descoberta de uma nova substância química ou a formulação de uma teoria revolucionária. Assim como escritores retratam um mundo imaginário, historiadores conferem uma estrutura à continuidade do passado histórico. E, querendo atrair os leitores para sua versão dos eventos – para sua história particular – eles se concentram em personagens-chave, que, às vezes, desenvolvem o *status* de heróis.

Esse foco em celebridades vem dos antigos gregos, que sabiam: heróis atraem a atenção dos leitores e tornam as histórias memoráveis. Eles inventaram Aquiles e Ulisses e outros heróis mitológicos, cujos feitos são humanamente inalcançáveis. Ao mesmo tempo, como conferiam extremo valor às realizações intelectuais, converteram filósofos da vida real em figuras lendárias que realmente existiram, mas cujos feitos acadêmicos seriam impossíveis a um reles mortal. Apesar de os membros desse panteão intelectual variarem, eles sempre totalizavam sete, um número especialmente significativo. Esta é uma versão moderna comum:

Os sete cientistas gregos mais importantes foram Arquimedes, Aristóteles, Demócrito, Platão, Ptolomeu, Pitágoras e Tales.

Essa afirmativa permite algumas objeções óbvias. Além de esses Sete Homens Sábios não serem tão conhecidos atualmente das pessoas comuns, outros parecem estar faltando. O que aconteceu a Hipócrates, celebrado como o pai da Medicina ocidental? Ou a Euclides, fundador da Geometria moderna e um dos autores favoritos de Newton? Ainda que essa seleção seja aceita, a palavra "cientista" é extremamente problemática – porque ainda não existiam cientistas. Apesar de muitas ideias dos gregos terem sido adaptadas ao longo dos séculos e absorvidas pela ciência, esses homens não tinham as técnicas de experimentação nem os objetivos adotados pelas modernas equipes de pesquisas.

Outra crítica a essa lista de super-homens gregos é que seria mais justo ordená-la pela data de nascimento, da mais antiga para a mais recente. Assim, a ordem seria: Tales, Pitágoras, Demócrito, Platão, Aristóteles, Arquimedes e Ptolomeu. No entanto, mais de 700 anos separam o último do primeiro. Um equivalente a essa distância no tempo seria juntar o físico Stephen Hawking e Roger Bacon, o monge do século 13, sendo que estes, pelo menos, estudaram em universidades tradicionais inglesas: Oxford e Cambridge. Os gregos, diferentemente, atuaram em épocas e locais diversos – Tales (de Mileto) viveu onde hoje é a costa da Turquia; Platão lecionou em Atenas; e Ptolomeu trabalhou no Egito.

Observados a partir do presente, os gregos, que na verdade viveram em diferentes séculos e diferentes regiões, muitas vezes são considerados um grupo homogêneo, do qual alguns nomes se destacam. A Grécia Antiga é comumente dividida em três períodos de tempo: era pré-socrática, entre 600 e 400 a.C.; o século seguinte, ponto alto do poder ateniense, quando Platão, aluno de Sócrates, fundou a Academia e lecionou para Aristóteles; por último, a era helenística, o meio milênio entre 300 a.C. e 200 d.C. A essa altura, o aluno mais famoso de Aristóteles, Alexandre, o Grande, já havia construído um império impressionante, e a civilização grega se estendia ao longo da costa norte da África, ao redor do Mediterrâneo

Oriental e alcançava regiões distantes como Índia e China. Os heróis filósofos gregos aparecem em todos esses três períodos.

Platão entendia a procura pela verdade como uma corrida olímpica intelectual, disputada por atletas sábios que passavam a tocha da genialidade de um para outro. Esse modelo interessante foi adotado por gerações futuras. Aristóteles, aluno de Platão, dizia-se herdeiro da chama do conhecimento de Tales, que dois séculos antes havia lançado uma nova maneira de pensar sobre o universo. Daí a 2 mil anos, o próprio Aristóteles era reverenciado por acadêmicos europeus como o fundador da ciência grega.

Essa imagem romântica de uma corrida de estudiosos continuou popular até mesmo na era vitoriana, e realmente tem algumas vantagens. Acima de tudo, encoraja historiadores a retratar a ciência como uma série de aventuras emocionantes protagonizadas por descobridores intrépidos, intercalados por alguns períodos de relativa inatividade. De fato, para os próprios gregos é difícil contar uma história diferente, porque há longas lacunas nos registros históricos. Restaram apenas documentos originais de alguns pensadores gregos, e as conclusões frequentemente vêm de interpretações feitas muito tempo depois. Assim, com o passar dos séculos, as ideias foram se distorcendo, e as informações sobre as vidas dos gregos se perderam – inclusive os mais famosos. Com base nesses relatos tendenciosos e incompletos, torna-se muito difícil diferenciar mitos, de fatos.

A maneira heroica de contar histórias, adotada por Platão, eleva alguns homens brilhantes (e uma ou outra mulher) à condição de gênios e relega muitos outros ao esquecimento. Convertidos em equivalentes intelectuais de deuses míticos, agraciados com cérebros sobre-humanos, os indivíduos pairam acima das questões mundanas, preocupados com grandes ideias. No entanto, ciência e filosofia não são questões à parte da realidade, e as preocupações do dia a dia – política, finanças, relações pessoais – afetaram, na Grécia, o desenvolvimento das teorias, tal como afetam atualmente as atividades acadêmicas. Platão dizia que Thales andava tão absorto observando as estrelas, para prever como se comportariam, que caiu em um poço. Segundo Aristóteles, porém, Thales foi um homem de negócios astuto que fez fortuna porque, prevendo uma colheita excepcional de azeitonas, comprou todos os lagares da região, para processá-las. A história contada por Aristóteles sobre esse seu emblemático predecessor pode ser exagerada, mas como caricatura do comportamento humano parece mais verossímil do que o gênio distraído que Platão descreveu.

Os heróis da ciência frequentemente são mais admirados depois de mortos. Muitas vezes, somente em retrospecto percebe-se a importância de sua antevisão, quando os contemporâneos não enxergavam um futuro possível. Alguns historiadores, por exemplo, consideram Aristarco um precursor de Copérnico por ter, no século 3 a.C., afirmado que a Terra girava ao redor do Sol. No entanto, conferir tal importância a Aristarco pelo fato de ter sustentado essa ideia progressista parece não fazer sentido, uma vez que, na época em que ele viveu, a teoria foi rejeitada e teve pouco impacto; por quase 2 mil anos os astrônomos continuaram acreditando que o Sol girava em torno da Terra.

> GRANDES GÊNIOS NÃO NASCEM PRONTOS; DESENVOLVEM-SE.

Essa questão da precedência intelectual aparece seguidamente ao longo da história da ciência. Leonardo da Vinci desenhou algo que se parecia com um helicóptero, mas há uma grande diferença entre um esboço rudimentar e uma máquina voadora tripulada. Embora extremamente brilhante, Leonardo não foi o primeiro engenheiro aeronáutico. Da mesma maneira, alguns especialistas dizem que no século 1 a.C., Hero de Alexandria (Heron, em grego) construiu uma pequena esfera giratória movida a vapor. No entanto, digam o que disserem, isso não o torna responsável pela I Revolução Industrial, que começou no século 18, na Grã-Bretanha.

As histórias grandiosas sobre o passado da ciência contêm falhas porque, ao contrário de Aquiles e Eneias, os Sete Sábios da Grécia Antiga eram pessoas reais, vivendo em determinada época e em um lugar definido. Seu modo de pensar, de escrever e de se comportar não dependia só da opinião de professores e amigos, mas também de suas necessidades materiais e emocionais. Essas necessidades incluíam ganhar dinheiro, não ofender os patrões, satisfazer os deuses, obter vantagens políticas e até mesmo afastar o tédio ou recuperar-se de uma desilusão amorosa. Suas ideias não viajaram pelo tempo e espaço em uma espécie de vácuo intelectual; foram constantemente adaptadas e modificadas. Em diferentes lugares e diferentes séculos, alguns aspectos dessas ideias receberam mais atenção, e muitos foram rejeitados ou até mesmo combinados a ideias de outros. Ao examinar os grandes pensadores em seu contexto cultural, percebe-se claramente que os grandes gênios não nascem prontos; desenvolvem-se.

Então, por que incluir os gregos em uma breve história da ciência? Porque, apesar de sua abordagem em relação ao mundo ser muito diferente da adotada pelos pesquisadores modernos, suas ideias filosóficas, cosmológicas e teológicas afetaram profundamente a ciência que veio depois, tanto na condição original quanto transformadas e transmitidas por estudiosos cristãos e islâmicos. O caminho da ciência não é direto: teorias que foram mantidas por séculos revelaram-se erradas, e outras, hoje consideradas corretas, foram de início descartadas. Diante da maneira como os filósofos gregos influenciaram o mundo, não podemos ignorar os conceitos que seus sucessores adotaram, seja qual for a opinião dos cientistas modernos.

Focar em ideias centrais significa deixar para trás longos trechos do passado, mas há duas maneiras de fazer isso. A abordagem convencional segue em linha reta, partindo de um passado de ignorância para a verdade superior do presente; ao omitirem o que atualmente se sabe estar errado, os historiadores contam a história da triunfante ascensão da ciência e sua vitória sobre a superstição, a magia e a religião. Este livro, ao contrário, concentra-se no que as pessoas pensavam na época: explora – sem julgamentos – como certas crenças foram passadas de geração em geração. Ideias ancestrais podem parecer estranhas agora, mas merecem ser tratadas com seriedade porque foram defendidas por homens e mulheres extremamente inteligentes.

> TEORIAS MANTIDAS POR SÉCULOS ESTAVAM ERRADAS, E OUTRAS QUE HOJE EM DIA ESTÃO CERTAS FORAM DESCARTADAS.

Ao longo de oito séculos, os estudiosos gregos pegaram emprestadas observações feitas em outros lugares, acumularam uma imensa quantidade de fatos e desenvolveram teorias sobre o universo e seus habitantes. Para examinar como essas atividades afetaram a futura ciência, os quatro próximos capítulos se concentram em quatro grandes áreas: estrutura do cosmos; vida e a Medicina; natureza da matéria; e conhecimento prático. Para cada uma delas, os gregos deixaram um importante legado que, hoje, pode ser considerado estranho, mas chegou a nós depois de copiado, absorvido e transformado pelas civilizações que os sucederam.

CAPÍTULO 4
COSMOS

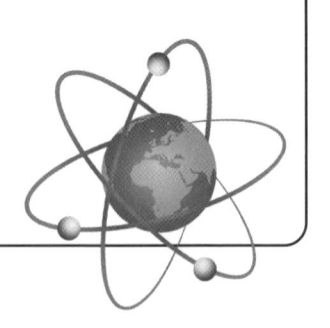

De onde está, ela vê o aparecimento de Vênus. Que sobe. De onde está, com céu claro, ela vê o Sol se erguer logo depois de Vênus. E então amaldiçoa toda fonte de vida. Que sobe. Ao anoitecer, com céu claro, ela saboreia sua vingança de estrela.

- Samuel Beckett, *Mal Visto Mal Dito* (1981)

Cientistas fazem experiências para testar suas teorias – ao menos, essa é a versão ideológica do que acontece. Na prática, as teorias preconcebidas de como o universo deveria funcionar não raro desconsideram evidências resultantes de observações. Muitos gregos, inclusive Platão, sustentavam que o universo se caracteriza por uma ordem cósmica e por uma harmonia matemática, embora soubessem que havia sete obstáculos para esse modelo ideal – os sete planetas, cujos movimentos irregulares no céu contrariavam o senso comum e a Filosofia. Até a época de Newton, esse problema dominou a Cosmologia. Os astrônomos tentavam "salvar as aparências", criando visões teóricas da perfeição celestial que ignoravam o comportamento visivelmente irregular dos planetas.

Platão adotou essa abordagem quantitativa herdada dos seguidores de Pitágoras, habitantes da Itália 200 anos antes. Apesar de hoje ser conhecido por um teorema que trata de triângulos retângulos, Pitágoras não o inventou. Os babilônios havia muito tempo conheciam as propriedades do quadrado da hipotenusa. (O exemplo mais simples é este: se as linhas de cada lado do ângulo reto de um triângulo retângulo medirem 3 c 4 unidades de determinada medida, então o lado oposto e mais comprido, a hipotenusa, vai medir 5, porque 3² + 4² = 5².) A palavra "geometria" quer dizer "medir a terra", e os matemáticos gregos ajudaram a converter problemas práticos em diagramas abstratos. Usando primeiramente técnicas familiares às crianças babilônicas da Casa F, eles gradualmente desenvolveram conhecimento matemático teórico que era fascinante por si só, e não pela utilidade.

Assim como os cientistas modernos, Pitágoras e seus seguidores viam na Matemática a chave do entendimento do universo. Eles faziam parte de uma sociedade secreta que procurava por números em toda parte, atribuindo-lhes significados ocultos. Triângulos com as medidas 3, 4 e 5 eram considerados especialmente interessantes pela simplicidade numérica, um reflexo da beleza cósmica. Para os seguidores de Pitágoras, essa abordagem quantitativa do universo integrava a busca espiritual pelo autoaperfeiçoamento. Por outro lado, porém, tal abordagem caracteriza a ciência racional, e foi objeto de estudo de diversos teóricos famosos, como Newton e Galileu, que influentemente imaginavam o cosmos como um imenso livro escrito por Deus em uma linguagem matemática composta de triângulos, círculos e outras formas geométricas. Mas a crença no poder da ciência matemática não excluía a religiosidade.

> PITÁGORAS E SEUS SEGUIDORES VIAM NA MATEMÁTICA A CHAVE DO ENTENDIMENTO DO UNIVERSO.

Pitágoras influenciou o curso da ciência, embora suas pesquisas se concentrassem na música. Acredita-se que ele tenha feito medições cuidadosas para demonstrar as relações numéricas simples entre os intervalos musicais, de maneira que – por exemplo – determinada corda de um instrumento produz um som uma oitava acima de outra com o dobro do comprimento. Ainda assim, teoria e perfeição eram mais importantes para ele do que a realidade do dia a dia, e parece improvável que Pitágoras tenha alcançado muitos dos resultados experimentais que hoje lhe são creditados. Ao procurar relações místicas entre os números, os seguidores de Pitágoras estenderam ao universo essa matemática da música, tentando estabelecer razões harmônicas para as distâncias entre os planetas. Essa aliança grega entre Astronomia e Aritmética, entre música e magia, prevaleceu na Europa até o século 17.

No que se refere a modelos cosmológicos específicos, os dois autores mais importantes da Grécia Antiga foram Aristóteles, aluno de Platão que viveu no auge do poder ateniense, e Ptolomeu, que quase meio milênio mais tarde trabalhou na Alexandria helenística (governada pelos gregos). Ao contrário de muitos outros filósofos gregos, Aristóteles e Ptolomeu deixaram uma boa quantidade de textos escritos que se tornaram conhecidos entre os estudiosos, durante a Idade Média, em toda a Europa. Pouco se sabe sobre a vida desses dois homens, mas suas ideias cosmológicas exerceram forte influência.

Aristóteles tinha pouca paciência com números especiais e com a Matemática cósmica de Pitágoras, mas foi um astrônomo teórico que se baseou mais na força do pensamento, do que em observações apuradas. De qualquer forma, Aristóteles não teve acesso às muitas medições feitas pelos babilônios. Rejeitando as abordagens matemáticas unificadoras de Platão e Pitágoras, Aristóteles dividiu o universo em duas zonas bem demarcadas, com grandes diferenças entre si – a região celeste e a esfera terrestre (também chamada de sublunar, da expressão latina para "abaixo da lua"). O reino celeste de Aristóteles é estável e ordenado, composto por uma substância etérea e misteriosa na qual os corpos celestes giram eternamente em círculos perfeitos, a uma velocidade constante, regulada (de alguma maneira) por um motor imóvel externo. Em contraste, o globo terrestre se caracteriza pela deterioração e pela mortalidade; objetos se movem naturalmente para cima ou para baixo – pense na fumaça que sobe e nas pedras que caem – a não ser que forças não naturais os desviem para outras direções.

Em vez de ser apresentada como um todo coerente, a Cosmologia de Aristóteles se espalhou por seus livros. Ainda assim, a distinção apontada por ele, entre o terrestre e o celeste, dominou o pensamento científico até o século 17, muito depois de Copérnico ter posicionado o Sol no centro do universo. A longa sobrevivência do modelo aristotélico sugere que ele fazia sentido e era útil. Parecia fácil provar que o nosso mundo está parado: se alguém lançar uma flecha para cima, ela vai descer e acertar o atirador, caso ele não saia do lugar. Ao mesmo tempo, o cosmos de Aristóteles convinha aos europeus cristãos, porque era fácil visualizar o motor imóvel como Deus. A Figura 3 mostra uma modificação do século 16, na qual a zona central da Terra apresenta, em volta, as órbitas circulares dos sete planetas, cada um identificado pelo nome e pelo símbolo. Para além das estrelas fixas e do céu cristalino (um acréscimo teológico posterior), o aro mais externo é chamado de "O Primeiro Motor", um termo comum para Deus.

Figura 3. Uma versão cristianizada do cosmos aristotélico. Leonard Digges. *Um presságio duradouro...* (Londres, 1556).

Essa versão intuitiva do universo foi frustrada por sete transgressores celestes – os sete planetas, que se movem em velocidades variáveis pelo céu e cujo brilho, ora parece mais intenso, ora menos, como se eles estivessem a distâncias diferentes em relação à superfície da Terra. E o pior: diferentemente do Sol e da Lua, eles parecem, de vez em quando, dar uma parada, andar um pouco para trás, e então retomar o movimento normal. Os astrônomos achavam esse movimento retrógrado totalmente incompreensível, pois estavam convencidos de que o Sol e os planetas giravam em torno da Terra em círculos perfeitos. Quando se imagina o Sol no centro do universo e entendem-se as órbitas elípticas, fica fácil descobrir a causa daqueles efeitos estranhos. Mas o que agora parece claro era impensável naquela época. Durante séculos, rejeitava-se imediatamente qualquer sugestão nesse sentido, para não contrariar o ideal de rotação em torno de uma Terra fixa.

A solução aristotélica para esse problema planetário era excepcionalmente imperfeita, por sua convicção de que os planetas se movem a uma velocidade uniforme. O sistema completo envolvia 55 esferas concêntricas invisíveis, todas girando de alguma maneira ao redor da Terra. O motor imóvel fazia a esfera mais externa girar ininterruptamente, transmitindo seu movimento para as outras. Cada um dos sete planetas era carregado por uma dessas esferas e – exceto a Lua – acompanhado por várias outras esferas para compensar a força de tração das outras. Ironicamente, um dos pupilos de Aristóteles contribuiu para o abandono parcial desse modelo complexo. Durante uma visita à Macedônia, Aristóteles deu aulas ao príncipe local, que viria a chamar-se Alexandre, o Grande. Quando o império de Alexandre se espalhou em direção ao Oriente, os astrônomos geômetras gregos encontraram o imenso legado das observações dos babilônios. Eles foram, então, forçados a reconhecer que a teoria das esferas de Aristóteles devia ser modificada, por mais que se mostrasse interessante. Essa influência mesopotâmica transformou a Cosmologia grega porque, pela primeira vez, a Geometria formal podia se basear em dados precisos, para criar esquemas quantitativos corretos.

Ainda assim, o movimento circular era um conceito fortemente arraigado, e os matemáticos helenísticos começaram a fazer adaptações. Outro estudioso cujo trabalho sobreviveu à passagem do tempo foi Ptolomeu, uma figura enigmática com uma história de vida pouco conhecida. Ele provavelmente passou a maior parte da vida em Alexandria, a cidade egípcia fundada por Alexandre, o Grande, e morreu por volta de 170 d.C. Artistas medievais muitas vezes retrataram Ptolomeu usando uma coroa, porque o confundiam com os ptolomeus, que governaram o Egito alguns séculos antes. Esperto, Ptolomeu desenvolveu teorias baseadas em seus antecessores, mas os tachava de ultrapassados, estabelecendo assim uma identidade própria como o herói que aperfeiçoou o modelo falho de Aristóteles.

> PTOLOMEU SACRIFICOU UM DOS PRINCÍPIOS MAIS IMPORTANTES DE ARISTÓTELES – O MOVIMENTO UNIFORME.

Ptolomeu dominou a Astronomia, e seus amplos conhecimentos foram transmitidos ao Império Islâmico e depois à Europa. Geralmente conhecido pelo nome árabe, seu trabalho *Almagesto* ("A Maior Compilação") inclui um catálogo detalhado de mais de mil estrelas, assim como tabelas numéricas e diagramas geométricos para calcular os futuros movimentos de todos os sete planetas. Com base em séculos de teorias desenvolvidas pelos gregos e de observações feitas pelos babilônios, Ptolomeu criou modelos geométricos capazes de prever o comportamento dos planetas. Para conseguir isso, ele sacrificou um dos princípios mais importantes de Aristóteles – o movimento uniforme: os planetas de Ptolomeu moviam-se em círculos, mas a velocidades variáveis.

Ptolomeu não se furtava a exibir os instrumentos que usava para observar o céu. Orgulhava-se em especial da esfera armilar, cuja estrutura básica permaneceu a mesma durante séculos. A Figura 4 mostra uma versão portátil de um desses objetos, feito na Europa, sobre uma base de madeira. Ptolomeu se dizia o inventor da esfera armilar, mas esta provavelmente foi obra de um de seus antecessores, adotada por ele, bem como algumas de suas teorias. Os grandes anéis concêntricos (as armilas) representam coordenadas celestes imaginárias em torno da Terra, que ocupa o centro. Assim, esse instrumento podia funcionar como um modelo do cosmos ou como um instrumento de medição do próprio cosmos. O exemplo apresentado na ilustração, porém, é bastante rudimentar e pequeno, para medições precisas. Na opinião de Ptolomeu, a maior vantagem do instrumento era a possibilidade de medir diretamente as coordenadas de uma estrela (latitude e longitude celestes), sem a necessidade de cálculos demorados. Mesmo muito tempo depois de espalhar-se a certeza de que o Sol ocupa o centro do sistema planetário, os navegadores continuaram a utilizar a Astronomia de Ptolomeu, pois, diga a ciência o que disser, quando se está no meio do oceano, é muito mais prático imaginar o Sol girando em volta da Terra.

Figura 4. Uma esfera armilar, provavelmente do século 14.
A base de madeira é mais recente.

Ptolomeu estava determinado a oferecer previsões confiáveis que correspondessem a suas medições e a explicar como alguns planetas pareciam mover-se para trás. Ele conseguiu manter os círculos, mas teve de renunciar à simplicidade, e os diagramas dos modelos que desenvolveu impressionam pela complexidade geométrica. Sua maior inovação foi sugerir que cada planeta se move em um pequeno círculo cujo centro imaginário gira em um círculo maior em volta da Terra. Embora possa hoje parecer confuso, o esquema de Ptolomeu conservou a importância, porque tentava conciliar observações empíricas com teorias filosóficas e teológicas sobre o movimento circular. A Figura 5 mostra a imagem de um instrumento de ensino, encontrada em um famoso livro sobre Astronomia publicado no século 16. Trata-se de um modelo de papel, e não de um diagrama, no qual cordas fazem girar discos coloridos, para explicar o movimento do planeta Júpiter. Enquanto viaja ao redor do pequeno círculo ao alto (chamado de epiciclo), Júpiter produz um movimento de *looping*, fazendo com que o círculo se mova ao longo da borda do círculo maior (aqui chamado de *Deferens Jovis*, condutor de Júpiter). Com algum manejo cuidadoso, o padrão circular pode corresponder aos verdadeiros avanços e recuos de Júpiter no céu.

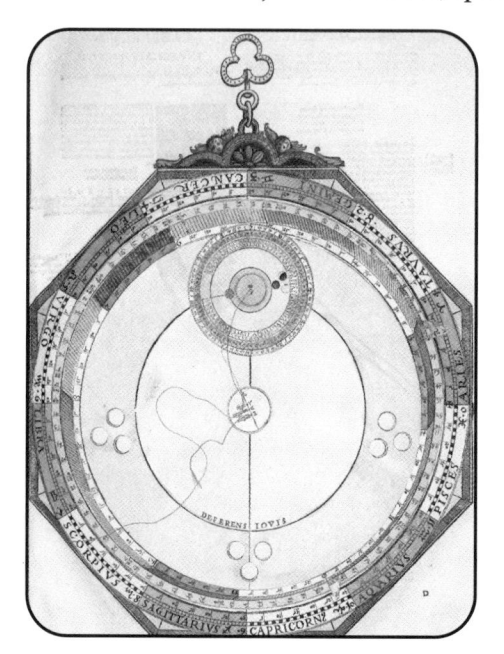

Figura 5. Volvelle (discos sobrepostos de papel impresso), que ilustra a teoria de Ptolomeu para os epiciclos de Júpiter. *Petrus Apianus, Astronomicon Caesareum* (1540).

A sequência de planetas adotada por Ptolomeu também se manteve por muitos séculos, apesar de relativamente arbitrária (Figura 3). Além dos planetas estavam as estrelas fixas, que na ilustração aparecem divididas em faixas, conforme a orientação de teólogos mais modernos. Perto delas, Ptolomeu posicionou Saturno, Júpiter e Marte, os três planetas de comportamento mais semelhante ao das estrelas. Como Vênus, Mercúrio e a Lua pareciam de alguma forma ligados à Terra, Ptolomeu localizou os três nas órbitas internas. Criando um universo agradavelmente simétrico, Ptolomeu posicionou o Sol – o único sem epiciclo – entre esse grupo e o seguinte. Na época, os estudiosos comparavam o Sol a um rei, servido de cada lado por três servos planetários.

Tal como Jano, o deus romano, Ptolomeu era uma figura que olhava ao mesmo tempo para trás e para a frente. Ele legou ao futuro as influências astrológicas e as esferas celestes que havia herdado do passado, mas – assim como os astrônomos modernos – também insistia em cálculos geométricos precisos. Repetindo os antecessores gregos e babilônios, Ptolomeu acreditava em um cosmos holístico que integrava os seres humanos ao céu. A insistência dos astrônomos em desvendar os movimentos dos planetas não representava apenas um exercício intelectual, mas uma tentativa de descobrir como as pessoas eram influenciadas por eles. Afinal, se o sol claramente influenciava a vida na Terra, por que isso também não seria verdade em relação aos outros seis planetas? Na astrologia de Ptolomeu, certas partes do corpo são relacionadas a diferentes planetas e signos do zodíaco, e os médicos islâmicos e europeus que vieram depois continuaram esse estudo. Nessa medicina cosmológica, as sete idades do homem correspondem aos sete planetas – ou, como William Shakespeare explicou em *Como lhe Aprouver*, a Lua representa a criança "chorona e manhosa", enquanto Saturno é a "segunda infância e o mero esquecimento".

CAPÍTULO 5
VIDA

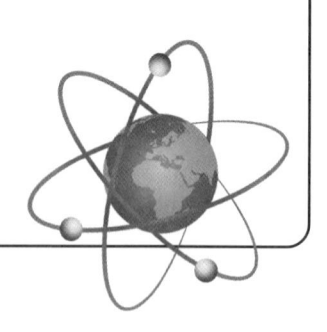

Grande cadeia do ser, que em Deus começou,
Naturezas etéreas, anjo, homem,
Fera, pássaro, peixe, inseto, o que o olho não pode ver,
O que nenhuma lente pode alcançar; do infinito a ti,
De ti ao nada.

- Alexander Pope, *Ensaio sobre o Homem* (1733 – 4)

"Juro por Apolo, médico, por Esculápio, Higeia e Panaceia." Mais de dois milênios depois de sua morte, Hipócrates é famoso por seu juramento da boa prática médica. Mesmo assim, tornou-se um herói mais mitológico do que real. Apesar de seu nome ainda ser evocado em debates sobre eutanásia e aborto, muitos dos ditos atribuídos a ele – inclusive o juramento – foram escritos por seus sucessores. Em vez de uma voz solitária, Hipócrates foi apenas um dos muitos médicos gregos que recomendavam uma enorme variedade de tratamentos. E, assim como tantos outros supostos criadores, herdou um conhecimento preexistente.

Hipócrates fundou sua escola na ilha grega de Cós, na mesma época em que Sócrates atraía discípulos de Filosofia em Atenas. Como não havia qualificações formais para o exercício da Medicina, os seguidores de Hipócrates adotaram uma tática de autopromoção para atrair estudantes pagos: diziam-se os únicos verdadeiros especialistas, desqualificando seus antecessores como meros praticantes de magia. Ao renegar reiteradamente o conhecimento prévio, os sucessores de Hipócrates o converteram no pai simbólico da Medicina.

Os hipocráticos eram merecidamente elogiados por insistirem em relatos detalhados. Assim, acumulavam enorme quantidade de experiências, o que lhes permitia prever o curso da doença, mesmo que não soubessem por quê. E mais: pareciam estar no controle, quando na realidade pouco podiam fazer, além de ajudar os pacientes a morrerem confortavelmente. No entanto, apesar de terem obtido pouquíssimas curas efetivas, os médicos hipocráticos enfatizavam a importância de preservar a saúde. Ao contrário dos médicos atuais, suas teorias se concentravam na natureza do paciente, e não em doenças universais. Eles faziam prescrições individualizadas para garantir as boas condições do corpo e da psique, ensinando as pessoas a manter seus fluidos essenciais – os humores internos – no estado natural de equilíbrio.

> ASSIM COMO TANTOS OUTROS SUPOSTOS CRIADORES, HIPÓCRATES HERDOU UM CONHECIMENTO PREEXISTENTE.

Esse foco no bem-estar individual ainda prevalecia na Europa do século 18. Na ausência de drogas eficientes, a medicina de Hipócrates adotava a estratégia preventiva de colocar os pacientes no comando da própria saúde, aliviando o sentimento de impotência diante da doença. Assim, os doentes (e também os hipocondríacos) podiam monitorar a saúde analisando flutuações diárias dos sintomas e tentando restabelecer seu equilíbrio natural. Os pacientes ficavam satisfeitos por serem tratados como indivíduos especiais, e os médicos experientes, por poderem cobrar altos valores de clientes ricos que solicitassem observação constante. Também havia um imenso apelo filosófico no princípio básico de Hipócrates, que dizia serem os corpos intrinsecamente capazes da autocura e da busca do equilíbrio natural, porque isso sugeria a criação intencional – e não acidental – do universo.

Entre os Sete Homens Sábios da Grécia antiga, apenas um foi realmente importante para as ciências da vida: Aristóteles, que viveu cerca de um século depois de Hipócrates. Já no fim da carreira, Aristóteles se rebelou contra a visão convencional de que filósofos deveriam evitar examinar o mundo real. Além de considerar questões ambientais, como os padrões do clima e as atividades sísmicas, ele literalmente sujou as mãos, estudando animais e plantas. Apesar de alguns lapsos notórios – contar dentes e costelas não era seu ponto forte – Aristóteles realizou dissecações e enfatizou a importância de ajustar as teorias aos fatos, e não o contrário. Aristóteles compilou observações minuciosas sobre uma enorme variedade de seres vivos, inclusive seres humanos.

Ao contrário dos livros teóricos modernos, o compêndio de Aristóteles sobre comportamento animal misturava folclore e teorias médicas, com fatos. Ele dizia que as ovelhas produziriam filhotes pretos, caso bebessem de rios pouco adequados; por outro lado, contrariando o que seria intuitivo, afirmou que as fêmeas de tubarão têm útero, e essa teoria foi finalmente confirmada em 1842. Claro que o apego às teorias afetou as observações de Aristóteles, e ele tentou unificar a criação identificando características compartilhadas por diversos seres. Ideologicamente comprometido com um universo perfeito, procurou conexões, em vez de diferenças. Aristóteles era fascinado por criaturas anfíbias, como focas, que parecem estabelecer um elo entre animais aquáticos e terrestres, e por morcegos, que não têm penas, mas voam como aves. Ele também considerou uma teoria geral para o envelhecimento, relacionando o crescimento de pelos, casco e bico em diferentes criaturas.

O *Catálogo da Natureza*, obra de Aristóteles, tornou-se extremamente popular na Europa por causa das descrições detalhadas de atividades sexuais. Mais tarde, versões falsas, como *A Obra-Prima de Aristóteles*, eram lidas frequentemente às escondidas. Sua abordagem biológica também sobreviveu em um nível mais teórico, em virtude do enfoque em mudanças pequenas e graduais entre os organismos. Na versão cristã do modelo aristotélico, uma longa cadeia de seres se estende por diversos níveis, do menor organismo ao ápice da vida na Terra – o ser humano – alcançando em seguida os anjos e Deus. No fim do século 17, o filósofo John Locke explicou esse conceito aristotélico:

"Em todo o mundo visível e tangível não há espaços vazios. Os seres que vêm abaixo de nós em pequenos degraus, em uma série contínua, diferem muito pouco entre si... E os reinos animal e vegetal são tão intimamente unidos, que se pegarmos o ser do nível mais baixo de um, e o ser do nível mais alto do outro, não encontraremos grandes diferenças entre eles."

Os médicos gregos sabiam muito mais sobre a parte externa do corpo do que sobre a parte interna. Sem anestésicos, cirurgias internas tornavam-se proibitivamente dolorosas, e dissecar corpos era considerado imoral e desnecessário – em que o exame de um organismo morto ajudaria no tratamento de um organismo vivo? Mas havia numerosas vítimas de guerra, e os exércitos vencedores deviam muito aos médicos hipocráticos, que aprenderam na prática a reduzir fraturas e fazer curativos, assim como amputar membros machucados em tempo recorde. No século 2, um desses cirurgiões especializados – Galeno – tratou soldados e gladiadores romanos, e suas ideias sobre a anatomia humana dominaram o pensamento europeu até o século 16. Ele também transmitiu à Europa sua versão particular das teorias de Hipócrates, que vinham circulando e se modificando havia 500 anos.

Os médicos galênicos aprenderam que o corpo humano é dominado por quatro fluidos ou humores especiais – sangue, bile amarela, fleuma e bile negra – aqui colocados em itálico para diferenciá-los das substâncias com o mesmo nome. Cada humor tem sua função: sangue é a fonte da vitalidade, bile amarela ajuda na digestão, fleuma é um líquido refrigerante que aumenta durante a febre, e a bile negra escurece o sangue e outras secreções do corpo. Assim como afetam a natureza física, os humores também influenciam o comportamento psicológico, de maneira que cada indivíduo se caracteriza por um temperamento intrínseco dependente do equilíbrio interno dos humores. Por exemplo: uma pessoa magra e amarelada estaria sobrecarregada de bile amarela e possuiria uma personalidade mesquinha e amarga. Da mesma forma, as gordas, pálidas e preguiçosas têm muita fleuma, enquanto o personagem melancólico Malvólio da obra *Noite de Reis*, de Shakespeare, seria um estereótipo de bile negra.

Para Galeno, entender a Anatomia significava estudar corpos, não livros. Ele argumentava que os médicos precisavam de um apurado conhecimento anatômico para lidar com ferimentos de guerra e amputações, e assim – apesar de protestos morais e obstáculos práticos – persistiu em conduzir experiências que refutassem antigas crenças. Às vezes, Galeno ignorava tabus sociais que condenavam a dissecação de seres humanos, examinando os corpos de vítimas de batalhas atacados por pássaros, mas trabalhava principalmente com porcos e macacos. Hoje, suas pesquisas seriam proibidas, porque ele não hesitava em operar animais vivos amarrados com cordas. Galeno analisou corações que ainda batiam, arrancou uretras para demonstrar como bexigas e rins funcionavam e cortou espinhas cervicais para investigar quais partes do corpo ficariam paralisadas.

"Nada atrapalha mais uma operação do que uma hemorragia", ele observou antes de dar conselhos valiosos sobre como lidar com esguichos de sangue. Durante quase quatro séculos, filósofos acreditaram que as veias continham ar, mas Galeno provou o contrário, ao amarrar uma artéria em dois pontos e depois fazer um corte no meio. Óbvio – mas apenas para quem lida com sangue diariamente e está determinado a salvar vidas, em vez de ficar elaborando seu significado.

Ironicamente, esse cirurgião que enfatizou a observação pessoal induziu os médicos a erros repetidos durante séculos, uma vez que tais erros faziam parte de doutrinas que ninguém ousava desafiar. Na ausência de corpos humanos, Galeno escolheu a opção mais próxima, examinando macacos selvagens. Em parte foi uma boa estratégia, mas fez com que, por mais de mil anos, os médicos acreditassem erroneamente que o sangue flui por pequenos furos na parede do coração dos seres humanos, tal como nos primatas. Outra característica surpreendente da fisiologia galênica é a ausência de um sistema circulatório. De acordo com esse modelo, o sangue é continuamente produzido no fígado e nas veias, para ser em seguida consumido pelos membros e por outros órgãos. Galeno chegou a essa conclusão não só pela suposição de que o sangue escuro e o sangue claro deveriam circular em sistemas diferentes, mas também por estar conceitualmente comprometido a associar o cérebro, o coração e o fígado a três aspectos diferentes da alma.

Embora fosse um dissecador brilhante, que acreditava em manusear o bisturi em vez de confiar em opiniões alheias, Galeno era – como tantos outros inovadores – limitado por noções preexistentes. O mesmo aconteceu com Andreas Vesalius, o anatomista da Renascença que adotou a estratégia de Galeno, de fazer observações diretas, e ficou conhecido por haver chegado a uma representação fiel do corpo humano. Apesar de ter apontado diversos erros de Galeno, Vesalius sustentou que os buracos no coração deveriam de fato existir, mas Deus os havia feito pequenos demais para serem vistos.

> DURANTE QUASE QUATRO SÉCULOS, FILÓSOFOS ACREDITAVAM QUE AS VEIAS CONTINHAM AR, MAS GALENO PROVOU O CONTRÁRIO.

CAPÍTULO 6
MATÉRIA

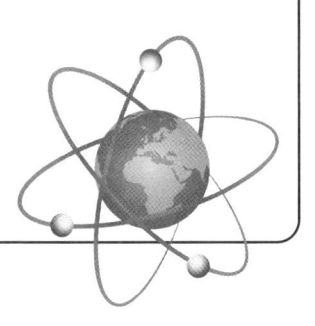

*Desejo que os homens recuperem o equilíbrio entre os elementos
E sejam mais veementes, incapazes de mentir,
Como é o fogo.
Desejo que sejam fiéis às próprias oscilações, como é a água,
Que passa por todos os estágios – sólido, líquido e gasoso –
Sem perder a cabeça.*

- D.H. Lawrence, *Elemental* (1929)

Na Europa do século 17, a Grécia Antiga ainda era a terra dos heróis. Muitos estudiosos consideravam o mundo clássico o auge da civilização, cujas conquistas jamais seriam superadas. Filósofos gregos já haviam estabelecido os dois únicos pontos de vista possíveis sobre a matéria, na época: antes de a mecânica quântica tornar tudo muito mais complicado, a matéria tinha de ser contínua ou existir em partículas separadas por espaços. Havia, é claro, diversas possíveis variações sobre os dois temas, e nenhuma era totalmente satisfatória. Daí surgiu a batalha entre esses dois campos, cada um com seu principal defensor. De um lado, os seguidores de Aristóteles acreditavam na continuidade e ensinavam que tudo na Terra se compõe de uma mistura de quatro elementos básicos. Os defensores dessa teoria, logo superados, perpetuavam crenças acadêmicas que haviam prevalecido na Europa durante séculos. Seus oponentes – jovens iniciantes como Isaac Newton – não hesitaram em destruir essa visão tradicional. Eles sustentavam que a matéria é composta de átomos independentes e adotaram como representante Epicuro, que havia sido um dos mais ferrenhos críticos de Aristóteles.

Aristóteles e Epicuro vieram a simbolizar duas visões fundamentalmente opostas da formação do universo. Os gregos antigos seguiam a ideia da continuidade, imaginando um universo composto de poucos elementos básicos que se transformam e se combinam, para formar diferentes substâncias – assim como sementes viram árvores, o ferro cria ferrugem, a água congela, e as pessoas se tornam pó. Nesse cosmos compactado, luz e calor podem ser considerados uma vibração em uma espécie de geleia atmosférica invisível ou uma tênue flutuação de líquidos imponderáveis. Como diziam os críticos de então, é difícil imaginar como esses conceitos abstratos se aplicariam ao mundo real. Para os defensores da teoria do átomo, porém, as unidades básicas eram minúsculas partículas indivisíveis que, sem sofrer alterações, movimentam-se em espaços vazios (na maioria das versões, pelo menos). A colisão entre essas partículas produzia várias combinações possíveis, dando origem a diferentes materiais. Partículas de água se comprimem para formar o gelo, outras de ferro e água se juntam para formar a ferrugem, e a luz se parece com uma rajada de balas.

> ARISTÓTELES E EPICURO VIERAM A SIMBOLIZAR DUAS VISÕES FUNDAMENTALMENTE OPOSTAS DA FORMAÇÃO DO UNIVERSO.

Aristóteles acreditava na continuidade nos reinos físico e natural. Para ele, havia uma linha contínua da existência, com diferenças mínimas entre seres similares, o que combinava ideologicamente com suas convicções de que não existiam espaços vazios em lugar algum. "A natureza abomina o vácuo", era um dos dizeres de Aristóteles. Esquemas do átomo esboçados por outros gregos foram rejeitados por Aristóteles, que deliberadamente retomou modelos desenvolvidos por seguidores de Hipócrates. Seu modelo pode parecer obscuro, mas dominou durante séculos o pensamento de cristãos e muçulmanos.

Segundo Aristóteles, o mundo era composto por quatro qualidades idealizadas, imaginárias (em itálico no texto) – quente e frio, seco e molhado – presentes em todas as coisas, em proporções diferentes. Para algumas substâncias, as qualidades aristotélicas estavam claramente ligadas às propriedades físicas. O leite, por exemplo, é sobretudo frio e molhado, enquanto a chama da vela é quente e seca. Outras descrições são menos óbvias.

De acordo com esse sistema, o corpo frio e úmido das mulheres as tornaria temperamentais e incapazes de pensar racionalmente, como fazem os homens, com seu cérebro quente e seco. De maneira correspondente, no cosmos holístico desenvolvido pelos sucessores de Aristóteles, os planetas masculinos – como Marte e o Sol – são quentes e áridos, enquanto os femininos – Vênus e Lua – são frios e úmidos.

Para satisfazer seu apreço pela ordem, Aristóteles complementou essas quatro qualidades com quatro elementos terrestres idealizados – terra, água, ar e fogo – que, combinados, formariam todos os materiais encontrados na Terra. Essas qualidades e elementos se agregavam, em uma organização esquematizada ilustrativamente na Figura 6. Elementos distintos se localizam simetricamente opostos uns aos outros, e cada elemento junta duas qualidades contrastantes. Assim, no topo, o fogo une as qualidades quente e seco; do lado oposto fica a água, fria e úmida. Correspondentemente, a terra é fria e seca, enquanto o ar é quente e molhado.

Embora não existam em sua forma pura, os elementos ideais de Aristóteles deram origem a hipóteses úteis sobre a matéria no mundo real, uma vez que podem transformar-se em outros, quando suas qualidades são alteradas. Se aquecida, a água, molhada e fria, perde o frio, para produzir ar quente e úmido, o que representa uma explicação razoável para o que acontece quando a água ferve e se transforma em vapor. Da mesma maneira, parece intuitivamente sensato considerar os metais muito terrosos, ou que carvão é cheio de fogo. A constituição elementar de uma substância ajuda a descrever seu comportamento. O ar e o fogo de Aristóteles possuem a tendência inerente a se moverem para cima, enquanto a terra e a água caem naturalmente. No cosmos cristão da Figura 3, esses elementos sublunares estão indicados pela terra e pelo mar no círculo central, circundados pelos aros de nuvens e chamas.

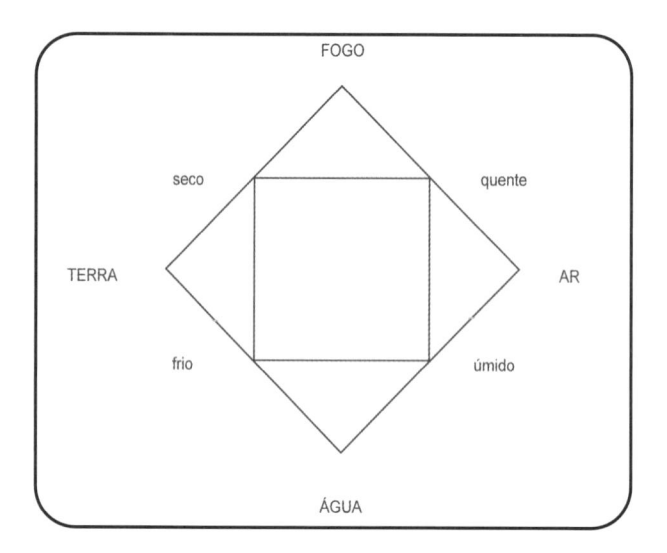

Figura 6. Representação diagramática dos elementos e das qualidades aristotélicas.

Quando olho para esse diagrama, meu primeiro pensamento é: "Onde está a evidência?" Estudiosos gregos, porém, faziam perguntas muito diferentes. Como filósofos, eles se preocupavam menos com justificativas empíricas do que com respostas a problemas fundamentais ligados à criação: "Por que o universo é estável?" ou "Como o universo emergiu de seu inicial estado de caos?". Para Aristóteles, era admissível ignorar algumas incoerências, dada a importância de estabelecer um conjunto de razões básicas para a existência de um mundo coerente. Acima de tudo, Aristóteles insistia na busca de um bom motivo subjacente para explicar por que o mundo é como é. Para encontrar sentido no universo e na própria vida, ele adotou uma abordagem teleológica fundamentada na crença de que a criação deve ter um propósito ou fim (do grego, *telos*). Os olhos são um bom exemplo: o teleólogo acredita que os animais têm olhos porque precisam enxergar; o não teleólogo argumenta que os animais enxergam porque têm olhos.

Uma visão baseada no propósito permeia a filosofia de Aristóteles. Para ele, devia haver alguma propriedade inerente à natureza que desenvolvesse a ordem. Seria esse, então, o motivo de os quatro elementos se moverem espontaneamente em direção a seus lugares naturais, como parte de uma tendência geral a estabelecer um cosmos uniforme e sistemático. Esse aspecto intencional atraiu especialmente os cristãos, cujo Deus é responsável por um universo também voltado para determinado objetivo. A Teleologia manteve a relevância em debates científicos desde então, em especial quando se discutia a evolução. A suposição de um criador inteligente favorece a explicação de todos os aspectos do universo como parte de um grande plano (apesar de o sofrimento não se encaixar muito nessa teoria). Por outro lado, se levado longe demais, esse argumento corre o risco de chegar ao fatalismo: o esforço pessoal e a iniciativa parecem não ter sentido, se Deus já estabeleceu tudo da melhor forma possível.

Um famoso adversário da Teleologia foi Epicuro, que discordava de Aristóteles em todos os pontos fundamentais, apesar de ambos compartilharem a falta de precisão, quando se tratava de relacionar conceitos teóricos à realidade visível e palpável. Chegado a Atenas 15 anos depois da morte de Aristóteles, Epicuro fundou uma escola de pensamento filosófico totalmente diferente, que ganhou força perto do ano 300 a.C. Ele não acreditava na segurança oferecida pelo projeto e pela uniformidade defendidos por Aristóteles; segundo Epicuro, o acaso representa a chave do cosmos. Ele argumentava que nosso universo é apenas um entre muitos e surgiu de colisões aleatórias de átomos que vagavam por um grande vácuo. Esses átomos indivisíveis combinavam-se de várias maneiras, formando pedaços de matéria com novas características, como temperatura e cor diferentes, por exemplo.

Tal como muitos filósofos gregos, Epicuro tentou destacar-se mais do que os antecessores, negando a importância deles. As ideias de Epicuro eram baseadas nas ideias de Demócrito, que vivera no século anterior e hoje é considerado o precursor da teoria do átomo. Como pouquíssimos escritos de Demócrito foram conservados, suas conclusões sobre átomos tiveram de ser inferidas por intérpretes mais recentes. (Karl Marx escolheu esse desafio para sua tese de doutorado.) Como os estudiosos gregos se baseavam nas próprias opiniões, seus comentários sobre Demócrito não eram de forma alguma imparciais. Aí se incluem as críticas tendenciosas de Aristóteles e seus sucessores, que assim como Epicuro queriam a todo custo afirmar sua originalidade. Mas alguns fragmentos restaram, e estas são as palavras do próprio Demócrito: "Por convenção, há as cores; por convenção, a doçura; por convenção, o amargor. Mas na realidade só há átomos e espaços."

Demócrito queria dizer que o universo se constitui de um número infinito de partículas minúsculas e indivisíveis que se movem constantemente no espaço vazio. Quando essas partículas – os átomos – colidem, algumas ricocheteiam, enquanto outras se agrupam, formando diferentes composições. Esses átomos nunca mudam, embora apresentem diferentes formas, tamanhos e propriedades. Átomos finos e angulares, por exemplo, produzem um sabor ácido, enquanto os redondos produzem sabor adocicado.

Uma boa teoria – de difícil comprovação. Ainda que se isolasse um átomo, como provar que ele é indivisível? Átomos são grandes o suficiente para serem vistos? E não é um tanto arbitrário afirmar que átomos de formas angulosas formam um sabor amargo? Para lidar com algumas dessas críticas óbvias, Epicuro realmente modificou algumas teorias de Demócrito, mas deixou de lado outras dificuldades, pois estava mais interessado na Ética do que na Física. Sua maior crença era que os seres humanos deviam livrar-se da ansiedade – afinal, se tudo é definido pelo acaso, por que buscar a perfeição? Com essa postura diante da vida, faz sentido que Epicuro não tenha dedicado muito tempo a aperfeiçoar uma teoria que não poderia ser comprovada.

Como os modelos baseados na teoria do átomo e na teoria da continuidade estavam ligados a pontos de vista morais, a opção por um deles não se baseava somente em raciocínio ou evidência. Muitos gregos consideravam a cosmologia de Epicuro ameaçadora, pela falta da visão tranquilizadora de um único mundo criado com um propósito subjacente – acomodar os seres humanos, por exemplo. O epicurismo também negava as afirmações de Platão e Aristóteles, para quem o ser humano devia ter como principal objetivo levar uma vida virtuosa. Daí a 2 mil anos, essas duas objeções éticas permaneciam relevantes, e os protestantes do século 17 concluíram que a teoria do átomo de Epicuro realmente fazia sentido, mas viram-se envolvidos em uma discussão sobre suas implicações morais. O atomismo parece óbvio hoje em dia, mas a continuidade de Aristóteles reinou soberana por muitos séculos, protegida por um pacote filosófico que se adaptava às crenças cristãs.

CAPÍTULO 7
TECNOLOGIA

Quem construiu a Tebas dos sete portões?
Nos livros, encontrarás nomes de reis,
Mas os reis carregavam blocos de pedra?
Para onde foram os pedreiros,
Quando a muralha da China ficou pronta?

- Bertolt Brecht, *Questions from a Worker*
Who Reads, "Perguntas de um Trabalhador Que Lê" (1935)

"Eureca!", Arquimedes gritou, saindo do banho e correndo pelas ruas (ainda molhado?), para anunciar que havia descoberto como medir a quantidade de ouro na coroa do rei. Uma história improvável, mas que se tornou um exemplo clássico de gênio científico inspirado. Arquimedes também é conhecido por suas invenções técnicas, algumas duvidosamente bem-sucedidas, como o espelho gigante com o qual ele teria ateado fogo nas galeras romanas em pleno alto-mar, ou o gigantesco parafuso inventado (ou não) para elevar a água de um nível para o outro.

Então, Arquimedes foi alçado à condição de mito como herói da ciência ou da tecnologia? E o mais importante: o que veio primeiro – a teoria no laboratório ou a invenção na fábrica? Uma abordagem para a relação entre ciência e tecnologia inclui as palavras. Quando organizava o primeiro dicionário sistemático do idioma inglês, no século 18, Samuel Johnson declarou que sua maior motivação era "conservar a linguagem, preservando-a da deturpação e da decadência". Assim como os puristas europeus modernos, que reclamam da americanização, Johnson tentou – mas não conseguiu – congelar a língua inglesa e preservar para sempre a formalidade das classes mais elevadas. Mais tarde (novamente de maneira semelhante ao que aconteceria a outros conservadores no futuro), Johnson foi forçado a reconhecer que a mudança não era necessariamente ruim. Quando finalmente terminou seu dicionário, ele estava convencido de que invenções e novas atividades exigem novas palavras para descrevê-las.

Na prática, o vocabulário importado e inventado é menos confuso do que palavras antigas cujo significado, mantido durante séculos, muda aos poucos. Entre esses termos, "ciência" é um dos exemplos mais traiçoeiros. Embora tenha raízes clássicas – do latim, *scientia*, que significava "conhecimento" – a palavra "ciência" não poderia ter sido usada por Johnson, muito menos pelos romanos, em seu sentido moderno. Mesmo a palavra "tecnologia", mais recente, apresenta problemas. Cunhada no século 19, vem do grego *techne*, que implica conhecimento adquirido por meio de trabalho prático. Mas como techne surgiu muito antes do advento da indústria pesada (culturas metalúrgica e siderúrgica), referia-se a habilidades manuais, e não à eficiência mecânica. E como consequência, "tecnologia" costumava estar muito mais ligada às artes, bem mais do que atualmente.

Várias distinções sociais e disciplinares impregnaram as palavras "ciência" e "tecnologia". "Ciência" significava algo mais ligado ao conhecimento adquirido em livros. Mesmo no tempo de Johnson fazia sentido falar em "ciência da linguagem", ou "ciência da ética", indicando que o conhecimento científico estava restrito às pessoas ricas e instruídas – homens, em maioria. Atitudes paternalistas em relação aos trabalhadores mantiveram-se na era vitoriana, quando cientistas olhavam com desprezo para os engenheiros que "colocavam mãos à obra" e ganhavam dinheiro com invenções próprias. Da mesma maneira, os privilegiados filósofos gregos davam à *techne* um sentido pejorativo, ao associar a destreza manual à necessidade de ganhar dinheiro. Escultores, artistas e artesãos eram pagos por suas habilidades manuais, e nem sonhavam com o *status* que esses profissionais viriam a adquirir muito depois, na Europa renascentista.

Arquimedes não era um cientista nem um tecnólogo, porque não existiam essas ocupações quando ele viveu na Sicília, durante o século 3 a.C. Arquimedes se aproximava mais de outro estereótipo moderno – o filósofo teórico. Os panoramas social e acadêmico da Grécia Antiga eram drasticamente diferentes do panorama atual. Em linhas gerais, dois setores da sociedade grega influenciaram o que mais tarde se tornaria a ciência: os filósofos e as pessoas mais humildes. No entanto, só os indivíduos pertencentes ao primeiro grupo são celebrados – os filósofos ricos que analisavam profundamente o universo e seus ocupantes, e em geral consideravam a experiência prática indigna e irrelevante.

Em contraste, as pessoas que viviam em camadas sociais inferiores acabaram esquecidas, apesar de terem vital importância para os rumos da ciência e serem em número muito maior. Ciência é um assunto ao mesmo tempo prático e teórico; modelos abstratos são importantes, mas precisam ser testados experimentalmente e comparados com observações do mundo real. Enquanto muitos conceitos teóricos vieram dos filósofos gregos, outros aspectos da ciência tiveram origem em indivíduos menos privilegiados cujas soluções eram indispensáveis à sobrevivência: mineiros que desenvolveram técnicas de refino de minerais, fazendeiros que descobriram padrões climáticos, fabricantes de produtos têxteis que aprenderam sobre reações químicas.

Muitos indivíduos que exerciam atividades práticas eram matemáticos habilidosos. A ciência da Mecânica evoluiu a partir da necessidade de solucionar problemas da vida real – erguer pontes, construir sistemas de irrigação, criar roldanas eficientes, projetar armas de guerra efetivas. Enquanto os filósofos se preocupavam em medir o universo por triangulação, construtores desenvolveram a Trigonometria básica necessária para erguer uma parede vertical. Esses especialistas em Mecânica vinham de camadas sociais inferiores à dos teóricos, além de possuírem objetivos diferentes dos deles. Os filósofos queriam explicar o mundo, enquanto os matemáticos práticos interessavam-se em descrevê-lo. Quando se constrói uma casa, é preciso medir a madeira, e não estudar o crescimento da árvore.

Ao descansar na banheira ou na poltrona, Arquimedes não pensava tanto em questões práticas, como erguer pesos ou espremer azeitonas, mas especialmente em projetar dispositivos engenhosos que demonstrassem princípios matemáticos. Os livros de Arquimedes tratavam de suas descobertas matemáticas, e não de suas invenções técnicas. Para seus colegas da elite, provocar admiração era uma atividade naturalmente válida, uma vez que ressaltava o talento do criador. Assim, eles impressionavam as pessoas criando recipientes que nunca ficavam vazios, abastecidos por um reservatório oculto; portas que se abriam e fechavam automaticamente; bonecos que pareciam serrar madeira ou martelar. Apesar de extremamente engenhosas, porém, essas invenções semelhantes a brinquedos não tinham aplicação prática alguma.

Talvez a mais famosa delas tenha sido a máquina de Hero, na qual o vapor de um enorme caldeirão atravessava canos e passava por um pequeno orifício impulsionando uma bolinha oca, fazendo-a girar. Hero e seus colegas provavelmente jamais pensaram em converter esse modelo em uma máquina voltada para o trabalho, mas, mesmo que desejassem isso, não poderiam realizar. Mudanças tecnológicas tanto dependem de conhecimento científico quanto de exequibilidade prática, de vontade política e de estímulo comercial. Apesar de terem herdado de babilônios e egípcios a habilidade de trabalhar os metais, os gregos utilizavam a madeira e sabiam pouquíssimo sobre a produção de ferro. A expansão a proporções industriais da esfera movida a vapor inventada por Hero teria demandado não só múltiplas capacidades técnicas – moldar grandes cilindros, fazer pistões à prova de vapor – como também uma infraestrutura organizacional indispensável à instalação e à manutenção de sistemas complexos de fabricação.

Os filósofos gregos da elite diziam-se fundadores da civilização. Como se ocupassem o topo de um *iceberg* histórico, eles escondiam sua base submersa, que incluía as heranças do passado e a dependência dos trabalhadores, muito mais numerosos do que eles. Embora se gabasse de, com a esfera armilar, haver introduzido a precisão na Astronomia, Ptolomeu nunca fez referência aos artesãos que construíram fisicamente o objeto que manuseava. Assim como escondeu seus antecedentes teóricos, Ptolomeu deixou de mencionar sua dependência de técnicas mais antigas, originárias do Egito e da Mesopotâmia, bem como as habilidades dos artesãos gregos.

A sombra que encobre cada herói grego cria uma zona de penumbra onde se escondem informantes e colegas que também tiveram importância vital para as origens da ciência. Em uma atitude pouco comum, Aristóteles fazia pessoalmente as dissecações. Para suas pesquisas detalhadas, porém, dependia dos criadores de abelhas, fazendeiros e treinadores de cavalos – homens que necessitavam de informações biológicas precisas, para sobreviver, e que o abasteciam com o que hoje seria chamado de dados científicos. Vez por outra, Aristóteles os mencionava explicitamente, apesar de nunca citar nomes. Ele explicou, por exemplo, que pescadores experientes eram tão bem informados sobre os hábitos de acasalamento das tainhas, que sabiam onde posicionar os machos da espécie, para atrair as fêmeas (e vice-versa). Mas o mais comum era Aristóteles dar a entender que todas as informações haviam sido coletadas por ele mesmo, ainda que parecesse mais provável que viessem dos especialistas locais.

Os heróis filosóficos não se tornaram célebres apenas por sua genialidade, assim como grandes conquistas não representam fama garantida. Diversas estratégias para assegurar o reconhecimento póstumo acabaram surgindo. Uma tática confiável é morrer dramaticamente. Sócrates não deixou trabalhos escritos, mas é lembrado por ter bebido cicuta, enquanto Hipátia, de Alexandria, tornou-se um ícone feminista não por causa de seu trabalho matemático, mas porque teria sido atacada e morta por uma multidão enfurecida – embora não se saiba exatamente que multidão foi essa e o motivo de tanta fúria. Arquimedes garantiu seu lugar na posteridade morrendo como um filósofo romântico, completamente obcecado em terminar um diagrama geométrico na areia, a ponto de um soldado, tomado por intensa irritação, golpeá-lo com a espada.

Segundo se conta, Arquimedes teria planejado seu túmulo antecipadamente. Esse prestigioso filósofo queria ser conhecido como um matemático famoso, mais do que um inventor pragmático. Por isso, pediu que não houvesse sobre sua sepultura um parafuso ou uma catapulta, mas uma esfera dentro de um cilindro, ao lado de fórmulas matemáticas para a comparação dos volumes dos dois sólidos. Na época, ainda não se falava em cientistas nem em tecnólogos, mas os fundamentos da distinção hierárquica entre esses dois grupos já estava lançada.

PARTE 2

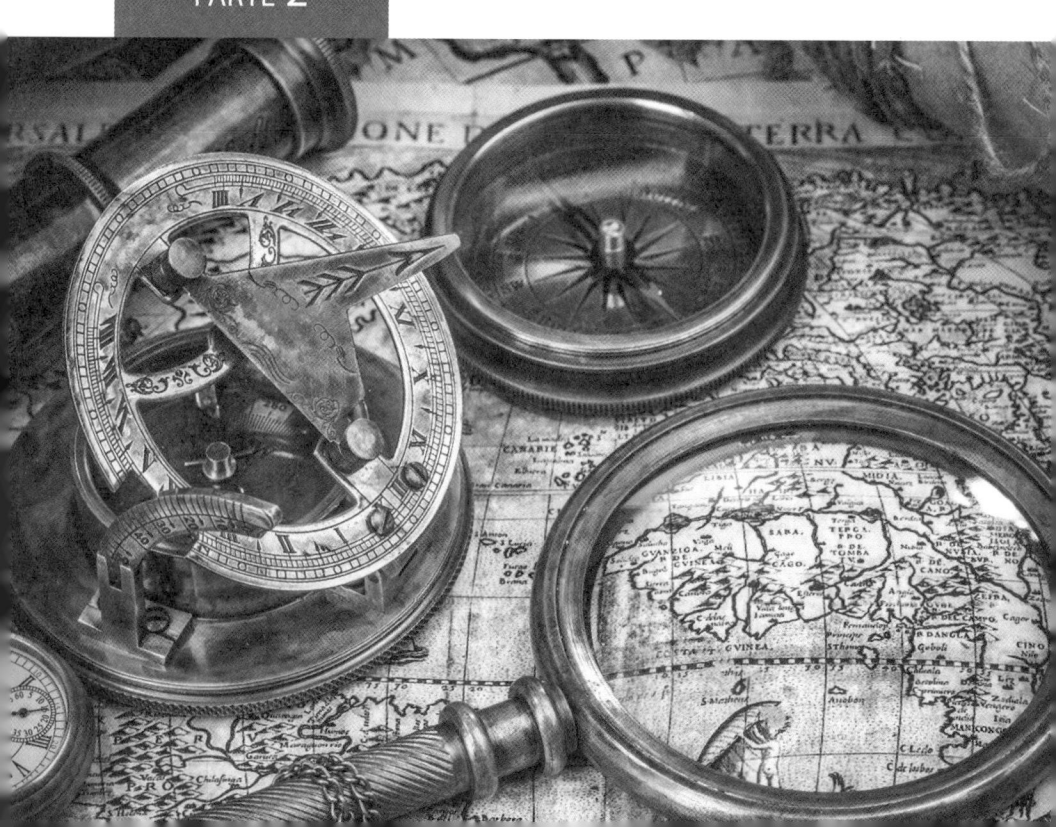

Interações

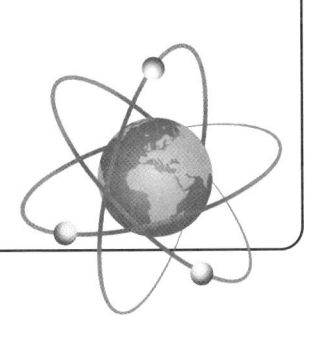

Não existe somente um tipo de ciência. A classificação do fato científico depende do olhar e da época. Informações, habilidades e objetos mudam constantemente conforme o lugar, passam de geração em geração e modificam-se, segundo gostos e necessidades. Apesar de os estudiosos do Renascimento afirmarem estar resgatando a cultura grega, seus conhecimentos científicos resultaram de muitos séculos de comunicação e interação de pessoas e lugares diferentes. Sob um ponto de vista britânico do século 21, pode-se afirmar que três regiões se uniram especialmente, em matéria de relevância para o futuro da ciência: a China, o mundo islâmico e a Europa medieval. Muitas invenções importantíssimas apareceram primeiro na China, que era tecnologicamente superior à Europa até o fim do século 18. Por outro lado, os intérpretes islâmicos exerceram um papel decisivo, quando se tratava de decifrar, modificar e desenvolver o conhecimento grego alcançado pela Europa no século 12. Longe de serem meros transmissores neutros de conceitos abstratos, os líderes muçulmanos incentivaram a ciência, ao construir observatórios astronômicos, bibliotecas enormes e hospitais. Na Europa, o conhecimento científico se desenvolvia, sobretudo, nas instituições religiosas – primeiro nos mosteiros e depois nas universidades. Acadêmicos transformaram as versões islâmicas das teorias gregas em uma forma cristã de aristotelismo, que influenciou profundamente o estudo nas áreas de Mecânica, Ótica e Astronomia, na época do Renascimento.

CAPÍTULO 8
EUROCENTRISMO

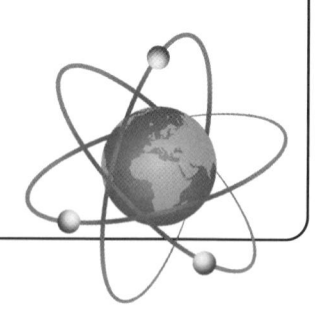

Peço que considere e reflita como Deus transformou o Ocidente em Oriente, no nosso tempo. Pois nós, que éramos ocidentais, nos tornamos orientais. Palavras de diferentes idiomas se tornaram propriedades comuns a todas as nacionalidades, e a fé mútua une aqueles que ignoram a própria origem.

- F- Fulcher de Chartres, A *History of the Expedition to Jerusalem*, "História da Expedição a Jerusalém" (c.1105-27), 1095-1127

Todas as civilizações gostam de localizar o mundo ao seu redor. Os muçulmanos árabes viam em Bagdá a origem de sete zonas climáticas, enquanto os cristãos medievais consideravam Jerusalém o centro do mundo. Diferentemente, quando os antigos gregos visualizavam o globo, situavam o Mar Mediterrâneo (do latim, "meio da terra"), que lhes era familiar, no centro de uma enorme extensão de terra dividida, que compreendia Ásia, Líbia e Europa – os nomes de três irmãs mitológicas (a princesa Europa foi raptada por Zeus na forma de um touro). No auge da supremacia ateniense, Aristóteles situou seus colegas gregos entre a Ásia e a Europa, conferindo-lhes as melhores características de ambos os continentes, enquanto apontava falhas em todos os outros. Os europeus ocidentais herdaram não só a filosofia de Aristóteles, mas também sua arrogância egocêntrica.

Repita uma história muitas vezes, e as pessoas vão acabar acreditando. Por serem política e financeiramente poderosos, os europeus se colocavam no centro de tudo e criavam versões do passado que confirmassem sua suposta superioridade. A visão histórica de que "o Ocidente é melhor" ("The West is the Best", em inglês) prevaleceu na Europa durante séculos, apesar de muitas evidências contrárias. Esse é o argumento ressaltado pelo mapa da Figura 1, e é o que um primeiro-ministro australiano quis dizer, ao declarar: "O que a Grã-Bretanha chama de Extremo Oriente é, para nós, o Norte próximo."

Até muito recentemente, o eurocentrismo dominou a história da ciência angloamericana. Em visões idealizadas do passado, a ciência leva à Verdade Absoluta – e o mais importante: surgiu na Europa. Agora que o mundo inteiro está eletronicamente conectado, a ciência é vista como o máximo da realização humana e como resultado da genialidade americana e europeia. Tal autoelogio não leva em consideração a possibilidade de outras culturas adotarem abordagens diferentes, em relação à vida, por terem opiniões diferentes sobre o que é importante, e não por falta de inteligência. De todo modo, mais ciência não produz necessariamente respostas melhores. Depois da Segunda Guerra Mundial, os otimistas declararam que a ciência uniria o mundo, porque – diferentemente das crenças religiosas – sua verdade transcende os limites entre as nações. No entanto, apesar de seu alcance global, a iniciativa científica claramente deixou de cumprir as promessas ambiciosas, ou não decifrou os mistérios mais profundos da natureza.

> ATÉ MUITO RECENTEMENTE, O EUROCENTRISMO DOMINOU A HISTÓRIA DA CIÊNCIA ANGLO-AMERICANA.

Durante séculos, poucos europeus desafiaram a crença de que alguma característica especial de ocidentalidade os diferenciava dos habitantes do resto do mundo. Mas "Ocidente" e "Europa" são entidades fabricadas, sem limites fixos, que surgiram lentamente e ainda estão em construção. Erroneamente, essas identidades conferem um ar de uniformidade ao que era diferente; no passado, as variações eram muito maiores entre os povos que viviam na Europa. Atualmente, torna-se impossível até definir exatamente o território, porque as fronteiras físicas são incertas, por conta da entrada e saída de países do bloco europeu. De qualquer forma, ser europeu implica não apenas uma localização geográfica, mas também afinidades culturais.

Um passo particularmente decisivo no caminho da consolidação de uma identidade especial da Europa aconteceu no século 4. No lado ocidental do continente, enquanto Roma perdia o controle sobre as tribos rebeldes que antes dominava, o lado leste do Mediterrâneo ficava mais próspero e estável. Para fortalecer a própria posição, o imperador romano Constantino mudou a capital mais para leste, na antiga cidade de Bizâncio, cujo nome alterou em benefício próprio – virou Constantinopla, hoje Istambul. À medida que o comércio, a agricultura e a civilização continuavam a crescer, o leste do Mediterrâneo foi se aproximando da China, da Índia e das nações árabes. Assim, o mundo cristão acabou simbolicamente dividido em duas zonas – o Leste bizantino e o Oeste católico romano. Essa divisão se tornou ainda mais nítida em 800 d.C, quando o papa coroou Carlos Magno, um rei franco (os francos eram os franceses primitivos), como imperador do Sacro Império Romano. Apesar de ter reinado sobre diversos Estados em guerra, Carlos Magno entrou para a História como o primeiro governante de uma Europa Unificada. Desde então, os estudiosos da cultura ocidental destacam a importância de Carlos Magno como "o pai da Europa", e o eurocentrismo prevaleceu durante boa parte dos séculos 19 e 20.

A noção das origens gloriosas da Europa foi expandida durante o Renascimento, quando estudiosos dos clássicos apontaram a Atenas de Platão e Aristóteles como berço da civilização europeia. Ao imbuírem essas pequenas e remotas cidades-Estado da atmosfera quase mítica de um período áureo, artistas, acadêmicos e políticos ligavam-se diretamente à Grécia Antiga, dissociando-se de qualquer coisa que tivesse acontecido nesse ínterim. A principal vítima dessa interpretação foi a chamada "Idade das Trevas", uma era mal definida que começou por volta do tempo de Constantino, e durante a qual – supostamente – nada aconteceu. Colada ao fim desse vácuo histórico, estava uma época um pouco mais produtiva, chamada Idade Média, que preparou o caminho para a criatividade do Renascimento, no século 14. Ao saltar sobre um milênio inteiro, os historiadores intencionalmente fizeram parecer que a tocha do conhecimento científico tinha passado, sem intermediários, da Grécia antiga para a Europa renascentista.

A ciência teve um papel especialmente relevante nessa divisão tão simplista entre Ocidente e Oriente. Embora reconhecessem o esplendor intelectual dos gregos, os europeus ocidentais ressaltavam os benefícios práticos das novas abordagens experimentais introduzidas no século 17. Eles elogiavam, por exemplo, a famosa trilogia de invenções do Renascimento – a máquina impressora, a pólvora e a bússola magnética –, que afirmavam haver transformado o mundo e a vida cotidiana. Ao lançar suspeitas sobre o pioneirismo chinês (minimizadas aos poucos até o século 20), os defensores da superioridade ocidental reivindicavam esse trio para a Europa. Suas visões sobre a criatividade do Renascimento só aumentaram o mito da supremacia europeia, e uma história favorável foi habilmente construída. De acordo com essa versão eurocêntrica das conquistas humanas, a ciência se originou na Grécia, foi preservada no Império Islâmico, que floresceu, enquanto a Europa encontrava-se em decadência, e depois chegou às Espanha, intacta, no século 12, para se espalhar em direção ao Norte.

Metaforicamente, o termo "Idade das Trevas" é carregado de significados, sugerindo não só que a luz do esclarecimento intelectual se apagara (afinal, é preciso ver para crer), mas também que uma obscura nuvem de superstição havia se abatido sobre a racionalidade e a originalidade. Enquanto os europeus pouco produziam na Idade das Trevas – pelo menos é o que conta a história convencional –, os estudiosos árabes agiam como guardiões da sabedoria grega. Embora ao mesmo tempo práticos e teóricos por natureza, capazes de transformar ativamente as habilidades e crenças que haviam recolhido de diversas culturas, os muçulmanos foram considerados transmissores neutros da habilidade europeia. Da mesma forma, a China era vista como um lugar remoto e misterioso, e o impacto que seu sucesso na agricultura e na indústria exerceu sobre a Europa não foi devidamente reconhecido.

Reescrever a História não se resume a buscar novos fatos; é também uma questão de decidir quais deles são importantes. Se olharmos para os lugares certos, veremos que havia – o que não é nenhuma surpresa – muita atividade naqueles séculos esquecidos. Os historiadores frequentemente situam o nascimento da ciência moderna no século 16, quando Copérnico sugeriu que o Sol, e não a Terra, ocupava o centro do universo. Essa ideia, no entanto, reduz o brilho de mudanças cruciais acontecidas anteriormente – e também em outros lugares. Diz-se que não havia universidades na Europa até o fim do século 11. No entanto, a aprendizagem florescia nas cortes dos governantes e nos mosteiros cristãos. Da mesma forma, um crescimento importantíssimo acontece fora do território europeu. A economia chinesa prosperou sob um governo poderoso que encorajava inovações na agricultura e na indústria, enquanto a religião islâmica também se expandia e prosperava. Acadêmicos muçulmanos não só absorveram, mas também modificaram e expandiram, por meio de investigações próprias, o conhecimento médico e matemático dos gregos. Inventores e estudiosos não europeus produziam equipamentos e ideias que se espalharam em direção ao Ocidente, sendo depois incorporados à ciência e à tecnologia.

Assim como outros impérios, o bloco europeu reunido por Carlos Magno fortaleceu-se pela aparência de uniformidade. Na realidade, porém, os impérios englobam diversos grupos pequenos e minorias internas que falam idiomas diferentes e, com frequência, são considerados inferiores. Pode acontecer também a situação inversa, quando os governantes tentam desqualificar os estrangeiros, para favorecer a união interna. Essas táticas de autopromoção por meio da diferenciação foram adotadas durante séculos por governos imperiais, inclusive chineses, romanos e britânicos. Idioma e religião sempre foram fatores de distinção, e em muitas culturas a palavra que veio a significar "bárbaro" originalmente queria dizer "estrangeiro". Os gregos e romanos consolidaram sua identidade imperial ao se destacarem de seus vizinhos "bárbaros", todos agrupados, como se não houvesse distinção entre eles. Em algumas versões do passado que afirmavam a soberania europeia, outros grupos eram enquadrados em estereótipos simplistas. Os chineses apareciam como isolacionistas, uma nação de pacifistas egocêntricos com gosto pelas pinturas de flores, enquanto os muçulmanos não eram vistos como estudiosos dedicados, mas como agressores que haviam destruído a unidade do Império Romano.

> REESCREVER A HISTÓRIA NÃO SE RESUME A BUSCAR NOVOS FATOS; É TAMBÉM UMA QUESTÃO DE DECIDIR QUAIS DELES SÃO IMPORTANTES.

Em retrospecto, os impérios podem parecer diferentes entre si, mas na realidade eram mal definidos no tempo e no espaço, espalhando-se irregularmente por vários séculos e territórios. Como as distâncias eram enormes e a comunicação lenta, o poder era exercido tanto regionalmente quanto de maneira centralizada. O apoio dos governantes às atividades particulares dependia dos interesses locais, e assim, o conhecimento e a prática variavam conforme a localização, sem um centro irradiador. Em vez disso, diferentes versões do conhecimento e do aprendizado coexistiam e se miscigenavam, interagindo esporadicamente por iniciativas espontâneas, e não em resposta a um plano coordenado. Extensas redes de comércio internacional se espalharam pela Europa continental e pela Ásia. As pessoas, seus bens materiais e seus conhecimentos ou ideias percorriam longas distâncias, em um caminhar lento, mas constante e transformador.

Há muito se conhece esse princípio da transformação por meio da migração. Na epopeia narrada pelo poeta grego Homero, Ulisses pega um remo de seu barco e o leva terra adentro até um vilarejo, onde os moradores interpretam aquele objeto como uma pá para joeirar. Ao longo da vida, muitos viajantes – comerciantes, monges, estudiosos – atravessavam a Europa e a Ásia, trocando conhecimentos que eram alterados para se adaptarem às circunstâncias locais. Sob um ponto de vista europeu, por exemplo, Veneza aparece como origem de muitas inovações. No entanto, em virtude do comércio intercambiado entre Ocidente e Oriente, a cidade importou e modificou técnicas originárias da China, da Índia das civilizações islâmicas. Aí se incluem não só utilidades, como aperfeiçoamentos na navegação, mas também métodos mais efetivos para o comércio e a contabilidade. Aos poucos, tecnologias e teorias se infiltraram em direção ao Ocidente, estimulando um renascimento econômico e intelectual na Europa, onde os estudiosos religiosos fundiram a ciência grega de orientação islâmica ao cristianismo.

O eurocentrismo que falseou o passado está ficando para trás. Ao esclarecerem a suposta Idade das Trevas, os historiadores ajudam a estabelecer agendas políticas modernas, confirmando que a diversidade deve ser exaltada por gerar riqueza, e não condenada, como se enfraquecesse a excelência.

CAPÍTULO 9
CHINA

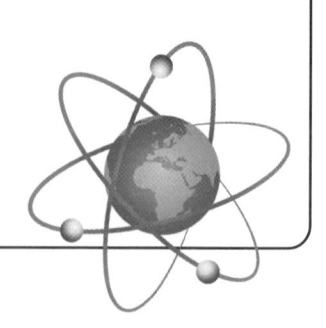

As opiniões do mundo
são como o vento, que muda de nome aqui e ali,
conforme a região de onde sopra.

– Dante Alighieri, A Divina Comédia, (c.1310 – 20)

No começo do século 18, os europeus sabiam tão pouco sobre a China, que um extravagante oportunista francês chamado George Psalmanazar se passou por habitante de Formosa. Contratado pelo bispo de Londres para traduzir o catecismo cristão, escrevendo-o em sua suposta língua nativa – inventada para a ocasião – Psalmanazar também produziu um guia detalhado, porém totalmente fictício, sobre a cultura de Formosa, que era devorado pelos cavalheiros ingleses suficientemente ricos (e ingênuos), fascinados pelo exotismo. Daí a 200 anos, a ciência chinesa conservava o mistério do século 18, mas tudo mudou com a chegada de uma figura tão improvável quanto Psalmanazar. Tratava-se de um famoso embriologista, também participante de um importante grupo inglês de dança folclórica – a Dança de Morris. Seu nome era Joseph Needham, e ele revolucionou não só os estudos chineses, mas a maneira como os historiadores abordam o desenvolvimento global da ciência.

Needham visitou a China pela primeira vez em 1942, como representante oficial da Royal Society de Londres. Famoso no campo da ciência e atuante político de esquerda, ele já se interessava profundamente pela história local, que passou a estudar com uma jovem cientista chinesa. Os dois acabariam se casando 50 anos depois. Em 1950, como resultado de várias idas à China a trabalho, Needham elaborou o que parecia um projeto exequível, embora ambicioso: produzir uma obra de sete volumes chamada *Science and Civilisation in China* ("Ciência e Civilização na China", em tradução livre). As pesquisas se estenderam, o número de colaboradores e assistentes aumentou e, em 50 anos, o trabalho já somava mais de 20 volumes; e ainda havia material.

Em vez de mofar em prateleiras de pequenas livrarias, a pesquisa de Needham se tornou politicamente controvertida. As interpretações marxistas provocaram a condenação da obra, e o próprio Needham foi banido dos Estados Unidos depois de apoiar declarações dos chineses, que denunciaram o emprego, pelos norte-americanos, de armas biológicas na Coreia. No entanto, logo ficou claro que Needham produzira um extenso e excelente trabalho acadêmico. Os críticos, então, passaram a acusá-lo de ingenuidade política – um julgamento interessante sobre um marxista e pregador adepto do alto anglicanismo, que foi capaz de arrecadar dinheiro público e privado para fundar uma entidade independente – o Needham Research Institute, em Cambridge. Na China, diferentemente, ele se tornou um herói nacional. Reformadores e tradicionalistas receberam com entusiasmo seu projeto de recuperar a herança cultural científica e tecnológica do país, e a iniciativa de Needham foi imitada na Índia e em outros países que tentavam libertar-se do jugo imperialista.

> JOSEPH NEEDHAM REVOLUCIONOU NÃO SÓ OS ESTUDOS CHINESES, MAS A MANEIRA COMO OS HISTORIADORES ABORDAM O DESENVOLVIMENTO GLOBAL DA CIÊNCIA.

Um dos acertos de Needham foi reorganizar a cronologia das invenções humanas. Sua longa lista de inovações criadas pelos chineses chega a 250 itens, em ordem alfabética, começando pelo ábaco, passando pelo guarda-chuva, pelo papel higiênico e pela roda dentada, chegando ao zootrópio (um recurso de imagem utilizado na era vitoriana). O mais notável é a inclusão da trilogia de invenções convencionalmente situadas na Europa renascentista – a pólvora, a bússola e a máquina impressora – atribuídas à China, em períodos anteriores. Conforme Needham apontou, a Rota da Seda não só permitiu que inovações chegassem ao Ocidente, como possibilitou a migração de produtos tecnológicos e agrícolas. Graças a ele, o pioneirismo chinês foi demonstrado em descobertas anteriormente creditadas à Europa.

Segundo Needham, a China precisava ser reavaliada. Em vez de conservadora, presa a um misticismo antigo, a civilização chinesa havia sido tecnologicamente vibrante e muito mais desenvolvida do que a da Europa durante a chamada Idade das Trevas. Ao estudar a China, considerada até então caracteristicamente esotérica, Needham investigou as origens da ciência na Europa. Escrevendo para converter, mais do que convencer, ele introduziu a noção revolucionária de que a ciência moderna não é somente ocidental, mas "ecumênica", dependendo de verdades locais que fluem em direção a ela, tal como os rios correm para o mar. Needham reconhecia, em especial, as contribuições de vital importância prestadas pelo conhecimento tradicional chinês à tarefa científica de produzir um conhecimento universal.

> A CIVILIZAÇÃO CHINESA HAVIA SIDO TECNOLOGICAMENTE VIBRANTE E MUITO MAIS DESENVOLVIDA DO QUE A DA EUROPA DURANTE A CHAMADA IDADE DAS TREVAS.

Indignados com essa afirmação, historiadores tradicionais logo reagiram. Vejamos a pólvora, por exemplo. Needham e sua equipe descobriram receitas alquímicas criadas no século 9 e demonstraram que os explosivos eram produzidos com segurança já no século 12. Eurocêntricos obstinados defendiam o pioneirismo europeu, afirmando que os chineses utilizavam essa nova descoberta em fogos de artifício e em minas – nunca em armas – embora sinólogos tivessem comprovado o emprego de canhões na China, antes da Europa. Apesar das diferentes interpretações, ambos os lados podem ter razão, porque essa invenção militar chinesa teve impacto muito maior na Europa, onde as armas logo levaram ao desaparecimento dos cavaleiros armados e dos castelos feudais fortificados. Ironicamente, as armaduras começaram a existir por causa dos chineses, que haviam revolucionado as guerras na Europa ao adicionarem a força dos cavalos ao manejo da lança pelos seres humanos.

Historiadores recolheram histórias parecidas sobre a bússola. Apesar de desconhecidos entre os antigos gregos, objetos giratórios magnéticos eram usados pelos adivinhos chineses do século 1 para indicar o Sul, a direção favorável ao olhar do imperador. Mais tarde, bússolas mais complexas, com diversos mostradores concêntricos, foram desenvolvidas para indicar a localização apropriada a casas e túmulos. Artífices interessados em navegação também criaram bússolas, mas na China seus inventos não obtiveram o mesmo impacto observado em Veneza ou na Espanha. Com toda a habilidade técnica dos marinheiros chineses, quase 400 anos se passaram antes que Cristóvão Colombo chegasse à America pelo outro lado, lançando a Europa em uma nova era de exploração, comércio e conquistas.

A máquina impressora também produziu mais resultados revolucionários na Europa, embora livros fossem produzidos rotineiramente na China, quatro séculos antes da Bíblia de Gutenberg. Imperadores chineses financiavam a xilogravura, que se presta à escrita não alfabética, e havia também publicações feitas com tipos móveis. Na China, porém, os livros eram considerados um meio de armazenar informação, e não catalisadores da mudança; assim, não existia a tradição de construir bibliotecas grandes e acessíveis, como no Império Islâmico.

Outra maneira de avaliar as afirmações de Needham é examinar as diferenças entre a China e a Europa. Antes de 1400, as atividades científicas e tecnológicas da China, da Europa e do mundo islâmico eram, em muitos aspectos, mais parecidas entre si do que são hoje: todas questionavam a relação do ser humano com o mundo físico. Em retrospecto, é possível identificar ideias e atividades acadêmicas que parecem dar os primeiros passos no mundo da ciência, mas na época faziam apenas parte de abordagens mais amplas, na tentativa de responder às questões fundamentais da existência. Portanto, apesar de os astrônomos utilizarem instrumentos e técnicas matemáticas hoje associados à ciência, em muitas maneiras eles eram mais astrólogos do que cientistas modernos. Da mesma forma, os processos hoje associados à Química foram desenvolvidos por alquimistas em busca de progresso espiritual e não científico, e também por artesãos cujo trabalho incluía fabricar vidro ou purificar metais, por exemplo.

Tal como na Grécia Antiga, o aprendizado em livros e a experiência prática eram atividades independentes, levadas a efeito por grupos diferentes. Quando turistas chineses ricos se aventuravam em direção ao Ocidente, achavam as cidades europeias tecnologicamente atrasadas. No entanto, a primazia técnica de seu país devia-se não só às invenções engenhosas dos estudiosos, mas também às habilidades passadas de geração em geração. Na Europa e na Ásia, artesãos aperfeiçoaram técnicas e dispositivos tradicionais, independentemente da minoria de elite, que evitava as atividades manuais, transmitidas apenas oralmente. Aos poucos, os habitantes do lado oriental e ocidental do extenso território que reunia Europa e Ásia começaram a tratar de modo diferente a experiência prática. Na China, as hierarquias existentes prevaleceram, e as barreiras sociais continuaram impermeáveis à transmissão de conhecimento. Na Europa, ao contrário, o comércio e as guerras estimularam as mudanças tecnológicas.

Diferentemente da Europa, onde havia universidades autônomas, o sistema educacional único da China encorajou a estabilidade e impediu a inovação. O governo impôs rigorosas avaliações nacionais, pois queria garantir que, além de pertencerem a famílias ricas, os candidatos a funcionários públicos fossem inteligentes e eficientes. Essa formalidade atendia aos propósitos estabelecidos, mas sufocava a inovação, e o programa de ensino restrito permaneceu o mesmo por 700 anos. Os textos e comentários deviam ser memorizados, e não criticados. Assim, impunha-se uma uniformidade que se tornou norma do Estado. Além de anular a originalidade, essa rigidez acabou por levar muitos estudiosos a se concentrarem em antigos debates éticos e filosóficos, deixando de lado questões científicas ou problemas contemporâneos.

O poderoso sistema de administração centralizado, tão diferente dos pequenos feudos da Europa, desencorajava iniciativas individuais, comerciais e militares. Na Europa ocidental, a iniciativa privada estimulava a inovação. Os comerciantes, por exemplo, recebiam bem as armas portáteis, que usavam para se proteger durante as viagens, e estavam dispostos a pagar a mais por aperfeiçoamentos. Na China, os políticos aprovavam complicados equipamentos defensivos para evitar invasões, mas condenavam a violência pessoal e o lucro. Vejamos o caso de Wang Ho, um empreendedor do século 12 que, começando do zero, montou uma fundição com 500 empregados. Wang Ho foi executado depois que ele e seus empregados usaram a força para expulsar administradores locais que queriam interferir no trabalho. As autoridades acusaram Wan Ho de dupla transgressão: violência injustificada e especulação econômica.

Atitudes filosóficas e religiosas também divergiam. Ao contrário dos cristãos ou muçulmanos, os cosmólogos chineses não acreditavam em uma força motora estática, que governasse o universo por meio de leis naturais. Em vez disso, relacionavam o comportamento do céu ao das sociedades de seres humanos. Conselheiros da corte dividiam os fenômenos celestes em dois tipos: os regulares, que podiam ser incorporados ao calendário, e os imprevisíveis, que deviam ser considerados presságios. A atenção se voltava para o imperador e seus subordinados. Se eles agissem mal, haveria enchentes, meteoros e outros desastres. Mas, se sua conduta estivesse de acordo com a harmonia orgânica do mundo, a paz social seria mantida. O conhecimento absoluto parecia uma tarefa impossível, uma vez que os observadores mal conseguiam perceber os efeitos de sistemas complexos, embora sistemáticos. Como disse no século 11 o oficial Shen Gua: "Aqueles que falam da regularidade subjacente aos fenômenos ... conseguem distinguir suas linhas gerais. Mas essas regularidades têm aspectos muito sutis, incompreensíveis para os que se baseiam na Astronomia matemática. E mesmo essas linhas não passam de indícios."

> OS COSMÓLOGOS CHINESES NÃO ACREDITAVAM EM UMA FORÇA MOTORA ESTÁTICA, QUE GOVERNASSE O UNIVERSO POR MEIO DE LEIS NATURAIS.

Shen Gua estava longe de ser um cientista, no sentido moderno da palavra, mas sua carreira ilustra por que Needham e outros historiadores enfatizam a importância da ciência chinesa. Shen Gua foi um administrador talentoso que ascendeu por meio do sistema de exames até chegar à posição de poderoso conselheiro do imperador em questões militares, financeiras e políticas, além de ter ocupado por vários anos a diretoria do Departamento de Astronomia. Apesar de mais tarde ter sofrido com intrigas palacianas, Shen Gua recuperou o prestígio depois de criar um elaborado mapa de relevo, e passou as últimas duas décadas da vida produzindo a obra "Conversas com o Pincel" (em tradução livre), que concebeu como um diálogo com a placa e o pincel de escrever.

Aos nossos olhos, Shen Gua aparece como um grande astrônomo, muito à frente dos europeus. Ele iniciou um amplo projeto de coleta de dados até então impensável na Europa: medir a posição dos planetas três vezes por noite, durante cinco anos. Sob sua administração foi construída uma rede de observatórios, todos equipados com dispositivos sofisticados. Aquele da Figura 7 mostra uma grande roda-d'água que move os instrumentos. Acima dessa torre de dois andares, com pouco mais de 10 metros de altura, há uma esfera armilar (Figura 4), decorada com dragões e equipada com um mecanismo de relógio que a faz girar. Apesar de desenvolvida independentemente, essa esfera é bem parecida com aquela descrita por Ptolomeu em Almagesto, e era usada para medir a posição dos planetas e das estrelas. No andar de baixo, um globo giratório imita o movimento do céu, e, sob ele, um pagode em cinco camadas guarda um elaborado sistema de bonecos móveis que indicam o horário e soam a intervalos regulares.

No entanto, Shen Gua não tinha o objetivo científico de deduzir as leis matemáticas que governam o comportamento dos planetas. Ele mais parecia um astrólogo administrativo, preocupado em reformar o calendário para tomar decisões políticas melhores sobre rituais imperiais, e ficou conhecido também por incentivar aperfeiçoamentos tecnológicos, incluindo um eficiente sistema de drenagem de água construído por 14 mil trabalhadores. Em termos modernos, porém, Shen Gua era menos engenheiro hidráulico do que especialista fiscal, um burocrata que via a natureza como um meio de produzir benefícios para o Estado, e não como manancial de evidências científicas. Para ele, o sal não era uma substância química curiosa, mas "uma fonte inesgotável de riqueza que vem do mar". Embora pudesse transmitir a impressão de ser um excelente cartógrafo, Shen Gua não elaborou o mapa do relevo chinês para orientar viajantes; queria apenas agradar o imperador, demonstrando a extensão territorial da China. E, embora "Conversas com o Pincel" contenha partes informativas sobre Astronomia, Medicina, Ótica e outros assuntos, hoje classificados como científicos, suas mais de 600 seções também tratam de intrigas palacianas, conselhos e lembranças pessoais.

Figura 7. Uma torre de relógio astronômico, construída por Su Sung e seus colaboradores no palácio imperial em Kaifeng, província de Homan (c.1090).

Apesar da pesquisa meticulosa realizada por Needham e muitos outros estudiosos, a importância da China ainda hoje é tema de acalorados debates. Na década de 1950, ele propôs o que depois ficaria conhecido como "o problema de Needham". Nunca foi alcançada uma resposta satisfatória, mas suas descobertas possibilitaram que outros acadêmicos continuassem pesquisando o assunto – ou melhor, os dois assuntos. Primeiro, Needham perguntou: "O que aconteceu, durante o Renascimento europeu, para que surgissem as Ciências Matemáticas da Natureza?". E, como se essa pergunta não fosse suficientemente complexa, ele continuou: "E por que isso não aconteceu na China?". Rejeitando todas as teorias simplistas sobre uma possível superioridade europeia intrínseca, Needham insistiu em explicações sociais e – de acordo com suas convicções políticas – desenvolveu uma análise marxista.

Segundo a argumentação de Needham, a China é muito diferente da Europa em termos geográficos, apesar da semelhança entre os climas. Enquanto o longo e recortado litoral europeu favorece o comércio marítimo, a grande extensão territorial da China facilita a agricultura e a coesão interna. Na Europa, a ciência europeia se desenvolveu nos séculos 14 e 15, quando o feudalismo aristocrático e militar evoluiu para o capitalismo. Diferentemente, a China continuou presa a uma economia feudal governada por um Estado burocrático centralizado, voltado para a produção e não para a defesa. O Império Chinês era unido por uma vasta e intrincada rede administrativa, que permitia aos oficiais coletar impostos e coordenar a produção de alimentos de maneira eficiente – mas que bloqueava a iniciativa individual e sufocava qualquer anseio de enriquecimento pessoal. De início, conforme Needham explicou, essa estrutura burocrática estimulou o desenvolvimento tecnológico, uma vez que projetos nacionais eram lançados para proteger a água, melhorar o transporte e promover a educação. No entanto, na ausência da iniciativa privada, essa estável sociedade feudal nunca avançou para o capitalismo mercantil.

A solução de Needham foi criticada, porque considerava o conhecimento científico absoluto e universal. Assim, apesar de ter provocado enorme controvérsia, ao desafiar o eurocentrismo e enfatizar a importância da China, a imagem da água corrente criada por Needham implica que o grande fluxo de descobertas científicas leva inevitavelmente ao Oceano da Verdade. Ou, para usar outra metáfora, ele concluiu que a China chegou ao nível de Leonardo da Vinci, mas nunca alcançou Galileu, como se ambos estivessem escalando o Pico da Verdade. No entanto, a própria obra de Needham confirma que entender a historia da ciência significa pensar em ambientes sociais, e não só relatar grandes descobertas e teorias. O conhecimento do mundo pode adquirir várias formas, desenvolvido em diversos lugares com propósitos diferentes. Não há um caminho único em direção à verdade.

Ainda assim, o problema de Needham se recusa a desaparecer. Pelo contrário, torna-se cada vez mais importante, porque levanta a questão do desenvolvimento da ciência pelo mundo. Embora considerado, nos últimos 50 anos, uma questão reservada aos especialistas em assuntos ligados à China, o problema de Needham (que tem paralelos em outras civilizações, como o Império Islâmico) é fundamental para a análise da ascensão da ciência em termos globais. Suas descobertas – bem como as de muitos outros – desafia a noção da superioridade ocidental e força os historiadores a reconhecerem a importância de hábitos locais. A ciência não apareceu de repente na Europa renascentista, mas foi o produto de várias crenças e habilidades encontradas em diferentes partes do mundo ao longo do milênio anterior. Hoje está claro que o problema de Needham precisa ser reformulado. A questão crucial não é "Por que a ciência avançou na Europa ocidental?", mas "Como as atividades desenvolvidas na Europa levaram à forma de ciência que atualmente domina o mundo inteiro?".

CAPÍTULO 10
ISLÃ

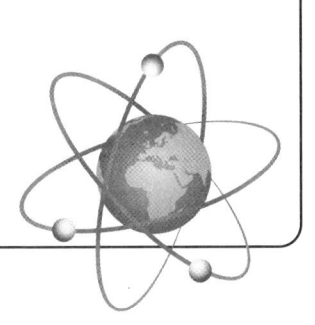

A razão é uma revelação natural, por meio da qual o eterno pai da luz e fonte de todo o conhecimento transmite à humanidade a porção de verdade que ele a considera capaz de absorver.

- John Locke, *An Essay Concerning Human*,
"Um Ensaio Sobre o Entendimento Humano" (1969)

Para consolidar sua identidade europeia, os analistas ocidentais descreviam os muçulmanos como pessoas diferentes. Criaram-se estereótipos e histórias assustadoras. No século 11, o papa Urbano II convocou as tropas católicas para atacar os "inimigos de Deus", lançando assim uma mentalidade hostil que ignora as raízes judaico-cristãs do islamismo e repercute até hoje. Os cristãos rejeitavam Maomé por acreditarem (erroneamente) que ele era considerado um deus pagão e não um profeta, um ser humano que havia recebido mensagens divinas. Além disso, não entendiam que, para os muçulmanos, o *Alcorão* substitui o *Novo* e o *Velho Testamento*. Embora, em seu auge, a civilização islâmica tenha avançado pela costa africana até chegar à Espanha, muitos europeus se referiam com desdém aos muçulmanos asiáticos, chamando-os de sarracenos – moradores de tendas – sem saber que professavam a mesma fé dos mouros espanhóis.

Mesmo os admiradores da cultura islâmica concentravam-se nas diferenças, muitas vezes destacando aspectos desconhecidos que levavam a interpretações exóticas. Assim, a única obra da literatura islâmica que teve algum impacto para os falantes da língua inglesa é *The Rubaiyat* ("Os Rubaiyat"), de Omar Khayyam. Escrito em quadras rimadas, o livro se tornou famoso pela visão fatalista da vida, que apoia o hedonismo de um filósofo bêbado falando sozinho o dia inteiro:

O dedo que se move escreve e, tendo escrito,
Se vai: nem toda a argúcia e piedade
O trarão de volta para mudar sequer meia linha,
Nem todas as tuas lágrimas apagarão uma só de suas palavras.

Essa versão, criada na era vitoriana, é uma tradução que logo se tornou muito popular, apesar de distorcer o sentido do poema original. Os versos são uma paródia lírica da filosofia persa, recolhida em diversas fontes. Nem de longe um libertino em busca do prazer, Omar Khayyam era um matemático brilhante, um sábio sufi, que lutava contra a hipocrisia religiosa. No entanto, tal como tantos outros aspectos da cultura islâmica, acabou preso a uma estrutura ocidental.

Por uma perspectiva ocidental, pode-se dizer que a ciência entrou na cultura islâmica na metade do século 8, quando os califas que governavam Bagdá começaram a investir no conhecimento. O árabe, a língua sagrada do Corão, tornou-se de fato uma linguagem científica internacional a unir um território gigantesco que se estendia do limite oeste da Espanha à fronteira com a China, incluindo a costa sul do Mediterrâneo. Dentro dessas condições, a pesquisa cresceu, e o conhecimento teórico alcançou um nível sem precedentes. De acordo com a história convencional, a civilização islâmica mostrou-se incapaz de sustentar esse movimento intelectual, e a ciência só sobreviveu porque foi transmitida para a Europa ocidental por volta do século 12. Em termos mais dramáticos, pode-se dizer que, na grande corrida pela verdade científica, os árabes ficaram para trás, enquanto os europeus tomavam a tocha do conhecimento.

A partir de um contexto islâmico, porém, essa versão do passado é insatisfatória, porque não leva em consideração a atitude dos muçulmanos em relação ao aprendizado. Ideias raramente são importadas intactas de outras culturas; elas sempre recebem a influência de perspectivas religiosas e filosóficas locais. Na Europa, por exemplo, as teorias gregas sobre a vida e o cosmos foram reinterpretadas a partir de um ponto de vista cristão (Figuras 3 e 6). Da mesma forma, quando os estudiosos muçulmanos entraram em contato com as ideias gregas, aplicaram critérios próprios para adaptá-las a sua estrutura conceitual. Se a ciência moderna e suas aplicações tecnológicas forem consideradas o auge da realização humana, então os filósofos islâmicos realmente parecem ter chegado a um impasse, depois de quatro séculos. Mas, para os muçulmanos que julgam ser a busca da perfeição espiritual mais importante do que o domínio sobre o mundo material por meio da razão, a ciência europeia seguiu o caminho errado.

O mais famoso livro da história da ciência europeia é *Philosophiae Naturalis Principia Mathematica* ("Princípios Matemáticos da Filosofia Natural"), de Isaac Newton. Esse título sugere um começo, uma base matemática a partir da qual se constrói o conhecimento sobre o mundo físico. Por comparação, uma das maiores obras árabes é "O Livro da Cura", que tem o objetivo de curar a ignorância do leitor. Em vez de servir como ponto de partida para o progresso, a obra resume e organiza todo o conhecimento de que uma pessoa bem informada precisa para alcançar a realização espiritual. Comparado a estudos contemporâneos produzidos nos mosteiros cristãos, "O Livro da Cura" foi compilado no início do século 11, e segue a importante tradição de classificar o conhecimento em grandes enciclopédias. No entanto, não se trata de um texto científico árido, mas de uma meditação poética e filosófica que visa à abrangência, incluindo explicações detalhadas sobre o aristotelismo islâmico e uma elaborada cosmologia da inteligência dos anjos. Depois que algumas partes foram traduzidas para o latim, "O Livro da Cura" se tornou um texto padrão, durante a Renascença, nas universidades de toda a Europa, onde o autor – Avicena – era aclamado como um médico importante. Embora hoje menos famoso do que seu discípulo Omar Khayyam (o autor de *Rubaiyat*), Avicena foi um dos muitos estudiosos muçulmanos que depois se tornaram figuras reconhecidas na Europa Ocidental e imprimiram sua marca na ciência moderna, por meio de palavras como álcool, açúcar e álcali.

"Avicena" é a versão latina do nome de Abu Alī al-Husain ibn Sīnā, famoso em todo o mundo islâmico por seus estudos de Medicina e de Filosofia Teológica. A vida e as ideias de Ibn Sînā (Éban Sînā) eram, assim como as de Omar Khayyam e outros estudiosos, muito diferentes das ideias e da vida dos cientistas modernos. Ibn Sīnā não era um estudioso solitário nem um especialista limitado. Ao contrário, tratava-se de um indivíduo com muitos conhecimentos, que viajou por várias cidades persas assumindo diferentes funções, inclusive as de médico da corte, soldado e administrador político.

Ele chegou mesmo a escrever alguns de seus cento e tantos livros montado a cavalo, com a ajuda de um cesto de vime que inventou. Além de médico capaz, Ibn Sīnā era excelente matemático e músico, conduziu pesquisas em Astronomia e Ótica e produziu um importante tratado em que discorria acerca do efeito da música sobre a alma. Seu trabalho mais conhecido é o "Cânone de Medicina", com mais de um milhão de palavras, cuja tradução para o latim foi um dos livros com o maior número de edições na Europa do século 16. Esse compêndio clássico sintetiza as observações de Ibn Sīnā, em especial sobre meningite e tuberculose.

> A FÉ ISLÂMICA INERENTEMENTE INCENTIVA A APRENDIZAGEM.

A Medicina moderna valoriza muito a originalidade. Diferentemente, os contemporâneos de Ibn Sīnā não admiravam seus escritos pelos conceitos inovadores, mas pela organização perfeita e sistemática. Assim como Newton, os estudiosos islâmicos analisavam o mundo porque queriam aproximar-se de Deus. E, assim como Newton, tiveram boa parte da vida ignorada em livros de História, para que pudessem ser vistos como precursores da ciência. Ibn Sīnā defendia o objetivo islâmico da busca por estabilidade. Para ele, entender a natureza não representava um fim em si, uma vez que os mundos físico, divino e espiritual são inseparáveis. A palavra "islã" significa "submissão" e "paz", ou "estar em união com Deus". O objetivo de Ibn Sīnā não era desvendar a estrutura do universo, mas ir ao encontro de Deus.

Embora se diga que ciência e religião frequentemente se chocam, as Escrituras Sagradas islâmicas aconselham os muçulmanos a aprender ao longo da vida, como parte da busca espiritual da perfeição. Por causa dessa missão, a fé islâmica inerentemente incentiva a aprendizagem. Estudiosos como Ibn Sīnā dividiam o conhecimento em duas áreas complementares. O conhecimento islâmico revelado – que incluía tópicos como Teologia, jurisprudência e interpretações de escrituras – vinha sobretudo do Alcorão, e foi transmitido diretamente de geração em geração. Por outro lado, tópicos científicos originários da Grécia recebiam uma abordagem intelectual, e tanto dependiam do pensamento independente quanto da aprendizagem convencional.

Intimamente ligadas às mesquitas, as escolas se concentravam nas questões reveladas. De modo brando, dois novos tipos de instituições foram surgindo – observatórios e hospitais – também associadas a mesquitas, mas voltadas para uma quantidade maior de matérias. Essas instituições mantinham grandes bibliotecas, porque os professores islâmicos enfatizavam o estudo de textos, em especial depois da introdução de um material barato – o papel, que logo substituiu o papiro e o pergaminho. Juntando o antigo conhecimento a novas descobertas, esses centros educacionais espalharam-se por todo o Império Islâmico, estimulando a pesquisa do mundo natural.

O primeiro grande centro para o ensino racional foi instaurado na corte do califa de Bagdá, instalado no século 8, com o patrocínio conjunto do Estado e da iniciativa privada. Equipada com uma enorme biblioteca, essa famosa escola atraiu estudantes de todo o império, que traduziram para o árabe muitos dos textos helenísticos. O estudo e a tradução de livros significavam que as ideias gregas havia muito eram adaptadas e absorvidas pela cultura islâmica. Textos médicos e astrológicos forneciam informações práticas sobre cirurgias, drogas e previsões, e já no século 10 uma enorme quantidade de trabalhos encontrava-se à disposição dos estudiosos árabes. Os califas subsidiavam esse extenso e caro projeto com a intenção de consolidar a fama de benfeitores esclarecidos e estabilizar o poder, encorajando os muçulmanos a colaborar, em vez de formar subgrupos de acordo com várias ideologias. Embora os califas não tivessem como prever isto, suas ambições políticas afetaram profundamente a ciência que viria depois, ao garantir a preservação do conhecimento grego.

Os observatórios astronômicos exerceram papel preponderante no treinamento científico. O mais influente deles ficava em Marāgha (na Pérsia, hoje Irã), encomendado em 1261 pelo neto de Gêngis Khan e patrocinado por uma entidade religiosa. Além de uma vasta coleção de instrumentos astronômicos de alta precisão, o observatório de Marāgha abrigava uma grande biblioteca, atraindo assim estudantes de todas as ciências. Esse plano básico, que combinava escola, observatório e biblioteca, espalhou-se pelo mundo islâmico, e foi mais tarde copiado por europeus que visitavam as cidades mais acessíveis, como Istambul.

Hospitais-escola foram outra inovação islâmica que influenciou profundamente a Europa. Tal como os observatórios, muitos hospitais foram construídos por governantes poderosos ou entidades religiosas. Os complexos frequentemente incluíam hospital, escola, biblioteca, mesquita e casa de banho, porque os muçulmanos consideravam inseparáveis a higiene, a saúde e o bem-estar espiritual. Para garantir altos padrões de atendimento, os estudantes passavam por testes oficiais, antes de serem liberados para a prática da Medicina. Além disso, os hospitais, muitas vezes, eram administrados por médicos renomados, que os convertiam também em centros de pesquisa. O exemplo mais famoso é o Hospital de Bagdá, reconstruído no fim do século 9, de acordo com o plano de seu diretor, o persa Muhammad ibn Zakariyyā al-Rāzī, autor de uma imensa enciclopédia médica, e conhecido na Europa como Rhazes, o Galeno persa.

Rhazes se tornou uma figura lendária, porém conceituada de diversas maneiras. Todos concordam que se tratava de um clínico excepcional, reconhecido por distinguir a varíola do sarampo, usar o ópio como anestésico e combinar o conhecimento tradicional com observações e remédios próprios. Era também um excelente professor, que seguia o estilo islâmico de ensino personalizado em pequenos grupos, em vez de discursar diante de uma turma enorme. Na Europa, os livros de Rhazes, em traduções para o latim, eram rotineiramente recomendados aos alunos de Medicina, e historiadores o celebram por ter revisto Galeno, acrescentando opiniões próprias. No entanto, nos países islâmicos al-Rāzī foi considerado um filósofo medíocre, e um muçulmano pouco ortodoxo, que desafiava as autoridades estabelecidas. A prática da Medicina era apenas uma parte da vida religiosa e intelectual de um estudante, e mais de dois terços dos livros de al-Rāzī foram dedicados a outros assuntos. Até recentemente, esses aspectos da vida de al-Rāzī permaneciam desconhecidos, uma vez que os escritores eurocêntricos preferiam estudar apenas os aspectos da vida islâmica que haviam contribuído para a cultura europeia.

Outro exemplo de reputação controvertida é a de Abu al-Walīd Muhammad ibn Rushd, conhecido na Europa como Averroes. Para os muçulmanos, a detalhada análise feita por ele sobre a obra de Aristóteles é insignificante, se comparada à abordagem enciclopédica de Ibn Sīnā (Avicena), cujos interesses cobriam toda a gama do conhecimento, e cuja prática da Medicina exerceu fortíssimo impacto. Na Europa, porém, Averroes foi considerado um dos maiores estudiosos de Aristóteles, e aparece ao lado de Platão, Aristóteles, Pitágoras e outros filósofos gregos ilustres, no famoso quadro renascentista de Rafael "A Escola de Atenas". Muitos muçulmanos se opunham às visões filosóficas de Ibn Rushd, algumas das quais sobreviveram apenas em versões latinas e hebraicas, uma vez que que as cópias árabes foram queimadas. A Europa, diferentemente, celebrou a ousadia de Averroes em atacar a religião estabelecida.

Muitas vezes se disse que a ciência declinou no Império Islâmico depois do século 13, como se os muçulmanos não tivessem conseguido manter o território intelectual conquistado aos gregos. Se aqueles estudiosos haviam gloriosamente carregado a tocha grega do progresso, por que teriam desistido antes do fim da corrida? O desapontamento dos especialistas em ciência árabe é semelhante aos sentimentos de Needham em relação à China, quando tentou entender como um país cientificamente tão avançado perdeu a liderança. Tal como Needham, os historiadores não se fizeram as perguntas certas, ao equivocadamente tratar a ciência como um projeto unificado em busca da Verdade Absoluta.

O tipo de pesquisa científica praticado sob as leis islâmicas não se manteve, por diversas razões. As mudanças políticas foram extremamente importantes. O conhecimento floresceu no mundo islâmico em épocas de paz e prosperidade, mas enfraqueceu-se quando os recursos foram canalizados para a defesa e a agricultura. Em especial depois que os europeus reivindicaram a posse do Novo Mundo, o comércio e a riqueza avançaram a passos firmes para o Ocidente, e os governantes islâmicos perderam a soberania quase global. Outro fator da mudança foi a organização social. Os sistemas islâmicos educacional e legal favoreciam a transmissão do conhecimento local, de um estudioso para outro, em pequenos grupos – uma estrutura que favorece a estabilidade e preserva as diferenças de opinião. Por outro lado, as universidades europeias encorajavam o debate acadêmico que desafiava e subvertia o conhecimento estabelecido, atividades essas vistas como heréticas pelos muçulmanos ortodoxos, que valorizavam a aprendizagem como meio de aperfeiçoamento espiritual.

O atraso no desenvolvimento científico provocou a troca de falsas acusações, dentro e fora da Europa. De acordo com o antigo modelo científico que pregava a constante busca da verdade, a Inglaterra foi ultrapassada pela França, no fim do século 18, por não ter expressado as leis da Física em complexas equações matemáticas. Em retrospecto, pode parecer que a França escolheu um caminho melhor em direção ao futuro. No entanto, os cientistas ingleses não rejeitavam explicitamente as técnicas matemáticas porque fossem incapazes de compreendê-las, mas por acreditarem que símbolos algébricos têm pouca relação com o mundo real. Para eles, alcançar um grau de excelência em Matemática e decifrar mistérios divinos que deveriam permanecer secretos para sempre eram atitudes que soariam como falso orgulho, condenado por Deus. Da mesma forma, muitos estudiosos islâmicos rejeitaram a busca pura e simples do conhecimento. Depois de adaptar todo o conhecimento grego que poderia ser útil na prática, eles se concentraram em um tipo diferente de progresso – a busca da felicidade e da perfeição espiritual.

CAPÍTULO 11
CONHECIMENTO

Versado ele era em Esculápio,
Em Dioscórides e em Rufo,
Em Hipócrates, em Ali, e Galeno,
Serapião, Razis, e Avicena
Averroes, Damasceno e Constantino
Bernardo, Gatesden e Gilbertino.

- Geoffrey Chaucer, Prólogo, *The Canterbury Tales*,
"Os Contos de Cantuária" (c.1387-1400)

Na metade do século 9, em Bagdá, o projeto de traduções instalado pelos califas estava em andamento. O objetivo não era meramente absorver conhecimento, mas também transformá-lo, de maneira que pudesse ser assimilado pela cultura islâmica. Como explicou um dos matemáticos do califa, tudo deveria ser feito "de acordo com o uso da língua árabe e os costumes do nosso tempo". Segundo ele, os muçulmanos participavam de um esforço contínuo pela aprendizagem, cujos objetivos eram: "registrar fielmente tudo que os antigos disseram sobre o assunto e completar o que os antigos não expressaram por inteiro."

Havia outros "antigos" além dos gregos. Como a região islâmica se estendia da Andaluzia ao Uzbequistão, onde viviam cristãos, judeus e muçulmanos, seus habitantes herdaram uma imensa quantidade de ideias originárias de diferentes civilizações. Apesar da origem grega, o legado intelectual mais importante entrou no Império Islâmico por Alexandria, já alterado por muitas tendências e pressões. Tal como os vendedores, os estudiosos viajavam por todo o império, difundindo e recolhendo ideias tradicionais das culturas persa, indiana e grega. Além disso, a peregrinação anual a Meca favorecia essa combinação de culturas tão diversas. Assim, justifica-se que não houvesse uniformidade no conhecimento. No entanto, o termo "ciências árabes" é útil e significativo, porque o idioma único permitia que os estudiosos se deslocassem, trocando ideias em um nível que seria impossível em outro lugar.

> OS ESTUDIOSOS ISLÂMICOS DIVIDIAM O APRENDIZADO CIENTÍFICO EM DOIS GRANDES GRUPOS, QUE NÃO CORRESPONDEM EXATAMENTE ÀS DISCIPLINAS MODERNAS.

Os estudiosos islâmicos dividiam o aprendizado científico em dois grandes grupos, que não correspondem exatamente às disciplinas modernas. Uma das abordagens consistia em seguir Pitágoras: estudar matérias quantitativas – Aritmética, Geometria, Astronomia e Música – para buscar a ordem matemática no centro do universo. Embora atualmente essas disciplinas não pareçam correlacionadas, mais tarde foram agrupadas no currículo de universidades europeias. Na outra abordagem, os estudiosos eram mais descritivos e aristotélicos. Além de observar animais, plantas e minerais, estudavam assuntos que hoje pertencem à Física – sobretudo à Ótica. Por uma perspectiva teológica, aceitavam a visão aristotélica de um cosmos teleológico, ou seja, que serve a um propósito, o que corresponde à crença islâmica de que Deus criou o universo expressamente para a espécie humana.

Álgebra, algoritmo, zero – três palavras matemáticas bem familiares, todas de origem árabe. Os muçulmanos se sentiam atraídos pela Matemática de Pitágoras, porque combinava com o amor que nutriam pela harmonia e com sua busca pela ordem universal. Na tradição islâmica, arte e arquitetura revelam claramente essa fascinação pela Geometria e pela simetria. Na Figura 8, as telhas e colunas de um observatório astronômico estão ordenadas em padrões repetitivos, e o mesmo se observa nas árvores do lado de fora. Essa característica estética vem do cerne da fé islâmica, que prega o avanço do mundo confuso da multiplicidade até a suprema ordem do Uno, ou seja, Deus. Quando os muçulmanos tomaram conhecimento da obra dos matemáticos gregos, em traduções para o árabe, viram-se diante de uma espiritualidade quantitativa parecida com a deles.

Figura 8. Taqi al Din e outros astrônomos, trabalhando no observatório de Muradd III, em Istambul, no século 16.

Os matemáticos islâmicos procuravam sinais cósmicos e numéricos em quadrados mágicos, cujas colunas, linhas e diagonais somavam sempre o mesmo número. Eles também se dedicavam a resolver problemas que hoje se tornaram clássicos, como calcular o total de grãos de trigo, se arrumados em um tabuleiro de xadrez da seguinte forma: um no primeiro quadrado, dois no segundo, quatro no terceiro e assim por diante, sempre dobrando a quantidade até o 64º quadrado, que receberia um volume inimaginável de grãos. Esse quebra-cabeça, em particular, foi desenvolvido e solucionado no século 11 por Abū Raihān al-Bīrūnī, uma das maiores inteligências do império. Na época, ele era tão importante quanto o colega Ibn Sīnā (Avicena), mas seus trabalhos não foram traduzidos para o latim, permanecendo desconhecidos na Europa. Tal como outros estudiosos islâmicos, al-Bīrūnī parecia mais um sábio do que um cientista moderno. Seus livros sobre Matemática e Astronomia foram usados durante séculos, mas ele também era reconhecido como historiador e como estudioso das religiões.

> OS ASTRÔNOMOS TAMBÉM PRETENDIAM ALCANÇAR A PUREZA RELIGIOSA AO DEMONSTRAR A PERFEIÇÃO DO CÉU.

Os astrônomos tinham diversos objetivos. Eles queriam medir o universo com precisão e organizar catálogos de estrelas, mas também pretendiam alcançar a pureza religiosa ao demonstrar a perfeição do céu. Muitos europeus – Newton, inclusive – imaginavam um cosmos pitagórico, harmonioso, como parte da criação divina. Matemáticos muçulmanos visualizavam os números como formas geométricas de significados simbólicos; o "3", por exemplo, estava ligado ao triângulo da harmonia, e o "4", ao quadrado da estabilidade. Daí veio a ideia de introduzir a métrica na música, uma inovação que revolucionou o canto gregoriano cristão no século 12 na Europa, quando as partituras passaram a especificar o tempo de cada nota. As representações geométricas e as relações numéricas estavam ligadas não só aos intervalos entre as notas musicais, mas ainda às implicações espirituais e às proporções do universo.

A Astronomia Matemática também era importante por suas utilidades práticas, como elaborar horóscopos para governantes prestes a tomar decisões importantes. A fé islâmica fazia algumas exigências especiais, e atividades hoje consideradas científicas tinham na época uma motivação religiosa. Os calendários deviam atender às necessidades do ritual de jejum, garantindo que todos os muçulmanos suportassem o mesmo período e as mesmas condições de privação, independentemente de onde vivessem. Para os diferentes lugares do império, os muçulmanos precisavam calcular os horários das rezas diárias e a direção de Meca. Cronometristas oficiais nas mesquitas faziam extensas medições astronômicas, e matemáticos, como al-Bīrūnī, mediam coordenadas geográficas com um nível de precisão nunca antes alcançado.

Com a adoção e a adaptação da Astronomia grega, os estudiosos baseavam-se, sobretudo, no *Almagesto* de Ptolomeu, que ressalta a importância da observação. Para elaborar seu trabalho, astrônomos islâmicos desenvolveram instrumentos sofisticados, mais tarde imitados pelos europeus, com o intuito de aprimorar as medições e organizar novos catálogos de estrelas. A Figura 8 mostra um pequeno observatório em Istambul, cuja maior conquista foi identificar um cometa extremamente brilhante em 1577. Infelizmente o astrônomo responsável interpretou o achado como um bom presságio, que não se confirmou. Depois de muitas pragas e mortes, o observatório foi demolido, como um alerta contra a intromissão em coisas sagradas. No entanto, feita de acordo com especificações tradicionais, a construção representa uma boa ilustração da Astronomia islâmica.

Na imagem, elaborada geometricamente, a importância dos livros é enfatizada pelas prateleiras no alto, à direita. Os 15 astrônomos estão divididos em três equipes, cada um trabalhando com uma grande variedade de instrumentos que se tornariam padrão na época do Renascimento europeu – inclusive (na ponta, à direita) um relógio mecânico, cujas engrenagens devem ter origem chinesa. O círculo duplo logo abaixo dos livros é o mais famoso e importante instrumento islâmico: o astrolábio, um conjunto de placas giratórias interligadas que imitam o céu. O primeiro astrolábio de que se tem notícia teria sido inventado na Grécia, quando Ptolomeu deixou cair uma esfera armilar, que foi pisada por seu burro. Trata-se de uma história de autenticidade duvidosa, mas matematicamente uma boa descrição. Essa versão islâmica achatada do universo grego tornou-se o instrumento favorito dos astrônomos da era renascentista, e foi objeto de um trabalho ilustrado de Geoffrey Chaucer. Os astrolábios foram utilizados por muito tempo, uma vez que eram portáteis e serviam para as mais diferentes funções, como medir o tempo ou fazer pesquisas e previsões astrológicas. Belos exemplares em latão foram furtados por europeus, e hoje são exibidos em museus do Ocidente.

Os astrônomos islâmicos seguiam, mas também criticavam, e – em uma atitude ainda mais importante – aperfeiçoaram o trabalho de Ptolomeu. Graças à coleta de dados extensos e precisos, eles mudaram a descrição do movimento do Sol e da Lua, além de introduzirem métodos trigonométricos mais eficientes para o cálculo das coordenadas estelares. Não admira que os estudiosos islâmicos tenham encontrado dificuldade em conciliar suas observações com o complexo sistema imaginado por Ptolomeu, em que os planetas ora se movem mais depressa, ora mais devagar. Um grupo revisou esse modelo, inventando dispositivos geométricos semelhantes aos criados por Copérnico, enquanto especialistas modernos passam em revista a história eurocêntrica, provando que Copérnico tinha conhecimento dessas ideias islâmicas.

Em terras islâmicas, a Astronomia não existia como matéria única. Os matemáticos seguidores de Pitágoras e os filósofos seguidores de Aristóteles voltavam-se para Ptolomeu, mas com abordagens diferentes. Os matemáticos procuravam descrever e quantificar, em vez de explicar o comportamento do mundo. Por outro lado, os filósofos aristotélicos queriam produzir uma versão mais realista e sólida do universo de Ptolomeu, mais condizente com os conceitos islâmicos. Durante anos al-Bīrūnī considerou a possibilidade de um universo heliocêntrico, e faria sentido dar-lhe o crédito de ter chegado a essa ideia antes de Copérnico. No entanto, como matemático, al-Bīrūnī pensou não ser seu papel descobrir qual dos dois ocuparia o centro do universo – a Terra ou o Sol. Ele mesmo afirmou que, em termos de cálculo, não fazia diferença se o Sol girava em torno da Terra ou vice-versa. Assim, manteve o modelo geocêntrico tradicional, deixando o problema cosmológico para os filósofos.

Um dos mais influentes filósofos aristotélicos foi Abū ʿAlī al-Hasan ibn al-Haitham, um estudioso de Ótica do século 10, mais tarde conhecido na Europa como Alhazen. Depois de cair em desgraça por não ter conseguido controlar as cheias do Nilo, ele fingiu ser louco e permaneceu no Egito, onde continuou suas pesquisas. Alhazen tentou impor a realidade física aos modelos cosmológicos, posicionando esferas concêntricas ao longo das linhas sugeridas por Aristóteles. Ele imaginou um céu exterior, sem estrelas, dentro do qual girava lentamente uma esfera onde as estrelas ficavam presas. Segundo Alhazen, dentro dessa esfera cada planeta carregava um conjunto de esferas que giravam lentamente.

As teorias sobre esferas celestes, defendidas por al-Haitham e outros aristotélicos islâmicos, foram consideradas na Europa durante séculos, graças às traduções para o latim. Por um ponto de vista científico, essas fusões de teorias islâmicas, de Aristóteles e de Ptolomeu apresentam vários impasses. Obviamente, é muito complicado explicar como todas essas esferas não se chocam e como os cometas atravessam essa movimentação sem mudar de rota. Para cristãos e muçulmanos, porém, esses modelos resolviam satisfatoriamente – ao menos por algum tempo – algumas questões que consideravam importantes. Os crentes imaginavam um universo estável, ordenado e finito, de acordo com suas Escrituras Sagradas, que situavam a espécie humana no centro da criação de Deus.

O maior legado de ibn al-Haitham foi seu trabalho em Ótica, aceito durante muito tempo. Mesmo durante o Renascimento, os cientistas ainda viam o conhecimento grego por meio dos olhos de Alhazen. Apesar de frequentemente considerado o físico islâmico mais importante, a visão que al-Haitham tinha do mundo diferia bastante da visão dos cientistas modernos. Sua abordagem, por exemplo, ignorava os limites entre as disciplinas, hoje adotados. Em vez de deixar os estudos sobre o olho humano para os anatomistas e fisiologistas, al-Haitham os uniu à observação de fenômenos atmosféricos e a experiências com lentes e espelhos.

Algumas das teorias modernas sobre reflexão e refração tiveram origem em al-Haitham. Tal como Newton, ele fabricava as próprias lentes, estudou a anatomia do olho humano e ponderou sobre o arco-íris. E, tal como Newton, al-Haitham acreditava que Deus é a luz do céu e da Terra – uma imagem do Corão que evoca imagens bíblicas. Acima de tudo, ele elaborou uma nova teoria sobre a visão. Hoje parece óbvio, mas foi al-Haitham quem primeiro disse que as pessoas conseguem enxergar porque a luz vem dos objetos observados. Ele herdou dos gregos três opiniões que sintetizou em um único estudo. Matemáticos, como Euclides, traçaram diagramas geométricos como se a luz partisse dos nossos olhos – eles estavam menos interessados em entender como as pessoas enxergam do que em criar um modelo geométrico descrevendo o que acontece. Aristóteles, por ser filósofo, pensava qualitativamente e procurava causas. De acordo com ele, o objeto afeta o meio (geralmente o ar) ao seu redor, e essa alteração é transmitida ao olho. E por último, sendo médico, Galeno examinou a estrutura fisiológica dos olhos. Ao combinar essas três abordagens, al-Haitham chegou à matemática envolvida quando a luz viaja em direção ao olho, e não na direção contrária.

A Ótica tanto pertence à Medicina como à ciência. Doenças nos olhos eram particularmente comuns no Egito, por causa da areia soprada do deserto, e a pesquisa de al-Haitham apresentou importantes benefícios terapêuticos. As palavras "droga", "retina", e "catarata" têm raízes árabes, e a Medicina islâmica manteve a importância na Europa até o século 17, sobretudo por causa das versões em latim dos livros de al-Rāzī (Razis) e Ibn Sīnā (Avicena). Especialistas islâmicos adotaram muitas teorias de Galeno, integrando sua versão da Medicina de Hipócrates às práticas tradicionais dos persas e indianos, para produzir compêndios abrangentes e sistemáticos que cobriam todos os aspectos da prevenção, do diagnóstico e do tratamento.

Além de aperfeiçoar a filosofia médica e os estudos sobre Anatomia deixados pelos gregos, os médicos islâmicos desenvolveram novas técnicas farmacológicas, e suas enormes enciclopédias levaram à Europa o conhecimento acumulado por gregos e islâmicos, sobre minerais, animais e plantas. A mais importante fonte de consulta era o trabalho do grego Dioscórides, em manuscritos ricamente ilustrados com informações sobre cerca de 900 drogas. Em meados do século 13, a pesquisa árabe havia multiplicado esse número por três. Como os remédios geralmente vinham de plantas, a procura por tratamentos mais eficazes implicava um conhecimento de Botânica preciso e detalhado. Diferentemente, as descrições de animais muitas vezes se baseavam em relatos orais, e os desenhos estavam mais próximos da mitologia do que da realidade.

Ser médico vai além de tratar sintomas. Um bom médico islâmico também era um homem virtuoso, que adaptava os males do paciente aos padrões do cosmos inteiro. No árabe, como em muitas outras línguas, as palavras para "respiração" e "alma" são relacionadas, de maneira que restituir a vida ao corpo também implicava alimentar a alma. Assim como os matemáticos islâmicos sentiam uma empatia instintiva em relação ao simbolismo numérico da cosmologia de Pitágoras, os filósofos médicos viam afinidade entre suas doutrinas teológicas, que encorajavam a harmonia e o equilíbrio, e as teorias gregas sobre os humores. Eles desenvolveram esse aspecto da filosofia grega que combinava com a teologia islâmica, insistindo que seres humanos não apenas fazem parte do universo, mas são miniaturas dele. Para os muçulmanos, todo indivíduo é refletido no cosmos, e o próprio cosmos é um espelho da vida. Esse modelo da humanidade em macrocosmo e microcosmo parece estranho hoje em dia, mas foi extremamente importante na Europa renascentista.

Na Renascença, médicos e filósofos naturalistas na Europa levaram para novas direções as antigas conquistas islâmicas, das quais haviam se beneficiado. Enquanto a economia europeia florescia, o poder do Império Otomano diminuía, reduzindo os recursos para investir em pesquisas das quais não se conheciam os possíveis benefícios. Além disso, nem todos os filósofos muçulmanos concordavam sobre a necessidade de uma melhor compreensão do mundo natural. Al-Bīrūnī tinha o mesmo objetivo de Newton: construir sobre o passado grego. Enquanto Newton queria enxergar mais longe com base em descobertas de outros estudiosos, al-Bīrūnī aconselhava seus colegas estudiosos a "limitarem-se às questões abordadas pelos antigos, procurando aperfeiçoar o que puder ser aperfeiçoado".

CAPÍTULO 12
EUROPA

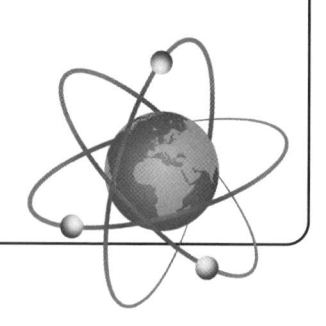

*Ainda me lembro
do dia em que os historiadores deixaram espaços em branco
em seus escritos,
porque não sabiam.*

- Ezra Pound, *Draft of XXX Cantos*, "Os Cantos" (1930)

Quando Galileu quis convencer os leitores do acerto de suas ideias pouco convencionais, criou um adversário fictício chamado Simplício, convenientemente ingênuo, pedante e teimoso. Para completar a caricatura, Galileu fez de Simplício um estudioso que vivia na Idade Média. O conceito de Era Medieval foi criado durante o Renascimento e, no começo do século 17, quando Galileu provocava discussões, o período estava relegado a uma página em branco na História. Tal como Galileu e seus contemporâneos, muitos historiadores ignoraram a Idade Média, considerando-a um lamentável interlúdio de escolasticismo enigmático, um obstáculo para o progresso científico, que havia começado no século 5, e acabou derretido pelo calor da inspiração renascentista.

No entanto, tudo depende do nosso olhar. Transformações importantíssimas aconteceram naqueles supostos séculos perdidos, mas não nos estudos acadêmicos, e, sim, em campos e oficinas, em igrejas e mosteiros. Ciência é matéria ao mesmo tempo prática e teórica, e suas origens não estão apenas em ideias, mas também em coisas palpáveis. Mudanças políticas, científicas e econômicas são inseparáveis. Depois que Carlos Magno fundou o Sacro Império Romano, no ano 800, a economia europeia renasceu sob os senhores feudais franceses, que levaram estabilidade às vastas regiões por eles administradas. Interessados em invenções que lhes dessem mais riqueza e poder, os senhores feudais instituíram um novo regime de mercantilização competitiva, cujas inovações técnicas melhoraram a eficiência dos métodos empregados na agricultura e na indústria. A consequência foi o aumento dos lucros, o que possibilitou o investimento em pesquisas. Ao fim do século 13, a Europa Ocidental não era mais empobrecida e rural; tornara-se uma próspera zona de comércio, onde a educação florescia em cidades independentes.

> CIÊNCIA É MATÉRIA AO MESMO TEMPO PRÁTICA E TEÓRICA, E SUAS ORIGENS NÃO ESTÃO APENAS EM IDEIAS, MAS TAMBÉM EM COISAS PALPÁVEIS.

Invenções técnicas hoje consideradas banais revolucionaram a sociedade com o mesmo impacto que teve a máquina a vapor, alguns séculos mais tarde. Novos arreios para cavalos, por exemplo, podem não parecer uma descoberta importante, mas reduziram drasticamente o trabalho escravo, que havia sustentado os impérios romano e grego. Melhorias básicas na parte mecânica, como as engrenagens, permitiam que moinhos usassem a força do vento e da água de maneira mais eficiente, enquanto inovações voltadas para a agricultura – arados, rotação de culturas, criação de animais, sistemas de irrigação – ajudaram a assegurar a regularidade na produção de alimentos. Ao mesmo tempo, descobertas no campo da metalurgia levavam à criação de armas mais eficientes, enquanto novos processos químicos geravam tratamentos médicos, tinturas e utensílios domésticos. Todos esses avanços favoreceram o conhecimento, já que as pessoas se livravam de tarefas demoradas e passavam a dispor de mais dinheiro.

A introdução de mudanças tecnológicas não tinha como objetivo o conhecimento, mas a utilidade. No entanto, o conhecimento prático representou uma base importante para as ciências do futuro. Como se dispunham a pagar preços mais altos por equipamentos melhores, os ricos proprietários de terras, indiretamente, também estimularam pesquisas na área da Mecânica e da Química, que hoje seriam consideradas científicas. Observadores de estrelas, na verdade pouco interessados em teorias astronômicas, acumularam as técnicas e os dados necessários para calcular a data da Páscoa, pilotar uma embarcação ou contar as horas. Da mesma forma, as habilidades de curandeiros e conhecedores de plantas locais foram mais tarde absorvidas pelas áreas da Farmacologia, da Botânica e da Mineralogia, enquanto os agricultores se tornaram especialistas em Meteorologia, Biologia e Geologia, embora tais disciplinas só viessem a receber esses nomes no século 19.

Antes e durante a recuperação econômica da Europa, os mosteiros eram os lugares onde mais se valorizava o conhecimento. Os monges exerceram um papel de importância vital na história da ciência europeia, porque tanto discutiam textos seculares quanto religiosos. Em vez de rejeitar os ensinamentos clássicos, classificando-os como pagãos, os monges estudiosos preferiram utilizá-los em prol do objetivo maior de decifrar a Bíblia para chegar a Deus. Então, discutiam grande variedade de ideias filosóficas relacionadas a seus estudos religiosos. Apesar do antagonismo frequentemente apontado entre religião e ciência, foi o cristianismo que preservou o ensino acadêmico na Europa.

Os monges, em especial, mantiveram a prática romana de compilar enciclopédias. Muitas discussões teológicas giravam em torno de como e por que Deus havia criado tantas formas de vida, o que estimulou as observações detalhadas que viriam a ser importantes para as ciências biológicas. Entre os muitos trabalhos a que os monges recorreram, estava a obra de Plínio, um militar romano do século 1 que acumulava informações obsessivamente. Sua extensa obra *História Natural,* uma colagem de centenas de outros autores, contém cerca de 20 mil fatos (alguns meio duvidosos – será que os castores realmente se castram quando uma ameaça se aproxima?) é uma abrangente compilação do conhecimento greco-romano. Ao adaptar a sabedoria clássica, incorporando-a a seus livros, os monges garantiram a importância de escritores como Plínio.

Enquanto a Europa Ocidental se tornava mais rica e poderosa, os centros religiosos continuavam vitais para o futuro da ciência. Um excelente exemplo é a Catedral de Chartres, consagrada em 1260 depois de uma série de incêndios. Ela representa uma expressão admirável da arquitetura gótica, que enfatizava a luz e a ordem estética. A estrutura dessa construção cristã agrega os ideais platônicos de um cosmos matemático organizado. Para os seguidores de Platão, o mundo material que as pessoas percebem não corresponde à realidade. Enquanto os desenhistas criam formas geométricas imperfeitas, os triângulos, quadrados, cubos e esferas perfeitos de Platão são eternos e imutáveis; embora não possa ser observada diretamente, a existência dessas formas ideais garante sua concepção matemática. Para explicar essas ideias nada intuitivas, Platão usou a analogia dos prisioneiros mantidos em uma caverna, obrigados a ver os objetos apenas em forma de sombras refletidas na parede por uma grande fogueira acesa na entrada. Se um dos prisioneiros for solto, ficará cego pela luz do sol, e o mundo das sombras, que lhe era familiar, vai parecer mais claro que o mundo real.

A Catedral de Chartres ilustra como a vida diária, a religião e o comércio estavam intimamente ligados durante o desenvolvimento de uma abordagem científica em relação ao mundo. Longe de ser apenas um lugar de devoção, a catedral foi projetada como um modelo da visão medieval do universo: Deus era o arquiteto divino, e Chartres incorporou a harmonia geométrica para representar a criação. Os arquitetos pensavam e trabalhavam geometricamente, e as proporções de suas obras espelham as relações divinas harmoniosas da música e do universo.

A catedral, a economia e o conhecimento especializado cresceram juntos. A construção de Chartres não foi apenas uma missão religiosa, mas também um projeto comunitário que garantiu empregos, estimulou a inventividade e alavancou os empreendimentos locais. A construção está repleta de inovações inspiradas por normas de cunho teológico, inclusive o teto elevado e a iluminação perfeita. Para criar um espaço imenso, mas estável e estruturado, os arquitetos desenvolveram recursos originais – os botaréus, por exemplo – além de renovarem o interesse pela Matemática aplicada à Mecânica. Vidraceiros e ferreiros também precisaram inovar e, com novos processos químicos, criaram vitrais de cores vivas e formas geométricas. Comerciantes fizeram doações, para garantir proteção espiritual e expressar gratidão pelos lucros. Pagos por instituições locais, os vitrais cumpriam a função de mostrar cenas da Bíblia e exaltar os artífices da região. Uma sequência, por exemplo, inclui a mais antiga imagem conhecida de uma invenção modesta, mas de importância vital para o sucesso da construção da catedral: o carrinho de mão. Em Chartres, o mundano e o científico se unem ao sagrado.

Além de absorver as atividades de quem vivia por perto, tanto a Catedral de Chartres quanto outras catedrais medievais afetaram profundamente o futuro, ao mudar a maneira como as pessoas percebiam o tempo. Modernamente, a ciência e a tecnologia medem o tempo até as frações de segundo, e essa abordagem quantitativa em relação ao dia a dia veio dos rituais monásticos. Enquanto muçulmanos e judeus baseavam suas rezas na posição do Sol no céu, os devotos cristãos rezavam a intervalos regulares, e por eles pautavam a rotina diária. Mesmo antes da invenção do relógio mecânico, as catedrais tocavam sinos para anunciar os serviços. Assim, a vida na Idade Média era regulada pelos toques que chamavam os fiéis sete vezes por dia.

> A SUBSTITUIÇÃO DOS RITMOS DA NATUREZA PELOS RITUAIS RELIGIOSOS PROVOCOU O SURGIMENTO DE UM NOVO CONCEITO DE TEMPO.

A substituição dos ritmos da natureza pelos rituais religiosos provocou o surgimento de um novo conceito de tempo. Considerar o tempo como algo mensurável, que transcorre a uma velocidade uniforme, hoje parece instintivamente óbvio. Sete séculos atrás, porém, esse era um conceito surpreendente para a maioria das pessoas, cuja vida seguia parâmetros como dia e noite, verão e inverno, plantio e colheita. Por mais estranho que possa parecer, medidores de tempo tradicionais, como relógios de sol e de água, marcavam as horas de durações diversas, porque incluíam 12 unidades entre o nascer e o pôr do sol. Isso quer dizer que, nos dias longos de verão, cada unidade durava mais que nos dias curtos de inverno. A cidade de Milão fez história na arte de medir o tempo quando, em 1136, o relógio de uma de suas igrejas pela primeira vez dividiu o dia em 24 horas iguais.

Em vez de seguir os ritmos diários e sazonais criados por Deus na natureza, os relógios mecânicos dividiam o tempo artificialmente, em blocos uniformes. Ao fim do século 14, diversas catedrais europeias exibiam enormes torres de relógio que se erguiam em direção a Deus, enquanto controlavam a vida lá embaixo. Apesar de não serem muito precisos – mesmo os melhores atrasavam cerca de 15 minutos por dia – esses relógios de igreja alteraram para sempre a maneira como as pessoas participavam do mundo. Em vez de responder aos padrões da luz natural, a vida passou a ser organizada em unidades iguais, determinadas arbitrária e mecanicamente. A ciência depende de medidas precisas e coordenadas globais, mas esse controle por meio da medição do tempo se deve aos monges cristãos.

Além de dividir o tempo em blocos iguais, os relógios ajudaram a transferir o poder da Igreja para os governantes seculares. Em 1370, o rei da França mandou que todos os relógios parisienses fossem ajustados de acordo com o dele. A imposição de uma ordem ao tempo também trazia implicações econômicas. "Lembre que tempo é dinheiro", aconselhava o próspero especialista em eletricidade, Benjamin Franklin, aos comerciantes do século 18. Uma expressão hoje tão familiar teria chocado os cristãos tradicionais: para eles, o tempo pertencia a Deus e não podia ser vendido. Cobrar juros sobre empréstimos era proibido pelas autoridades eclesiásticas, por ser considerado imoral lucrar com uma dádiva divina. Com o crescimento da Economia europeia, porém, o clero aos poucos percebeu que não adiantava resistir. Até os vitrais da Catedral de Chartres reconheciam as práticas comerciais, ao mostrar cambistas contando e pesando moedas de ouro. Enquanto até hoje os muçulmanos praticantes são proibidos de fazer hipotecas, as autoridades cristãs ajustaram seus princípios religiosos, para acomodar um sistema de crédito capitalista que se espalhou pela Europa, sustentando a riqueza da própria Igreja.

> UNIVERSIDADES ERAM INSTITUIÇÕES ÚNICAS QUE TORNARAM O ENSINO NA EUROPA DIFERENTE DO QUE SE OFERECIA EM QUALQUER OUTRO LUGAR.

O cristianismo medieval também afetou profundamente a futura ciência, por meio de seus estudiosos. Durante 200 anos, a Escola Monástica de Chartres foi um dos mais importantes centros educacionais da França, oferecendo ensinamentos clássicos e cristãos. Em vez de turmas, havia um professor para cada aluno, e o corpo docente incluía sábios como Bernard de Chartres, que inspirou Newton em sua famosa frase: "Se eu enxerguei mais longe, foi apenas porque me apoiei nos ombros de gigantes." Bernard se referia a dois gigantes – Platão e a Bíblia (ao menos uma versão distorcida e condensada resultante da tradução) –, e essa herança, ao mesmo tempo clássica e cristã, caracterizou o ensino transmitido aos estudantes. O declínio gradual da escola de Chatres não se deveu às limitações do currículo, mas ao fato de a cidade ser pequena, e a catedral manter o domínio sobre o ensino. Diferentemente, Paris, bem próxima, logo cresceu, tornando-se uma importante cidade comercial. Assim, tal como outros centros prósperos, começou a atrair estudiosos renomados, e pequenos grupos se separaram da Igreja para formar organizações independentes – as universidades, instituições únicas que tornaram o ensino na Europa diferente do que se oferecia em qualquer outro lugar.

Em 1200, a Europa contava com três universidades – primeiro a de Bolonha, depois Paris e Oxford – e, nos três séculos seguintes, cerca de outras 70 foram fundadas em cidades que queriam demonstrar importância. As universidades se transformaram em entidades poderosas, capazes de negociar com o Estado e com a Igreja. Como instituições autônomas, possuíam administração própria, mas recebiam excepcionais privilégios para seus acadêmicos, considerados a elite dos guardiões do conhecimento esotérico. Essa proteção significava que, além de lecionar, os intelectuais eram relativamente livres para discutir ideias polêmicas.

Mesmo antes disso, alguns estudiosos ligados aos mosteiros já haviam começado a mudar sua visão de Deus. Estimulados pelo conhecimento clássico herdado dos organizadores de enciclopédias, eles aos poucos se distanciavam da visão tradicional de Deus como causa direta e imediata de tudo que acontece no universo. Em vez disso, teólogos progressistas comparavam a natureza a uma máquina harmoniosa projetada por Deus, mas operada independentemente (com exceção dos milagres e acontecimentos sobrenaturais que comprovam as eventuais intervenções divinas). Essa mudança teológica em direção a um cosmos autorregulado foi importante, porque encorajou os estudiosos a analisar o mundo ao seu redor, além da Bíblia. Para obter informações sobre o universo e seu funcionamento, eles decidiram recuperar o antigo ensino grego, que havia perdido importância na Europa Ocidental, de língua latina, mas se encontrava preservado e adaptado no Império Islâmico. Ao fim do século 12, quando as traduções para o latim foram disponibilizadas, os estudiosos ligados às universidades deram nova orientação às heranças grega e árabe.

Não houve um desligamento repentino do passado em direção a um novo pensamento científico. Em vez de inventar novos cursos para os alunos, os professores universitários reformularam o antigo currículo grego. Em Chartres, uma escultura em pedra mostra sete figuras correspondentes às sete artes liberais, que continuaram a dominar a vida acadêmica. Na Figura 9, retirada de uma enciclopédia muito popular chamada *Margarita Philosophica*, as mesmas sete figuras são exibidas na metade inferior do círculo do conhecimento. Cada uma é identificada por seu nome latino na borda do círculo e pelo objeto que tem nas mãos – a lira para a Música, o compasso para a Geometria e a esfera para a Astronomia, por exemplo. Aristóteles aparece no canto inferior esquerdo, e sua obra dominou o ensino universitário: o anjo de três cabeças representa as três divisões da filosofia aristotélica – natural, racional e moral.

Figura 9. Página de rosto da obra de Gregor Reisch, *Margarita Philosophica* (1503)

As universidades organizaram o ensino em uma hierarquia rígida que refletia suas origens gregas e cristãs. No alto ficava a Teologia. Logo abaixo estavam a Lógica (racional) e a Filosofia natural. Na Idade Média, os alunos precisavam dominar essas matérias antes de entrar para a faculdade de Teologia, onde, conforme exigiam as autoridades eclesiásticas, passavam anos estudando textos, em vez de buscar a santidade. Na base da escala hierárquica encontravam-se as sete artes liberais, divididas em dois grupos, cujos nomes latinos se referem aos números três e quatro. O *quadrivium* englobava Astronomia, Geometria, Aritmética e Música, e o *trivium* incluía Retórica, Gramática e Lógica (Figura 9). As matérias do *quadrivium* fundamentavam o projeto de Chartres como o reflexo terreno de um universo platônico. Nas universidades medievais, elas foram transformadas pelas novas traduções do grego e do árabe, tornando-se especialmente importantes para as futuras ciências. O *trivium*, por sua vez, era considerado inferior, e deu origem à palavra "trivial".

O conhecimento era sempre simbolizado por musas e deusas, embora as mulheres fossem proibidas de frequentar as universidades e tivessem pouco acesso às sete artes liberais – reservadas aos homens. Na verdade, reservadas a homens especiais: cavalheiros privilegiados que sabiam ler, desdenhavam o trabalho manual e aprendiam a teoria, nunca a prática. Em latim, liber tanto quer dizer "livre" como "livro", e a educação deveria produzir cidadãos cultos, e não trabalhadores que se sustentassem. No *quadrivium* cada livro voltado para uma arte liberal tinha um equivalente sobre Mecânica, destinado às classes inferiores. Os construtores, por exemplo, usavam a Geometria para construir pontes, os comerciantes faziam cálculos aritméticos, os navegantes se orientavam pelas estrelas, e os artistas tocavam instrumentos musicais. A educação ficava reservada aos ricos, e ganhar dinheiro por meio do trabalho braçal era considerado degradante, em uma atitude que persistiu durante séculos. Mesmo na Inglaterra vitoriana, classificavam-se os engenheiros como socialmente inferiores aos cientistas, e valorizava-se menos o trabalho árduo do que a pesquisa acadêmica. Nos Estados Unidos, a situação era bem diferente, e o prolífico inventor Thomas Edison foi admirado por declarar que "a genialidade se compõe de 1% de inspiração e 99% de transpiração."

> O CONHECIMENTO ERA SEMPRE SIMBOLIZADO POR MUSAS E DEUSAS, EMBORA AS MULHERES FOSSEM PROIBIDAS DE FREQUENTAR AS UNIVERSIDADES.

Paradoxalmente, o que depois seria chamado de ciência teve origem nas artes liberais e mecânicas. Para a derivação de "arte" no sentido moderno, pense nas palavras "artesão" e "artificial". Para "ciência", pense em livros. Áreas que hoje se incluem no terreno das artes – escultura, pintura, arquitetura – eram originalmente habilidades manuais praticadas pelas classes sociais inferiores. Por outro lado, as disciplinas matemático-científicas surgiram do ensino acadêmico em textos escritos (a *scientia* latina), voltado para as classes superiores. Aí se incluíam não apenas teoremas geométricos e modelos cosmológicos derivados das sete artes liberais, mas também a música, matéria que – tal como a ciência – podia ser praticada com instrumentos ou analisada teoricamente. Além disso, a *scientia* englobava a Teologia, considerada atualmente oposta à ciência. Os estudiosos da Era Medieval estavam mais interessados em aproximar-se de Deus, do que em simplesmente acumular conhecimento, e acreditavam que a nova filosofia natural confirmaria suas ideias religiosas em vez de contradizê-las. Nas palavras de Roger Bacon, um porta-voz dessa visão de mundo: "Uma disciplina está ligada às outras. É o caso da Teologia, em que outras disciplinas são absolutamente indispensáveis à concretização de seus objetivos."

Roger Bacon era um experimentador, alquimista e estudioso franciscano que trabalhou em Paris e Oxford na segunda metade do século 13. É especialmente conhecido por seu trabalho em Ótica porque estabelece uma ligação essencial entre o trabalho de Alhazen (Ibn al-Haitham), muçulmano especialista no assunto, e Johannes Kepler, que estudou a luz mais de 300 anos depois dele. A visão de Bacon teve origem em suas crenças religiosas sobre a natureza da luz. De um modo que hoje parece estranho, mas na época fazia sentido, ele considerava a luz ao mesmo tempo transcendental e física, divina e corpórea. Para os estudiosos medievais, a posição de um objeto no mundo dependia da intensidade com que manifestava a presença de Deus. A luz ocupava uma posição mais alta na hierarquia espiritual do que a pedra, mas ambas só podiam ser entendidas com base em sua essência divina. Em outras palavras: as janelas da Catedral de Chartres ilustram cenas explícitas de lições morais e bíblicas, mas funcionam também como painéis transparentes que deixam passar a sagrada luz, para iluminar o intelecto e a alma.

Ao contrário de estudiosos anteriores, Bacon analisou textos antigos, além de conduzir experiências próprias. Em vez de aceitar incondicionalmente as ideias gregas, ele concordava com Alhazen – a luz entra nos olhos a partir dos objetos. E mais: acreditava que a luz radiante interage com o mundo físico, alterando-se à medida que se move e também alterando o meio por onde passa. Como que inspirado pelos vitrais da catedral, Bacon disse: "Quando um raio de luz atravessa o vidro colorido... no escuro, temos a impressão de ver uma cor semelhante à daquele corpo." Ele partia de uma perspectiva mais cristã do que científica, e imaginava a luz como um agente que unia os componentes do universo em um todo divino. Ainda assim, sua tese de que os objetos podiam agir entre si era teologicamente contraditória, pois seus colegas mais conservadores se recusavam a aceitar que o mundo pudesse agir sem a intervenção contínua de Deus.

Embora desse mais importância ao estudo da luz como chave para chegar ao cosmos do que como disciplina científica, Bacon influenciou o que viria a ser a ciência da Ótica. Para ele, o caminho da salvação da humanidade começa no mundo visível e tangível dos sentidos e eleva-se em etapas, por meio de abstrações e idealizações matemáticas, em direção a uma apreciação metafísica da unidade divina. A estrutura geométrica de Chartres, por exemplo, buscava a beleza e a harmonia musical, enquanto as matérias do *quadrivium* incentivavam a mente a elevar-se do mundo físico para o mundo celeste. Nessa rota hierárquica do físico para o espiritual, a ótica geométrica tinha raízes nas coisas mundanas, mas intermediava a comunicação com o reino divino. A tarefa de entender como os raios de luz interagem com espelhos e prismas não representava um fim em si, mas um passo rumo à compreensão de Deus.

Galileu duvidava da importância de seus antecessores, preferindo acreditar nas próprias pesquisas, possíveis somente porque o renascimento econômico da Europa estimulou a reforma acadêmica. Do mesmo modo, cientistas modernos consideram irrelevantes para seu trabalho os conceitos teológicos dos estudiosos medievais. Apesar de frequentemente lembrado como o primeiro cientista inglês, Roger Bacon sustentava que a luz revela aspectos divinos da criação. Por mais estranha que pareça hoje, essa estrutura intelectual afetou profundamente o futuro desenvolvimento científico.

CAPÍTULO 13
ARISTÓTELES

– Não entendo bem o grego – o gigante disse.
– Nem eu – o filósofo medíocre respondeu.
– Então por que cita Aristóteles em grego? – o habitante de Sírius perguntou.
– Porque – o outro respondeu – acho razoável citar o que não compreendo em uma língua que não entendo.

- Voltaire, *Micromégas*, "Micromegas" (1752)

Aristóteles foi a figura mais importante da Idade Média e do Renascimento. Os números praticamente falam por si. Cerca de 2 mil trabalhos de Aristóteles traduzidos para o latim existem até hoje, e outros milhares devem ter desaparecido. Cerca de um terço dos textos que chegaram até nós foi traduzido do árabe, e não do original grego, e o envolvimento de um idioma intermediário inevitavelmente gera alguma deturpação – para não falar nos erros dos escribas. Da relação de livros escritos sobre Aristóteles, um autor islâmico se destaca: Averroes (Ibn Rushd), que exerceu papel importante em convencer os estudiosos europeus a adotarem as ideias aristotélicas. Além disso, depois da morte de Aristóteles surgiram trabalhos em várias línguas atribuídos a ele, copiados à mão. Sobreviveram centenas desses textos, de autoria duvidosa e títulos instigantes, como *O Segredo dos Segredos*.

Mesmo durante a suposta Idade das Trevas, alguns textos gregos foram traduzidos para o latim, mas o volume de traduções aumentou realmente no século 12. Àquela altura, muitos viajantes – comerciantes, embaixadores, cruzados – haviam comentado com os estudiosos ocidentais sobre a habilidade e o conhecimento acumulados nas diferentes regiões do Império Islâmico. As relações interculturais sempre foram mais frequentes na Espanha, que abrigava uma ativa comunidade cristã, mesmo quando integrante das terras islâmicas. Depois que governantes cristãos recuperaram o controle, no fim do século 11, bispos locais financiavam traduções dos livros recolhidos nas grandes bibliotecas árabes da Espanha. Toledo se tornou um centro particularmente importante, atraindo tradutores de toda a Europa, interessados em adquirir o conhecimento islâmico e recuperar textos gregos perdidos.

Embora sem coordenação, esse foi um grande trabalho internacional, com muita gente envolvida. Alguns participantes da empreitada tiveram especial influência. Gerard de Cremona, por exemplo, era um estudioso italiano que chegou a Toledo em 1144 porque queria aprender o idioma árabe. Ele traduziu quase 80 livros, e seus manuscritos – mais tarde impressos – continuaram a ser consultados durante séculos. O "seno" da trigonometria vem de Gerard. Sua tradução mais importante foi o Almagesto de Ptolomeu, durante mais de 300 anos a única versão em latim disponível, responsável por elevar os astrônomos europeus a um nível de virtuosismo técnico nunca antes alcançado.

Ao final do século 12, os estudiosos europeus que conheciam o latim podiam ter acesso a uma vasta quantidade de textos traduzidos do grego. As primeiras traduções eram preferencialmente utilitárias – livros práticos sobre Astronomia e Astrologia, Medicina, Matemática e Meteorologia. Esses tratados técnicos não representavam grande ameaça à teologia cristã, e versões simplificadas do Almagesto de Ptolomeu logo começaram a ser utilizadas no ensino, bem como a *Ótica de Alhazen* (Ibn al-Haitham) e a *Medicina de Avicena* (Ibn Sīnā). Os textos teóricos surgiram mais tarde, trazendo problemas maiores. As teorias de Aristóteles foram banidas em Paris por cerca de 50 anos, por desafiarem as doutrinas cristãs sobre a existência e criação do mundo.

Ideologias originárias de Atenas e Jerusalém se chocaram na Europa Ocidental. Aristóteles – quer dizer, o Aristóteles apresentado pelo islâmico Averroes (Ibn Rushd) – provocou reações. Em um aspecto importante, o universo de Aristóteles é eterno, mas o universo cristão tem uma direção: a Bíblia começa com uma descrição detalhada de como Deus criou o mundo, enquanto o Dia do Juízo paira ameaçadoramente sobre o futuro.

A intervenção divina era outro problema, pois o cosmos autossuficiente e ordenado de Aristóteles é governado por leis, mas o Deus cristão manifesta Sua presença por meio de milagres, e concedeu à humanidade o dom do livre-arbítrio. Além disso, Aristóteles juntava corpo e alma, o que contradizia a convicção cristã de que, depois da morte do corpo, as almas existem independente e eternamente, no céu ou no inferno.

Essas incompatibilidades foram gradualmente resolvidas durante o século 13. Na época, os debates filosóficos devem ter parecido intermináveis, mas, em retrospecto, três homens se destacam. Um deles é o franciscano inglês Roger Bacon. Ao declarar que "a Teologia é a rainha das ciências", Bacon incentivou os acadêmicos a aceitarem as ideias pagãs e sujeitá-las às ideias cristãs. Enquanto Bacon se concentrava em Ótica e Matemática, seu rival Albert, o Grande, resolveu analisar, explicar e complementar minuciosamente toda a obra de Aristóteles. Dominicano alemão que estudou Teologia em Paris, Albert acabou se tornando "o Grande" graças à abrangência de seus conhecimentos – não somente de Teologia, Astrologia e Lógica, mas também de Botânica, Mineralogia e Zoologia (incluindo observações próprias sobre o acasalamento de perdizes).

O estudioso que mais contribuiu para a aceitação de Aristóteles foi o pupilo de Albert, Tomás de Aquino, um aristocrata italiano que ignorou os protestos da família (chegou a ficar preso em casa durante um ano) para tornar-se frade dominicano, conhecido em toda a Europa como "Doutor Angelicus". Apesar de considerado um radical poderoso por seus contemporâneos do século 13, Tomás de Aquino mais tarde foi consagrado santo, e é até hoje reverenciado como um dos maiores teólogos da Igreja Católica. Excepcionalmente aplicado, ele lecionou em diversas universidades europeias, inclusive na de Paris, onde tinha estudado. Atuou ao mesmo tempo como conselheiro do Papa e da própria família, da qual fazia parte o o próprio rei da França, parente seu. Além de todas essas atividades, Tomás de Aquino organizou uma versão sintetizada da obra de Aristóteles e do cristianismo (muitas vezes chamada de "tomismo", uma palavra derivada de seu primeiro nome), que dominou o pensamento em toda a Europa Ocidental por mais de 300 anos.

Aquino sustentava a teoria de que Deus havia conferido aos seres humanos uma mente e cinco sentidos, para estabelecer a diferença entre eles e o restante da criação. Segundo Aquino, só os humanos apreciam a beleza, e isso teria uma razão: Deus queria que a verdade fosse obtida não só por meio de Sua palavra – as revelações divinas contidas nas Sagradas Escrituras –, mas também pelo estudo do mundo natural. Como Deus jamais permitiria que as verdades obtidas pela razão e as verdades obtidas pela fé entrassem em choque, os cristãos dispunham de dois textos para guiá-los em seu caminho espiritual: a Bíblia ditada por Deus e os trabalhos de Aristóteles – ou, ao menos, uma versão alterada de Aristóteles.

O Aristóteles medieval não era o Aristóteles grego. E mais: não havia apenas uma versão do aristotelismo medieval. Como Albert, o Grande, ressaltou em um dos muitos livros que escreveu sobre Aristóteles, seu herói era humano e, portanto, falível, e seus discípulos podiam "expor esse homem de diversas maneiras, conforme as intenções de cada um". O mesmo se pode dizer em relação a todos os famosos "ismos" da ciência: não há uma única versão autorizada do cartesianismo, do newtonianismo ou do darwinismo, porque seus seguidores selecionam e desenvolvem apenas as partes com as quais concordavam ou pelas quais se interessavam.

O cosmos oferece um bom exemplo de adaptação. O próprio Aristóteles dispôs uma esfera de estrelas fixas além das sete esferas planetárias, e além delas, nada, nem mesmo o vácuo. Aos cristãos, era difícil aceitar essa versão. O que dizer do relato bíblico da criação, que especifica não só um céu, mas também um firmamento com água acima e abaixo? E o que aconteceria se alguém chegasse à beira do cosmos e esticasse o braço? Um meio comum de resolver esses dilemas era introduzindo três esferas, em vez de uma, além dos planetas, como está ilustrado na Figura 3. Depois dos sete planetas, ficavam o firmamento estrelado e o céu transparente, de água cristalina, tudo envolvido pela força motora de Aristóteles, um papel entregue ao Deus cristão.

Em um plano terrestre, o movimento era um tópico especialmente polêmico. Hoje, os debates da Era Medieval sobre o movimento parecem incompreensíveis, mas foram importantes porque influenciaram os rumos da Física. Segundo a estrutura aristotélica, os objetos só se movem quando impelidos – ao contrário da visão de Newton, segundo a qual os objetos continuam a mover-se até terem seu movimento interrompido. Aristóteles dividia o movimento em dois tipos: natural e forçado. O movimento natural acontece quando um corpo é internamente conduzido para seu lugar natural. Assim, a terra e a água descem, o fogo e o ar sobem. Um objeto também pode ser forçado a mover-se de modo não natural – um carro puxado por um boi, uma flecha lançada por um arqueiro. Mas o que acontece depois que a flecha deixa o arco? Uma vez interrompida a causa do movimento forçado – o arco – o movimento natural se estabelece e faz a flecha cair no chão? Para contrariar essa objeção, Aristóteles explicava que o lançamento da flecha altera o comportamento do ar, que corre da ponta para o final da flecha, empurrando-a para a frente. Essa explicação carrega algumas dificuldades óbvias. Por exemplo: se Aristóteles estava certo, como lançar uma flecha contra o vento?

> OS DEBATES DA ERA MEDIEVAL SOBRE O MOVIMENTO PARECEM INCOMPREENSÍVEIS, MAS FORAM IMPORTANTES PORQUE INFLUENCIARAM OS RUMOS DA FÍSICA.

Durante a primeira metade do século 14, estudiosos tentaram recuperar a teoria de Aristóteles sobre o movimento. Como filósofos aristotélicos, eles se concentravam na qualidade, e não na quantidade, procurando causas e explicações em vez de tentarem elaborar leis e fórmulas. O maior especialista de Paris era Jean Buridan, hoje famoso por inventar um burro infeliz, racional demais, que morre de fome entre dois montes de feno porque não consegue encontrar uma razão para escolher entre um ou outro. Com a intenção de recuperar as ideias de Aristóteles, Buridan dizia que a flecha se alterava, e não o ar, e acabou introduzindo um novo conceito – o ímpeto, uma qualidade capaz de impulsionar qualquer objeto que o contenha. O lançamento confere ímpeto à flecha, que continua a subir; da mesma maneira, o ímã dá ímpeto ao pedaço de ferro, que é internamente compelido a mover-se em direção a ele. Como o conceito de ímpeto desenvolvido por Buridan descrevia a realidade, sua importância foi mantida no campo da Mecânica, até ser derrubado por Galileu e Newton.

Os acadêmicos de Oxford, contemporâneos de Buridan, abordaram o problema por um ângulo mais matemático. Baseados em Merton College, uma das faculdades de Oxford, esses acadêmicos eram chamados de "calculadores", porque usavam a matemática para descrever a relação entre qualidades diferentes. Eles sugeriram, por exemplo, que dobrar a velocidade de uma flecha implicava elevar ao quadrado a razão entre a força impulsora e a resistência oferecida. Para deduzir equações, os calculadores de Merton usavam as ferramentas mentais da análise lógica e baseavam-se em experimentos puramente imaginários. Eles se viam como filósofos, não como artesãos que trabalhavam com instrumentos. E, de qualquer forma, a exatidão dos relógios da época ainda não era suficiente para cronometrar o movimento. Ainda assim, como em princípio suas fórmulas podiam ser testadas, as pesquisas desses estudiosos influenciaram profundamente as experiências de Galileu, 300 anos depois.

Para os estudiosos de então, certos instrumentos, tais como os relógios, eram projetados com a principal finalidade de refletir o cosmos de Aristóteles, e não de medi-lo. Ao reduzir o cosmos a uma grande máquina interconectada, eles anunciavam a magnificência de Deus. Em toda a Europa, artesãos construíam relógios cada vez mais complicados e caros, que incorporavam não só os sinos, para chamar as pessoas à reza ou ao trabalho, como intrincadas engrenagens, para exibir as maravilhas do universo de Deus, como as fases e os eclipses da Lua, as marés e os movimentos dos planetas. Cidades grandes, como Estrasburgo e Praga, investiram em esplêndidos mecanismos astronômicos para adornar as catedrais, que exibiam e aumentavam sua prosperidade, uma vez que atraíam a peregrinação religiosa (uma função cumprida atualmente pelas excursões turísticas). À medida que a tecnologia se aperfeiçoou, os relógios foram se tornando menores, mas continuaram a representar dispendiosos símbolos de *status*, usados como ornamentos elaborados, e nem tanto como medidores de tempo precisos.

> OS RELÓGIOS FORAM SE TORNANDO MENORES, MAS CONTINUARAM A REPRESENTAR DISPENDIOSOS SÍMBOLOS DE *STATUS*.

Esses relógios astronômicos exibiam concretamente a fusão do aristotelismo com o cristianismo. Ao informar as horas, impunham uma programação religiosa regular a toda a população. De maneira igualmente importante, esses modelos do cosmos deixavam claramente visível que a vida na Terra é afetada pela operação ordenada do céu. As pessoas estavam convencidas de que o movimento de estrelas e planetas influenciava a personalidade, a saúde e as oportunidades de negócio. Assim, o vocabulário astrológico, utilizado naquele período, sobrevive até hoje: lunáticos eram regidos pela Lua (*luna* em latim); os desastres vinham de cima (*astra* quer dizer "estrela"); e pessoas joviais eram regidas por Júpiter.

Para os cristãos aristotélicos, as estrelas eram intermediárias da vontade de Deus no controle do universo. Por outro lado, os teólogos tradicionais argumentavam que, se os eventos fossem predeterminados, o conceito cristão de livre-arbítrio ficaria prejudicado. Embora aceitassem a influência das estrelas sobre o corpo físico, eles sustentavam que a alma e a mente devem agir com independência. Tomás de Aquino espertamente resolveu esse conflito, argumentando que os homens sábios (e ele queria dizer só os homens mesmo) eram capazes de vencer suas inclinações naturais por meio do autocontrole. Os corpos celestes podem alterar a saúde física quando alteram o equilíbrio dos humores, mas um cristão racional jamais deixaria as estrelas determinarem completamente seu estado emocional; ao contrário das mulheres e dos trabalhadores, ele seria suficientemente autodisciplinado para enfrentar qualquer destino que seja destino e controlar suas próprias paixões e vontades.

A Astrologia se tornou compatível com o cristianismo quando foi dividida em dois ramos. Os membros do grupo que fazia horóscopos personalizados e dizia adivinhar os acontecimentos da vida dos indivíduos foram logo chamados de charlatães. Por outro lado, aqueles que praticavam a Astrologia natural e faziam prognósticos de modo geral eram altamente respeitados como membros de uma elite intelectual. Especialistas em Matemática, eles se baseavam nos mais avançados conhecimentos de Astronomia disponíveis, como a tradução para o latim do Almagesto de Ptolomeu, feita por Gerard de Cremona, e as precisas tabelas de trajetórias de corpos celestes compiladas em Toledo.

Médicos da Era Medieval e do Renascimento estudavam rotineiramente a medicina astrológica. A Figura 10, retirada do manual de um cirurgião do século 15, mostra o Homem Zodíaco, que personificava a correspondência aristotélica microcósmica e macrocósmica entre o corpo humano e o céu. Cada parte de seu corpo é associada a um signo, conforme determinaram os babilônios: Áries, o carneiro, está sobre a cabeça; Peixes nadam debaixo dos pés, e Touro está sentado sobre o ombro. O Homem Zodíaco era tão famoso, que quando Shakespeare escreveu *Noite de Reis*, sabia que a plateia iria rir de dois personagens que trocavam o lugar do corpo onde Touro deveria estar. Além disso, os planetas eram associados a determinados humores – Marte era colérico; Saturno, melancólico – e podiam influenciar a saúde das pessoas fazendo tais humores subirem e descerem, como as marés. Para que um tratamento fosse bem-sucedido, era preciso não somente restabelecer o equilíbrio natural desses humores, mas também interferir na hora certa, quando os planetas estivessem em posições favoráveis.

Figura 10. Homem zodíaco medieval. *Guild Book of the Barber Surgeons of York* (1486).

A Astrologia aristotélica cristianizada foi uma ciência importante na Era Medieval. Quando a peste negra começou a varrer a Europa em 1347, médicos da Universidade de Paris deram uma explicação aristotélica racional para o evento, dizendo que a epidemia havia se originado de uma conjunção incomum de planetas, quatro anos antes. Júpiter, quente e úmido, havia liberado vapores maléficos então incendiados pelo superaquecido, seco e malévolo Marte, e depois influenciados pelo melancólico Saturno. Esse conflito de planetas teria gerado ventos quentes do Sul, que alteraram a atmosfera, provocando uma doença correspondente nos seres humanos. Em termos teológicos, Deus tinha manifestado seu descontentamento por meio de poderes astrológicos naturais. Matemáticos começaram a fazer cálculos e concluíram que a próxima conjunção planetária importante aconteceria em 1365. Em Oxford, um especialista previu erroneamente que seu Deus cristão escolheria aquela data para destruir os sarracenos infiéis. Ele provavelmente não percebeu que devia aos tradutores islâmicos muito de seu conhecimento aristotélico.

A praga devastadora favoreceu o conhecimento. Ao matar cerca de um terço da população europeia em cinco anos, seu efeito imediato foi fazer os estudiosos se concentrarem na morte e na salvação, deixando de lado a atualidade e quaisquer outros temas. Em pouco tempo, porém, a economia começou a crescer rapidamente. Famílias ricas se tornaram ainda mais ricas ao receberem vultosas heranças dos parentes mortos, enquanto os trabalhadores sobreviventes ficaram em posição vantajosa para negociar salários. O comércio e as viagens se intensificaram, elevando a demanda por artigos de luxo, o que levou à criação de novos instrumentos, à elaboração de melhores mapas e a viagens exploratórias mais ambiciosas. A efervescência intelectual do Renascimento teve origens materiais.

CAPÍTULO 14
ALQUIMIA

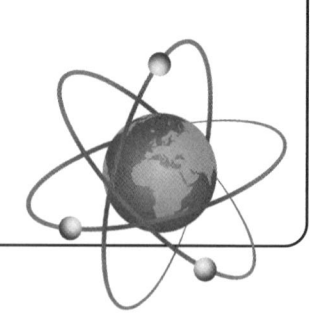

Este bastão e as serpentes macho e fêmea, unidos nas proporções de 3, 1 e 2, compõem o Cérbero de três cabeças que guarda as portas do inferno. Para serem fermentados e digeridos juntos, eles se decompõem e produzem fluido diariamente, até assumirem a cor verde. Daí a 40 dias estão transformados em um pó escuro e podre. A matéria verde pode ser guardada para fermentação. Seu espírito é o sangue do leão verde. O pó preto é nosso Pluto, o deus da riqueza.

- Isaac Newton, *Praxis* (c.1693)

A maioria dos cientistas considera a Alquimia uma bobagem, mas em 1936, durante uma palestra na of Cambridge University, o físico nuclear Ernest Rutherford descreveu-se como um alquimista moderno. Só que, segundo ele, em vez de transformar chumbo em ouro, havia transformado nitrogênio em oxigênio, bombardeando-o com partículas alfa. Ele acrescentou a seu brasão de família a imagem do mítico precursor da Alquimia, Hermes Trismegistus (Hermes três vezes poderoso), uma amálgama de vários sábios do antigo Egito cujos nomes sobrevivem na expressão "hermético". Rutherford pode ter-se deixado levar por uma extravagância científica, mas também defendia um ponto de vista sério. Hoje, algumas ambições metamórficas dos alquimistas parecem bizarras – como tentar achar a pedra filosofal ou o elixir da vida –, mas seus instrumentos, técnicas e atitudes estão no cerne da ciência experimental.

A Alquimia tem uma história longa em todo o mundo. Newton e outros estudiosos do século 17 basearam suas pesquisas em uma tradição hermética que começou nos babilônios, foi desenvolvida no Egito, na Grécia, na China e na Índia, e chegou à Europa pelo Império Islâmico no século 12. Como tudo que vem do Oriente, o vocabulário especializado da Alquimia tem origem em palavras traduzidas do árabe, algumas das quais passaram a fazer parte do vocabulário comum – "alquimia" e "elixir" são dois exemplos. Os primeiros tradutores, pouco familiarizados com a Alquimia, encontravam o assunto em livros hoje famosos, como parte da herança científica europeia. Quando Gerard de Cremona começou a estudar o *Almagesto*, de Ptolomeu, descobriu que a obra ia muito além da Astronomia que esperava encontrar. Informações sobre a Alquimia aparecem em obras de vários outros escritores influentes, incluindo Aristóteles e estudiosos islâmicos, como Razis (al-Rāzī) e Avicena (Ibn Sīnā). O altamente popular livro *O Segredo dos Segredos*, falsamente atribuído a Aristóteles, também vinha repleto de informações sobre Medicina, Alquimia e Magia.

> ALQUIMISTAS E CIENTISTAS SE PARECIAM, NA TENTATIVA DE MUDAR O MUNDO, EM VEZ DE APENAS ENTENDÊ-LO.

Alquimistas e cientistas se pareciam, na tentativa de mudar o mundo, em vez de apenas entendê-lo. Ao contrário dos estudiosos medievais, eles inventavam técnicas e procuravam desvendar fenômenos. Embora tivessem como principal objetivo ajudar as pessoas, os alquimistas precisavam ganhar dinheiro; assim protegiam suas descobertas, usando signos e símbolos misteriosos. Em essência, a Alquimia envolve o entendimento da mudança, que pode assumir várias formas: o ferro se deteriora e enferruja; as sementes viram árvores; a água congela; a Lua assume formas diferentes; o álcool evapora, mas anima; e o caráter dos criminosos se regenera. Fortemente influenciados por Aristóteles, os alquimistas medievais acreditavam em um universo interligado de elementos, qualidades e influências astrais. Crentes fervorosos, eles sempre buscavam, ao mesmo tempo, Deus e a perfeição. Seu principal objetivo era encontrar a pedra filosofal. Uma vez encontrada, a pedra seria a chave universal para o aperfeiçoamento, um meio infalível de transformar metal comum em ouro, de eliminar as doenças, prolongando a vida do ser humano e de chegar à iluminação divina, depois da purificação da alma.

A Figura 11 mostra muitas características fundamentais da Alquimia. Embora projetada por um homem de carne e osso – Heinrich Khunrath, um médico alemão que acreditava terem sido as técnicas alquímicas reveladas por Deus para a cura das doenças –, essa imponente câmara de proporções matemáticas não é uma descrição realista, mas um retrato simbólico dos objetivos da Alquimia. No centro vê-se uma mesa repleta de instrumentos musicais, indicação da harmonia cósmica e da ligação que, segundo Pitágoras, havia entre Música, Astronomia, Geometria e Aritmética – as matérias que formavam o *quadrivium* do currículo na Era Medieval. Os espaços em cada lado correspondem aos dois principais aspectos da Alquimia. À direita, o cartaz na parede indica que se trata de um *laboratorium*, um lugar de trabalho. Os equipamentos dispostos no chão e nas prateleiras servem a experiências práticas, tais como extrair substâncias e separar elixires puros de material colhido em animais, plantas e minerais. Além de tentar alcançar esse progresso material, os alquimistas procuravam o crescimento espiritual. À esquerda está o *oratorium*, o lugar de reza, onde o pecador tentava aperfeiçoar a alma e, assim, aproximar-se de Deus.

Figura 11. Local de trabalho de um alquimista. Heinrich Khunrath, *Amphitheatrum Sapientae Aeternae*, 1598.

A Alquimia hoje pode parecer uma excentricidade, mas cresceu rapidamente na Europa medieval porque parecia um sistema coerente e racional – que fazia sentido. Para muitas pessoas daquela época, a Alquimia se encaixava perfeitamente à visão católica do universo harmônico, governado por princípios aristotélicos. Afinal, se pão e vinho podem transmutar-se no corpo e no sangue de Cristo, e se minerais impuros do subsolo podem transformar-se em dinheiro, por que seria impossível curar uma doença fatal ou transformar chumbo em ouro? Processos de transformações faziam parte do aristotelismo, a ortodoxia acadêmica prevalente, que creditava o comportamento humano e as reações químicas à combinação de quatro elementos (terra, água, ar, fogo) e quatro qualidades (quente, seco, úmido, frio). Os detalhes ainda eram vagos, e sobrava espaço para variações, dentro das crenças principais.

O objetivo mais famoso dos alquimistas, transformar chumbo em ouro, tinha uma sólida base teórica. Tal como muitos críticos do aristotelismo, os alquimistas acreditavam que os metais são feitos de enxofre quente e seco, e mercúrio frio e úmido (princípios idealizados, e não enxofre e mercúrio comuns). Nas entranhas da Terra, esses elementos são aquecidos juntos, sob condições variadas e, depois de muitos anos de maturação, transformam-se em outros metais. Para acelerar esse processo natural, alquimistas procuraram de maneira incansável técnicas químicas que eliminassem séculos de transformações graduais e produzissem o ouro diretamente.

Os alquimistas influenciaram o rumo da ciência de diversas formas. Obviamente, suas pesquisas foram essenciais para futuros avanços da Química experimental e da Tecnologia industrial. Ao longo de séculos, alquimistas testaram pacientemente aparelhos para aquecer, destilar e cristalizar diferentes substâncias, e essa tradição em inovação e refinamento continuou muito tempo depois de a Alquimia ter chegado à Europa. Por exemplo, alquimistas inventaram destiladores para coletar líquidos (incluindo um álcool de uma pureza jamais vista), aperfeiçoaram diferentes tipos de caldeiras, que acabaram incorporadas à Química para banhos de imersão em areia e em água e – como mostra a Figura 11 – desenharam uma vasta gama de frascos e vasos com as mais variadas finalidades, ainda usados na Química do século 19. Embora o ouro tenha ficado apenas na intenção, alquimistas conseguiram isolar muitas substâncias químicas, inclusive remédios eficazes e o sulfato de amônia, hoje matéria-prima utilizada na indústria de fertilizantes artificiais.

Estudiosos herméticos também afetaram a ciência do futuro ao convencerem outras pessoas – professores universitários, patrocinadores, clientes – de que experimentos podiam ter resultados valiosos. Apesar de extremamente cultos, muitos alquimistas faziam seu trabalho fora das universidades: ganhavam dinheiro oferecendo tratamentos médicos ou desenvolvendo processos químicos com aplicações práticas. Receitas manuscritas com procedimentos secretos de Alquimia intrigavam os estudiosos, por serem muito diferentes dos indicados nos tratados teóricos que utilizavam. Apesar de continuarem a ensinar e divulgar técnicas tradicionais, alguns médicos das universidades começaram a prescrever drogas e terapias retiradas dos livros que circulavam clandestinamente.

Um dos maiores defensores da Alquimia foi Roger Bacon, muitas vezes saudado como pioneiro da moderna ciência experimental. De certa forma isso é verdade, mas sua insistência na importância da investigação prática veio da Alquimia, que ele considerava extremamente valiosa por ser útil. De que outra maneira seria possível prolongar a vida e curar as doenças do corpo e da alma? Que melhor emprego da Matemática haveria do que calcular as proporções certas dos remédios? Bacon investiu pesadamente em equipamentos e livros sobre Alquimia, e contribuiu para que os acadêmicos começassem a achar aceitável lidar com a prática, e não só com as ideias. Mas teve de enfrentar a oposição de seus contemporâneos, que geralmente desaprovavam a manipulação do mundo natural, preferindo o ponto de vista tradicional: "a natureza sabe o que faz".

> CREDITA-SE A ATRAÇÃO EXERCIDA PELA ALQUIMIA À AUSÊNCIA DE AUTORITARISMO, POIS O ESTUDANTE PODIA TOMAR UM CAMINHO EM QUE ACREDITASSE.

Esse conflito entre defensores da natureza e da arte (pense em "artifício", "artificial") durou centenas de anos e permaneceu no centro dos debates sobre o método científico e o desejo de usar as invenções humanas para melhorar o mundo criado por Deus. Ao apoiar as experiências alquímicas, Bacon se posicionou firmemente ao lado daqueles que acreditavam na arte ("artifício"). Certa vez, ele declarou provocativamente: "Alguns de vocês perguntam quem tem mais força ou mais eficiência, se a natureza ou a arte. Eu respondo que, embora a natureza seja forte e poderosa, a arte de usar a natureza como instrumento é ainda mais poderosa do que a virtude natural." Em vez de restringir-se a demonstrar como a natureza funciona, alquimistas queriam promover o aperfeiçoamento por meio da intervenção humana. Esse desejo duplo de entender e alterar é fundamental para a pesquisa científica.

Ainda assim, há diferenças decisivas entre Bacon e os cientistas modernos. Como estudioso medieval, Bacon era pago para pensar e escrever, não para experimentar. Ele não recebia ajuda para a compra de equipamentos, e reclamava que as pesquisas sempre paravam quando o dinheiro acabava. Em vez de seguir um programa sistemático de investigação, Bacon usava os recursos de que dispunha para confirmar – e não para testar – suas ideias teóricas, derivadas de antigos conceitos filosóficos e teológicos. Ele pensava de cima para baixo, a partir do divino para o mundano, do abstrato para o concreto, em uma abordagem bem diferente do ideal científico, que trabalha de baixo para cima, tentando inferir lei gerais a partir de situações particulares. Tal como seus contemporâneos acadêmicos, Bacon procurava Deus, e não uma verdade objetiva. Ao contrário do raciocínio puramente lógico dos aristotélicos, a Alquimia se propunha a devolver os milagres ao mundo, deixando claro que Deus podia, sim, interferir. Nas rígidas universidades medievais, credita-se a atração exercida pela Alquimia à ausência de autoritarismo, pois o estudante podia tomar um caminho em que acreditasse, em vez de seguir dogmas teológicos.

Bacon tinha outra característica em comum com os alquimistas que (supostamente) diferencia a Alquimia da ciência moderna: o sigilo. De acordo com visões ideológicas da ciência, cientistas do mundo todo se comunicam livremente, trocando informações. Embora existam muitos exemplos importantes da atitude contrária – incluindo o projeto da bomba atômica em Los Álamos, a relutância de Darwin em divulgar sua teoria da seleção natural e a política de patentes que protege a engenharia genética – a ética prevalente na nossa época prega que o progresso científico depende da transparência e da disponibilidade em cooperar e receber críticas. Em uma atitude semelhante à dos inventores modernos que protegem sua criação, os alquimistas procuravam impedir que outros alquimistas tomassem conhecimento de suas receitas e recusavam-se a divulgar seu conhecimento para além de círculos restritos de seguidores dedicados.

Para esconder o que sabiam, os alquimistas herméticos desenvolveram códigos de sinais e símbolos misteriosos. Alguns parecem símbolos químicos e eram facilmente decifrados, como desenhar uma Lua crescente para representar a prata, o metal da Lua. Outros eram deliberadamente obscuros, e continuaram misteriosos: um desenho do Sol sendo devorado por um dragão verde podia ser interpretado pelos iniciados como uma instrução de dissolver o ouro em *aqua regia* (água régia), uma poderosa mistura azul-esverdeada de ácidos. No entanto, assim como os cientistas que disputam uma bolsa acadêmica, os alquimistas tinham de divulgar resultados suficientes para convencer os potenciais patrocinadores de sua capacidade. E, assim como os cientistas, eles provavelmente ajustavam os dados obtidos, para reforçar seus argumentos. Essa afirmação de que cientistas alteram seus estudos pode surpreender, mas há alguns exemplos gritantes, incluindo a revelação do astrônomo britânico Arthur Eddington, que teria conseguido confirmar a teoria geral da relatividade de Albert Einstein, e a declaração do físico norte-americano Robert Millikan, que garantiu ter medido a carga de um elétron.

Havia uma intensa troca de manuscritos não oficiais que prometiam revelar segredos antigos. Tais manuscritos eram frequentemente interceptados por alquimistas diligentes, por monges e por acadêmicos, como Bacon. Os leitores da época ficavam fascinados pelas experiências relatadas. Geralmente de origem islâmica e muitas vezes creditados falsamente a figuras famosas, como Aristóteles e Albert, o Grande, os manuscritos incluíam remédios à base de plantas e conselhos práticos – ametistas curam a embriaguez, intestino de lebre favorece o nascimento de crianças do sexo masculino – todos supostamente testados, mas com pouquíssima justificação teórica. As repetidas proibições não conseguiram, porém, acabar com o entusiasmo dos leitores. Chegou a ser elaborado para os religiosos um manual que descrevia e classificava técnicas sexuais, para orientá-los na prescrição de penitências nos confessionários. No entanto, por mais esotéricas e eróticas que fossem, essas coleções de manuscritos enfatizavam a importância de oferecer explicações naturais, até mesmo para acontecimentos aparentemente milagrosos ou mágicos. E, ao contrário dos dogmáticos textos universitários, que repetiam insistentemente teorias fora da realidade, elas exploravam o mundo real.

O comportamento misterioso dos alquimistas era parecido com o de outros grupos especializados, inclusive os acadêmicos universitários. Antes da invenção da máquina impressora, os livros circulavam em cópias escritas à mão, disponíveis apenas para indivíduos cultos que entendiam latim e podiam pagar por elas. Monges estudiosos, como Bacon, atuavam em mosteiros e universidades, comunidades hierarquicamente fechadas, cujos membros sempre repetiam os ensinamentos das Sagradas Escrituras e as teorias dos filósofos gregos. Havia grandes semelhanças entre ser iniciado em uma ordem religiosa, aprovado para o corpo docente de uma universidade ou admitido em um grupo de misteriosos alquimistas. No mundo estratificado de Bacon, os estudiosos ficavam acima dos trabalhadores braçais, que ele comparava às cabras. Bacon era contra revelar conhecimento superior a quem não pertencesse aos círculos privilegiados – "Por que dar alface às cabras se elas ficam satisfeitas com cardo?" –, argumentando que poucos teriam a sensatez de não aplicar o conhecimento de maneira potencialmente perigosa e ameaçadora.

Laboratórios científicos modernos têm muito em comum com o ambiente de trabalho dos alquimistas, que serviram basicamente de modelo para os primeiros deles. Em ambos os casos, trata-se de espaços privados. O *laboratorium* da Figura 11 fica no interior de um salão parecido com um templo, e ainda protegido por algumas cortinas. Nos séculos seguintes, a pesquisa científica continuou sendo feita no ambiente doméstico, muitas vezes escondida em porões frios e escuros. Até mesmo o cientista vitoriano Michael Faraday conduzia seus estudos no subsolo da Royal Institution, bem escondido dos olhares do público. Muitos cientistas modernos também se comunicam em uma língua misteriosa, incompreensível para os não iniciados, além de guardarem seus valiosos instrumentos e monitorarem atentamente o acesso de estranhos. (Até a década de 1950, as mulheres ainda eram proibidas de frequentar os laboratórios de Física em Princeton).

Paradoxalmente, as verdades universais, muitas vezes, são creditadas a certos lugares, a certos indivíduos. Quando os profetas adquirem a sabedoria para iluminar o mundo todo, eles meditam sozinhos em locais ermos. Em estúdios privados – ou debaixo de macieiras – especialistas privilegiados formulam leis científicas que governam o cosmos inteiro. Da mesma forma, alquimistas solitários se retiravam para procurar pela pedra filosofal com seus amplos poderes de purificar o espírito e a matéria. Eles acreditavam que qualquer hermético que conseguisse livrar-se das ambições mundanas e recuperar a pureza de sua essência se tornaria um mago, uma pessoa com profundo conhecimento da natureza. Ao contrário de bruxos e bruxas que praticavam a magia negra convocando espíritos sobrenaturais, a magia – aquela magia altruísta dos alquimistas – manipulava os poderes da natureza. Frequentemente inspirados pela Matemática, eles podiam agir como mediadores entre as influências celestiais e a vida na Terra, redirecionando as forças ocultas do cosmos. O mago supremo foi Isaac Newton, que se colocava entre o mundo aristotélico de influências harmônicas e o mundo moderno da ciência matemática dos laboratórios. Os cientistas podem abominar a Alquimia, mas a Alquimia está mais próxima deles do que imaginam.

PARTE 3

Experimentos

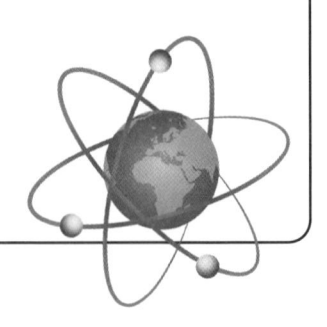

Durante o Renascimento europeu, a pesquisa intelectual foi impulsionada pela exploração de novas terras. O comércio estimulou a troca global de habilidades, conhecimentos e espécies biológicas que circulavam entre diferentes sociedades, sofrendo alterações. Filósofos naturalistas adaptaram antigos instrumentos e introduziram alguns inventados no período, mas a abordagem experimental em relação ao mundo, que caracteriza a ciência moderna, só se desenvolveu gradual e intermitentemente. Galileu encorajou os acadêmicos a encararem a natureza como um livro escrito por Deus em linguagem matemática, mas o outro livro de Deus – a Bíblia – permaneceu uma fonte importante de conhecimento. Muitas inovações resultaram da reformulação de conhecimentos anteriores, e não de ideias luminosas. Assim, conceitos antigos e novos coexistiram. Os princípios aristotélicos, por exemplo, resistiam muito depois de Copérnico colocar o Sol no centro do cosmos. Ao mesmo tempo, os magos dedicados às experiências em Alquimia e ao exercício de poderes espirituais fizeram da Matemática a chave do cosmos. Talvez o maior mago de todos tenha sido Isaac Newton, o filósofo naturalista e alquimista religioso que usou a linguagem grega da Geometria, em vez de empregar as mais novas técnicas matemáticas. O livro *Principia*, de Newton, escrito em 1687, que hoje ocupa a posição de livro sagrado da ciência, olhava para o futuro sem perder as raízes do passado.

CAPÍTULO 15
Exploração

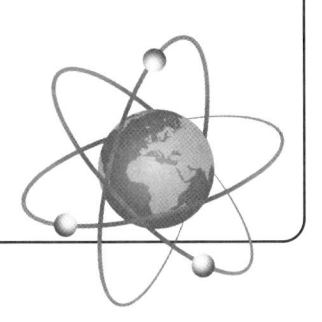

Não devemos interromper a exploração.
E quando terminarmos,
Chegaremos ao ponto de partida
Para ver o lugar pela primeira vez.

— T.S. Eliot, *Four Quartets*, "Quatro Quartetos" (1942

"Uma imagem vale por 10 mil palavras." Quando esse *slogan* publicitário foi criado, em 1927, os livros já não eram tão caros, boa parte da população estava alfabetizada, e os cientistas se orgulhavam de trocar informações livremente. Quatro séculos antes disso, quando Hans Holbein pintou *Os Embaixadores* (Figura 12) – um complexo comentário visual sobre a comunicação – a comercialização de livros impressos mal começava, só os ricos podiam ler, e as informações sobre novos territórios, produtos e processos ficavam bem guardadas. Hoje uma das pinturas mais famosas da Europa, fornece o único registro oficial de que os dois retratados, ambos diplomatas franceses, tenham se encontrado em Londres. Como Holbein mostrou – usando objetos e não palavras – viagens, dinheiro e conhecimento ligavam-se intimamente.

Ao retratar aquele encontro clandestino, Holbein refletiu sobre as diferentes maneiras de obter e transferir conhecimento durante a Renascença. Os meios tradicionais – conversas, cartas, manuscritos – eram complementados por livros impressos, embora estes tanto pudessem disseminar o erro quanto a verdade. Fazia 40 anos que Cristóvão Colombo havia atravessado o Atlântico, e pessoas que viviam em extremos opostos do planeta começavam a trocar plantas, animais e matérias-primas, assim como produtos manufaturados. A pintura de Holbein ilustra como a ciência experimental se originou do comércio e da política, e não da simples busca do conhecimento.

Embora não fosse este o objetivo maior, as explorações da Renascença resultaram em um aumento maciço de informação científica. Os viajantes internacionais estavam menos interessados em uma melhora intelectual do que em lucros financeiros e poder territorial. Eles voltavam ao país de origem carregados de plantas e animais exóticos que serviriam para produzir remédios, para plantar ou presentear; a elaboração de um catálogo global veio muito depois. Da mesma forma, os fabricantes de instrumentos queriam ganhar dinheiro em vez de decifrarem os segredos da natureza, e os equipamentos que hoje podem ser chamados de "científicos" foram originalmente projetados com finalidades práticas: medir superfícies, pesar metais, ministrar remédios, produzir tinturas. Navegadores precisavam de detalhes precisos sobre o movimento das estrelas, a leitura de bússolas e os padrões dos ventos para chegar ao destino em segurança, e não para demonstrar que os mapas elaborados por Ptolomeu estavam ultrapassados. O conhecimento sobre o mundo carregava implicações políticas e econômicas. Com isso, tornava-se uma mercadoria valiosa, usada pelos embaixadores e comerciantes para compra, venda ou troca.

Figura 12. Hans Holbein, *The Ambassadors* ("Os Embaixadores", 1553).

Na pintura repleta de sinais escondidos Holbein seguiu o modo como Aristóteles dividiu o universo, ao mostrar uma prateleira superior celeste, com uma prateleira terrestre abaixo. Como os livros e instrumentos eram muito mais interligados do que são hoje em dia, Holbein os agrupou como fontes complementares de conhecimento. Na parte de cima, os instrumentos matemáticos – todos identificáveis e cuidadosamente registrados – eram usados pelos navegantes para registrar a posição das estrelas, medir o tempo e fazer mapas mais precisos. A prateleira inferior contém um manual aritmético para comerciantes e também um globo com informações práticas sobre diplomacia, acrescentadas pelo próprio Holbein. Evidentemente, a exploração internacional estava ligada ao lucro e à posse.

> SOMENTE NO SÉCULO 16, OS EDITORES CONVENCERAM OS LEITORES DE QUE LIVROS IMPRESSOS, ALÉM DE ACESSÍVEIS, ERAM IDÊNTICOS AOS MANUSCRITOS.

Mas os instrumentos de Holbein também demonstram uma falta de comunicação. O alaúde – emblema da harmonia cosmológica e humana – tem uma corda rompida, e os instrumentos astronômicos aparecem deliberadamente desalinhados e com sombras incompatíveis. Ao lado de todo esse aparato estão de pé dois homens enviados como emissários do Estado francês para corrigir intrigas palacianas. Eles, no entanto, se mantêm silenciosos, e sua expressão impassível nada revela. Da mesma forma, os mostradores precisos dos relógios de sol e dos astrolábios, e as capas de couro trabalhadas dos livros não garantem precisão. Palavras impressas e objetos complexos são tão pouco confiáveis quanto seres humanos. Assim como as lentes produzem imagens distorcidas, a máquina impressora facilitou a disseminação de mentiras, e as imagens enganam – como os cortesãos dissimulados.

A máquina impressora teve um papel importante no avanço da ciência, embora a transição para essa nova tecnologia não tenha acontecido de uma hora para outra. Muito tempo depois de os tipos móveis terem sido introduzidos, na década de 1450, os escribas continuavam a produzir manuscritos, e as ilustrações ainda eram desenhadas e coloridas à mão. Os comerciantes perceberam que os clientes ricos, ávidos em adquirir obras com a filosofia de Aristóteles ou a *História Natural* de Plínio, costumavam estar menos interessados em enriquecer sua cultura do que em enriquecer a casa com símbolos artísticos. Então, começaram a vender edições limitadas de livros muito bonitos, embora caros. Somente no século 16 o mercado editorial se estabeleceu, e os editores convenceram os leitores de que livros impressos, além de acessíveis, eram idênticos aos manuscritos. Bem, mais ou menos.

A localização geográfica era essencial para a produção e a divulgação do conhecimento. Em *Os Embaixadores*, Holbein ressalta com exatidão que seu mundo político teve origem em Nuremberg, cidade conhecida pela prosperidade e pela cultura – àquela época, um centro europeu de impressão e distribuição de livros, e fabricação de instrumentos. O artista Albrecht Dürer usou a cidade de Nuremberg como base para a comercialização de suas ilustrações de plantas e animais. Apesar de ter zombado das cópias dos próprios trabalhos, comparando-as a pães de má qualidade amontoados no forno, as reproduções de baixo custo tiveram um efeito importantíssimo sobre a informação científica. Hoje, a conhecida imagem criada por Dürer, de um rinoceronte coberto com o que parece uma armadura, chega a ser engraçada, mas na época foi muito reproduzida e divulgada, apresentando o animal a muita gente que, tal como o artista, nunca o havia visto.

O maior responsável pela supremacia científica de Nuremberg foi o astrônomo regiomontano (Johannes Müller). Ele escolheu viver na cidade em 1471, em razão da fabricação de bons instrumentos astronômicos e "da grande facilidade de comunicação com sábios vindos dos mais variados lugares, uma vez que a região é conhecida como o centro da Europa e fica na rota do comércio". Essa excelente posição comercial ajudou a convencer os empresários locais a investir na nova gráfica de Regiomontano, o que fez de Nuremberg um polo intelectual, de onde a informação podia ser distribuída para todo o mundo conhecido, por meio de instrumentos, ilustrações e livros de alta qualidade.

A disseminação da aprendizagem dependia de autores progressistas e de editores ousados e conscientes. Regiomontano é muito menos conhecido do que outro astrônomo da Europa Central, Nicolau Copérnico, o clérigo estudioso que afirmou ser o Sol, e não a Terra, o centro do universo. O famoso livro de Copérnico também teve publicação em Nuremberg, e essa fama foi sustentada pelas redes de editoras estabelecidas por Regiomontano e seus contemporâneos. Sem esse tipo de iniciativa, as descobertas revolucionárias do século 16 não teriam o mesmo impacto.

As pesquisas de Regiomontano também foram de importância crucial para a futura ciência, graças à clareza, à precisão e à ampla divulgação de seus livros. Suas ideias chegaram a Copérnico quando ele ainda era um estudante em Bolonha, e também foram levadas ao Novo Mundo por Cristóvão Colombo, que andava à procura de rotas em direção à Índia Ocidental. Embora Colombo nunca tenha chegado ao destino tão desejado – como teimava em sustentar – a travessia do Oceano Atlântico alterou drasticamente a visão que os europeus tinham do mundo, resultando em uma enorme explosão de informações.

Regiomontano iniciou uma mudança na Astronomia. Ele se dedicou a estudar Ptolomeu, que vivera mais de mil anos antes, mas era ainda uma figura exponencial na matéria. Regiomontano não só produziu uma tradução melhor do *Almagesto*, como criticou algumas ideias do trabalho, fazendo novas medições astronômicas. Em uma impressionante mudança de opinião, ele afirmou que as teorias devem estar de acordo com as observações, e como garantia, verificou cuidadosamente os indícios encontrados. Tabelas manuscritas de antigas leituras estavam repletas de erros, algumas por terem sido copiadas repetidamente, outras por apresentarem dados incorretos ou inventados – um equivalente numérico do rinoceronte criado por Dürer. A reforma teórica só foi possível porque Regiomontano fez as medições astronômicas corretas.

Ao favorecer a expansão de redes de comércio internacional, Regiomontano possibilitou ainda que livros, instrumentos e conhecimentos viajassem ao redor do mundo como mercadorias, ao lado da seda, do cobre e de animais exóticos. Uma consequência óbvia disso foi o conhecimento geográfico mais apurado. Assim como Colombo validou os dados astronômicos de Regiomontano, comerciantes aproveitaram os aperfeiçoamentos da imprensa e dos instrumentos, para navegar com mais segurança e ir mais longe. O globo , retratado na pintura de Holbein – feito por um dos alunos de Regiomontano –, mostrava detalhes cartográficos colhidos às escondidas de fontes portuguesas que jamais revelariam espontaneamente informações tão valiosas. Armados com novos equipamentos de medição, os navegantes mapearam os oceanos e os mares com maior precisão, mas os territórios do interior continuaram, em grande parte, desconhecidos. Com a expansão do mercado internacional, os comerciantes exigiram – e conseguiram – conhecimentos mais detalhados e confiáveis sobre as dimensões do mundo, os padrões do vento, os cursos de água e as influências magnéticas.

Informações, matéria-prima e produtos manufaturados viajavam em todas as direções, influenciando e sendo influenciado, e alterando o mundo para sempre. Os europeus deixaram marcas indeléveis nos territórios onde se instalaram, mas a própria Europa também mudou. Do Novo Mundo chegaram a batata, o feijão e o tomate, enquanto lá eram introduzidas culturas europeias como cebola, repolho e alface, além de medicamentos, melancia e arroz – esses dois últimos produtos levados pelos escravos africanos. Somente sobreviviam em terras estrangeiras os comerciantes e missionários que atendiam aos conselhos dos habitantes locais quanto a roupa, alimentação e comportamento adequados. Quando retornavam aos países de origem, os viajantes levavam essas informações, de maneira que a Botânica, a Agricultura e a Medicina da Europa se beneficiaram do conhecimento de pessoas muitas vezes consideradas inferiores. Asiáticos, africanos e americanos aproveitaram muito os encontros inesperados com os europeus, já que foram introduzidos em sua economia alimentos, remédios, roupas e materiais de construção. Ao perceber que seu mundo parecia exótico aos olhos dos inesperados visitantes, esses povos exibiam plantas e animais cuja principal função era serem admirados; o rinoceronte que Dürer afirmava ter visto pessoalmente seria o presente de um governante indiano para o rei de Portugal. Comerciantes empreendedores logo estabeleceram um próspero mercado internacional de curiosidades naturais, convencendo os aristocratas europeus a expor essas valiosas maravilhas ao lado de seus ricos quadros e estátuas. A moda de colecionar minerais, plantas e animais exóticos começou nas cortes italianas e espalhou-se rapidamente pela Europa, chegando às residências. Em meados do século 17, o mercado para curiosidades era tão amplo, que o escritor John Evelyn contou ter visitado uma loja de suvenires parisiense chamada Noah's Ark (A Arca de Noé), onde se vendiam "todos os artigos naturais ou artificiais, indianos ou europeus, para uso ou coleção, como pequenos armários, conchas, marfim, porcelana, peixes secos, insetos, pássaros, quadros e milhares de extravagâncias".

> INFORMAÇÕES, MATÉRIA-PRIMA E PRODUTOS MANUFATURADOS VIAJAVAM EM TODAS AS DIREÇÕES, INFLUENCIANDO E SENDO INFLUENCIADO, E ALTERANDO O MUNDO PARA SEMPRE.

O comércio global estimulou o resgate da História Natural que se originou em cortes, sociedades privadas e coleções particulares, e não nas universidades. Nas cortes, príncipes e aristocratas agiam como patrocinadores, apoiando financeiramente estudiosos que circulavam entre nobres e discutiam com eles as mais recentes importações. Nas cidades, médicos e professores desenvolveram coleções próprias, em museus privados que se tornaram parada turística obrigatória para viajantes privilegiados, os quais contavam depois suas experiências em grupos de discussão. A Figura 13 mostra Ferrante Imperato, um conhecido farmacêutico de Nápoles, químico prático e especialista em fósseis, exibindo sua espetacular coleção a visitantes ilustres. Em busca de entretenimento intelectual, eles se reuniram para admirar o "teatro da natureza", uma metáfora que implicava o envolvimento de Deus como um magnífico diretor de cena.

Figura 13. Museu de Ferrante Imperato em Nápoles, 1599. Ferrante Imperato, *Dell'historia naturale* (Veneza, 1672 edn.).

A cena ilustra uma nova maneira de estudar – por meio de conversas, em vez de palestras. Nas universidades, os professores tradicionalmente transmitiam o conhecimento clássico ditado por autoridades no assunto, e cabia aos alunos absorver os ensinamentos, sem sequer pensar em desafiá-los.

Em sociedades e museus, porém, estudiosos e aristocratas se reuniam para discutir as matérias, trocar ideias e observar espécies naturais, chegando a conclusões. Naturalistas viajavam pela Europa visitando outros colecionadores e incorporando novos conhecimentos, recolhidos no contato com especialistas de várias nacionalidades.

Apesar da mudança de abordagem, a História Natural clássica inicialmente se expandiu, em vez de recuar. Imperato organizou as espécies de forma cuidadosa, mas conforme a aparência e a origem, sem se preocupar com um esquema abstrato de classificação. A posição de destaque em que o crocodilo aparece no teto, esticado, não se deve a uma especial importância científica, mas ao tamanho, ao exotismo e ao alto preço pago por ele. Os naturalistas do Renascimento queriam descrever e não explicar, compilar e não classificar, estudar o particular e não aceitar grandiosas proposições universais. Em vez de refazer antigos catálogos de plantas e animais, frequentemente organizados com finalidades médicas, os colecionadores enquadravam novas espécies nas categorias existentes, determinadas pelos gregos.

Além dos exemplares, informações e imagens, os colecionadores também trocavam impressões sobre partes distantes do planeta. A exposição de curiosidades de Imperato incluía livros – raras e caras fontes de conhecimento sobre a natureza –, mas as ilustrações eram bem diferentes das atuais. Muitas vezes isso acontecia porque, assim como Dürer e seu rinoceronte, os artistas jamais haviam visto os animais e plantas que tentavam retratar. O que também explicava as distorções era o fato de os ilustradores, muitas vezes intencionalmente, produzirem representações simbólicas em vez de retratarem a realidade. Quando, por exemplo, um marinheiro espanhol levou à Europa uma receita de purgante tradicionalmente utilizada na América Central, que indicava ralar a raiz de uma planta local, o médico preferiu ilustrar o texto com uma flor, para ressaltar sua importância. Assim, apesar do erro da ilustração, os farmacêuticos de toda a Europa vendiam a droga importada como um remédio seguro, eficaz e útil.

O realismo parece ser o único estilo que convém à História Natural; daí a estranheza causada pelas antigas ilustrações de plantas, muitas vezes aparentemente mal desenhadas. Isso não acontecia por falta de habilidade dos ilustradores, mas porque a intenção era expor detalhes pouco visíveis. As imagens eram consideradas potencialmente enganadoras. O enciclopedista Plínio contou a história de Zeuxis, cuja reprodução de um cacho de uvas resultou tão fiel, que os pássaros tentaram comer as frutas. Foi, no entanto, superado pelo rival Parrasius, que pintou cortinas sobre uma parede com incrível realismo; o próprio Zeuxis pediu que afastassem as cortinas, de modo que ele pudesse ver a pintura escondida por elas.

Aristóteles, Plínio e os outros compiladores clássicos sentiam que as imagens artificiais não se prestavam a revelar os segredos da natureza; por isso usavam palavras, e não ilustrações. De qualquer forma, os estudiosos que se dedicavam à atividade intelectual tinham pouco contato com artistas, na época considerados trabalhadores manuais. Não se viam imagens de História Natural em textos acadêmicos, mas em manuscritos religiosos ilustrados com iluminuras e em guias práticos, elaborados para ajudar os indivíduos que se dedicavam à cura a reconhecer as plantas medicinais e preparar remédios. Os colecionadores ainda confiavam em misturas à base de ervas originalmente preparadas por especialistas gregos – Dioscórides era particularmente valorizado – cujas receitas repetidamente copiadas à mão passavam de geração em geração.

Os álbuns de História Natural ganharam nova aparência no século 16, quando artistas começaram a produzir grandes xilogravuras em estilo realista, e os naturalistas passaram a ressaltar a importância da observação. Com a intenção de superar seus antecessores, alguns colecionadores compilavam catálogos enormes e detalhados do mundo natural criado por Deus. Começaram pelas plantas, valiosas para a Agricultura e a Medicina, e só mais tarde enfocaram os animais. A enciclopédia mais famosa foi organizada por Conrad Gesner, um médico de Zurique cuja coleção particular atraía visitantes de toda a Europa. Gesner atualizou as grandes obras clássicas, incorporando não apenas ilustrações realistas de animais conhecidos, mas também informações sobre as criaturas do Novo Mundo, tais como o porquinho-da-índia e o gambá. Inevitavelmente, essas informações eram menos confiáveis. Os naturalistas afirmavam, por exemplo, que as aves do paraíso nunca pousavam no solo por não terem pés, quando, na verdade, os caçadores de espécimes costumavam cortar as pernas das aves para facilitar a retirada dos órgãos internos.

Gesner era um estudioso humanista, não um biólogo moderno. Para ele, "pesquisar" significava debruçar-se sobre inúmeros livros para compilar todas as informações possíveis. Assim, detalhes que hoje seriam classificados como científicos – alimentação, longevidade, *habitat* – eram misturados a fábulas e histórias folclóricas. Veja o exemplo do trabalho sobre a raposa. Além de descrever a aparência, a digestibilidade e os usos medicinais, Gesner informou o nome da raposa em várias línguas e contou mais de 80 histórias acerca do animal, coletadas desde a época de Aristóteles. Quase metade do texto é dedicada ao simbolismo. A fama de animal astucioso se mantém, mas Gesner incluiu inúmeras citações desconhecidas e provérbios, como "uma raposa não aceita suborno". A parte mais curiosa para o leitor moderno é a imagem da raposa segurando uma máscara com as patas e dizendo: "Que bela cabeça, mas não tem cérebro" – um incentivo à valorização da inteligência em relação à aparência.

Gracejos e alusões hoje incompreensíveis muitas vezes indicam crenças culturais que desapareceram. Durante o Renascimento, mitos e máscaras formavam um componente essencial da esperteza. Entender a raposa – ou qualquer outra criatura – era conhecer seus atributos psicológicos e implicação moral, além do papel físico na natureza. Esse simbolismo fazia sentido, para as pessoas entenderem as forças ocultas e imperceptíveis que unem animais, plantas e seres humanos em um universo holístico e empático. A raposa falante de Gesner indicava a importância que seus contemporâneos davam aos emblemas – figuras simbólicas complementadas por ditados e versos explicativos. Muito tempo depois de ilustrações realistas se tornarem comuns, essa abordagem emblemática ainda fazia parte das representações do mundo natural: imagens mais modernas se combinavam a antigos padrões de pensamento.

"Com o benefício do distanciamento..." Mas a visão do passado pode ser enganosa. Em retrospectivas dos séculos 15 e 16, Regiomontano e Gesner são classificados como cientistas, e Holbein e Dürer, como artistas. Ainda não havia limites claros entre as disciplinas, e os quatro homens tinham o mesmo objetivo de encontrar novas maneiras de explorar e representar o mundo em imagens e palavras. Traçar a história da ciência significa esquecer o presente e tentar entender o passado. Na era vitoriana, os adversários das teorias de Darwin relutavam em aceitar sua ancestralidade animal. Os cientistas modernos devem reconhecer que seus predecessores incluíam não apenas acadêmicos, mas também especialistas em ervas, navegadores, curandeiros e fabricantes de instrumentos.

CAPÍTULO 16
Magia

Muitas vezes admirei o estilo místico de Pitágoras e a magia secreta dos números.

- Sir Thomas Browne, *Religio Medici* (1643)

Em 1947, o economista John Maynard Keynes chocou o mundo acadêmico ao anunciar que: "Newton não foi o primeiro da era da razão. Ele foi o último mágico." Os cientistas ficaram escandalizados; recusavam-se a acreditar que seu maior ídolo pudesse ter a reputação manchada pela associação a Astrologia, Alquimia e outras artes mágicas. Mas os historiadores hoje concordam com a afirmativa de Keynes. Em vez de rejeitar, Newton desenvolveu o trabalho de grandes magos que o precederam, e as ideias mágicas de épocas passadas estão no cerne do moderno conhecimento científico.

Os magos da época da Renascença eram homens cultos que pouco se pareciam com os arremedos surgidos mais tarde, de capa preta, invocando poderes satânicos. Muitos magos eram respeitados, instruídos, e faziam da Matemática a chave para o universo. Eles permaneceram influentes até a época de Newton. As ideias e atividades deles afetaram profundamente o futuro rumo da ciência. Em comparação com acadêmicos dedicados a contemplar as maravilhas da criação divina, os feiticeiros se pareciam na verdade com os cientistas modernos, pois acreditavam que, quanto mais soubessem acerca do mundo, mais possibilidades teriam de fazer mudanças e exercer controle sobre ele.

A magia chegou à arte, à música e à literatura do século 16. O maior mago inglês foi John Dee, um matemático com formação universitária, escolhido pela rainha Elizabeth I para aconselhá-la em questões navais e estratégias políticas, bem como para calcular datas astrologicamente favoráveis aos eventos da corte. Apesar de ter morrido na pobreza, Dee permaneceu um ícone influente para contemporâneos mais jovens, como William Shakespeare, que o usou como modelo para o personagem Próspero na peça *A Tempestade*. Próspero é o mago controlador que interfere na natureza ao encenar um falso naufrágio em uma ilha assombrada por música etérea.

> A MAGIA CHEGOU À ARTE, À MÚSICA E À LITERATURA DO SÉCULO 16.

Graças a uma "estrela muito auspiciosa", astrologicamente favorável, Próspero está no auge de seus poderes quando encena os eventos do reino onde vive, perto do mar: um teatro da natureza em miniatura permite à plateia espiar o que acontece dentro de um cosmos mágico. Para recuperar seus prisioneiros, Próspero ordena que Ariel, um espírito angelical, sirva de mediador entre diferentes reinos. Por ser uma inteligência imortal, Ariel consegue agir nos quatro elementos aristotélicos – terra, água, fogo e ar – enquanto os poderes humanos de Próspero são restritos. Em sua evocação poética da transformação, Ariel descreve como o corpo físico de um homem afogado se transforma em pérolas e corais, enquanto sua alma se purifica espiritualmente e aproxima-se de Deus, o grande mago do cosmos:

> *Teu pai está a cinco braças.*
> *Dos ossos nasceu coral,*
> *Dos olhos, pérolas baças.*
> *Nada nele desaparece;*
> *Mas em algo raro*
> *Transforma-o o mar de repente.*
> *O sino das ninfas soa:*
> *Dim, dim, dão!*

O nome de Ariel já havia aparecido no texto-padrão sobre magia dos tempos elisabetanos, na obra do alemão Heinrich Agripa, *Filosofia Oculta*, publicada pela primeira vez em 1533, em latim. A magia de Agripa não só aparece em grandes obras da literatura, como também foi incorporada a modelos científicos do universo. Mago e diplomata, Agripa viajou por toda a Europa no começo do século 16, aproveitando para estudar. Sua importância vem das ideias que elaborou e da síntese que fez dos estudos de outros europeus com base nas heranças grega e árabe.

A fonte mais importante de Agripa foi Hermes Trismegistus, uma combinação ficcional de diversos religiosos egípcios, a quem foi atribuída a autoria de numerosos manuscritos em grego e em árabe, alguns entre as leituras favoritas de Newton. Apesar de nunca ter existido, Hermes Trismegistus não foi um charlatão obscuro, mas uma figura-chave da cultura renascentista, supostamente escolhido para receber de Deus a sabedoria, no começo da história humana. Ao final do século 15, já absorvido pela religião da época da Renascença, Hermes Trismegistus foi retratado no piso de mosaico da catedral de Siena. Exibia um turbante pontudo e uma barba de sábio, e era ladeado por profetas gregos que previam a chegada de Cristo. Na catedral de Florença, um cônego chamado Marsilio Ficino traduziu suas supostas obras, agrupadas aleatoriamente por um monge que recolhia manuscritos gregos para os Medici. Católico devoto e estudioso, Ficino interpretou a incoerente mistura de textos herméticos que lhe chegaram às mãos como antigas revelações egípcias que anteviam as verdades do cristianismo. Ficino também estudava Platão e outros escritores gregos, cujos trabalhos tinham sido trazidos recentemente do Império Islâmico. Ele reuniu essas fontes díspares, para produzir uma versão própria do neoplatonismo renascentista – uma mistura filosófica de ideias mágicas, cristãs e platônicas.

Outra forte influência recebida por Agripa veio da cabala, uma tradição judaica que teria origem no próprio Moisés, levada da Espanha para Florença por Pico della Mirandola, um dos colegas neoplatônicos de Ficino. Assim como Ficino, Pico era fascinado pelas ideias herméticas, mas também situava o pensamento judaico no cerne do ocultismo renascentista. Ao contrário da magia natural de Ficino, a magia cabalística de Pico pretendia lançar mão de poderes espirituais mais elevados, possibilitando ao mago comunicar-se com os anjos para chegar a Deus. Pico cristianizou a cabala, imaginando a própria alma a caminho de Deus, como se escalasse uma escada cósmico-teológica, cujos degraus uniam as esferas aristotélicas aos arcanjos hebraicos.

O hermetismo e o cabalismo hoje podem parecer estranhos, mas tiveram uma longa história. Baseados em sólidos fundamentos filosóficos e reinterpretados por estudiosos do Renascimento, contribuíram para as ideias neoplatônicas, que viriam a ter grande impacto sobre a ciência.

> O HERMETISMO E O CABALISMO HOJE PODEM PARECER ESTRANHOS, MAS TIVERAM UMA LONGA HISTÓRIA.

Ficino e Pico morreram no final do século 15, mas seu neoplatonismo sobreviveu por dois séculos e integrou-se ao pensamento científico. Copérnico, por exemplo, é considerado um dos precursores da ciência, por duas inovações importantes: colocar o Sol no centro do universo e insistir em uma abordagem matemática para entender o cosmos. Esses eram ideais neoplatônicos. Tal como Hermes Trismegistus, Copérnico considerava que o Sol era Deus em forma visível. Com base nessa teoria, ele reintroduziu a cosmologia geométrica de Platão e Pitágoras, que tinha sido revivida pelos magos.

Mágicos, como Agripa, fundiram esses conceitos herméticos e cabalísticos, incorporando o pensamento neoplatônico em um cosmos aristotélico revisto e associado ao zodíaco. Eles diziam que a virtude de Deus é filtrada pelos anjos no reino exterior, atravessa as estrelas e o céu, e alcança o mundo natural, aqui embaixo. Enquanto os praticantes da magia negra negociavam com demônios e controlavam forças satânicas, os magos respeitáveis recorriam a influências naturais benignas, em busca de progresso espiritual e material. Segundo as palavras de Ficino, assim como os fazendeiros aram a terra de acordo com as condições do tempo, os magos são agricultores cósmicos que, para alcançar seus objetivos, procuram agradar às forças superiores. Ao distinguir entre magia negra e magia natural, Agripa neutralizou as acusações dos católicos, que consideravam os magos envolvidos com rituais pagãos e espíritos diabólicos. No entanto, os magos naturais não escapavam às críticas: eram acusados de aproveitar-se com arrogância dos poderes ocultos da natureza, assumindo o papel de Deus para alterar o universo, em vez de admirar passivamente a onipotência do Criador.

Os magos naturais seguidores de Agripa partilhavam com os cientistas modernos o objetivo de controlar o universo por meio de intervenções. Os novatos começavam a aprender como invocar afinidades inatas e influências planetárias, para alterar o mundo físico. Alguns ensinamentos eram bem complicados. Por exemplo: Leão é uma constelação solar, e galos cantam ao nascer do Sol. Hierarquicamente, o Sol é superior ao leão e ao galo, mas, na lógica da época, os galos eram superiores aos leões porque ar é elemento superior a terra. Usando associações astrais, magos naturais podiam prever o futuro e preparar poções de amor, feitiços e remédios, alguns dos quais muito eficazes; por isso as pessoas se dispunham a pagar por seus serviços. Ao ensinarem aos aprendizes que um passeio pelo campo, em um dia ensolarado, era um bom tratamento contra a depressão, porque o ouro do Sol e a as flores de Vênus anulavam a influência melancólica de Saturno, os magos estavam na verdade dando um sábio conselho. Magos mais avançados preferiam enfatizar as manipulações matemáticas. Assim, dominavam o simbolismo numérico para invocar os poderes celestes de estrelas e planetas. Magos com formação completa costumavam realizar cerimônias religiosas para comunicar-se com os espíritos dos anjos da esfera intelectual.

Os aspectos teóricos e práticos da magia atraíam igualmente estudiosos, botânicos e artesãos, acostumados ao manuseio de instrumentos e à preparação de poções. Tal como a ciência moderna, a magia combinava inteligência com habilidades manuais. Praticantes eruditos, como Agripa, escreviam em latim para leitores instruídos, enquanto na outra ponta da escala social, trabalhadores manuais usavam o "boca a boca" ou textos em código para transmitir seus conhecimentos. No começo do século 16, à medida que a impressão de livros se aperfeiçoava e a alfabetização se popularizava, artesãos e acadêmicos passaram a trocar receitas secretas desenvolvidas ao longo dos séculos. O conhecimento especializado dos magos era comercialmente valioso, e – sobretudo nas cortes alemãs – os ricos contratavam consultores para tornar suas minas mais lucrativas ou para melhorar as técnicas de fabricação.

Esse conhecimento prático foi excluído dos currículos universitários convencionais, mas alguns acadêmicos que buscavam o progresso deixaram as instituições tradicionais para adotar a magia. Na primeira metade do século 16, um mago inovador particularmente influente foi um contemporâneo de Agripa, Teofrasto de Hohenheim, que adotou o nome de Paracelso ("contra Celso", um médico romano), enfatizando sua rejeição ao passado clássico. Orgulhoso e inflamado, ele parecia gostar de fazer oposição. Paracelso proclamava que o conhecimento deveria estar disponível para todos, e chocou as autoridades universitárias ao proferir sua aula inaugural em Alemão, vestindo um avental de couro. Tal como Agripa, Paracelso viajou pela Europa para dar aulas e estudar, mas costumava gabar-se de deixar de lado os conhecimentos acadêmicos, preferindo aprender com barbeiros, andarilhos e mulheres idosas.

Paracelso teve uma influência muito maior do que muitos de seus contemporâneos convencionais. Como dava aulas públicas em cidades pequenas e vilarejos longe das universidades, suas ideias se espalharam e foram adotadas por homens e mulheres menos instruídos, primeiro nos países germânicos e depois no exterior. Paracelso reformou a Medicina baseando-se na Química. Ele garantia ser capaz de, por meio de técnicas mágicas, preparar remédios poderosos, usando ingredientes comuns. Também fez ressurgir a magia hermética, afirmando que todo ser humano é uma versão condensada do universo – um microcosmo do macrocosmo. Cristão fervoroso, Paracelso acreditava que os terapeutas ligados à religião podiam decifrar as correspondências que ligam os seres humanos ao cosmos, e endossou a "doutrina das assinaturas", que sustentava haver na natureza símbolos que apontam drogas eficazes para órgãos a eles relacionados: flores amarelas para o fígado e orquídeas para os testículos, por exemplo. Quando Shakespeare escreveu *Sonho de Uma Noite de Verão*, sabia que a plateia iria apreciar como "uma flor roxa, ferida pelo amor" podia fazer com que Titânia, em um passe de mágica, ficasse encantada por Bottom.

Essa insistência em buscar terapias específicas para combater determinadas doenças era radicalmente diferente das tentativas aristotélicas de devolver o equilíbrio aos humores internos dos indivíduos. A teoria se aproximava mais das ideias modernas, de que agentes externos – bactérias, vírus – podem atacar diferentes partes do corpo. No entanto, apesar das muitas curas bem-sucedidas de Paracelso, a elite médica não via com bons olhos aquele indivíduo pretensioso que se gabava de subverter séculos de ensinamentos. Interesses financeiros também estavam em jogo: os médicos corriam o risco de perder pacientes, se Paracelso abalasse seu prestígio de especialistas, e um reitor de universidade proibiu que fosse seguida a recomendação de tratar a sífilis com mercúrio, porque essa prática ameaçava os lucros com remédios à base de plantas importadas. Embora seu nome tenha se tornado sinônimo de ofensa entre os médicos, Paracelso teve um impacto enorme sobre o tratamento das doenças e o ensino da Medicina. Aristocratas ricos – inclusive Elizabeth I da Inglaterra e Henrique IV da França – contrataram terapeutas adeptos das ideias de Paracelso para ajudar os conselheiros oficiais. Os médicos reais assimilaram e adaptaram as informações recebidas. Assim, embora as teorias tenham aos poucos perdido credibilidade, os remédios químicos entraram de vez na Medicina.

Os novos conceitos foram do continente à Inglaterra, onde o mago mais importante era John Dee. Como estudante de Cambridge, Dee devorava os livros de magia de Paracelso e Agripa. Apesar de mais tarde ter rejeitado o sistema universitário, ele se tornou o principal matemático inglês da era elisabetana, contratado pela corte para várias missões, entre elas: estudar as estrelas, tornando a navegação mais segura; calcular a data de festas cristãs; e prever datas favoráveis. Depois de plenamente capacitado como mago, Dee se gabava de possuir um canal de comunicação com os anjos, mas dizia-se caluniado pelos adversários, que o apontavam como "companheiro dos seres do inferno, feiticeiro que invoca espíritos malditos e demoníacos".

Dee considerava Matemática e magia assuntos complementares, e não contraditórios. Insistia, por exemplo, que arquitetos deviam projetar construções cosmicamente harmoniosas, calculando suas proporções de modo que combinassem com as dimensões humanas – como fez Leonardo da Vinci, no desenho em que a figura de um homem aparece dentro de um círculo e um quadrado. Desde cedo seguidor de Copérnico, Dee calculou os movimentos da Terra ao redor do Sol, mas também afirmou sua fé em um universo hierárquico e mágico, unido por poderes ocultos. Protegido pela rainha e respeitado em toda a Europa graças a seus conhecimentos matemáticos, Dee foi um aspirante a mago que investiu na compra de instrumentos, na contratação de assistentes e – tal como Próspero – na montagem de uma impressionante biblioteca com milhares de volumes, a maior da Inglaterra. Como as universidades ainda seguiam o currículo tradicional, e a Royal Society ainda não havia sido fundada, a casa de Dee funcionava como o mais importante centro de pesquisas experimentais do país.

Longe de ser prisioneiro do misticismo arcaico, Dee anunciou o futuro da ciência. Seus livros tinham mais impacto imediato do que os debates teológicos de acadêmicos acomodados, porque ele se interessava por problemas práticos, como erguer pesos, explorar territórios e projetar instrumentos óticos. Como neoplatônico, Dee acreditava na importância crucial da Matemática para o entendimento do cosmos. Para ele, números e formas tinham significado ao mesmo tempo religioso e científico; eram entidades abstratas que transitavam entre o mundo físico, o mundo material e o reino dos anjos. Escrevendo em latim para os colegas e em inglês para as pessoas comuns, Dee explicou como números eram essenciais não só para estudar a trajetória das estrelas, mas também para as atividades mundanas – planejar táticas militares, tomar decisões legais, fazer roldanas, mapas e relógios.

Trabalhando fora das universidades, Dee combinava a pesquisa teórica com experiências em laboratório e aplicações práticas – uma importante utilização da ciência moderna. Dee também foi pioneiro em um novo estilo de vida para cavalheiros, pois ganhava dinheiro trabalhando em casa. Na época, os estudiosos ingleses eram, na maioria, solteiros e recolhiam-se aos mosteiros ou universidades. Mesmo os magos evitavam o casamento, para manter a pureza da alma. Dee quebrou todas essas convenções: tinha casa para morar, era casado e tentava ganhar o sustento da família com suas investigações científicas.

Dee e a mulher, Jane Fromond, uma antiga dama de companhia da rainha Elizabeth I, tiveram de negociar regras básicas para um novo tipo de parceria experimental. Os limites da autoridade não eram tão nítidos: ele trabalhava no ambiente doméstico, tradicionalmente feminino, enquanto ela passou a ter de também atender os assistentes que moravam no emprego e entreter os colegas acadêmicos do marido. Não admira que o dinheiro se tornasse escasso, provocando discussões acerca da necessidade de tantos livros e instrumentos caros, ou de tantos aprendizes remunerados, que aos poucos invadiam a vida familiar. Durante os dois séculos seguintes, esse tipo de colaboração doméstica foi comum entre cientistas, que convertiam suas casas em escolas, oficinas e centros de pesquisa. Somente na era vitoriana os cientistas começaram a trabalhar rotineiramente em grandes laboratórios ligados a universidades ou indústrias. Antes disso, a ciência era uma atividade caseira que podia envolver toda a família.

A ciência moderna teve origem não só no conhecimento acadêmico, mas também no comércio, nas habilidades simples e na prática da magia. No fim da peça *A Tempestade*, Próspero abandona seus poderes especiais, mas só depois de utilizar feitiços para transformar permanentemente os habitantes da ilha. Da mesma forma, apesar de John Dee e de outros grandes magos terem sido denunciados mais tarde como charlatães, sua influência se manteve. Magos e artesãos ensinaram os filósofos naturais a usar as mãos e a cabeça; se quisessem controlar o mundo, eles teriam de abandonar o estudo solitário e engajar-se na realidade física.

CAPÍTULO 17
ASTRONOMIA

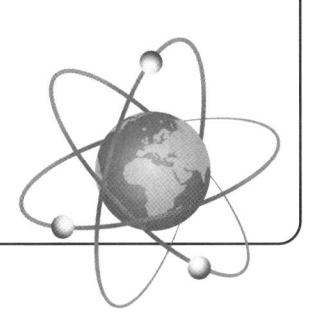

ANDREA: Infeliz é a terra que não tem heróis!
GALILEU: Não. Infeliz é a terra que precisa de heróis.

- Bertolt Brecht, A Vida de Galileu, (1939)

Para criticar as políticas nazistas, o dramaturgo Bertolt Brecht escreveu uma peça sobre o comportamento heroico de Galileu durante a Inquisição católica. Estabelecendo um paralelo político, Brecht baseou-se na interessante mitologia de uma batalha prolongada, na qual cientistas revolucionários – Nicolau Copérnico, Johannes Kepler, Galileu Galilei – lutam contra fanáticos religiosos, para colocar o Sol no centro do universo. Cientistas vitorianos descreviam esses homens como mártires da razão que se sacrificavam para manter acesa a chama da verdade, uma imagem onde ciência e religião se confrontavam, e que é popular até hoje. No entanto, pela perspectiva deles, eram pessoas profundamente religiosas, mais preocupadas em proteger a própria vida do que em trilhar uma estrada em direção ao futuro.

Brecht poderia ter incluído na ficção outro herói astrônomo: Copérnico, mais conhecido na Alemanha, embora muito controverso, por causa da longa disputa entre alemães e poloneses, que reivindicavam sua nacionalidade. A rivalidade chegou ao máximo em 1943, quando se completaram 400 anos da morte de Copérnico e da publicação de sua cosmologia heliocêntrica, sob o título *Das Revoluções das Esferas Celestes*. Depois que o regime nazista emitiu selos com a imagem de Copérnico cujas bordas exibiam cruzes suásticas, exilados poloneses em Nova York reagiram, criando a própria campanha: contrataram o artista

Arthur Szyk para pintar uma imagem comemorativa de Copérnico como herói nacional.

Recheada de simbolismos poloneses – as cores nacionais, branco e vermelho, a águia real, o brasão da universidade de Cracóvia – a figura apresenta Copérnico como um ídolo, distorcendo sua importância científica. Apesar de cônego da Igreja católica, Copérnico ostenta um cordão de acadêmico, um chapéu de pele e um compasso, símbolo convencional dos astrônomos. A lanterna indica que ele era um observador atento, embora eminentemente teórico, cujas ideias vinham mais de livros antigos do que das estrelas. Erroneamente, as inscrições em latim e em polonês afirmam que Copérnico alcançou o sucesso da noite para o dia. Na verdade, decorridos 50 anos, os seguidores de Copérnico ainda eram poucos, e a chamada "Revolução Copérnica", foi um longo processo que envolveu muitos participantes. Na parte superior do diagrama planetário, lê-se: "Copérnico morreu, mas a ciência nasceu." No entanto, ele – assim como Newton e muitos outros célebres inovadores – apenas revisitou a sabedoria antiga para criar novos conhecimentos.

Copérnico não chegou a ser um acadêmico notável. Era um simples administrador de igreja, protegido pelo tio rico. Depois de estudar na Kraków University, uma instituição de ensino afastada dos grandes centros, mas famosa pelos estudos de Astronomia, Copérnico viajou para a Itália, onde deu aulas e tomou contato com o legado neoplatônico de Ficino, e com as observações precisas de Regiomontano e seus seguidores. Copérnico era sobretudo um estudioso com o coração no passado. Conhecedor dos clássicos, ele usava técnicas retóricas tradicionais e sempre escrevia a favor dos companheiros de Igreja.

Copérnico buscava a ordem. Assim como Ficino e Pico, ele acreditava em um universo harmonioso, matematicamente estruturado, e aplicou sua alma neoplatônica a um problema prático: fazer previsões mais acertadas com base nas estrelas. Os astrônomos queriam descobrir maneiras melhores de manter o calendário preciso e fazer prognósticos médicos, mas achavam o sistema de Ptolomeu (veja "Cosmos", no Capítulo 1) complicado e, às vezes, contrário às observações. Outro sério empecilho eram os epiciclos de Ptolomeu, considerados por Copérnico esteticamente desagradáveis. Ao colocar o Sol em uma localização em torno da qual os planetas giravam – embora não exatamente no centro – Copérnico afastou muitas dessas dificuldades: satisfez seu idealismo neoplatônico ao dar ao Sol a posição mais importante e preservar as órbitas perfeitamente circulares; conseguiu sequenciar os planetas, conforme o tempo que demoravam para completar suas órbitas, eliminando as desajeitadas soluções geométricas criadas por Ptolomeu; e, de grande importância para os astrônomos, demonstrou que seu modelo era tão eficiente quanto o de Ptolomeu para fornecer previsões.

Figura 14. *Um Copérnico polonês*. Quadro colorido, de pequenas proporções. Arthur Szyk (1942).

A propaganda científica faz com que o livro de Copérnico hoje pareça revolucionário, mas ele na época não causou tanto impacto. Embora dedicado ao papa, esse livro compilado por um simples funcionário polonês recebeu pouca atenção de Sua Santidade. A ameaça representada por um universo heliocêntrico não vinha do fato de contradizer a Bíblia – essas objeções só vieram mais tarde – mas de transgredir o senso comum e subverter a Física aristotélica, com sua distinção fundamental entre o caótico e corrompido plano terrestre e a inalterável perfeição dos céus.

> Copérnico acreditava em um universo harmonioso, matematicamente estruturado.

Àquela altura, os astrônomos fizeram poucas objeções, pois consideravam o modelo de Copérnico apenas um meio de calcular as posições dos planetas, e não uma descrição fiel do universo. Mas Copérnico apresentou também uma nova forma de os astrônomos agirem, ao sugerir habilidosamente que levassem em consideração, ao mesmo tempo, a verdade e a utilidade de seus esquemas cosmológicos. Adotando uma aparência retórica de falsa ingenuidade, Copérnico pediu desculpas por empregar técnicas desenvolvidas por matemáticos para buscar respostas a questões sobre a realidade até então reservadas aos intelectuais superiores, os filósofos naturalistas. Essa união entre matemáticos e filósofos naturalistas representou uma mudança fundamental, que envolvia quebras de paradigmas sociais e intelectuais. Mais de cem anos se passaram antes que Newton fundisse essas duas abordagens em seu livro sobre a gravidade, fazendo da Astronomia uma ciência matemática que pretendia ao mesmo tempo descrever e explicar o cosmos.

Tradicionalmente, os astrônomos trabalhavam em dois locais diferentes: nas universidades e fora delas. Nas universidades, a Astronomia – tal como a Aritmética e a Geometria – fazia parte do *quadrivium* medieval. Com uma abordagem matemática, os mestres se concentravam em ensinar e em fazer previsões acertadas; buscar a verdade estava além de suas atribuições. Fora desses enclaves acadêmicos, as cidades recebiam numerosos astrônomos astrológicos e artífices empreendedores que, como Regiomontano, desenvolviam instrumentos e organizavam tabelas. Seguindo as inovações de Copérnico, surgiu uma nova forma de Astronomia em um terceiro ambiente – as cortes. Patrocinados por príncipes ricos, nobres instruídos criavam instrumentos caros, que utilizavam para fazer cálculos e tentar entender como funciona o universo. Em contrapartida, os patrocinadores angariavam prestígio. Ao enriquecerem seus museus, já repletos de curiosidades luxuosas, os aristocratas exibiam a fortuna que haviam investido em pesquisas intelectuais.

O mais destacado representante desse novo estilo de astrônomo foi Tycho Brahe, um nobre dinamarquês que deixou os pais furiosos ao abandonar a universidade para estudar Astronomia, matéria que conferia pouco status. Com o patrocínio da corte, ele construiu um grande observatório na ilha de Hven (hoje uma área de herança dinamarquesa dentro do território sueco) e, somando medições e teorias, investigou a real estrutura do cosmos. Como um senhor feudal, assumiu o comando de uma equipe de matemáticos que criava instrumentos, e até desenvolveu uma impressora para facilitar a divulgação dos resultados que encontrava. Na década de 1590, meio século depois da morte de Copérnico, Tycho havia reunido uma impressionante quantidade de dados precisos, elaborando então uma teoria própria para a estrutura do universo.

Ao contrário do estudioso Copérnico, Tycho desenhou, testou e modificou repetidamente seus instrumentos. A Figura 15 mostra um enorme quadrante, um quarto de círculo em latão, com 2 metros de altura e preso à parede, usado para medir a posição exata da estrela que passar pelo pequeno visor no canto superior esquerdo. Na ilustração, dentro do quadrante, Tycho tem aos pés seu cachorro adormecido e aponta a representação emblemática dos três andares de seu observatório, todos com arcos triunfais: a cobertura para fazer observações noturnas, a biblioteca com um imenso globo celeste, e o porão reservado às experiências, inclusive testes de Alquimia para descobrir a melhor liga para substituir a ponta de seu nariz, cortada em um duelo. O verdadeiro observador aparece à direta, dirigindo-se aos assistentes, que coordenam as medições de velocidade e localização das estrelas.

Figura 15. O quadrante mural de Tycho Brahe. *Astronomiae instauratiae mechanica* 1587.

Tycho precisou enfrentar ao mesmo tempo problemas técnicos e um dilema teórico. Parecia claro para ele que a Bíblia apoiava a crença de Aristóteles de que a Terra não se move. Como manter a harmonia do sistema de Copérnico, colocando a Terra no centro do cosmos? Copérnico acabou por encontrar uma resposta conciliadora. De acordo com ele, o Sol e a Lua giram ao redor da Terra, e os outros planetas, em torno do Sol. Por mais estranha que possa parecer, essa solução explicava muitas das observações de maneira tão satisfatória quanto os sistemas de Copérnico e Ptolomeu. Na prática, era difícil escolher entre eles, e ao final do século 16 os três modelos coexistiam, cada um com sua veemente legião de defensores.

Assim como outros cientistas patrocinados pela corte, Tycho descobriu que o apoio de um rei é valioso, mas arriscado. Quando seus patronos reais perderam o interesse, ele foi forçado a deixar Hven, mas logo encontrou um novo empregador: o imperador de Praga. Em 1601, com a morte de Tycho, supostamente causada pelo rompimento da bexiga, depois de um banquete imperial, quem assumiu as funções exercidas por ele foi seu assistente Johannes Kepler, um astrólogo e ex-professor universitário de poucos recursos, que acreditava – como Copérnico e os neoplatônicos – em um cosmos geométrico com um Sol no centro. Com os dados precisos herdados de Tycho e aproveitando a liberdade intelectual, maior na corte do que no sistema acadêmico, Kepler aproximou a Astronomia da realidade, demonstrando como as observações dinamarquesas correspondiam a órbitas planetárias elípticas, e não circulares. Para chegar a essa conclusão aparentemente científica, ele se inspirou em uma visão que hoje parece estranha: um cosmos musical estruturado para refletir as formas geométricas perfeitas de Deus e unido por forças magnéticas ocultas.

Segundo o esquema harmonioso de Kepler, Deus posicionou as esferas planetárias de maneira que as formas simétricas de Platão coubessem entre elas. A Figura 16 mostra o desenho feito por ele, tão grande que a folha teve de ser dobrada para caber no livro. Saturno, a esfera mais externa, fica separado do vizinho, Júpiter, por um cubo; em direção ao centro, uma pirâmide separa Júpiter de Marte; de maneira semelhante, outras formas definem as órbitas da Terra, de Vênus e de Mercúrio ao redor do Sol. Para irritação dos católicos, Kepler identificou o Sol central com Deus Pai, a esfera externa fixa com Deus Filho e os espaços vazios com Deus Espírito Santo. Ele também fez um modelo filosófico esteticamente interessante, cujas dimensões correspondem às distâncias medidas, e quanto mais longe um planeta está do Sol, mais longo é o período de tempo que ele leva para percorrer toda a sua órbita.

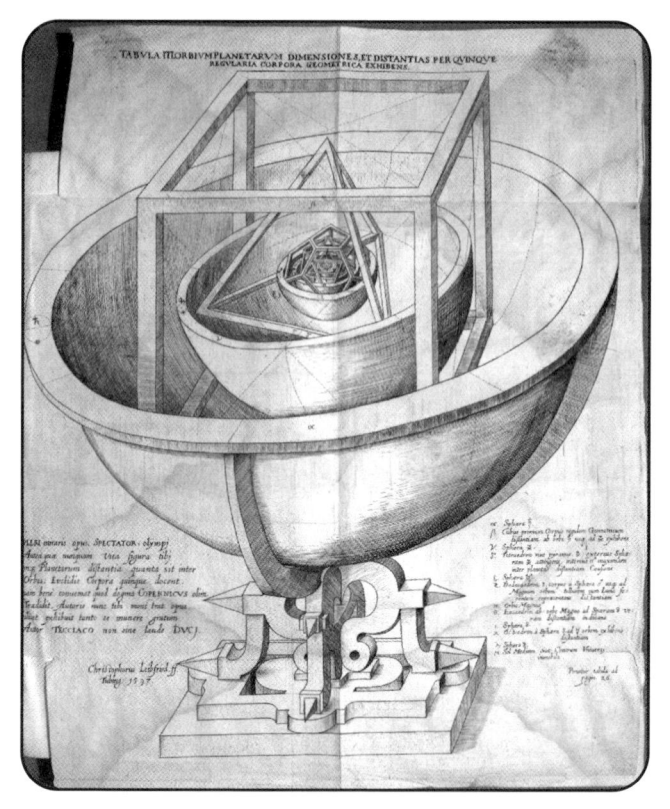

Figura 16. O esquema de Kepler, com esferas planetárias embutidas e sólidos perfeitos.
Johannes Kepler, *Mysterium cosmographicum*, 1596.

Ao lançar essa nova abordagem do universo, Kepler decidiu que a harmonia divina também tinha uma influência física – o próprio Sol, que devia afetar o movimento dos planetas. Ele começou observando o deus astrológico da guerra, Marte. A órbita desse planeta claramente se desviava da perfeição circular, uma discrepância ainda mais evidente pela precisão dos dados de Tycho. Kepler buscou a ajuda de um especialista inglês contemporâneo, o médico William Gilbert. Contrariando a teoria de Aristóteles, que considerava a Terra inferior ao resto do universo, em 1600 Gilbert citou Hermes Trismegistus, afirmando que o universo inteiro é um ser animado com alma magnética. Usando as ideias de Gilbert, Kepler descreveu o Sol como um ímã gigante que atrai e repele os planetas para controlar suas trajetórias. Essa cosmologia foi tão influente, que quando Newton começou a investigar os cometas 70 anos mais tarde, pensou que eles se movessem magneticamente.

Depois de muitos cálculos complicados e impasses, Kepler demonstrou que a órbita de Marte é uma elipse, com o Sol posicionado assimetricamente em um dos focos, e não no centro. No entanto, o que hoje pode parecer um grande avanço científico foi ignorado por muitas décadas. Não satisfeito em resolver o problema de Marte, Kepler tentou unificar todo o sistema solar, provando que Pitágoras estava certo: as relações numéricas do cosmos são musicalmente harmoniosas. Atribuindo tonalidades celestes a cada planeta (tons graves para Saturno e agudos para Vênus), ele declarou que: "Os movimentos celestes não passam de uma música contínua a muitas vozes, que pode ser apreendida pelo intelecto, e não pelo ouvido." Kepler dava importância à estética divina e às influências astrológicas, e por mais bizarra que essa abordagem pareça atualmente, foram os cálculos musicais que lhe permitiram completar o trio de leis de elipses planetárias, mais tarde incorporadas por Newton à moderna Física Astronômica.

Os astrônomos julgavam as teorias pelo acerto de suas previsões, e Kepler passou anos compilando novos cálculos planetários, diplomaticamente chamados Tabelas Rudolfinas, para agradar seu patrono de Praga, o imperador Rudolf. Somente em 1631, o modelo elíptico de Kepler foi confirmado pelas observações, quando Mercúrio passou na frente do Sol, exatamente como ele previra. Àquela altura, Kepler já havia morrido, mas outro entusiasta defendia a causa de Copérnico: Galileu, sete anos mais velho e, ao contrário de Kepler, bastante habilidoso em promoção pessoal, embora nunca tivesse abandonado a crença nas órbitas circulares. As evidências físicas de Galileu foram repetidamente contestadas, mas ele convenceu muitos astrônomos de que Copérnico tinha razão.

Tal como Tycho e Kepler, Galileu saiu do ambiente universitário para as cortes, abandonando aliviado o trabalho mal pago de professor, depois de conseguir o apoio financeiro dos ricos príncipes de Medici, em Florença. Galileu ressaltava a importância dos instrumentos para o estudo da real estrutura do universo, mas em vez de usar os enormes equipamentos de Tycho, que mediam ângulos, utilizou um novo instrumento ótico – o telescópio. Depois de ouvir descrições desse novo aparelho holandês, Galileu projetou uma versão própria, muito mais eficiente, o que impressionou a Marinha veneziana, uma vez que permitia enxergar a longa distância e descobrir estrelas até então invisíveis. No entanto, ao contrário da mitologia científica, as imagens telescópicas de Galileu não convenceram imediatamente os críticos. Avistar navios era muito diferente de fazer afirmações cosmológicas. As visões obtidas eram pouco nítidas, e os aristotélicos argumentavam que um simples tubo não poderia avistar da Terra a perfeição cósmica. Ele então espertamente conquistou o poder aos poucos, até conseguir passar de matemático a filósofo palaciano.

> GALILEU RESSALTAVA A IMPORTÂNCIA DOS INSTRUMENTOS PARA O ESTUDO DA REAL ESTRUTURA DO UNIVERSO.

Para insinuar-se como astrônomo da corte da família Medici, em Florença, Galileu adotou várias estratégias, inclusive usando seu telescópio, com que pretendia atacar – sem desmentir – o tradicional modelo de universo geocêntrico. Ele argumentava com analogias e probabilidades, mas nunca produziu evidências incontestáveis, capazes de calar os oponentes. Para contestar a objeção de que um corpo celeste do tamanho da Terra não poderia mover-se rapidamente pelo espaço, Galileu dizia que as imagens da Lua revelavam uma superfície rochosa, em nada parecida com a esfera celeste lisa, como sustentava Aristóteles. Então, se a Lua podia mover-se, por que a Terra não poderia? Para demonstrar que a dupla Terra-Lua não era única – uma das falhas do sistema de Copérnico – Galileu encontrou satélites na órbita de Júpiter também. Seu argumento físico mais forte era apontar que Vênus, às vezes, parecia redondo como a Lua cheia, uma impossibilidade do modelo de Ptolomeu. Mas nem esse fenômeno convenceu os adversários de Galileu, por ser compatível com o esquema geocêntrico de Tycho, renegado por eles.

Galileu era um batalhador. Para agradar aos patronos aristocráticos, deu aos satélites de Júpiter o nome de "estrelas de Medici" porque, conforme disse, eles previam a ascensão bem-sucedida dessa dinastia familiar. Para divulgar ainda mais suas ideias, fazia discursos inflamados em jantares, e escreveu livros polêmicos e persuasivos. Enquanto Copérnico modestamente hesitara em dedicar ao papa um complicado tratado matemático, Galileu atraía grandes plateias com uma propaganda agressiva de seu trabalho, ignorando as fórmulas e adotando um discurso atraente que incluía "mostrar visões impressionantes e maravilhosas, até então desconhecidas, que fui o primeiro a detectar". Mesmo depois de receber do papa uma advertência no sentido de manter uma atitude mais discreta, Galileu tentou atrair um número ainda maior de simpatizantes. Para isso, publicou em 1632 o instigante *Diálogos sobre os Dois Maiores Sistemas do Mundo*, um livro revolucionário no estilo e no conteúdo. Galileu escreveu em italiano, e não em latim, e apresentou seus argumentos por meio de uma conversa entre três personagens fictícios, em que os seguidores de Aristóteles na Era Medieval apareciam como pessoas simplórias.

Fazer Simplício, um personagem ingênuo, dar voz às objeções do próprio papa não foi uma estratégia muito sensata. Resolvido a tratar com severidade o filósofo que o havia desobedecido abertamente, o papa convocou Galileu a Roma para um interrogatório. Atualmente, a reação do pontífice causaria polêmica, mas na época o princípio da liberdade de expressão ainda não se tornara uma questão política; em toda a Europa os rebeldes eram rotineiramente silenciados, sob o pretexto de manter a estabilidade. Galileu foi então condenado, até certo ponto como advertência a outros rebeldes. A punição foi a mais branda possível, uma vez que se tratava de um homem em idade avançada. Em prisão domiciliar, confinado em uma casa grande e confortável em Florença, Galileu continuou lá suas pesquisas, transferindo à filha a tarefa de ler semanalmente os Salmos, como penitência.

Esse não foi apenas um confronto direto entre ciência e religião, nem entre Galileu e o papa. Foi um conflito complexo envolvendo facções rivais dentro e fora da Igreja. De fato, conceber a Terra em movimento contrariava várias passagens da Bíblia, mas nem todos os cristãos davam importância a essa questão. Afinal, Galileu era um católico devoto, apoiado por vários setores da hierarquia da Igreja. As opiniões eram igualmente divididas dentro da suposta "oposição científica". Muitos astrônomos continuavam a defender o cosmos de Ptolomeu ou Tycho, reiterando a ideia simples, mas convincente, de Aristóteles, para provar que a Terra não se move: uma flecha lançada para cima cai no ponto em que foi lançada. Ao deparar-se com essa divergência entre estudiosos, teria a Igreja agido sensatamente ao seguir a opinião da maioria, para preservar certezas bíblicas? Ambições pessoais e rivalidades estavam em jogo, e se Galileu tivesse agido com mais diplomacia, talvez conseguisse defender seu universo em torno do Sol, sem ser oficialmente condenado. Somente no século 19, cientistas envolvidos nas próprias lutas pelo poder converteram Galileu em mártir. Brecht serviu aos próprios objetivos retóricos, ao perpetuar a visão simplista de um herói que lutava contra a opressão católica, mas partiu da propaganda a ideia de que ciência e religião devem inevitavelmente viver em guerra.

CAPÍTULO 18
CORPOS

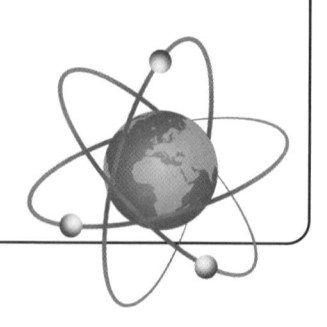

> *O que tu vês em mim é um corpo exaurido pelos trabalhos da mente. Encontrei na mãe natureza uma amante sensível, mas modesta: noites de vigília, dias de ansiedade, refeições frugais e trabalhos intermináveis devem ser a sorte de todos que a perseguem, por seus labirintos e meandros.*
>
> - Alexander Pope, Memoirs of Martinus Scriblerus ("Memórias de Martin Scliberus") (1741)

Enquanto Copérnico procurava Deus nas estrelas, Andreas Vesalius fazia do corpo humano o templo divino na Terra. O astrônomo polonês e o anatomista belga, dois nórdicos que estudaram na Itália, consideravam o corpo humano um microcosmo do universo, unido em partes que se complementam para formar o todo harmonioso de Deus. Seus livros mais notáveis – um sobre Cosmologia, outro sobre Anatomia – foram lançados em 1543, e os dois são celebrados hoje como revolucionários da ciência. No entanto, eles não perdiam o passado de vista. Assim como seus contemporâneos humanistas que reviviam os clássicos da arte e da literatura, Copérnico e Vesalius queriam restaurar o conhecimento antigo.

Vesalius aconselhava os médicos a seguirem o exemplo de Galeno, que vivera mais de mil anos antes. Ele recomendava que, em vez de dependerem do conhecimento abstrato, estudassem o melhor texto disponível: o corpo humano. Filho de um farmacêutico, Vesalius insistia que os médicos de elite deviam aprender com os cirurgiões. Tal como tantos outros reformadores – Roger Bacon, John Dee, Tycho Brahe – ele tornou a ciência possível ao incentivar os elegantes estudiosos, que trabalhavam com a cabeça, a reconhecerem a habilidade dos artesãos, que trabalhavam com as mãos. Quando

Vesalius posou para ser retratado, colocou a seu lado um grande braço humano dissecado, com o objetivo de enfatizar a mensagem de que médicos deveriam confiar nas próprias mãos, cuja beleza interna ele mesmo havia demonstrado com o bisturi de anatomista.

Como um novo Galeno, Vesalius tinha uma grande vantagem sobre o original: dissecava corpos humanos. Ao procurar ver por si mesmo, conforme os conselhos do próprio Galeno, ele descobriu importantes discrepâncias entre a Anatomia tradicional galênica – boa parte da qual se baseava em animais, e não em pessoas – e os corpos humanos que examinava com extremo cuidado. Assim, encontrou sérios erros que se repetiam havia séculos, cometidos por homens que confiavam apenas em livros, em vez de prestar atenção às evidências reveladas pelos bisturis que utilizavam.

> QUANDO VESALIUS POSOU PARA SER RETRATADO, COLOCOU A SEU LADO UM GRANDE BRAÇO HUMANO DISSECADO, COM O OBJETIVO DE ENFATIZAR A MENSAGEM DE QUE OS MÉDICOS DEVERIAM CONFIAR NAS PRÓPRIAS MÃOS.

Tradicionalmente, os estudantes de Medicina aprendiam ouvindo e observando, sem um treinamento prático. Eles se posicionavam diante do mestre, que lia em voz alta textos em latim, enquanto um cirurgião dissecava um corpo, e um demonstrador apontava detalhes importantes. A primeira ocupação de Vesalius em Pádua, depois de formado, foi como apontador iniciante de dissecação, mas ele logo modificou esse ritual, que exigia três participantes.

Vesalius era um ator performático no teatro da Anatomia. Ele se colocou como a figura principal na ilustração que aparece na página de rosto de seu extenso tratado – *De Humani Corporis Fabrica*. Na cena, exibe o interior do abdome de uma mulher, cuja carne segura com a mão direita, enquanto aponta com a esquerda na direção de Deus. Vesalius incentivava os alunos a observarem de perto, para aprender não só a identificar os órgãos, mas também a fazer cirurgias. Essa exposição deliberadamente chocante de um corpo feminino reforça o compromisso de Vesalius em revelar a verdade, enquanto o esqueleto representa ao mesmo tempo um recurso didático e um lembrete da brevidade da vida. Segundo ele, o cadáver era de uma criminosa, condenada à morte, que havia tentado adiar a execução alegando estar grávida; a inscrição em latim escrita na parte de baixo refere-se ao nascimento mitológico de César. Vesalius tinha orgulho de suas origens. No alto da ilustração, o texto informa aos leitores que ele era de Bruxelas, e as três doninhas no brasão referem-se a seu nome pré-latino, Andreas van Wesele. Na cena, ele também homenageia seus antecessores intelectuais, ao vincular-se ao passado clássico. Na frente, as duas grandes figuras em destaque são Aristóteles, observando o cachorro que seria dissecado em seguida, e Galeno, que carrega no cinto um estojo para guardar receitas.

Outra inovação de Vesalius foi combinar desenhos com palavras. Ele investigava o interior de ossos e órgãos, identificando-os com pequenas etiquetas, para que pudesse referir-se a eles ao redigir o texto. Como suas ilustrações eram tão bem cuidadas quanto os desenhos de Albrecht Dürer, e se apresentavam na mesma ordem em que aconteciam as dissecações, os alunos distantes tinham a impressão de testemunhar a cena. Havia também muitas ilustrações detalhadas dos equipamentos e de diferentes partes do corpo em vários estágios de exposição. Suas imagens mais famosas mostram esqueletos gigantes correndo por belas paisagens ou lamentando a própria morte, mas Vesalius também retratou com precisão inédita a estrutura divina de nervos e veias, músculos e artérias. Usando a linguagem de um arquiteto renascentista, descreveu como Deus havia projetado sistematicamente as fundações e paredes do corpo. Como um anatomista prático, ele ensinou a remontar esqueletos que haviam sido desmontados ao serem cozidos para tirar-se a carne.

As divergências entre Martinho Lutero e a Igreja Católica, pano de fundo da infância de Vesalius, no norte da Europa, influenciaram sua campanha pela reforma da Medicina. Assim como Martinho Lutero se revoltou contra a autoridade do papa e recorreu à Bíblia original, Vesalius rejeitou o ensino convencional, insistindo na importância da leitura do verdadeiro texto: o corpo humano. Em peças de altar ou em diagramas anatômicos, ambos os reformadores faziam questão de exibir as maravilhas do mundo divino em imagens. Enquanto um deles recuperou o cristianismo primitivo, o outro resgatou a Anatomia clássica. Seguindo o clima inovador de Vesalius, os protestantes produziram em cartazes detalhes anatômicos, afirmando ser possível encontrar Deus na configuração do corpo humano. Essa foi também a mensagem transmitida por Vesalius na reprodução de uma dissecação idealizada. Nela, pregava-se o estudo prático da Anatomia, que significava buscar a glória de Deus nas entranhas ensanguentadas e malcheirosas de um corpo humano não submetido à refrigeração.

Vesalius transformou a Medicina dos livros, insistindo na necessidade de os médicos usarem as mãos, para estudar corpos e produzir desenhos realistas. Muitos profissionais criticaram esse desafio à tradição, sustentando que a autoridade estabelecida de Galeno valia mais do que as recentes evidências visuais. No século 16, discutia-se onde estava a verdade – nos livros ou nos corpos. Por outro lado, críticos modernos acusam Vesalius de nem sempre conseguir enxergar a verdade nos corpos que examinava. Ao raciocinar como um discípulo de Galeno, ele realmente enganou-se em alguns detalhes. Defendia, por exemplo, a existência de pequenos furos na parede que divide o coração em duas partes, ainda que não os visse. Tal como outros heróis da ciência, Vesalius não desenvolveu uma teoria revolucionária sozinho, mas, provocou um efeito igualmente importante: mudou a atitude das pessoas, favorecendo o surgimento de uma Medicina orientada para o corpo.

Os sucessores de Vesalius garantiram à Anatomia um *status* melhor em toda a Europa, apesar de Pádua ter continuado líder no ensino da matéria. Políticos locais administravam a universidade como uma empresa, contratando os melhores professores, para atrair alunos estrangeiros ricos. Ao final do século 16, Pádua contava com um laboratório de Anatomia bem equipado: velas garantiam a iluminação, e os assentos distribuídos em arquibancada ao redor da mesa de dissecação central permitiam a todos os alunos uma boa visão. Assim como Vesalius, 50 anos antes, os professores de Anatomia pregavam o respeito ao passado. Na época, porém, o herói não era Galeno, mas Aristóteles, que considerava a alma uma função do corpo. Os anatomistas de Pádua estudavam o corpo humano para aprender sobre a alma; segundo eles, a dissecação era um processo ao mesmo tempo espiritual e físico.

Essa abordagem aristotélica teve grande impacto sobre um jovem estudante de Medicina inglês, William Harvey. Insatisfeito com o baixo padrão do ensino em Cambridge, Harvey passou dois anos em Pádua, quando teve aulas com Girolamo Fabrici (Fabricius). De volta a Londres, ele rapidamente ascendeu ao topo da profissão. Ao levar os métodos de Pádua para a Inglaterra, Harvey rejeitou os aspectos da teoria de Galeno que Vesalius havia mantido. Segundo a Fisiologia galênica, existem dois sistemas sanguíneos – o fígado produz sangue para fornecer alimento através das veias, enquanto o coração aquece e mistura ao ar o sangue que chega às artérias. Aristóteles via o coração como a sede da alma, e Harvey substituiu o modelo duplo de Galeno por um sistema único, afirmando que o coração faz circular continuamente o sangue por todo o corpo.

Preocupado com as críticas que poderia receber por destruir crenças mantidas havia séculos, Harvey fez experiências com uma grande variedade de animais durante quase 30 anos, antes de publicar seu *De Motu Cordis* ("O Movimento do Coração e do Sangue em Animais"), em 1628. Apesar da aparência pouco revolucionária – um livro fino, escrito em latim vulgar, mal impresso – a obra reorganizou o corpo humano. Discípulo de Fabricius, que havia herdado o apego de Vesalius às observações práticas, Harvey seguiu o conselho de Galeno no sentido de ver com os próprios olhos. Fabricius já havia descoberto válvulas nas veias, mas, com a visão prejudicada pela teoria de Galeno, concluiu que elas monitoravam o fornecimento de sangue cheio de nutrientes que partia do fígado. Harvey reinterpretou as válvulas de Fabricius, incorporando-as a seu sistema unificado como pequenas aberturas de "mão única", o que permitia ao sangue retornar pelas veias até o coração, para ser bombeado através das artérias.

Hoje considerado um revolucionário da ciência, Harvey era um aristotélico que via uma unidade subjacente entre os movimentos circulares dos planetas, entre ar e chuva e no sangue dentro do corpo. Como ele mesmo disse, "o coração merece ser considerado o ponto inicial da vida – o sol do nosso microcosmo – assim como o sol merece ser chamado de coração do mundo". Apesar de ter-se tornado um ícone, Harvey fez sugestões que custaram a ser aceitas e receberam muitas críticas. Os profissionais tradicionalistas logo condenaram aquelas ideias que contrariavam suas técnicas, longamente utilizadas, com base nas sangrias. Duvidando da sanidade mental de seu médico, os pacientes de Harvey se afastaram, e ele passou a dedicar-se unicamente à pesquisa.

Harvey herdou de Fabricius outro projeto aristotélico: a reprodução. Ao contrário de muitos de seus contemporâneos, Harvey rejeitava a geração espontânea, argumentando que seres vivos não podem ser criados do nada, a partir de matéria comum. Como fiel partidário da realeza, Harvey tinha acesso ao parque de cervídeos mantido pelo rei, onde podia observar (e interromper) a atividade sexual dos animais para descobrir como se formavam novos seres. Ele também estudou literalmente a questão de quem nasceu primeiro – o ovo ou a galinha – realizando experiências detalhadas, para concluir que tudo tem origem no ovo. Na opinião de Harvey, uma força ativadora presente no sêmen masculino estimula o material germinativo do ovo a seguir um padrão de desenvolvimento predeterminado. Seus oponentes, os pré-formacionistas, acreditavam que o pai ou a mãe traziam ao nascer (no esperma ou no óvulo) um novo organismo plenamente formado – uma imagem semelhante às bonecas russas. Isso equivale a afirmar que toda a população mundial era previamente criada por Deus. Embora as conclusões de Harvey parecessem razoáveis, a geração espontânea e a pré-formação continuaram presentes nos debates científicos até o fim do século 19.

Seguindo as convenções de seus pares, Harvey via as mulheres como parceiras passivas no processo de concepção, e perpetuou as crenças que atribuíam várias doenças ao útero. As mulheres eram responsabilizadas por muitos distúrbios físicos e mentais (a palavra "histeria" vem do termo grego para "útero"). De acordo com os conceitos aristotélicos existentes, as mulheres possuíam raciocínio inferior ao dos homens, já que eram governadas por humores frios e úmidos, e forçadas a liberar os fluidos em excesso por meio do sujo sangue menstrual. Por outro lado, os homens eram quentes e secos, seres racionais, cujas ações obedeciam ao controle do cérebro.

> AS MULHERES ACREDITAVAM QUE NÃO TINHAM CAPACIDADE DE SER MATEMÁTICAS OU POETAS.

Essas opiniões mudaram muito lentamente. Para aflição das modernas feministas, as mulheres também acreditavam que, por causa do cérebro delicado, não tinham capacidade de ser matemáticas ou poetas. As mães costumavam aconselhar as filhas a desconfiar das próprias decisões, regidas pelo útero, e acatar a superior sabedoria masculina. A opinião da comunidade médica começou a mudar na década de 1660, quando um experimentado anatomista chamado Thomas Willis introduziu a subversiva noção de que as mulheres, tal como os homens, são regidas pelo cérebro. Além disso, ele utilizou as dissecações para provar que não havia diferenças substanciais entre cérebros femininos e masculinos. A discriminação continuou, mas perdeu o suporte da Lógica de Aristóteles.

Willis nutria grande admiração por Harvey, um pouco mais velho do que ele, e em meados do século 17 os dois viviam em Oxford, uma cidade importantíssima para a ciência, por atrair muitos experimentadores radicais, levados tanto por motivos políticos quanto por motivos acadêmicos. Depois que Carlos I foi forçado por parlamentares rebeldes a deixar Londres em 1642, Oxford se tornou o maior centro de monarquistas, até que Carlos II foi conduzido ao trono, em 1660. As alianças eram tão importantes para os filósofos naturais quanto para os diplomatas, e há muitas lacunas na vida de Willis e outras figuras famosas, que efetivamente desapareceram; talvez tenham passado um período no exterior até julgarem seguro voltar. Harvey, estrategicamente, dedicou seu livro a Carlos I, descrevendo-o como "o sol do meu microcosmo, o coração do Estado. É dele que provém todo o poder e toda a graça". Essa imagem de sol/rei/coração bem no centro de universo/nação/corpo desenvolveu-se ao longo dos 200 anos seguintes.

Alguns estudiosos que superaram as disputas políticas e trabalharam em Oxford tornaram-se os mais destacados pioneiros da ciência – o químico Roberto Boyle, o arquiteto Christopher Wren, o cartógrafo William Petty e o próprio assistente de Willis, o inventor Robert Hooke. Willis havia começado como um pobre médico amigo da realeza que se tornou famoso ao fazer uma mulher enforcada levantar-se da tábua de dissecação, trazendo-a de volta à vida. A universidade aos poucos expandiu o ensino de Ciências, e Willis passou a fazer parte de um círculo de jovens e entusiastas experimentadores, a geração de seguidores de Harvey, que incorporou novas ideias à Medicina, ao aprender fazendo, e não lendo, apenas. Na verdade, eles aprendiam uns com os outros, pela troca de informações obtidas em pesquisas sobre os mais variados assuntos, inclusive transfusão de sangue, previsão do tempo, germinação do trigo, aperfeiçoamento de microscópios e variação magnética.

Costuma-se dizer que os membros desse grupo de Oxford foram os fundadores da ciência moderna. Eles devem muito a Harvey, o médico que colocou a monarquia inglesa no centro do corpo humano e incentivou seus seguidores a observar com os próprios olhos e experimentar com as próprias mãos. Ironicamente, seus sucessores reformaram a Medicina ao apoiar ideias repudiadas por ele – as ideias do polêmico filósofo francês René Descartes, um dos primeiros convertidos à circulação do sangue. Harvey é conhecido como um reformador radical, mas manteve-se um tradicionalista ferrenho que, de acordo com os comentários de John Aubrey, "me fez ir à fonte e ler Aristóteles... e chamava os neotéricos (os filósofos inexperientes) de borra-botas".

CAPÍTULO 19
MÁQUINAS

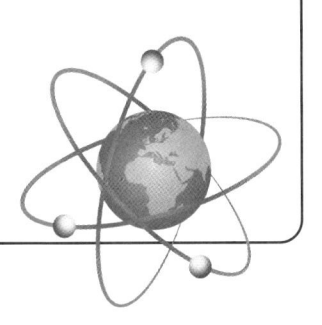

Uma máquina evolui ao tornar-se mais eficiente, ou seja, tão segura, que possa ser operada por tolos. Portanto, o objetivo do progresso mecânico é um mundo à prova de tolos – que pode significar ou não um mundo habitado por tolos.

- George Orwell, *The Road to Wigan Pier*, "A Caminho de Wigan" (1937)

Quando Copérnico e Vesalius se rebelaram contra seus predecessores, voltaram-se para gregos e romanos. Um século mais tarde, René Descartes dedicou-se a promover uma reviravolta ainda mais drástica. Sua política era duvidar de tudo, derrubar as antigas fortalezas do conhecimento e construir metodicamente um novo sistema, sobre bases sólidas e seguras. Em vez de deduzir analogias estruturais entre um corpo saudável e um cosmos perfeito, Descartes usava a terminologia da mecânica de bolas de bilhar, redemoinhos e hélices. Enquanto Harvey via o coração como o sol do microcosmo humano, para Descartes – que passou um inverno inteiro dissecando órgãos de bois, adquiridos do açougueiro local – corações são bombas que movimentam máquinas vivas, e nosso sistema solar é apenas um entre numerosos universos regulares.

Concordando com Galileu, seu contemporâneo mais velho, Descartes acreditava que o livro da natureza de Deus está escrito na linguagem da Matemática, e deve-se a ele a introdução de uma abordagem geométrica que até hoje carrega seu nome – as coordenadas cartesianas. Os dois queriam incorporar a Matemática prática às teorias filosóficas sobre o mundo, unindo os conhecimentos dos artesãos e dos estudiosos. Descartes é conhecido como um pensador solitário, o acadêmico que se recolheu a um cômodo quentíssimo para sonhar com a certeza da própria existência e cunhar a mais famosa frase da filosofia – *Penso, logo existo*. No entanto, como um cientista moderno, ele também trabalhou na vida real, conduzindo experiências e analisando fenômenos do dia a dia, como a luz e as condições climáticas.

Assim como, de início, cientistas do século 20 compararam cérebros humanos a mesas telefônicas, passando mais tarde a compará-los a computadores, Descartes fez analogia entre o cérebro e um avançado recurso tecnológico existente na época: o relógio. Os relógios haviam sido introduzidos ao final do século 13 para anunciar rituais religiosos, mas logo passaram a regular a vida diária, e tiveram papel importantíssimo na econômica capitalista que se desenvolvia (veja "Conhecimento", no capítulo 2). Na época de Descartes, os eventos eram medidos artificialmente, e não pelo Sol, e os avanços tecnológicos tinham aumentado a precisão. Cada vez mais o tempo significava dinheiro para os comerciantes, que passaram a investir em mercadorias baratas – temperos, tecidos, grãos – fáceis de armazenar, manipulando então o mercado para vendê-los em outro momento, com maior lucro. Da mesma maneira, colecionadores tentavam ganhar tempo ao preservar peças anatômicas ou guardar curiosidades em museus, como mercadorias, para uma demanda futura.

Durante o século 17, o pensamento filosófico girou em torno do relógio. Conta-se que Galileu assistia a um serviço religioso, quando teve a atenção desviada para uma lâmpada no altar que oscilava, e usou o próprio pulso para medir a oscilação. Ele incorporou essa descoberta da regularidade não somente a uma lei da Física, mas também a seu projeto de um relógio de pêndulo. Artesãos produziam relógios trabalhados, com intrincados mecanismos, para clientes ricos que os exibiam como adereços luxuosos. Esses relógios representavam o cosmos, e muitas vezes tinham quatro faces para exibir informações astronômicas, como o movimento dos planetas. Essa metáfora mecânica valia nos dois casos; o cosmos era comparado a um relógio cujo mecanismo oculto funcionava suavemente, para coordenar os movimentos circulares.

Apesar de os filósofos naturais terem diferentes ideias sobre a operação do universo, todos concordavam que, tal como uma máquina, o cosmos mecânico precisara de um projetista – Deus. Na versão de Descartes, Deus primeiro criou a matéria e depois a colocou em movimento, para então retirar-se, deixando o universo seguir seu curso. Os cristãos rejeitavam esse esquema, por acharem que, dessa forma, o papel de Deus no universo ficava enfraquecido. Eles se surpreenderam ainda mais quando Descartes afirmou que até os seres vivos podiam ser explicados mecanicamente, argumentando que os relógios, apesar de desenvolvidos por seres humanos, moviam-se sem a interferência deles.

Descartes pretendia reformar a Filosofia, mas pouco se aventurou na publicação de trabalhos. Consciente da condenação de Galileu, preferiu evitar controvérsias, mantendo a solidão e a tranquilidade que tanto prezava. Descartes era um jovem jesuíta francês. Com cerca de 20 anos de idade, depois de viajar durante anos pelo norte da Europa e alistar-se em vários exércitos, ele iniciou sua pesquisa. De posse de uma herança suficiente para manter seu modesto estilo de vida, passou a maior parte do tempo na Holanda, dedicando-se às experiências, à leitura, à escrita e à publicação de algumas das conclusões a que havia chegado. Em 1644, após mais de 30 anos de estudo, experiências e vários projetos inacabados, Descartes publicou quatro das seis partes que havia planejado para seu *Principia Philosophiae* ("Princípios da Filosofia").

> CRISTÃOS SE SURPREENDERAM QUANDO DESCARTES AFIRMOU QUE ATÉ OS SERES VIVOS PODIAM SER EXPLICADOS MECANICAMENTE.

Com a intenção de oferecer uma descrição abrangente de suas ideias, o *Principia* de Descartes apresentava a primeira versão mecânica para o cosmos. "O que é a matéria?" – Descartes se perguntava. Ao desconfiar de tudo, mesmo das evidências que lhe chegavam pelos cinco sentidos, ele concluiu que a única afirmação incontestável acerca da matéria é que ela ocupa espaço (mais formalmente, tem extensão): matéria e espaço se confundem; então, tudo está cheio de matéria. Ao rejeitar a teoria antiga de espaços vazios, afinidades planetárias e forças de atração, Descartes visualizou um cosmos cheio, no qual a matéria só pode se mover caso seja puxada ou empurrada. Ele dividiu a matéria em três tipos, mas só conseguimos ver e sentir o terceiro tipo, a matéria grossa; o que parece um espaço vazio está repleto de sutis e invisíveis partículas de matéria secundária, e o espaço entre elas está cheio da matéria primária, superfina.

O cosmos de Descartes, por mais estranho que possa parecer, explicava a estrutura do sistema solar com seus planetas rotatórios, e tais princípios básicos se tornaram ortodoxia filosófica, sobretudo na França. Como se pode ver na Figura 17, a matéria gira em grandes circuitos e vórtices. Assim, o cosmos está repleto de redemoinhos celestes, formados depois que Deus colocou o sistema inteiro em movimento. No centro de cada um desses redemoinhos, está um Sol feito de matéria primária superfina, condensada lá mecanicamente e envolvida pela matéria secundária, que gira, carregando grandes porções de matéria terciária, grossa – os planetas. A atividade frenética dentro dos sóis centrais provoca ondulações na matéria secundária, produzindo luz e calor. O diagrama também mostra como uma pequena porção de matéria secundária – um cometa – pode evitar ser engolido por um vórtice e transitar entre universos.

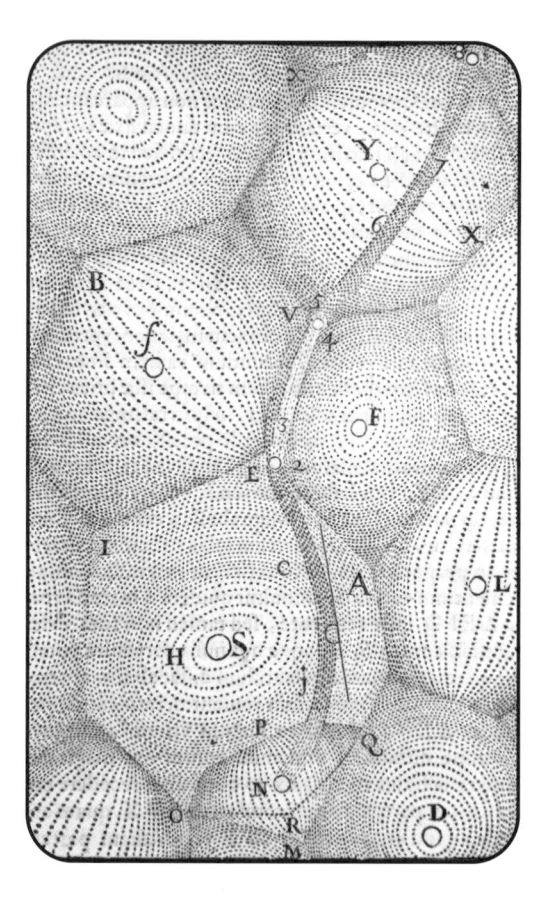

Figura 17. Trajetória de um cometa pelos redemoinhos celestes de Descartes. René Descartes, *Principia Philosophiae*, 1644.

Ao redesenhar o cosmos, Descartes abriu a possibilidade de vida em outros lugares, reduzindo a importância dos seres vivos. O conceito de universos múltiplos era novo e estranho, mas na metade do século 18 muitos filósofos naturais acreditavam não somente que eles existiam, mas também que abrigavam outros seres inteligentes. Apesar de discordarem sobre a aparência desses habitantes de outros mundos, os partidários da ideia geralmente os imaginavam iguais ou superiores aos seres humanos, em um nível mais perto de Deus. Astrônomos entusiasmados construíram gigantescos telescópios, mas não conseguiram detectar sinais definitivos de vida extraterrestre – nem mesmo na Lua, nosso vizinho mais próximo. Essa ausência de evidências incontestáveis fez surgir ferrenhos defensores e opositores da teoria.

> ALÉM DE REDESENHAR O COSMOS, DESCARTES ALTEROU O QUE ACONTECE NA TERRA.

Essas discussões sobre a "pluralidade de mundos" eram travadas no terreno da Teologia. Longe de estarem limitadas a estudiosos pedantes, despertavam o interesse público; discutia-se em púlpitos, jantares e livros populares, e o dilema central permaneceu o mesmo ao longo de mais de cem anos. Por um lado, uma grande quantidade de mundos confirmaria a magnificência de Deus, e talvez garantisse um lar para os pecadores depois da morte. A vida extraterrestre também tornaria o cosmos agradavelmente uniforme, além de fornecer novos fiéis em potencial. Por outro lado, admitir a possibilidade de vida em outros lugares, fazendo da nossa Terra apenas uma entre muitas, levantava perguntas incômodas sobre a singularidade de Cristo. Era difícil conciliar a teoria de múltiplos mundos habitados com o princípio fundamental do cristianismo, de que Deus escolheu os seres humanos para receberem atenção especial.

Além de redesenhar o cosmos, Descartes alterou o que acontece na Terra. Ao eliminar teorias ocultas sobre misteriosos poderes invisíveis, ele insistiu em uma abordagem mecânica. No universo de Descartes, as coisas só se movem quando empurradas ou puxadas diretamente. Tal como bolas de bilhar sobre uma mesa, as partículas obedecem a leis simples da Mecânica. Descartes ofereceu explicações para muitos fenômenos – calor, luz, clima – mas dedicou-se especialmente ao magnetismo, uma questão complicada, por envolver movimentos sem causa aparente. A explicação até então aceita havia sido fornecida em 1600 por William Gilbert, que considerava a Terra um ímã gigante, com o comportamento de um ser dotado de alma. Para refutar a cosmologia magnética de Gilbert, com suas forças ocultas e inexplicáveis, Descartes elaborou um esquema mecânico que parece bizarro, mas tornou-se o argumento de maior peso na cosmologia cartesiana, e sobreviveu por bem mais de cem anos.

Segundo Descartes, a causa do magnetismo é a movimentação de minúsculas partículas de matéria primária que atravessam canais muito estreitos no corpo de minerais magnéticos. Cada partícula seria "parafusada" em uma de duas direções, penetrando apenas nos canais cujas ranhuras se adaptassem a sua conformação. Ainda de acordo com a teoria de Descartes, correntes dessas partículas fluem continuamente do Sol em direção à Terra, atravessando-a pelos caminhos apropriados, e quando completam o ciclo e preparam-se para repetir o circuito, prendem-se a qualquer ímã que cruze seu caminho, pois acham mais fácil penetrar neles do que no ar, sem poros. Assim, ao passar por dois ímãs adjacentes, elas os separam. Outra possibilidade é a atração acontecer quando as partículas empurram os ímãs de trás para a frente. Por mais fantasiosa que fosse, essa teoria obteve aceitação e manteve-se por muito tempo – até aparecer ideia melhor.

Descartes chocou os aristotélicos ao eliminar a alma magnética do universo, mas a mudança que provocou mais hostilidade foi a separação de corpo e alma das pessoas; ele afirmou a existência de um indivíduo mental – mente, alma e consciência – independente do corpo. Descartes descreveu os seres orgânicos como máquinas vivas nas quais as funções como respiração, digestão e desejo sexual vêm "simplesmente da disposição dos órgãos, de maneira tão natural quanto os movimentos de um relógio ou de outra máquina dependem do funcionamento de seus contrapesos e engrenagens". Provocando polêmica ainda mais intensa, ele disse que o sistema nervoso também opera mecanicamente. Assim, a memória e as ações deliberadas podiam também ser explicadas pelo modelo automático. Para horror de seus críticos, Descartes afirmou ainda que os animais são máquinas sem alma.

Depois de fazer experiências, Descartes concluiu que o comportamento de um autômato imaginário jamais seria igual ao de uma pessoa, que deve ser capaz de lidar com situações imprevistas. Em sua visão, seres humanos não são meros mecanismos; as pessoas diferem das máquinas e também dos animais porque conseguem falar, raciocinar e tomar decisões. Para

Descartes, a linguagem era uma característica singular dos seres humanos – e continua sendo, para os antievolucionistas e filósofos que não aceitam as evidências cada vez mais consistentes da comunicação animal.

Ao afirmar a existência da alma humana, Descartes satisfez a fé cristã de que a vida continua depois da morte. Mas havia sérias críticas a enfrentar. O mais urgente era explicar como uma mente imaterial pode interagir com um corpo feito de matéria – como um pensamento pode ser realizado, ou como olhar para fora pela janela gera a noção de que está chovendo? Esse problema era, como Descartes admitiu humildemente, "muito difícil", e ele nunca chegou a uma resposta satisfatória. Com base em seus estudos, Descartes concluiu que a glândula pineal, dentro do cérebro, é o lugar onde a alma processa os dados físicos, como se fosse uma pessoa em miniatura a observar as sensações do corpo reproduzidas em uma tela à frente. No sistema dual de Descartes, havia um hiato estranho entre o que a experiência lhe dizia – que ele tinha um corpo físico – e o que ele afirmava ter concluído por meio da lógica: que era, em essência, uma mente espiritual. Embora Descartes jamais tenha unido os dois aspectos de maneira satisfatória, sua visão mecânica de corpos vivos e pensantes continuou importante até o século 19.

Paradoxalmente, os modelos mecânicos triunfaram porque ofereciam um meio de manter Deus no universo. Embora muitos filósofos naturais concordassem com a maneira como Descartes havia banido as forças ocultas e os elementos aristotélicos, seus oponentes o criticavam por levantar a possibilidade de o cosmos ser inteiramente feito de matéria, o que eliminaria do mundo a espiritualidade divina. Descartes nunca adotou uma posição tão extrema, mas alguns de seus sucessores, sim. Para evitar que se disseminasse a heresia ateísta, filósofos cristãos revisaram as ideias originais de Descartes, produzindo um universo que operasse mecanicamente, mas ainda garantisse a existência de Deus.

Entre esses filósofos, um dos mais influentes foi Robert Boyle, um rico aristocrata que pertenceu ao grupo experimental do século 17, em Oxford, e depois mudou-se para Londres. Apesar de hoje ser mais conhecido como o químico que deu nome à lei que descreve o comportamento dos gases – Lei de Boyle – ele também foi um teólogo que considerava a demonstração do esplendor e da sabedoria de Deus o grande objetivo da filosofia natural. Como preferia explicações diretas, Boyle optou por um universo formado por corpúsculos. Segundo ele, quando os corpúsculos se movem em conjunto, geram calor; quando são aspirados de dentro de um frasco, cria-se o vácuo; e quando corpúsculos afiados colidem entre si, obtém-se a ação corrosiva do acido.

Boyle argumentava ainda que um cosmos mecânico, operando independentemente, demonstra a inteligência de Deus. Assim, o Grande Projetista tanto podia ser estudado por seu livro da natureza quanto pela leitura da Bíblia. Como disse Boyle: "A sabedoria de Deus se demonstra pela estrutura do universo, por Ele haver manipulado a matéria bruta de acordo com certas leis, criando uma máquina tão vasta, capaz de realizar tantas coisas." Essa é uma das primeiras manifestações da Teologia natural, baseada no projeto. Ao observarmos um relógio, sabemos que foi produzido por um artesão. Da mesma forma, um universo mecânico, com engrenagens invisíveis, deve ter sido criado por Deus.

Até o século 19, os teólogos naturais continuaram usando o argumento do projeto para provar a existência de Deus. Quando Charles Darwin apresentou sua polêmica teoria da evolução, por exemplo, teólogos naturais protestaram. Para eles, órgãos tão complexos como o olho humano não poderiam ser fruto do acaso; deviam ter sido projetados por Deus. Tal como seus sucessores, os partidários do "projeto inteligente", achavam difícil explicar por que Deus permitiria a ocorrência de miopia e catarata.

CAPÍTULO 20
INSTRUMENTOS

É mais importante encontrar beleza em uma equação do que fazê-la confirmar uma experiência.

Paul Dirac, *Scientific American* (1963)

Os aviões reduziram o Oceano Atlântico ao tamanho de uma lagoa, mas durante o século 16 ele parecia um Mediterrâneo novo e maior, um mar muito movimentado que ligava as terras localizadas às suas margens, cruzado por embarcações que transportavam mercadorias e pessoas. Mas outro artigo importante era levado de um lugar para outro: conhecimento. Francis Bacon, um advogado e político de renome, tornou-se na Europa o principal defensor do progresso por meio de explorações e experimentações. Os reacionários mantinham a opinião de que a Grécia Antiga havia sido o máximo da cultura, e optaram pelo cosmos fixo descrito na Bíblia. Os progressistas que acreditavam poder mudar o mundo para criar um futuro melhor adotaram Bacon como patrono, e embarcaram em viagens intelectuais para explorar o universo.

O mais importante manifesto de Bacon pela pesquisa científica foi o *Novum Organum* ("O Novo Organon"), escrito para derrubar o Organon de Aristóteles e substituir a antiga Lógica pela pesquisa experimental defendida por Bacon. Na capa, mostrada na Figura 18, dois navios mercantes, os barcos do conhecimento, velejam entre os pilares mitológicos de Hércules, que guardam o Estreito de Gibraltar, a passagem que separa o Atlântico do Mediterrâneo. "Muitos viajarão, aumentando o conhecimento" é a inscrição que se lê entre as bases dos pilares. Bacon conclamava os reformadores a deixar para trás a segurança do conhecimento clássico do Mediterrâneo, proclamando que: "seria uma desgraça para a humanidade se... o mundo intelectual estivesse restrito às descobertas e aos limites estreitos dos antigos." Assim como os comerciantes lucravam com o transporte de bens, a Europa cresceria reunindo informações sobre a natureza que seriam armazenadas, impressas e comercializadas internacionalmente. Bacon prometia transformar as descobertas em conhecimento, criando assim um utópico Novo Mundo.

Figura 18. Capa do livro em latim de Francis Bacon, *Novum Organum*, 1620.

Bacon é frequentemente citado como o fundador da ciência moderna, mas, apesar de bem informado sobre as atividades dos colegas, era mais eficiente em determinar o que deveria ser feito do que em investigar pessoalmente. O anatomista William Harvey, talvez para vingar-se dos comentários mordazes de Bacon sobre seu trabalho, certa vez declarou acidamente que ele tinha os olhos de víbora e escrevia sobre Filosofia como um grande chanceler. No entanto, quaisquer que fossem as opiniões de seus contemporâneos, os pronunciamentos de Bacon afetaram profundamente a pesquisa científica na Europa. Como membro da corte e ex-chanceler do reino, Bacon cunhou o *slogan* ideal para converter os descrentes: "Conhecimento é poder." Decorridos dois séculos, essa máxima ainda é usada quando se quer solicitar o patrocínio do governo para a pesquisa científica.

Bacon estabeleceu uma agenda de experiências, insistindo que as leis da natureza só poderiam ser reveladas pela coleta e organização de maciça quantidade de dados. Ao contrário de Descartes, que queria investigar a partir de suas certezas, Bacon privilegiava uma abordagem indutiva, de baixo para cima – inferindo explicações a partir de observações livres de preconceitos teóricos. Esse deveria ser um esforço coletivo, baseado na cooperação, na comunicação e no patrocínio oficial. Bacon imaginava uma comunidade utópica dedicada a investigar maneiras de aproveitar os poderes da natureza em benefício da sociedade. Embora não entrasse em detalhes, Bacon reconhecia que uma boa observação precisa de bons instrumentos, e pensava na coleta de informações com pesquisadores organizados em grupos conforme os projetos, tais como refrigeração, metalurgia e agricultura. Nesse esquema hierárquico, os coletores de dados acumulariam informações que seus líderes – filósofos naturais de elite – transformariam em conhecimento científico.

> FILÓSOFOS BACONIANOS ADOTARAM OS INSTRUMENTOS EXISTENTES, TORNANDO-OS MAIS PRECISOS.

Filósofos baconianos adotaram os instrumentos existentes, tornando-os mais precisos, sem alterar a estrutura básica. Até o início do século 19, não havia uma categoria que englobasse todo o "equipamento científico". Os fabricantes de instrumentos dividiam seus artigos em três grupos: matemáticos, óticos e filosóficos. Os mais antigos eram os de medição usados no dia a dia para pesar alimentos, demarcar terras, navegar orientando-se pelas estrelas, avaliar metais preciosos, ver as horas ou preparar remédios à base de ervas, por exemplo. Feitos por artesãos, esses instrumentos matemáticos haviam sido desenvolvidos por pessoas que precisavam de informações práticas. Os óticos até então se concentravam em óculos de leitura e telescópios náuticos, mas, em resposta à demanda dos experimentadores do século 17, foram ampliados, passando a incluir telescópios astronômicos e microscópios. Com lentes de alta qualidade e maior capacidade de aproximação, esses instrumentos óticos revelavam detalhes do mundo natural jamais vistos. Os últimos a serem criados foram os equipamentos ligados à Filosofia – barômetros, termômetros, máquinas elétricas, bombas de ar – inventados por e para filósofos experimentais.

Esses três tipos de instrumentos estão dispostos como elementos decorativos na Figura 20, que retrata uma elegante sala de visitas em Londres. À direita, perto da janela, vê-se um quadrante – usado para acompanhar a trajetória do sol e criado originalmente por navegadores – e um telescópio astronômico produzido para ser usado em terra, e não no mar. Na mesa ao fundo há uma bomba de ar, um globo de vidro cujo ar interno podia ser sugado por uma bomba mecanizada – uma nova e polêmica invenção dos discípulos de Bacon no século 17.

Figura 19 A família de John Bacon, por Arthur Devis, pintura a óleo (c. 1742-3).

Os primeiros filósofos experimentadores pediram orientação aos artesãos. Um dos mais famosos contemporâneos de Bacon foi o médico da rainha Elizabeth I, William Gilbert, hoje celebrado como um dos primeiros cientistas, e na época reconhecido por ter inventado bússolas mais eficientes, melhorando assim a navegação britânica. Quando começou a investigar o magnetismo, Gilbert buscava apoio não só em seus colegas acadêmicos, mas também na comunidade marítima. Embora escritos em um inglês simples, e não em latim erudito, os livros dos navegadores elisabetanos vinham cheios de instruções técnicas, Geometria euclidiana e discussões sobre os padrões magnéticos da Terra. Em vez de criações próprias, alguns dos instrumentos de Gilbert eram apenas versões melhoradas de ideias que ele havia encontrado em um livro escrito 20 anos antes por um fabricante de bússolas.

Os mecânicos forneciam material e orientação aos filósofos mecânicos. O maior exemplo foi Robert Hooke, um habilidoso experimentador que trabalhou em Oxford ao lado de Christopher Wren e Robert Boyle, antes de mudar-se para Londres, onde suas atividades incluíam reconstruir a cidade depois do grande incêndio de 1666. Com o cosmos funcionando mecanicamente, conforme acreditava Hooke, as máquinas são essenciais à descoberta de suas operações internas. Ele adaptou instrumentos existentes, usados por artesãos, para produzir uma enorme quantidade de novos artefatos dirigidos aos filósofos naturais – relógios, sonares, higrômetros, microscópios, bombas de ar, balanças, lâmpadas, quadrantes. Para ele, os instrumentos eram duplamente importantes porque mediam o mundo natural e representavam a única maneira pela qual as pessoas podiam compreendê-lo.

Os instrumentos precisos de Hooke mostraram-se importantes para a ciência, mas ele os justificava teologicamente. Tal como Bacon e muitos de seus contemporâneos, Hooke considerava os seres humanos criaturas falíveis, condenadas desde a expulsão do Jardim do Éden a ter sentidos imperfeitos e mente preconceituosa. Assim, acreditava que, para perceber o mundo como ele realmente é, precisamos de recursos artificiais que direcionem o cérebro e evitem distorções. Seu novo microscópio facilitaria o processo; ao filósofo, apesar de suas deficiências, bastava ter "a mão verdadeira e o olho exato, para examinar e registrar as coisas como elas se mostram". Em *Micrographia*, Hooke demonstrou os resultados surpreendentes que podiam ser obtidos.

Micrographia é uma coleção impressionante de desenhos muito elaborados que expõem detalhes antes inimagináveis de plantas e insetos – sobretudo piolhos, aqueles quase invisíveis, mas constantes companheiros dos cavalheiros no século 17. Quando Samuel Pepys comprou o livro, passou a noite acordado, preso às enormes ilustrações e às descrições eloquentes de Hooke. Ao escrever em inglês, e não em latim, Hooke convenceu os leitores a aprender sobre Deus, estudando o livro da natureza. Nas primeiras páginas ele surpreendentemente revela as bordas irregulares de navalhas e defeitos em objetos criados por seres humanos, destacando o contraste com a "força e beleza" das pulgas, criações divinas "adornadas com um 'traje' curiosamente brilhante – uma couraça negra bem montada, coberta de pinos semelhantes aos espinhos do ouriço ou a agulhas de aço".

Os instrumentos matemáticos de Hooke mediam o mundo visível, enquanto seus artefatos óticos mudavam a aparência desse mesmo mundo. Instrumentos filosóficos, como bombas de ar, por sua vez, alteraram o próprio mundo. Os primeiros modelos funcionais foram construídos no fim da década de 1650 por Hooke e Boyle (embora Boyle tenha ficado com a glória), e um século mais tarde simbolizavam o poder da pesquisa científica. O quadro icônico de Joseph Wright de Derby – reproduzido inúmeras vezes em capas de livros e cartões comemorativos – retrata um cômodo iluminado apenas por um frasco brilhante, contendo um crânio humano, e dominado pela figura de um filósofo natural com aparência de mago. Sua mão repousa sobre a abertura do globo, e os espectadores, ao mesmo tempo assustados e fascinados, percebem que sua decisão vai determinar o destino da rara cacatua-branca que está lá dentro.

No entanto, a bomba de ar não foi sucesso imediato. Primeiro, era difícil evitar vazamentos, o que levou os críticos a acusar Hooke e Boyle de não terem criado o vácuo, mas havia também questões teóricas fundamentais. De acordo com a ortodoxia cartesiana, as partículas deviam sempre estar em contato, o que tornaria impossível a remoção de toda a matéria sutil de dentro de um globo. Além disso, as experiências com vácuo envolviam maneiras novas e visivelmente inadequadas de raciocinar. Como desvendar a natureza com base em uma situação artificial? Dentro dos globos esvaziados, que pareciam comuns, animais morriam, velas se apagavam e sinos tornavam-se inaudíveis. Céticos, os filósofos mecânicos exigiam evidências claras das engrenagens e máquinas que moviam os ponteiros do mecanismo do universo, e não inferências baseadas na ausência delas.

Segundo Boyle, embora criasse uma situação artificial, planejada por um ser humano, a bomba de ar fornecia informações válidas sobre o mundo natural criado por Deus. Tradicionalmente, filósofos naturais confiavam na razão, usando teorias para explicar o que acontece. Boyle, Hooke e seus colegas baconianos queriam reverter essa orientação lógica, partindo dos fatos observados, para depois explicar como o universo funciona. Em seu etos experimental, os instrumentos estabeleceriam fatos confiáveis, derrubando o dogmatismo teórico. Ao inventar novas ferramentas de pesquisa, eles criaram novo conhecimento – fios se esticam regularmente (lei de Hooke), moscas têm olhos multifacetados, o som precisa de um condutor. As explicações para todas essas descobertas viriam mais tarde.

Assim como os livros, os instrumentos podiam carregar informações de um lugar para o outro, porque as mesmas experiências (em princípio, pelo menos) sempre produzem os mesmo resultados. Instrumentos revelavam fenômenos naturais, demonstrando sua existência para os humanos. Mas "demonstrar" também tinha outro significado – verificar uma teoria existente. Quando Isaac Newton usou um prisma para criar um arco-íris, não tentava produzir um efeito desconhecido – aristocratas e seus serviçais já sabiam o que candelabros causavam à luz de velas –, mas demonstrar a validade das próprias explicações. Depois de comprar alguns prismas baratos em feiras, Newton os converteu em instrumentos óticos, para convencer seus oponentes de que tinha razão.

Newton afirmava estar fazendo uma experiência de importância crucial para estabelecer de maneira conclusiva a diferença entre suas teorias e as teorias de Descartes. De acordo com Descartes, objetos são coloridos porque modificam a luz que passa por eles. Newton queria chamar a atenção para sua ideia de que todo o espectro de cores do arco-íris está contido na luz do Sol. Em seu desenho tosco (Figura 21), luz do Sol. Em um desenho feito à epoca, Newton esboçou o luz do Sol entrando por uma pequena abertura na veneziana de uma janela. Focada por uma lente, a luz atravessa um prisma, de maneira que os raios de diferentes cores se espalham e incidem sobre uma tela furada. O estágio seguinte é o mais importante. Um raio colorido passa pela tela até um segundo prisma, mas ilumina a parede sem sofrer mudanças, confirmando assim a teoria de Newton, de que as cores se originam da luz, e não do vidro.

Bacon chamou de "placas de orientação" essas experiências com resultados categóricos que apontam o caminho da verdade. Essa simplicidade decisiva é, muitas vezes, enganadora; diz-se que é preciso ver para crer, mas nem sempre se deve acreditar no que se vê. Cientistas afirmam que, como as experiências revelam fatos, podem ser repetidas por qualquer um. No entanto, Newton escondeu tantos detalhes vitais sobre os prismas, que seus críticos obtiveram resultados ambíguos, e, mesmo depois de decorridos mais de 70 anos, suas descobertas ainda eram questionadas. Como queria que os resultados de suas experiências fossem tão incontestáveis quanto suas provas matemáticas, Newton procurou criar instrumentos tão convincentes quanto as fórmulas e os argumentos retóricos. Às vezes, sentia vontade de desistir, desesperado pelo antagonismo dos oponentes e pela aparente impossibilidade de chegar a um acordo. "A Filosofia", lamentou Newton certa vez, durante acalorada discussão com Hooke, "é uma dama inconvenientemente controversa."

CAPÍTULO 21
GRAVIDADE

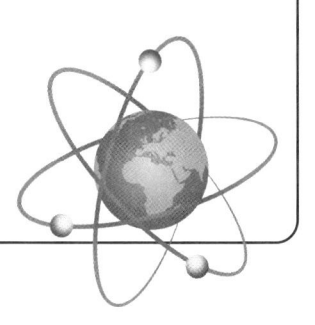

No entanto, Newton está mais para o erro do que para a verdade,
mas eu sou da PALAVRA de DEUS...
Pois o HOMEM no VÁCUO é um conceito simplista de loucura absurda.
— Christopher Smart, *Jubilate Agno* (1758-63)

As maçãs são um fruto muito presente na mitologia. Em Don Juan, George Byron relacionou a inspiração de Newton, em um pomar de Lincolnshire, à tentação de Adão no Jardim do Éden:

Ao ver a maçã cair, Newton encontrou,
Na surpresa que o despertou da contemplação,
Um modo de provar que a Terra girava
Em um rodopio natural chamado "gravitação";
Ele foi o único mortal a aprender,
Desde Adão, com uma queda ou uma maçã.

Newton revelou essa história, hoje conhecida no mundo todo, pouco antes de morrer, quando tomava chá com um amigo mais jovem, que assim relatou:

"A ideia da gravitação... surgiu com a queda de uma maçã, quando ele [Newton] estava em um estado contemplativo. 'Por que aquela maçã deveria cair perpendicularmente ao chão?', ele pensou. 'Por que não iria para o lado ou para cima, mas sempre em direção ao centro da Terra?' Com certeza, o centro da Terra exerce algum tipo de atração...

Há uma força, que nós chamamos de gravidade, que se estende por todo o Universo."

Mais do que qualquer outro mito científico, a queda da maçã de Newton fortalece a noção romântica de que os grandes gênios de repente fazem, sozinhos, descobertas incríveis. Seu livro sobre *Mecânica e Gravidade*, publicado pela primeira vez em 1687, veio a simbolizar o nascimento da ciência matemática. Especialmente depois da Segunda Guerra Mundial, a obra foi aclamada como a bíblia intelectual que transcenderia as diferenças religiosas; como o produto de uma gloriosa revolução científica que anunciava a era moderna. De acordo com relatos simplistas sobre a importância de Newton, foi ele o fundador da Física moderna, introduzindo a noção de gravidade e implantando ao mesmo tempo duas grandes transformações na metodologia: a unificação e a matematização. Ao traçar um paralelo entre uma maçã e a Lua, ele ligou um evento corriqueiro na Terra aos movimentos dos planetas pelo espaço, eliminando assim a divisão antiga de Aristóteles entre os planos terrestre e celeste. Além de unificar o cosmos, Newton uniu matemáticos e filósofos naturais, superando o *Principia* de Descartes, ao escrever Principia – *The Mathematical Principles of Natural Philosophy* ("Os Princípios Matemáticos da Filosofia Natural").

Embora Newton tenha sido sem sombra de dúvida um homem brilhante, sua fama de gênio solitário não condiz com a realidade. Assim como todos os grandes inovadores, baseou-se em trabalhos anteriores – de Kepler, Galileu, Descartes e muitos outros. O próprio Newton disse certa vez a Hooke: "Se enxerguei mais longe, foi porque estava sobre os ombros de gigantes." Alçá-lo ao posto de criador da ciência moderna é também enganoso. Longe de ser um físico dedicado, no sentido atual do termo, ele procurou por Deus estudando a Alquimia e a Bíblia, mas também o mundo natural. E existe aí mais uma complicação: os filósofos naturais não aceitaram imediatamente as ideias de Newton; seu modelo do cosmos foi criticado e modificado repetidas vezes, fazendo com que hoje o pensamento newtoniano seja muito diferente do esquema originalmente proposto por ele no *Principia*.

A história da maçã era praticamente desconhecida antes da época de Byron. Newton era mais ligado aos cometas, uma vez que descobrira regularidade naqueles fenômenos antes considerados meteoros muito brilhantes, advertências esporádicas mandadas por Deus para ameaçar um mundo pecador. Quando diversos cometas apareceram no início da década de 1680 – inclusive aquele que seria nomeado em homenagem ao astrônomo Edmond Halley –, Newton tornou-se obcecado pelo comportamento deles: observava-os com seu telescópio, fazendo intermináveis cálculos matemáticos e polemizando por meio de cartas com rivais como Hooke e os astrônomos da realeza. Halley acabou convencendo o reservado e solitário Newton a publicar seus trabalhos. Afinal, o próprio Halley acabou pagando pela impressão do livro, já que a Royal Society não possuía os meios para isso.

Newton optou por usar uma linguagem de difícil entendimento para matemáticos menos experientes. Segundo explicou, queria "evitar controvérsias com quem só conhece a Matemática superficialmente". Para ter mais alcance internacional, escolheu o latim, recorrendo a uma linguagem clássica – a Geometria. Ao consolidar e desenvolver o trabalho de Galileu e outros, Newton demonstrou suas três leis do movimento, que descrevem como se deslocam e interagem as bolas de bilhar ou as balas de revólver. Depois, aplicou essas regras para descrever os movimentos dos planetas e de partículas mínimas, introduzindo o conceito de gravidade como força atrativa que se espalha por todo o universo, afetando cometas, maçãs e átomos exatamente da mesma forma. Em um estudo de igual importância, expressou os efeitos da gravidade em termos matemáticos. De acordo com sua lei do quadrado inverso, quanto mais próximos dois objetos estiverem, e quanto mais pesados forem, mais fortemente se atrairão.

Alguns matemáticos se convenceram de imediato, mas muitos outros ficaram confusos. Mesmo entre os que entenderem as teorias de Newton surgiram críticas, e ele produziu, como resposta, duas novas edições de seu *Principia* (em 1713 e 1726), acrescentando revisões dos cálculos matemáticos, bem como explicações sobre Deus e sobre o papel dos cometas na preservação da vida – uma particularidade surpreendente, em se tratando de um livro de ciência. Ao contrário de Descartes, Newton visualizou grandes extensões de espaço vazio, não apenas no céu, mas também entre as partículas que formam a matéria aparentemente sólida. Os céticos perguntavam: como a gravidade atravessa os espaços vazios? Eles acusavam Newton de resgatar as forças ocultas que os filósofos mecânicos diziam estar eliminando. E ainda pior, a gravidade parecia desafiar Deus. Se a força gravitacional era inerente à matéria, deixava de existir uma distinção clara entre matéria bruta e mundo espiritual? As mais fortes e persistentes críticas feitas a Newton baseavam-se em argumentos religiosos.

Hoje celebrado como o maior cientista de todos os tempos, Newton foi um teólogo e alquimista que incluiu Deus e poderes secretos em sua cosmologia. Na filosofia original de Newton, Deus estava presente no universo inteiro e envolvia-se constantemente em suas atividades. Em vez de crer na matéria inerte defendida pelos cartesianos, Newton acreditava em partículas impregnadas de "princípios ativos", que mantinham os planetas girando e o sangue circulando; a natureza era, como ele havia afirmado anteriormente, "um trabalhador em constante atividade". Newton não chegou a essas ideias partindo apenas de sua biblioteca rica em obras de Filosofia natural, mas de sua coleção (muito mais extensa) de trabalhos sobre Magia natural e Alquimia. Para ele, a Alquimia era um caminho importantíssimo para entender o universo e alcançar o crescimento espiritual, e não apenas um passatempo.

A explicação matemática encontrada por Newton para o comportamento dos cometas foi a causa de sua fama. Ao conseguirem prever quando um cometa retornaria, os filósofos naturais se tornaram mais poderosos do que os astrólogos, que viam no aparecimento desses corpos celestes um sinal terrível da proximidade do fim do mundo. No entanto, Newton – tal como os astrólogos – considerava os cometas agentes de Deus, enviados por Ele para restaurar a vida terrestre com a matéria ativa especial que carregavam na cauda. Muitos filósofos naturais repudiavam essa visão do mundo, na qual Deus intervinha no universo, porque isso implicaria a existência de um criador descuidado, cuja obra inicial era imperfeita. "Sir Isaac Newton e seus seguidores têm uma opinião muito estranha", disse Gottfried Leibniz, o mais ferrenho de seus opositores. "De acordo com a doutrina deles, Deus Todo-Poderoso tem de dar corda no seu relógio de tempos em tempos, senão ele para de funcionar. Parece que Deus não teve visão suficiente para criar um modelo de funcionamento perpétuo."

Além de descreverem os movimentos dos planetas, Newton e seus seguidores tentaram explicar o comportamento da matéria na Terra. Eles examinaram uma ampla variedade de fenômenos – a reflexão da luz, o comportamento dos gases, as reações químicas, as respiração das plantas, a atividade elétrica, a digestão animal – e criaram modelos matemáticos baseados na atração próxima entre partículas minúsculas. Mas logo esbarraram em problemas teóricos, como a explicação de como um gás composto de corpúsculos mutuamente atraentes pode expandir-se. A partir de 1740, aproximadamente, os filósofos naturais começaram a interessar-se pelas explicações alternativas de Newton para a gravidade. Inspirado por investigações no terreno da Alquimia, Newton havia sugerido que minúsculas partículas repelentes especiais se espalham por todo o espaço. Segundo ele, essas partículas criavam um meio invisível e imponderável capaz de transmitir a gravidade ou o magnetismo, apesar de dispersas o bastante para deixar os planetas praticamente inalterados. Esse sutil éter espiritual eliminou a objeção à ação exercida a distância, e até o começo do século 20, versões dessa teoria ainda apareciam para explicar a gravidade, a eletricidade e outros fenômenos.

Os primeiros seguidores de Newton deixaram de lado o problema da origem da gravidade, preferindo explorar as aplicações da nova teoria. De início, a maior parte do trabalho foi feita por pequenos grupos especializados, inclusive de matemáticos escoceses e colegas próximos de Newton, que pouco se dedicava à divulgação das próprias ideias. Alguns de seus seguidores, porém, começaram a dar aulas e publicar versões simplificadas de seu trabalho. À época da morte de Newton, em 1727, os newtonianos da Grã-Bretanha discordavam de boa parte dos cientistas da Europa continental, adeptos de Descartes e Leibniz. Voltaire, um dos primeiros entusiastas das teorias newtonianas, usou essa divergência para chamar de atrasados os cientistas franceses. "O francês que chega a Londres encontra as coisas bem diferentes... Ele parte de um mundo cheio e encontra um mundo vazio. Em Paris, vê o universo composto de vórtices de matéria sutil; em Londres, não há nada desse tipo." No entanto, a França resistiu à mudança de opinião até a segunda metade do século 18.

Ironicamente, um dos primeiros livros que contribuíram para a popularidade de Newton foi escrito em latim por um professor da University of Leiden, Willem´s Gravesande, sendo lido por estudantes de toda a Europa. Ele encomendou a artesãos holandeses instrumentos de madeira – torres inclinadas, cones que rolavam ladeira acima – para demonstrar (e não para medir ou testar) os princípios da mecânica newtoniana. Em Londres, o principal assistente de Newton, John Desaguliers, reconheceu a possibilidade de ganhar dinheiro com aquelas ideias, e instalou uma escola particular em casa, onde inventou diversos instrumentos de demonstração com os quais transmitia ensinamentos. Os alunos depois instalavam novos centros newtonianos, que aos poucos se multiplicaram.

A promoção da imagem de Newton parecia um exercício de marketing. Desaguliers atraía seguidores, competia com rivais, vendia instrumentos e livros, e dava aulas, fazendo dessas atividades meio de vida. Tais iniciativas promocionais isoladas acabaram criando, fora dos limites privilegiados das universidades, um novo interesse público pela ciência. Desaguliers era também um engenheiro atuante, e projetou fontes, bombas para minas e sistemas de ventilação, prometendo livrar Londres "da fuligem que se desprende de inúmeras fogueiras de carvão, e do mau cheiro que emana do esgoto e de estábulos imundos". O prestígio de Newton foi consolidado quando essas invenções práticas convenceram os investidores e políticos de que as teorias demonstradas poderiam ser financeiramente interessantes – para eles mesmos e para a nação.

Figura 20. Joseph Wright, "Um filósofo dando aula com o aparelho de Orrery, em que uma lâmpada está no lugar do Sol" (1766).

Outros seguidores de Newton e Desaguliers orgulhavam-se especialmente de um instrumento criado para demonstrar a gravidade – o planetário. Na imagem romantizada da Figura 20, uma família da parte central da Inglaterra reúne-se em torno de um exemplar excepcionalmente benfeito. Os grandes semicírculos que se originaram das esferas armilares de Ptolomeu (Figura 4) aumentam o impacto dramático, mas a parte funcional é a base plana horizontal. Uma lâmpada de óleo no centro representa o Sol e ilumina o ambiente, uma biblioteca particular. Quando o instrutor (que veste uma baniana vermelha, uma tradicional roupa indiana) aciona a manivela do dispositivo, pequenas esferas começam a girar ao redor do Sol a velocidades proporcionais à movimentação real dos planetas. Assim como em outras pinturas de tendências iluministas, o pensamento newtoniano é apresentado simbolicamente. Os padrões de luz nos rostos dos espectadores remetem às fases da Lua e dos planetas, e as diferentes atrações entre os corpos celestes se refletem nas diferentes relações humanas – as duas crianças estão física e emocionalmente próximas, enquanto os adultos aparecem mais afastados, em um círculo dominado pelo instrutor.

Essas representações visuais da estreita ligação entre o cosmos governado por leis de Newton, a lei benevolente de Deus e a hierarquia estável da sociedade georgiana foram complementadas por expressões verbais em poesia e filosofia. Quando Jorge II foi coroado, em 1727, mesmo ano da morte de Newton, Desaguliers publicou em versos um equivalente da pintura mencionada acima, comparando o monarca britânico ao Sol, que derramava a força de seu amor cativante sobre uma nação newtoniana. Tal como Voltaire e outros reformadores políticos, Desaguliers imaginava uma sociedade democrática, newtoniana, formada por cidadãos livres que, embora unidos, agiam independentemente.

O Sol se equilibra no éter,
E dali exerce amplamente sua virtude;
Como ministros atentos a cada olhar,
Seis mundos giram em torno do trono em uma dança mística...
Vê-se ATRAÇÃO em todo o reino
A abençoar o reinado de JORGE e CAROLINA.

Newton se concentrou em planetas e partículas, mas seus sucessores estenderam a abordagem matemática a todos os aspectos imagináveis da vida na Terra. Um dos primeiros entusiastas foi um famoso teólogo que adaptou sistematicamente as leis de Newton, concluindo que a segunda vinda de Cristo aconteceria antes do ano de 3150. Mais influência tiveram os filósofos naturais, que aplicaram a Física de Newton para descrever os seres vivos.

Em um primeiro instante, eles viam os corpos como máquinas de funcionamento semelhante ao das bombas hidráulicas, mas depois desenvolveram modelos da atividade nervosa baseados nas sugestões de Newton sobre o éter, descrevendo assim como os sinais percorrem o cérebro sob a forma de vibrações, em um fluido delicado no interior dos nervos. Os naturalistas tentaram copiar a harmonia do universo, defendida por Newton, para descobrir um poder ilimitado que definisse a vida. Declarando-se o Newton da mente humana, David Hume procurou estudar a mente humana sobre bases matemáticas e experimentais, enquanto Adam Smith adotou uma abordagem similar para suas teorias econômicas.

Ao final do século 18, o pensamento newtoniano dominava a vida intelectual com o poder de uma ideologia religiosa. Embora as pessoas pudessem fazer adaptações, a sobrevivência profissional dependia da fidelidade a esses conceitos. As ideias de Newton tornaram-se marca registrada de um modo de pensar, de um credo científico. Para serem levadas a sério, as teorias tinham de ser classificadas como newtonianas, ainda que muito diferentes entre si, sem mencionar a distância do que Newton havia escrito originariamente.

Talvez o impacto mais profundo da teoria da gravidade tenha sido estabelecer a crença otimista de que leis simples regem o cosmos. Não apenas maçãs e a Lua, átomos e planetas, bolas de bilhar e galáxias, mas tudo poderia, em princípio, ser reduzido a fórmulas matemáticas simples – inclusive o que hoje entendemos como psique humana, o clima, o comportamento das multidões, as reações químicas, o crescimento das plantas e o fluxo do tráfego. A enorme influência de Newton parecia providencial. "Prestemos homenagens a Newton", disse um importante pesquisador médico francês em 1801, "o primeiro a descobrir os segredos do Criador, isto é, causas simples aliadas a uma multiplicidade de efeitos." Newton tornou-se o deus da racionalidade iluminista, exaltado como herói pelos herdeiros da Revolução Francesa, que sonhavam com um futuro utópico moldado conforme a lei da gravidade.

PARTE 4

Instituições

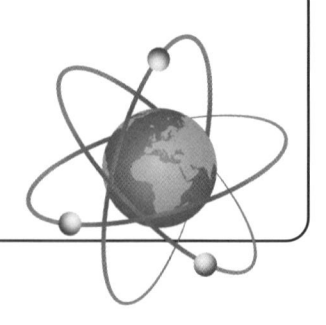

Para entender como a ciência tornou-se a coluna vertebral do mundo moderno, é preciso descrever o que acontecia dentro e fora dos laboratórios e salas de estudo. Ciência não é apenas um resultado final, como um teorema, um produto químico ou um instrumento, mas uma parte integrante da sociedade, relacionada à indústria, ao comércio, à guerra, ao governo e à medicina. Histórias antigas acerca da ciência mencionam descobertas e grandes gênios, erradamente deixando de lado o século 18, como um período em que pouca coisa aconteceu. No entanto, para os interessados em apreciar como a ciência se tornou tão poderosa, aquele é um período muito importante, se levarmos em conta a transição vital entre experiências particulares realizadas por alguns cavalheiros ricos, e os laboratórios públicos, o patrocínio oficial e a industrialização da era vitoriana. Empreendedores ousados operavam como especialistas em relações públicas, convencendo seus críticos de que investir neles era a maneira mais útil e rentável de agir. Assim, promoviam as sociedades científicas, as carreiras estruturadas e as oportunidades de patrocínio que acabaram caracterizando a ciência internacional. As instituições podem não ter o carisma das descobertas heroicas, mas foram vitais para divulgar as conquistas científicas e atrair recursos financeiros. Sem elas, os inúmeros centros de pesquisa e os projetos globais da ciência não existiriam.

CAPÍTULO 22
SOCIEDADES

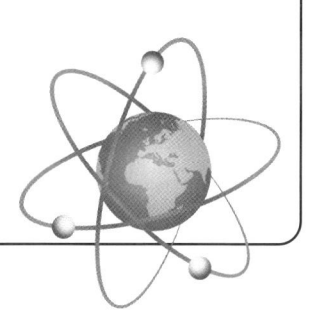

Cientistas afirmam veementemente que os resultados de seus trabalhos podem ser usados em benefício da humanidade. No entanto, fora de seus departamentos, eles se comportam como os mais completos reacionários. Na verdade, no laboratório são socialistas, e nas instituições públicas, conservadores.

- Ritchie Calder, *The Birth of the Future*, "O Nascimento do Futuro" (1934)

Gênios inspirados são personagens atraentes, mas – como Karl Marx disse sobre a Filosofia – o importante certamente é mudar o mundo, e não apenas interpretá-lo. Tradicionalmente, os filósofos naturais faziam observações para descobrir por que as coisas acontecem. Ao contrário, os novos estudiosos experimentais dos séculos 17 e 18 uniram-se para fazer as coisas acontecerem. Ao criar sociedades científicas, eles adquiriram a força coletiva que lhes faltava individualmente. Newton, por exemplo, foi aclamado em toda a Europa ao aproveitar uma plataforma promocional já existente – a Royal Society de Londres. Sem o apoio dessa sociedade para a divulgação de seus primeiros livros, invenções e experiências, ele teria encontrado dificuldade em buscar apoio fora de seu pequeno círculo de Cambridge. Durante os últimos 25 anos de vida, Newton ocupou o cargo de presidente da Royal Society, o que lhe permitiu controlar a pesquisa na Inglaterra. No entanto, embora ele ditasse as regras, foi a instituição que levou a ciência aos cidadãos.

Em *As Viagens de Gulliver*, Jonathan Swift provocou muitas risadas, ao ironizar a tolice dos químicos que tentavam usar gelo para fazer pólvora, e os arquitetos matemáticos que começavam a construir as casas pelo telhado.

Mas, quando o livro foi publicado, em 1726, essa atitude zombeteira já começava a perder a graça. Por toda a Europa fundavam-se novas sociedades científicas, todas com o objetivo de demonstrar que experiências trazem resultados. No século 19, os governos investiam pesadamente em pesquisas científicas, e os inventores eram saudados como grandes colaboradores no rápido crescimento da economia industrial. Embora a ciência ainda ficasse em boa parte reservada a indivíduos bem-sucedidos, as sociedades científicas haviam contribuído para uma mudança drástica: uma ampla explosão da ciência pública, muito mais significativa do que as inovações individuais de estudiosos solitários.

Até meados do século 17, a atividade intelectual se desenvolvia em ambientes privados, e não em locais públicos. Os acadêmicos viviam em comunidades isoladas, e até os pesquisadores pouco convencionais de Oxford reuniam-se em suas salas de trabalho. Diferentemente da era vitoriana, não havia salões ou auditórios para palestras abertas ao público. Assim, os debates científicos aconteciam a portas fechadas – não só em estúdios acadêmicos, mas também em museus de colecionadores, laboratórios de alquimistas, gabinetes da corte, oficinas de artesãos, salas de jantar de aristocratas e bibliotecas de magos. Muito lentamente surgiram novos lugares onde as pessoas podiam reunir-se, e a importância dessas atividades privadas foi caindo.

Entre os primeiros desses locais estavam as cafeterias inglesas, salas comunais que os cavalheiros adotavam como sua segunda casa. Lá examinavam a correspondência, liam jornais e discutiam as últimas notícias, longe das distrações familiares. Outras instituições públicas – teatros, auditórios, clubes masculinos, museus e lojas maçônicas – também se multiplicaram. Aliadas ao número crescente de jornais diários, revistas acadêmicas e livros, essas instituições permitiam que os indivíduos se engajassem em discussões de alcance nacional, fosse expressando opiniões, adquirindo informações ou apenas passando momentos agradáveis. Embora inconstante, a prática se espalhou por toda a Europa durante o Iluminismo, uma era em que o conhecimento e a influência começaram a extrapolar as elites privilegiadas, fazendo com que o conceito de "opinião pública" – hoje tão familiar – passasse a exercer papel importante na tomada de decisões. As fontes de poder lentamente se modificaram. Governantes começaram a ocupar os lugares de monarcas, e organizações públicas desafiavam as estruturas tradicionais de dominação intelectual.

As primeiras sociedades científicas foram criadas como parte desse movimento generalizado para tornar público o conhecimento. As sociedades não representavam um grupo privilegiado; eram apenas um exemplo daquelas novas instituições que permitiam a um número maior de pessoas participar de discussões organizadas. A primeira a ter um impacto significativo foi a Royal Society de Londres, inicialmente integrada por Boyle, Hooke, Wren e seus colegas, membros do grupo de pesquisadores de Oxford, depois que Carlos II foi reconduzido ao trono em 1660. As primeiras reuniões aconteceram no Gresham College, um centro de navegação junto ao Rio Tâmisa, renomado pelo ensino de Matemática. Com o passar do tempo a instituição se consolidou e adquiriu salas de reunião próximo de Strand Street, onde florescia o comércio de material para estudo.

> AS PRIMEIRAS SOCIEDADES CIENTÍFICAS FORAM CRIADAS COMO PARTE DESSE MOVIMENTO GENERALIZADO PARA TORNAR PÚBLICO O CONHECIMENTO.

Outros governantes europeus logo reconheceram a importância de contar com uma instituição intelectual como aquela, e passaram a incentivar a fundação de sociedades semelhantes em grandes cidades. Paris e Berlim são dois exemplos. Além dessas instituições de âmbito nacional, muitas cidades menores criaram grupos para discutir literatura, ciência e atualidades. Ao final do século 18, cerca de 200 associações desse tipo – embora diferentes na organização e na influência – espalhavam-se pela Europa e pela América no Norte. Em lugares tão distantes quanto São Petersburgo e Filadélfia, Suécia e Sicília, entusiastas se encontravam regularmente para debater descobertas e as últimas ideias científicas.

Muitas sociedades se inspiraram na primeira Royal Society. Desde o início, seus fundadores não tinham dúvida sobre como orientar as atividades: deviam "por todos os meios reviver o brilho da época de Lord Bacon". Bacon havia morrido cerca de 40 anos antes, mas encontra-se em destaque à direita na Figura 21, o frontispício do manifesto experimental da Royal Society. Como mentor ideológico da Sociedade, Bacon veste a toga de chanceler, apontando os instrumentos que, a partir de então, deveriam ser usados como fonte de conhecimento. À esquerda, o primeiro presidente da sociedade, William Brouncker, aponta o rei Carlos II, que recebe da deusa da fama uma coroa de louros. Essa bajulação visual era comum, e buscava (sem sucesso) atrair o patrocínio da realeza. Apesar das prateleiras lotadas de livros escritos pelos mais modernos autores científicos – Harvey, Copérnico, o próprio Bacon – os instrumentos dominam a cena. As paredes são enfeitadas com versões modificadas de instrumentos matemáticos tradicionais, enquanto ao fundo (perto da orelha direita do rei) estão duas invenções modernas: um gigantesco telescópio ótico e uma bomba de ar filosófica.

Os membros da Sociedade enfatizavam repetidamente suas ambições baconianas. Eles queriam coletar observações, estabelecer leis científicas e usar seus novos conhecimentos em invenções tecnológicas que beneficiariam a nação. O que acontecia na prática, porém, era um pouco diferente. Para começar, embora se dissesse democrática, a organização se tornou elitista, dominada por proprietários de terras e aristocratas instruídos que formaram uma irmandade científica. É verdade que alguns artesãos se associaram, mas raramente alcançavam posições de mando. Além disso, até o século 20 as mulheres eram impedidas de frequentar as reuniões.

Figura 21. A ideologia baconiana no início da Royal Society. Frontispício da obra de Thomas Sprat, *History of the Royal-Society*, Londres, 1667.

A maior parte das sociedades das metrópoles seguia a estratégia da Royal Society, restringindo o número de membros, mas sua influência alcançava um grande público por meio de boletins que forneciam relatórios detalhados sobre as últimas experiências. Cada exemplar podia chegar a diversos leitores, e mesmo os que não liam diretamente as publicações tinham acesso a resumos veiculados pelo crescente número de jornais comerciais (na época, o plágio era comum, e as leis de direitos autorais não existiam). Ao produzir esse material impresso, as sociedades permitiam que membros indiretos se tornassem testemunhas virtuais, quase como se tivessem presenciado as demonstrações originais. A ênfase conferida pelas sociedades à divulgação do conhecimento por meio de material impresso tornou-se um componente fundamental da atividade científica.

As cartas também foram importantes para levar as descobertas das sociedades ao conhecimento público. Homens e mulheres podiam participar da República das Letras, uma comunidade informal que reunia os cidadãos intelectualizados em uma ampla rede de correspondência. Colecionadores trocavam objetos e informações – plantas interessantes, exemplares de minerais, novos instrumentos e curiosidades naturais. Às vezes, cartas pessoais eram publicadas, para maior divulgação. O pregador metodista John Wesley, por exemplo, aprendeu o valor das máquinas elétricas ao ler a coleção impressa das cartas de Benjamim Franklin, enviadas da Filadélfia a Londres. E Franklin, por sua vez, ficara inicialmente fascinado pela eletricidade ao ler um artigo de jornal sobre experiências de cientistas ingleses.

Além de divulgar o conhecimento, as sociedades distribuíam dinheiro. Tradicionalmente, o patrocínio privado sustentava os filósofos naturais que – como Galileu – não possuíam fortuna pessoal. Essa influência financeira lentamente diminuiu, à medida que as sociedades foram conquistando poder e começaram a adotar outros tipos de patrocínio. Em Londres, a Royal Society reduziu os financiamentos. O modesto Hooke foi empregado como Curador de Experiências, mas vários reis se recusaram a investir, e assim, o salário do cargo permaneceu baixo, sustentado apenas pelas contribuições anuais dos associados. A French Royal Society (Real Sociedade Francesa) aproximou-se mais da visão de Bacon, que considerava justo esse tipo de organização receber financiamento do Estado. Interessado em angariar mais prestígio, Luís XIV contratou 15 especialistas, que se encontravam duas vezes por semana na biblioteca real para discutir as experiências a serem realizadas, de acordo com o interesse nacional. As estruturas contrastantes das sociedades de Londres e de Paris influenciaram fortemente o padrão do desenvolvimento científico em ambos os lados do Canal da Mancha, durante o Iluminismo. Na França, prêmios generosos e uma base financeira segura estimulavam as investigações teóricas e animavam o governo a adotar uma orientação científica. Na Inglaterra, a pesquisa era mais individualizada. Aristocratas ricos seguiam linhas próprias de pesquisa, enquanto inventores arrojados – como Desaguliers – voltavam-se para projetos práticos e lucrativos.

As sociedades aos poucos descobriram meios de obter dinheiro dos monarcas relutantes. Em junho de 1760, os membros da Royal Society ficaram sabendo que os franceses, rivais históricos dos britânicos, já haviam organizado diversas expedições para registrar o trânsito de Vênus (algo similar a um eclipse lunar) que aconteceria no ano seguinte. Tentando justificar a solicitação de 800 libras ao governo, a Royal Society enfatizou que a honra nacional estava em jogo: "Os estrangeiros vão ter motivo para criticar esta nação, se a Inglaterra deixar de enviar observadores àqueles lugares, já que são próprios para esse propósito e estão sujeitos à coroa da Grã-Bretanha." Apesar dos resultados inconclusivos, por sorte houve outro trânsito oito anos depois, quando os membros da sociedade pediram – e conseguiram – 4 mil libras. Ao final do século, John Banks – um autocrata aristocrático que presidiu a Royal Society e dominou a ciência britânica por 40 anos – preenchia estrategicamente os comitês com políticos influentes, capazes de assegurar o patrocínio oficial. Ao morrer, em 1820, Banks havia garantido uma estreita ligação entre a instituição e a expansão imperial britânica.

Banks tinha apenas 20 e poucos anos quando sentiu na pele a ligação entre interesses nacionais, políticas governamentais e explorações científicas. Na segunda expedição para observar o trânsito de Vênus (1769), com frequência citada como o primeiro exemplo de colaboração científica, muitas instituições nacionais deixaram de lado divergências políticas, para medir o tamanho do sistema solar. No entanto, cada sociedade enviou uma equipe, e só mais tarde houve o intercâmbio de observações. Apesar de Inglaterra e França estarem oficialmente em tempos de paz, ambos os países queriam controlar a região do Pacífico, onde se encontravam rotas comerciais lucrativas e bases militares estratégicas. O Almirantado britânico aproveitou a oportunidade para combinar uma expedição astronômica ao Taiti com uma missão de reconhecimento da Australásia, e instruiu secretamente o capitão James Cook no sentido de recolher informações, marcar territórios e, na volta, apresentar relatórios. Como passageiro pagante, Banks financiou a própria pesquisa botânica; ele sabia que o governo estava mais interessado em expandir suas possessões políticas do que em enriquecer seu império científico.

Se os historiadores julgarem as realizações de um cientista pelo volume de trabalhos publicados em revistas acadêmicas, Banks será eliminado de qualquer consideração mais séria, pois teve editadas apenas duas obras inexpressivas sobre criação de ovelhas. Mas se os historiadores julgarem que faz mais sentido avaliar o desempenho pela influência, Banks aparecerá como grande inovador, por fazer da ciência uma atividade importantíssima, ligada à política e aos negócios. Banks introduziu dois novos modelos científicos. Ao viajar e também assegurar patrocínios futuros, ele consolidou o estereótipo do explorador heroico, do peregrino romântico sintetizado no *Frankenstein* de Mary Shelley: "Suportei voluntariamente o frio, a fome, a sede e o sono. Dediquei minhas noites ao estudo da Matemática, da teoria da Medicina e daqueles ramos da Ciência Física dos quais uma aventura naval pode obter a melhor vantagem prática." Banks fez da exploração científica uma atividade cheia de encantos – e, além disso, um investimento rentável.

> BANKS APARECE COMO GRANDE INOVADOR, POR FAZER DA CIÊNCIA UMA ATIVIDADE IMPORTANTÍSSIMA, LIGADA À POLÍTICA E AOS NEGÓCIOS.

Banks também personificava um tipo cuja importância continuou a crescer durante o século 19 – o administrador científico. Rico proprietário de terras e confidente de Jorge III durante os intermitentes ataques de loucura do rei, Banks levou a ciência ao centro da política britânica, tornando-se – e à Royal Society – indispensável durante o longo mandato como presidente. As mais de 20 mil cartas preservadas testemunham o controle de Banks sobre um império científico internacional. Negociador habilidoso, ele convenceu a Companhia das Índias Orientais a subsidiar uma expedição de mapeamento do Oceano Pacífico, mas pediu aos cartógrafos que obtivessem informações sobre o mercado indiano. Financeiramente astuto, aproveitou a obsessão do rei por jardins botânicos e conseguiu dele patrocínio para uma missão de reconhecimento que permitiu à Índia, então possessão britânica, fazer concorrência à China no mercado de chá.

Com Banks no comando, a Royal Society participou de todos os aspectos da expansão imperial, tornando a ciência inseparável da pesquisa internacional de matérias-primas e dos conhecimentos estrangeiros. Comitês que discutiam o desenvolvimento colonial eram ocupados por membros das sociedades que conferiam à pesquisa *status* de prioridade, de modo que, às vezes, ficava difícil distinguir entre espionagem comercial, atividade diplomática e investigação científica. Como um dos poucos ingleses que visitaram a Austrália, Banks esteve intimamente envolvido na criação de colônias penais por lá. E, na qualidade de explorador botânico mais famoso do mundo, organizou uma rede internacional de plantações experimentais que intercambiava mudas, alterando para sempre a paisagem do mundo, pois converteu terras distantes em cópias das culturas europeias, com ovelhas e vacas, trigo e cevada.

> BACON HAVIA CUNHADO O LEMA PERFEITO PARA AS AMBIÇOES DO SÉCULO 19: "CONHECIMENTO É PODER."

Banks queria melhorar o mundo de acordo com as regras de seu país de origem. Tal como seus colegas aristocratas, julgava-se responsável por manter uma sociedade estável e hierárquica; sentia-se no dever de acumular riqueza, para melhorar a vida dos que o serviam. Na opinião de Banks, era da vontade divina que os mal pagos agricultores do condado de Lincolnshire lhe gerassem mais lucros, e que os trabalhadores das minas africanas retirassem delas mais minerais preciosos, para aumentar a riqueza britânica. Onde críticos modernos detectariam exploração, ele via assistência recíproca. Segundo ele, como a Índia era "abençoada com solo, clima e população superiores aos da Inglaterra", sua função natural era abastecer as indústrias inglesas com matéria-prima e "ligar-se à 'mãe pátria' pela mais forte e indissolúvel das ligações, a dos interesses comuns e das vantagens mútuas".

Depois da morte de Banks, seus sucessores vitorianos tentaram dar à Royal Society uma aparência mais democrática, apagando a memória de sua administração autoritária. Ao procurar por antecessores prestigiosos, eles se ligaram diretamente a Newton, Galileu e outros descobridores solitários. Mas, para muitos cientistas, o maior herói foi Bacon, o patrono das sociedades científicas, cujas ações coletivas criaram a ciência pública. Com seu profundo conhecimento de política, Bacon havia cunhado o lema perfeito para as ambições do século 19: "Conhecimento é poder."

CAPÍTULO 23
SISTEMAS

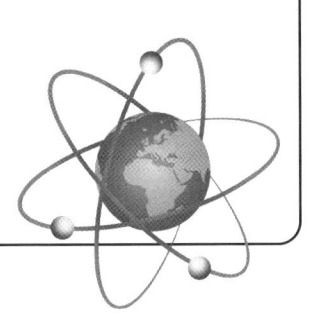

Toda tentativa de divisão deve ser vista com muita suspeita.
— C. P. Snow, *The Two Cultures*, "As Duas Culturas" (1959)

Francis Bacon comparava os pesquisadores a formigas atarefadas em busca de informações para as sábias abelhas – os filósofos naturais – digerirem. Mas, à medida que os livros ficavam mais baratos, e as viagens internacionais mais frequentes tornou-se impossível administrar a enorme quantidade de informações acumuladas. Era essencial providenciar a organização do material. Os filósofos naturais se empenhavam em ordenar os fatos, convertendo-os em conhecimento científico. O Iluminismo é, muitas vezes, chamado de Era da Classificação, o período obcecado pela classificação de dados, objetos e conhecimentos, em categorias sistemáticas.

A organização desses sistemas de arquivamento intelectual mostrou-se difícil. Tristam Shandy Senior passou três anos compilando sua *Tristapoedia*, um sistema organizado de conhecimento que ele pretendia utilizar na formação do próprio filho. No entanto, o trabalho progrediu tão lentamente, que a primeira parte já estava desatualizada antes de concluída. Uma figura pedante, dissimulada e pouco famosa, o dr. Morosophus, passou a vida examinando os verbetes da enciclopédia de Chambers:

Chambers resumido foi tudo que ele leu
Do produtivo A ao improdutivo Z.

A *Cyclopoedia*, de Ephraim Chambers, lançada em 1728, foi uma importante publicação inglesa na época do Iluminismo, a primeira grande tentativa de reunir o conhecimento humano em ordem alfabética. Ao final do século 18, porém, enquanto o dr. Morosophus entediava os colegas, ela já estava superada por imitações: a francesa *Encyclopédie* e a escocesa *Encyclopoedia Britannica*.

As enciclopédias seguintes eram cada vez maiores e – ao menos assim diziam os editores – melhores, cada uma com um esquema próprio para a organização dos mapas do conhecimento (uma metáfora muito apreciada durante o Iluminismo). Chambers, um livreiro autodidata, admitia haver dividido seus assuntos um tanto arbitrariamente entre Artes e Ciências. Ele se apresentava como um explorador intelectual capaz de guiar os leitores pelos domínios do conhecimento bem organizado, impedindo-os de se perderem no deserto da ignorância. No entanto os viajantes, ainda que modernos, podiam confundir-se. O caminho que Chambers chamou de "racional", leva à Religião, à Metafísica e à Matemática, enquanto se chega à Ótica e à Astronomia pelo mesmo caminho que leva à Falcoaria, à Alquimia e à Escultura.

Chambers pode ter sido o primeiro, mas foram seus herdeiros franceses que criaram a definitiva Bíblia da Razão iluminista. Tal como Tristam Shandy, eles perceberam que o projeto não parava de crescer. Quando, em 1772, chegaram ao fim da letra "Z", seu conhecimento estava contido em 28 volumes. Embora fossem encontradas referências a artigos não existentes, a *Encyclopédie* se tornou o símbolo francês da Taxonomia racional, comparado a uma árvore frondosa cujo vigoroso tronco central era chamado de "razão". Os editores buscaram inspiração em Bacon, mas reduziram drasticamente seu esquema original para fazer com que a Teologia coubesse em um espaço pequeno, enquanto Matemática e Filosofia Natural ocupavam numerosas páginas. Ao longo das décadas seguintes, esses limites intelectuais foram repetidamente refeitos, até chegar à configuração moderna das disciplinas acadêmicas.

No plano da *Encyclopédie*, espremida entre a Cosmologia e a Mineralogia, estava uma ciência relativamente nova – a Botânica. A própria palavra só foi criada ao final do século 17, quando os naturalistas descobriram que as plantas se reproduzem sexualmente, e os colecionadores estavam às voltas com incontáveis novas espécies importadas de além-mar e com recentes descobertas na Europa. Apesar das muitas tentativas de enquadrar as plantas nas categorias aristotélicas, sempre surgiam exceções. Era preciso, por exemplo, fazer no reino vegetal escolhas equivalentes a decidir se os ornitorrincos, com seu bico semelhante ao do pato, e os morcegos deviam ser considerados pássaros ou mamíferos. Assim, a classificação original de Aristóteles foi finalmente abandonada.

Os taxonomistas propuseram diversos novos esquemas, mas nenhum deles satisfez a todos. Assim como existem várias maneiras de arrumar os livros em uma biblioteca, não havia um modo certo de organizar o mundo material, nem critérios objetivos para a escolha do melhor sistema de classificação. Algumas divergências exigiram a presença de patronos poderosos na posição de árbitros. Um missionário francês, por exemplo, tentou derrubar a hegemonia holandesa no comércio de especiarias. Para isso, plantou noz-moscada em uma possessão francesa, mas foi acusado por um rival de ter importado uma planta parecida e inferior. Afinal, aquilo era noz-moscada ou não? A resposta dependia da empresa para a qual o taxonomista trabalhava. Uma situação similar aconteceu na Itália, quando um colecionador presenteou seu soberano com um macaco hermafrodita. Especialistas do museu discordaram, afirmando que se tratava de uma fêmea normal; mas com tão poucos macacos disponíveis para comparação, como se poderia ter certeza absoluta?

Um dos primeiros classificadores iluministas foi John Ray, um ex--acadêmico de Cambridge que dependia da generosidade dos amigos para custear suas viagens pela Europa. Ele introduziu algumas palavras novas e úteis, como "pétala" – para substituir "folha colorida". De saúde frágil, dependente de medicação para aliviar as constantes cólicas que sentia, Ray batalhou por 30 anos para publicar seu enorme compêndio sobre plantas, e acabou forçado a eliminar as ilustrações, por medida de economia. Na tentativa de conciliar opiniões conflitantes sobre os limites das categorias (em que momento um arbusto se torna uma árvore?), Ray insistia em considerar várias características ao mesmo tempo, argumentando ser impossível ir além da observação da cor, do cheiro e da textura de uma planta para discernir sua essência interna.

Ray teve um destino parecido com o de Chambers: apesar de pioneiro da classificação, é muito menos conhecido do que seu sucessor – Carl Linnaeus. Equivalente sueco a Joseph Banks, Linnaeus fez duas breves incursões ao Círculo Ártico, mas depois tentou organizar o mundo sem sair de seu jardim em Uppsala, uma pequena cidade universitária na Suécia. Perito em autopromoção, Linnaeus tinha dois objetivos principais: divulgar seu sistema de classificação de plantas, que é usado até hoje; e recuperar a Economia do país, produzindo objetos de luxo. Assim como Banks ficou em Londres correspondendo-se com botânicos do mundo inteiro, Linnaeus permaneceu na Suécia a maior parte do tempo, mas enviou equipes de exploradores para recolher espécimes exóticos e divulgar seu método de Taxonomia.

Para horror de seus oponentes, Linnaeus adotou um único critério – o número de órgãos reprodutivos – simplificando drasticamente a classificação das plantas. Seu novo trabalho, *Language of Flowers* ("Linguagem das Flores"), era tão claro, que até as mulheres entendiam, conforme ele se gabava. Ao contrário dos esquemas anteriores, como o de Ray, que exigiam comparações qualitativas trabalhosas, a Taxonomia de Linnaeus mostrava-se simples e racional, pois precisava apenas de contagem. Ele organizou as plantas em 24 categorias, de acordo com o número de estames masculinos da flor. Ao contar os pistilos femininos, ele subdividia cada classe em ordens menos importantes, todas arranjadas numericamente.

Embora formulasse um esquema supostamente científico, o texto de Linnaeus parecia saído de um romance: "As folhas das flores", dizia ele, "servem como leito nupcial gloriosamente preparado pelo Criador, adornado com cortinas de tecido nobre e perfumado com aromas tão suaves que os noivos podem celebrar lá sua união com a maior solenidade." No entanto, apesar de parecer objetivo, o sistema se baseia em preconceitos da moral cristã iluminista. O ponto da divisão de Linnaeus é entre macho e fêmea – a mesma distinção que existia na sociedade chauvinista da Europa do século 18,

Ao dar prioridade às características masculinas, Linnaeus impôs ao reino vegetal a discriminação sexual que prevalecia no mundo humano. Seu primeiro nível de ordenação depende do número de estames masculinos, enquanto os subgrupos são determinados pelos pistilos femininos. Como essa maneira antropomórfica de dividir o reino vegetal parecia natural – divina, mesmo – os naturalistas podiam contra-argumentar, com uma lógica distorcida: se as hierarquias sexuais

> LINNAEUS ADOTOU UM ÚNICO CRITÉRIO – O NÚMERO DE ÓRGÃOS REPRODUTIVOS –, SIMPLIFICANDO DRASTICAMENTE A CLASSIFICAÇÃO DAS PLANTAS.

prevalecem na natureza, a supremacia masculina deve aplicar-se também às pessoas. Esse argumento convenientemente ignora que a ordem sexual foi inferida a partir da sociedade. A classificação de Linnaeus não só espelhava, mas reforçava o preconceito social.

Linnaeus é celebrado como um taxonomista, mas também foi um ativista religioso, um economista radical que planejava usar as leis divinas da natureza para recuperar as finanças da Suécia. Segundo sua interpretação da Bíblia, compartilhada por muitos contemporâneos, os seres humanos tinham uma missão divina dupla – preservar o mundo e explorá-lo em benefício próprio. Para muitas pessoas, era mais importante maximizar os lucros do que expandir o conhecimento, e os naturalistas não investigavam as plantas só por curiosidade científica, mas também para encontrar maneiras de transformá-las em remédios, alimento ou abrigo. Enquanto muitos afirmavam que Deus havia espalhado riquezas pela Terra para incentivar o comércio internacional, Linnaeus acreditava que, segundo a vontade de Deus, a Suécia alcançaria a prosperidade se cultivasse em seu território tudo de que precisava.

Por uma perspectiva eurocêntrica, pode-se dizer que Linnaeus administrava um império botânico internacional, enviando e recebendo cartas, pessoas e espécimes, enquanto permanecia em sua base central. No entanto, pela perspectiva dos comerciantes asiáticos que vendiam café, chá e seda, os emissários suecos representavam clientes ingênuos dispostos a pagar altos preços. Outros aspectos do desenvolvimento imperial durante o Iluminismo podem ser observados por pontos de vista similares. Em cidades britânicas, as cafeterias surgiram como novos centros sociais, nos quais se manifestava a opinião pública, mas também eram empreendimentos comerciais de migrantes africanos e asiáticos, cuja grande popularidade se devia às enormes quantidades de açúcar importadas de plantações sustentadas pelo trabalho escravo. Aí cabem duas interpretações: a Grã-Bretanha enriqueceu ao assumir a posse das colônias e explorar as riquezas que lá encontrou; ou comerciantes orientais já organizados, em uma medida autoprotetora, estabeleceram preços altos para os britânicos, forçando-os a desenvolver plantações próprias. O império comercial daí resultante se parecia menos com uma roda cujo eixo ficava em Londres do que com uma rede internacional de centros independentes, cada um com seu esquema de negociação.

Como agricultores oportunistas transferiam suas plantações para áreas mais rentáveis, o mundo se uniformizava, começando a parecer um jardim global. Banks enviou fruta-pão do Taiti para o Caribe; escravos africanos levaram arroz para Carolina; plantadores europeus transferiram a produção de café, de Mocha para Java. Enquanto escravos americanos e chefes africanos usavam o algodão indiano, os indianos plantavam pimenta, tomates e outras culturas sul-americanas transportadas por invasores portugueses e espanhóis. Na Suécia, Linnaeus convenceu os governantes a investir em seus projetos ambiciosos, prometendo plantações de arroz, canela e chá em terras nórdicas. Com o desenvolvimento bem-sucedido da primeira muda de banana na Europa, Linnaeus conquistou apoio para suas visões futuristas, nas quais a Suécia consumia produtos plantados em casa, que países como Inglaterra e Holanda tinham de importar. Infelizmente para a Suécia, os sonhos agrícolas de Linnaeus foram muito menos duradouros do que sua Taxonomia.

O sistema de Linnaeus não prevaleceu por estar inerentemente certo, mas porque ele e seus discípulos convenceram os naturalistas de que era o mais conveniente. No entanto, além de beneficiar-se de aliados poderosos, como Banks, Linnaeus enfrentou opositores ferrenhos. Cavalheiros britânicos se escandalizaram com a clareza empregada por Linnaeus nos termos ligados a sexo, especialmente porque a Botânica era considerada a única ciência apropriada para mulheres. Embora não se incomodassem com o vocabulário, os botânicos franceses consideravam errado enquadrar a natureza em categorias artificiais, e criticaram Linnaeus por ignorar muitas características das plantas, concentrando-se apenas nas flores. Seu representante mais influente foi Georges Buffon, um matemático newtoniano que administrava os jardins do rei. Sua Histoire Naturelle (*História Natural*), de 44 volumes, correspondia à *Encyclopédie*, um compêndio volumoso, ricamente ilustrado, de informações sobre a Terra e seus habitantes, logo traduzido para o inglês e admirado por toda a Europa.

Buffon recorreu a Aristóteles e à *Grande Cadeia dos Seres*, visualizando uma hierarquia contínua que ia das criaturas inferiores até os animais complexos e os seres humanos, passando então pelos seres espirituais, para chegar a Deus. O feito mais importante de Buffon foi ter inserido a História na História Natural. Recusando-se a aceitar literalmente os relatos da Bíblia, ele recuou ainda mais no passado da Terra, fazendo parecerem possíveis algumas mudanças e algumas formas de evolução. Enquanto Linnaeus procurava a ordem imposta por Deus durante Seu curto período seis dias de criação, Buffon acreditava em um universo modificado aos poucos.

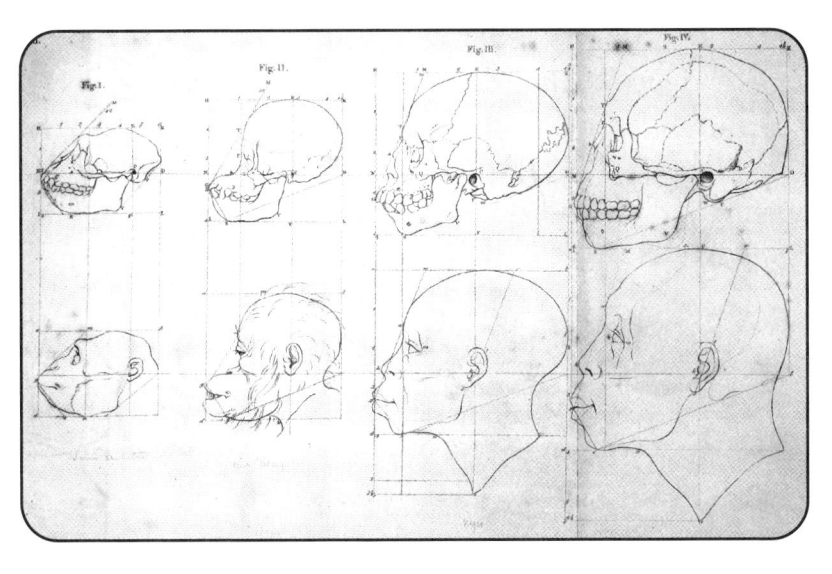

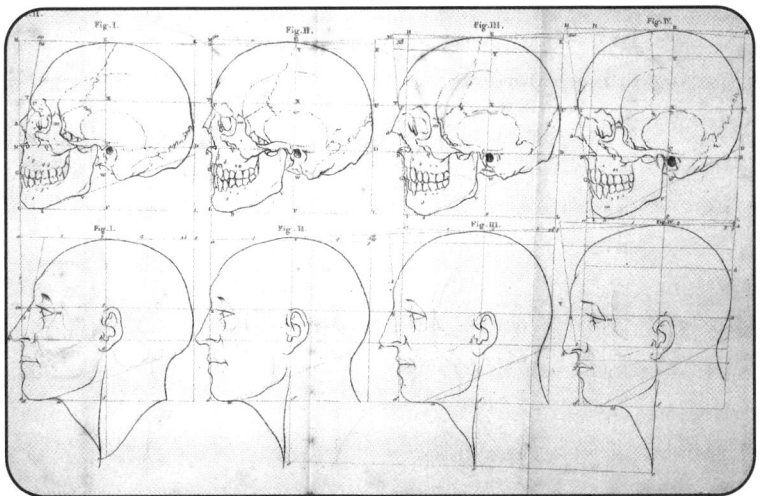

Figura 22. "Rostos em perfil de primatas e indivíduos de raças diferentes, segundo padrões antigos". Peter Camper, "Os trabalhos do falecido professor Camper, sobre a conexão entre a ciência da Anatomia e a arte do desenho, da pintura, da escultura..." (Londres, 1794).

Usando argumentos newtonianos, ele descreveu o nosso planeta como um globo que foi se resfriando e deu origem à vida, primeiro no mar e depois em terra firme. Quebrando a tradição, Buffon não classificou plantas pela aparência naquele momento, mas pelas formas primitivas.

Apesar das diferenças, tanto Buffon quanto Linnaeus acreditavam na superioridade europeia. Embora conhecido como o pai da Taxonomia moderna, as convicções científicas de Linnaeus tinham origem em sua fé cristã. Ele considerava seu jardim botânico um paraíso em miniatura dividido em quatro, como o Jardim do Éden, organizado como se demonstrasse o sistema de classificação adotado por Deus. Quando Linnaeus estendeu seu sistema aos seres humanos, agrupou-os em quatro raças, para corresponder aos quatro continentes, as quatro divisões do paraíso, e aos quatro humores determinantes da saúde. Os indivíduos superiores, para ele, eram os inteligentes e sanguíneos europeus brancos; os outros três grupos eram os melancólicos asiáticos amarelos, os indolentes africanos negros e os despreocupados índios americanos vermelhos.

Uma critica óbvia à teoria de Linnaeus foi a descoberta de um quinto continente, a Austrália. Ao final do século 18, as teorias europeias acerca de raça foram transformadas por encontros com outras sociedades e por debates políticos sobre a escravidão. O debate mais acalorado não era quanto ao número de raças, mas quanto a outras questões relacionadas: há um limite absoluto, instransponível entre seres humanos e outros primatas? Os europeus são intrinsecamente melhores do que outros povos? E, se forem, em que ordem ficam os homens negros e as mulheres brancas? Os abolicionistas insistiam em que todas as pessoas eram criadas iguais. Para explicar as diferenças físicas, argumentavam que os seres se adaptam gradualmente às condições climáticas do lugar onde vivem. Diferentemente, os proprietários de escravos tentavam justificar a exploração argumentando que europeus brancos e africanos negros eram espécies distintas.

Os naturalistas tentaram resolver essas questões adotando um esquema de classificação totalmente novo, baseado em avaliações cuidadosas, e não em julgamentos pessoais. Esses taxonomistas quantitativos acreditavam que a abordagem numérica tornaria científico o estudo das raças, mas apesar de suas alegações de objetividade, incorporaram julgamentos subjetivos às discussões. Peter Camper, um reconhecido anatomista holandês antiescravagista, afirmava haver apenas diferenças superficiais entre os habitantes de diversos continentes, mas seus diagramas apontavam a supremacia europeia (Figura 22). Camper mediu o ângulo de recuo da face e, depois de alguns ajustes geométricos, criou uma classificação em uma linha contínua a partir dos macacos, à esquerda, passando pelos africanos e asiáticos, e terminando com o perfil de Apolo à direita. Embora aparentemente matemática – uma impressão reforçada pelo quadriculado – essa escala é estética, graduando humanos pela distância em relação a dois extremos inatingíveis: o grotesco primata e o perfeito deus grego. Com uma classificação geométrica arbitrária, Camper conferiu credibilidade científica à *Grande Cadeia dos Seres* de Aristóteles.

O esquema quantitativo de classificação criado por Camper tornou o preconceito racial cientificamente respeitável. Desde então, muitas outras características humanas – tamanho do cérebro, por exemplo – foram medidas para justificar discriminação entre raças e sexos, apoiada em diferenças físicas inerentes. O Iluminismo é celebrado como a Grande Era da Classificação, quando a ciência procurou entender o mundo organizando-o em categorias distintas. Mas os classificadores tinham prioridades diferentes, e jamais conseguiram chegar a um acordo quanto ao sistema perfeito. Tal como em muitos outros aspectos do conhecimento científico, o consenso era alcançado por meio de negociações; a decisão não dependia apenas do argumento mais convincente, mas também de quem tinha a voz mais poderosa.

CAPÍTULO 24
CARREIRAS

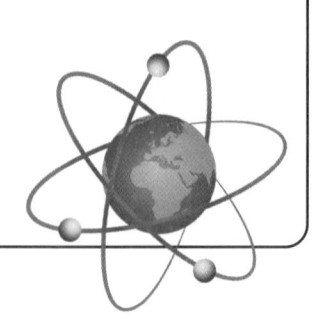

A princesa irá construir uma estufa aquecida de 36 metros de comprimento, na próxima primavera em Kew, porque quer ter plantas exóticas dos climas quentes. Os meus encanamentos serão de grande serventia, para fornecer ar quente o tempo todo... Que cenário favorável surgiu aqui para melhorar a plantação em estufas!

- Stephen Hales, carta a John Ellis (1758)

Os cavalheiros ingleses não gostavam de estar ligados ao negócio sórdido de ganhar dinheiro. "Não foi pelo lucro", disse um rico aristocrata no parlamento inglês, "que Newton instruiu e encantou o mundo; seria indigno desse homem negociar com um livreiro desprezível." Esses ideais ambiciosos serviam aos que podiam sustentá-los, mas quem não tinha um padrinho generoso ou pais ricos, e queria praticar a ciência, precisava arranjar uma atividade que lhe garantisse o sustento. Durante o século 18, os empreendedores científicos – professores, editores, escritores, fabricantes de instrumentos – procuravam maneiras de trocar ciência por lucro. Isso gerou resultados positivos. Quanto mais os vendedores convenciam os potenciais compradores da utilidade da ciência, mais atraente ela parecia, e mais rapidamente aumentava o número de compradores. Primeiro na Inglaterra, e depois por toda a Europa e América, a ciência se expandiu, para tornar-se um empreendimento público e comercial.

Para o futuro distante da ciência, a invenção mais importante do Iluminismo não foi nenhum instrumento ou teoria em particular, mas o conceito de uma carreira científica. Atualmente, crianças de qualquer origem podem (em princípio, pelo menos) seguir uma trajetória bem definida na escola e na universidade para adquirir qualificação profissional na área da ciência e usufruir de benefícios básicos – salário fixo, laboratório institucional, assinaturas de publicações especializadas e ingresso em associações. Nada disso existia no século 18, quando filósofos empreendedores tiveram de buscar maneiras de sobreviver da ciência. Alguns de fato enriqueceram, mas o resultado mais importante foi ajudarem a criar uma elite intelectual que desafiou a hierarquia aristocrática tradicional. Mudanças semelhantes aconteciam em toda a sociedade iluminista, à medida que artistas e músicos lutavam para alcançar posições profissionais financeiramente compensadoras.

> QUANTO MAIS OS VENDEDORES CONVENCIAM OS POTENCIAIS COMPRADORES DA UTILIDADE DA CIÊNCIA, MAIS ATRAENTE ELA PARECIA.

As estruturas existentes mudavam lentamente, e as antigas redes de poder privilegiadas resistiam. Para inovadores científicos, pertencer à Royal Society ajudava muito. Aos poucos, a instituição se tornou menos um clube de cavalheiros e mais um centro de pesquisas sério. Embora ainda tivesse em seus quadros aristocratas e almirantes, novos associados eram, cada vez mais, admitidos por méritos próprios – membros da nova classe média que gostavam de ser considerados cavalheiros, apesar da "humilhante" necessidade de trabalhar. Sem os salários pagos aos colegas parisienses, muitos desses empreendedores decidiram comercializar seus livros e invenções. Aproveitando-se do prestígio da Royal Society, eles conseguiam patrocínio e contratos comerciais, e ganhavam dinheiro. Assim, coletivamente, aumentaram a importância da ciência para o público em geral.

A Royal Society criou um dos primeiros cargos assalariados na área da ciência na Inglaterra: a direção do British Museum – o Museu Britânico. Inaugurada em 1759, essa instituição mantida pelo estado exibia não só livros e objetos de arte, mas também curiosidades naturais, tais como conchas, animais empalhados, minerais e plantas. Os membros da Royal Society garantiram o cargo para um dos seus: Gowin Knight, um bem-sucedido alpinista social. Filho de um religioso pobre, Knight, médico e inventor, ganhou uma bolsa de estudos em Oxford e, habilidosamente, alçou postos mais altos na Royal Society. Knight foi chamado de oportunista e interesseiro, mas suas manobras para conquistar status ajudaram a divulgar o valor da inovação. Embora não se possa dizer que a importância de Knight, individualmente, seja significativa, ele representa muitos outros empreendedores da época do Iluminismo cujas atividades combinadas foram vitais para o futuro da ciência.

A vida de Knight ilustra como as inovações práticas podem ter mais peso do que as ideias. Suas teorias pareciam mirabolantes e confusas; a importância estava em suas invenções e habilidades de autopromoção. Londres passara a ser o centro global do comércio de instrumentos, e Knight introduziu ímãs de aço de alta qualidade, vendidos a um bom preço, que tornaram mais confiáveis as medições em pesquisas. Ao proclamar a importância de aperfeiçoar a navegação, para favorecer o comércio e a expansão territorial, Knight cresceu em *status* e em ganhos financeiros, uma vez que convenceu a Marinha britânica a distribuir suas bússolas precisas e caras. Em uma manobra típica de troca de vantagens, essa melhoria da navegação o beneficiou pessoalmente, mas também permitiu que a Royal Society demonstrasse a grande importância da ciência para o comércio britânico. Uma vez no comando do Museu Britânico, Knight moldou a imagem pública da ciência, organizando exposições e adotando os métodos de classificação criados por Linnaeus.

Apesar do maior interesse despertado, a ciência demorou bastante a passar da esfera particular para o domínio público. O acesso continuou limitado durante todo o século 18. Refletindo o preconceito dos colegas, Knight restringiu o acesso ao Museu Britânico, tornando difícil para mulheres e trabalhadores tomarem conhecimento das descobertas. O ingresso na Royal Society era controlado ainda mais rigidamente, e dependia de recomendações pessoais. Apesar de alguns fabricantes de instrumentos conseguirem ser aceitos, os membros da instituição recusaram as inscrições de muitos conhecedores da ciência, a quem faltavam a disposição de agradar e as boas maneiras comuns aos graduados pelas universidades.

Benjamin Martin, por exemplo, carregou por toda a vida a mágoa de ter sido rejeitado pela Royal Society. Pesquisador influente, ele muito contribuiu para divulgar a ciência: inventou instrumentos, escreveu manuais e viajou pelo país dando palestras. Pioneiros do marketing, como Martin, foram importantíssimos para convencer a classe média de que a ciência, além de interessante, era importante. Indivíduos esnobes ridicularizavam os filósofos, chamando-os de autodidatas que se envolviam em negócios escusos, mas, apesar da pouca educação formal, esses empreendedores mudaram o panorama da ciência na Inglaterra, trazendo-a para o dia a dia. A Figura 20 ilustra como esses demonstradores cativavam as famílias, com seus planetários, bombas de ar e outros objetos que estimulavam o interesse das pessoas por novidades científicas. Os artesãos respondiam a essa demanda aumentando o número de instrumentos de demonstração, que ficavam disponíveis para compra. Entender de ciência entrou na moda. Os equipamentos caros da Figura 19 serviam para mostrar o bom gosto do proprietário da casa, e não para serem usados (um ponto sarcasticamente enfatizado pelo artista, que escondeu o globo terrestre embaixo da mesa). Para demonstrar sofisticação cultural, as paredes estão ornamentadas com as figuras de Francis Bacon e Isaac Newton (à esquerda; os da direita são os poetas John Ilton e Alexander Pope).

A participação do público afetou o desenvolvimento da ciência. Os membros da Royal Society se consideravam a elite intelectual, homens privilegiados cujo conhecimento científico era passado aos poucos para os menos informados. Na verdade, a situação envolvia interações recíprocas. Os clientes queriam informação, mas os filósofos naturais precisavam convencer os compradores em potencial de que tinham algo valioso para vender. Isso significava direcionar as pesquisas para a criação de produtos vendáveis – não só explicações teóricas para o funcionamento do universo, mas também objetos úteis, como bússolas, que melhoravam a navegação, ou planetários para demonstração, que informavam e divertiam ao mesmo tempo. Assim, a informação não fluía em apenas uma direção, de cima para baixo; produtores e consumidores faziam parte de ume rede de dependência mútua.

A competição era acirrada. Para competir com mágicos e artistas pela atenção do público, palestrantes científicos tinham de criar perfomances espetaculares. Eles logo aprenderam que os efeitos especiais mais dramáticos eram gerados por eletricidade, o recurso científico de marketing mais bem-sucedido durante o Iluminismo. Como Martin escreveu, entusiasmado, em um de seus textos educativos, a eletricidade fornecia "uma festa mais para os anjos do que para os homens". Viajando de cidade em cidade, os palestrantes encantavam o público com jatos de água brilhantes, insetos eletrificados e soluções alcoólicas que se incendiavam ao toque de uma espada. Famílias ricas compravam os dispositivos, para que as damas aristocráticas conquistassem admiradores com beijos elétricos. Na corte de Hanover, as demonstrações substituíram as danças, e em Versailles, um impiedoso animador espantou a plateia e assustou 180 soldados, ao fazê-los saltarem no ar. Em Londres, jantares eram animados por talheres eletrificados, enquanto norte-americanos planejavam um banquete de peru assado em um espeto elétrico.

> A HISTÓRIA DA ELETRICIDADE É REPLETA DE ACIDENTES. AS MAIORES DESCOBERTAS SE DERAM POR ACASO.

A história da eletricidade é repleta de acidentes. Experimentadores zelosos sofreram hemorragias nasais ou morreram, e as maiores descobertas se deram por acaso. Até mesmo a primeira máquina elétrica foi um surpreendente subproduto de uma pesquisa de Newton com vidro e bombas de ar, quando seu assistente – Francis Hauksbee, um vendedor de tecidos que se tornou cientista – surpreendeu-se ao perceber que, sob suas mãos, um globo rotatório vazio ficava com um estranho brilho cor de violeta. Anos depois, um professor holandês manuseava um jarro de água, um cano de espingarda e uma versão da máquina da Hauksbee, quando recebeu um forte choque elétrico; sem querer, ele havia inventado o jarro de Leyden, o primeiro instrumento que armazenava eletricidade estática. E ao final do século 18, um anatomista chamado Luigi Galvani percebeu que a perna de um sapo morto se mexia com a proximidade de uma máquina elétrica, uma descoberta fortuita que – depois de desenvolvida com muito trabalho árduo – levou à corrente elétrica.

Apesar de ter sido estudada dentro da Royal Society de Londres, a eletricidade se tornou importante para todos porque empreendedores desenvolveram truques e aplicações práticas para ela. As experimentações de Hauksbee foram relatadas em uma publicação que chegou às mãos de Stephen Gray, um tintureiro que viera do interior para Londres e dedicava-se ao estudo da eletricidade. A Figura 23 mostra uma versão de seu feito mais dramático: pendurar no teto do quarto um menino eletrificado, que atrai com a mão aparas de metal. As notícias das experiências caseiras de Gray se espalharam rapidamente. De início, o interesse ficou restrito a um grupo de filósofos naturais ligados à Royal Society, mas livros e outras publicações logo levaram as emoções da eletricidade a toda a Europa e nordeste da América. A figura ilustra como os projetos de pesquisa da instituição eram convertidos em exibições rentáveis. À direita, um assistente gira a manivela de uma máquina elétrica, enquanto outro coloca a mão sobre o globo. Com a mão esquerda, o garoto atrai eletricamente penas ou aparas de metal, e com a direita transmite a corrente para um segundo recruta, protegido por uma plataforma isolante. Às vezes, meninas eram incluídas na experiência, o que acrescentava um elemento sexual, tornando a situação ainda mais atraente para os espectadores pagantes.

Outra maneira de promover a ciência é torná-la útil. Os otimistas prometiam todo tipo de benefício com base na eletricidade – galinhas mais produtivas, clima mais seco, legumes maiores –, mas duas invenções foram particularmente importantes: o para-raios e a terapia de choque, ambos endossados por Benjamin Franklin. O equivalente americano à maçã de Newton é a pipa de Franklin, que em uma narrativa lendária faz o papel do investigador corajoso que enfrentou uma forte tempestade segurando uma chave de ferro que atraía os raios das nuvens. (Ao contrário de alguns de seus infelizes imitadores, Franklin prudentemente isolou a mão com um pedaço de seda.) Primeiro na América do Norte e depois na Europa, igrejas, navios e outras construções de grande altura foram – e ainda são – rotineiramente protegidos por uma haste de ferro que conduz os raios com segurança até o solo.

Figura 23. "O menino suspenso", William Watons, *Suites des expériences et observations pour servir à l'explication de la nature et des propriétés de l'électricité* (Paris, 1748).

Diferentemente do para-raios, o tratamento de doenças com utilização da eletricidade hoje parece cruel e inadequado. Naquela época, porém, Franklin e outros estudiosos conhecidos recomendavam choques para todos os tipos de males, de gripe e dor de dente, a loucura e paralisia. Não havia uma ortodoxia médica estabelecida, e mesmo os mais bem treinados médicos tradicionais pouco podiam fazer para eliminar a dor ou curar as infecções. Os profissionais disputavam os clientes ricos e desesperados por qualquer tipo de ajuda – e muitos escreveram depoimentos afirmando a eficácia dos tratamentos à base de eletricidade. Ninguém ainda havia identificado oficialmente o efeito placebo, mas aquele tipo de Medicina era um negócio respeitado e lucrativo, ao final do século 18.

Os médicos que aplicavam esses tratamentos eram homens, na maioria, enquanto a maior parte dos pacientes era de mulheres. Uma das explicações para essa situação, segundo se dizia, era o fato de as mulheres serem mais suscetíveis aos efeitos da eletricidade. Na verdade, as mulheres eram – assim como os artesãos – cidadãos de segunda classe, não só em questões políticas, mas também em atividades intelectuais. Na sala da Figura 19, o pai e o filho mais velho estão no lado científico, além de Newton e Bacon; a mãe e as filhas estão no lado poético, onde aparece ainda o filho mais novo, que constrói um frágil castelo de cartas, indicando que o acaso o havia excluído da herança. Com a popularização da ciência, as mulheres foram colocadas na posição de espectadoras, capazes de entender o conhecimento, mas não de produzi-lo. Em um dos bem sucedidos livros de Benjamin Martin, um aluno de Oxbridge passa as férias demonstrando experiências para a irmã, que se encanta com as explicações simples e com a inteligência dele. O subtexto é claro: se irmãs e filhas podem entender a ciência, seus vizinhos de classe intelectual – homens de pouca instrução – também conseguem acompanhar o raciocínio.

Seguindo as lições de Martin e de outros autores populares, ao final do século 18, algumas mulheres romperam com as convenções, decidindo escrever livros e ganhar dinheiro. Elas abandonaram a obediência ao irmão mais velho, que se via em Martin, criando figuras femininas dotadas de autoridade, educadoras afetuosas que aconselhavam os jovens alunos, orientando-os para a beleza e a ordem do mundo natural. Embora excluídas dos laboratórios e das universidades, as mulheres exerceram um papel importante na divulgação da ciência, fazendo a informação chegar a um número muito maior de pessoas. Alguns de seus livros se tornaram best-sellers internacionais, influenciando os leitores na escolha da profissão, a ponto de alguns se tornarem cientistas profissionais. Michael Faraday, por exemplo, ficou mundialmente famoso por introduzir os campos elétricos, mas sempre creditou seu trabalho a Jane Marcet, a autora do livro de Química – disfarçado de conversa entre uma mãe e seus filhos – que o convenceu a seguir carreira na ciência.

Faraday hoje é conhecido como o heroico fundador da indústria elétrica, mas sua carreira como cientista assalariado jamais aconteceria sem as iniciativas empreendedoras do século 18. Em 1711, o fictício sr. Spectator recomendava o acesso público à ciência, declarando: "Tenho a ambição de ser reconhecido como a pessoa que tirou a Filosofia dos gabinetes e bibliotecas, das escolas e universidades, trazendo-a para clubes e assembleias, casas de chá e cafeterias." Hierarquias tradicionais demoram a ser desfeitas, mas um século depois seu sonho estava parcialmente realizado. Como filho de ferreiro, Faraday não tinha perspectiva alguma de frequentar uma universidade; no entanto, depois de ler o livro de Marcet, encaminhou-se para a ciência como assistente de Humphry Davy, um químico renomado e presidente da Royal Institution de Londres, criada no final do século 18 para incentivar a pesquisa e a educação científica. Depois da morte de Davy, o próprio Faraday assumiu a presidência – uma história romântica de evolução que os contemporâneos do sr. Spectator jamais poderiam ter imaginado um século antes.

Faraday foi uma exceção. Preconceitos enraizados custam a desaparecer. Embora ele tenha conseguido escapar da infância pobre e seguir a carreira científica, eram muitos os privilegiados que temiam e desprezavam a mobilidade social e a igualdade de oportunidades. Quando foi construído, em 1801, o prédio da Royal Institution tinha uma escadaria de pedra para o balcão, onde os trabalhadores podiam sentar-se longe dos patrões. Essa escada democrática que facilitava o acesso à informação logo foi demolida. Como indica a ilustração de James Gillray na Figura 24, a plateia se restringia a ricos clientes pagantes – ridicularizados pela diligência com que tomavam notas – interessados em assistir ao mais popular entretenimento na Londres da época: as experimentações químicas.

Por mais solidamente estabelecida que a ciência esteja atualmente, há dois séculos a situação era confusa. O palestrante, com o fole na mão, é Humphry Davy, hoje saudado pela descoberta de novos elementos e pela invenção da lâmpada de segurança para mineiros; na época, porém, foi acusado de importar a Química francesa, arriscando-se a mandar o prédio pelos ares. A cena de Gillray satiriza um fracasso verdadeiro, quando um porquinho-da-índia gostou tanto dos efeitos do gás hilariante (óxido nitroso, só mais tarde usado como anestésico), que se recusou a parar de inalá-lo. Em ocasiões mais bem-sucedidas, Davy – um apresentador "teatral" – demonstrou ser capaz de controlar as forças da natureza com seus recursos químicos e elétricos. Por meio de uma intensa autopromoção, ele acabou se impondo como um gênio da experimentação, e chegou à presidência da prestigiosa Royal Society.

As reservas em relação à ciência permaneciam, e ainda não havia uma identidade para os homens que a praticavam; nem mesmo a palavra "cientista" tinha sido inventada. Em uma expressão do desejo de Bacon de dominar o mundo por meio da mudança, Davy orgulhosamente dizia que as experiências permitiam a "um homem interrogar a natureza com autoridade, não como um estudioso passivo que quer apenas entender seu funcionamento, mas como um mestre habilidoso no manejo de instrumentos próprios". Davy também advertia a plateia de que especuladores ambiciosos, às vezes, prometem demais.

Figura 24. "Pesquisas Científicas! – Novas Descobertas em Pneumática! – ou – uma Aula Experimental sobre os Poderes do Ar", gravura colorida à mão por James Gillray (1802).

Foi uma mulher, Mary Shelley, quem melhor entendeu algumas dessas atitudes ambíguas. Depois de mergulhar na leitura de *Lectures*, de Davy, Shelley criou Victor Frankenstein, um produto de sua imaginação que representa a posição dúbia – as faces de Janus – da ciência experimental. Fazendo coro às advertências de Davy, Shelley cativou os leitores expondo os próprios sentimentos ambivalentes em relação à atividade científica. Hoje em dia, *Frankenstein* é, muitas vezes, interpretado como um aviso quanto a determinados perigos, em especial, a bomba atômica. Além disso, Shelley mostrava o panorama incerto da ciência na época. Embora Knight, Martin e muitos outros filósofos empreendedores tenham vendido a ciência para o público, no começo do século 19 muita gente ainda relutava em comprar.

CAPÍTULO 25
INDÚSTRIAS

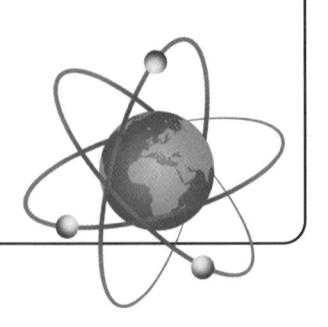

Prometo pagar ao dr. Darwin, de Lichtfield, mil libras contra a entrega (dentro de dois anos a partir desta data) de um instrumento chamado órgão, que é capaz de recitar o Pai-Nosso, o Credo e os Dez Mandamentos em língua vulgar, e pela cessão para mim, e apenas para mim, da propriedade dessa invenção com todas as vantagens correspondentes.

- Matthew Boulton (3 de setembro de 1771)

Na década de 1830, tantos britânicos famosos já haviam sido enterrados na Abadia de Westminster, que sobrava pouco espaço. Quando a gigantesca estátua de James Watt foi colocada no lugar, críticos consideraram seu estilo impróprio, mas os protestos foram rapidamente abafados pelas saudações dos seguidores daquele que era chamado de "Arquimedes moderno". Watt era apenas uma criança observando o vapor levantar a tampa de uma chaleira fervente – uma observação que supostamente o teria inspirado a projetar motores a vapor para fazer funcionar máquinas pesadas – enquanto Arquimedes tinha seu momento "eureca!" durante o banho. De acordo com os admiradores, a máquina de Watt não somente fez da Grã-Bretanha o principal centro industrial, cujos produtos manufaturados vendidos a preços baixos beneficiavam o mundo todo, mas também garantiu ao país a vitória sobre a França nas Guerras Napoleônicas.

A inscrição junto à estátua de Watt – "um gênio inato, desde cedo praticante da pesquisa filosófica" – foi uma solução conciliatória. Londrinos aristocráticos não gostavam de admitir que a riqueza da nação viesse de indústrias do Norte, e olhavam com desprezo os empresários que queriam acumular dinheiro, e não conhecimento. Preferiam pensar em Watt como um gênio de nascença, o filho autodidata de um escocês construtor de navios, que havia ascendido por sua inteligência e dedicação. Por outro lado, os industriais, colegas de Watt, preocupavam-se com a pouca projeção dos engenheiros, e por isso queriam promover sua imagem de pensador científico sério. Essas perspectivas diferentes de indivíduos com bagagens sociais contrastantes acabaram por criar uma combinação de engenheiro inspirado e cientista acadêmico.

Watt se tornou o herói da industrialização, saudado por transformar as máquinas a vapor em máquinas de ganhar dinheiro. Mas uma invenção individual, por mais importante que seja, não explica o fato de as mudanças industriais terem começado muito mais cedo na Grã-Bretanha do que no resto da Europa – por volta da metade do século 18. Parte da explicação está na abundância de riquezas naturais. Empreendedores se beneficiaram de recursos locais, como ferro, carvão e madeira, matérias-primas básicas necessárias à automatização de processos agrícolas e industriais. Em uma situação igualmente importante, a Grã-Bretanha lucrou com suas colônias e com a circulação global de pessoas, riquezas e bens, sustentados pelo ouro retirado por escravos de minas na África. Para satisfazer os florescentes mercados internacionais, os industriais britânicos tiveram de inventar maneiras mais eficientes de converter o algodão e o metal – produtos importados a baixo preço da África e da Ásia – em roupas finas e ornamentos luxuosos para os norte-americanos, que pagavam com produtos agrícolas produzidos por escravos africanos. A riqueza industrial britânica dependia da opressão das classes trabalhadoras, tanto no próprio país quanto nas colônias espalhadas pelo mundo.

O panorama da Grã-Bretanha mudou para sempre no século 18. Com a intenção de aumentar a eficiência em larga escala, proprietários de terras aboliram o sistema tradicional de pequenos lotes familiares, substituindo-os por grandes campos abertos. Para receber matéria-prima e entregar o produto acabado, os donos de fábrica mandaram construir canais que cortavam o país e investiram em largas rodovias pavimentadas. Trabalhadores dispensados saíam em busca de oportunidades de emprego, e pela primeira vez os centros do Norte se tornaram maiores e mais importantes do que os portos do interior e os bispados do Sul. A partir do início do século 19, a riqueza deixou de depender de uma herança ou da agricultura, e industriais tornaram-se mais ricos do que muitos aristocratas.

Na era vitoriana, os críticos expressavam seu horror às chaminés fumarentas, aos trens barulhentos e às moradias degradadas, acusando os patrões ricos de ignorar a sujeira, as doenças e a pobreza que impunham a seus empregados. Mas os industriais do século 18 que primeiro introduziram novas técnicas de manufatura não sabiam que as inovações teriam também efeitos nocivos. Apesar de seu objetivo principal ser o lucro, eles acreditavam no progresso. As máquinas, diziam, além de melhorar a situação deles, trariam mais oportunidades para os trabalhadores e para a nação. Proprietários de terras, em uma atitude paternalista, previam que a automatização beneficiaria os empregados, aliviando a lida do trabalho manual. Em retrospectiva, a proposta parece ingenuamente otimista, uma desculpa para a exploração.

> ESCRITORES E ARTISTAS CONSIDERAVAM AS PONTES, OS CANAIS E OS MOINHOS UMA MELHORIA DA PAISAGEM, E NÃO SUA DESCARACTERIZAÇÃO.

Durante os primeiros estágios da industrialização, muitos escritores e artistas consideravam as pontes, os canais e os moinhos uma melhoria da paisagem, e não sua descaracterização. Essas visões pitorescas estão registradas na Figura 25, que mostra a primeira ponte de ferro fundido, em Coalbrookdale. O vale, rico em carvão e ferro, tornou-se uma escolha natural para a construção de refinarias, cuja produção podia ser facilmente escoada pelo Rio Severn até o porto de Bristol, no Oceano Atlântico. A cena é uma homenagem ao progresso do interior, apresentando a ponte como maravilha do mundo moderno, e o ferro como o versátil material do futuro. A estrutura artificial da ponte combina com a paisagem natural, e o reflexo do arco na água forma um círculo, símbolo da perfeição divina. As margens arborizadas acompanham as curvas do rio, que passa serenamente. O único sinal de poluição são algumas nuvens de fumaça.

Figura 25. William Williams, "Vista da Ironbridge", (1780).

Em contraste com essa tranquilidade, as construções de Coalbrookdale tinham uma grandiosidade exótica, que fascinava e assustava ao mesmo tempo. Na arte e na literatura, as fábricas do interior pareciam impressionantes e sublimes maravilhas. Assim como as abadias em ruínas, significavam, para os britânicos, a obra humana equivalente às montanhas dos Alpes ou aos vulcões da Itália. Londrinos curiosos em conhecer a ambígua fascinação de Coalbrookdale fizeram crescer o turismo interno. Maravilhado, um turista chegado do Sul comentou: "O ronco das caldeiras e dos moinhos, com todas aquelas máquinas, as chamas que saem das fornalhas, onde se queima o carvão, e a fumaça dos fornos de cal são simplesmente sublimes, e combinam com as rochas nuas e escarpadas."

Na Grã-Bretanha, o Iluminismo é muitas vezes chamado de Era de Newton, um rótulo que só faz sentido se combinarmos as máquinas práticas de Newton à sua Física abstrata. A racionalidade e a boa educação podem ter prevalecido nos jantares da elite, mas o período também foi marcado pelas revoltas, pela sordidez e pela astúcia. Durante a segunda metade do século 18, enquanto filósofos naturais se vangloriavam de criações como planetários, máquinas elétricas e bombas de ar, os pesquisadores industriais inventavam produtos muito mais úteis e rentáveis, com base em suas experiências: bules, sabonetes, joias e tinturas.

A Royal Society de Londres se tornava indispensável para o programa do governo de expansão territorial, mas alguns de seus membros pertenciam também a outra irmandade importante – a Lunar Society (Sociedade Lunar). Vindos de todo o interior da Inglaterra, os "homens lunares" se encontravam nas residências dos próprios membros uma vez por mês, na segunda-feira da Lua cheia, quando podiam voltar para casa sob a luz do luar. Fundado por volta de 1750, esse grupo informal tinha um número variável de membros, com um núcleo central de 12 colegas que se interessavam por uma grande variedade de assuntos, como Geologia, Medicina, Educação, Engenharia, Eletricidade, Química, Balonismo, Botânica e Prataria. Apesar da ausência de registros oficiais desses encontros, as cartas revelam uma troca fértil de ideias entre homens que tinham interesses muito distintos, mas estavam comprometidos com um único objetivo – o progresso.

Nessa busca, os homens lunares não representavam uma exceção, e, sim, um reflexo do ambiente de otimismo em que os britânicos tentavam aprender e comportar-se melhor, tornando-se assim mais ricos e saudáveis. Os céticos argumentavam que tanto luxo invariavelmente resultaria em decadência (vejam o que aconteceu com o Império Romano), mas eram superados por economistas entusiásticos, defensores da ideia de que a industrialização beneficiaria tanto os compradores quanto os produtores. Segundo eles, a prosperidade reforça a posição do indivíduo: quanto mais rico ele se torna, mais trabalha, para ganhar ainda mais dinheiro. Além disso, achavam que o mesmo se aplicava em escala nacional, e que o país inteiro se beneficiaria do esforço de industriais ambiciosos.

Para a Lunar Society, o progresso incluía melhorar a organização da sociedade. Quando o químico Joseph Priestley declarou que "a hierarquia inglesa... tem razão para tremer diante de uma bomba de ar ou de uma máquina elétrica", queria assim advertir quanto às implicações políticas das inovações técnicas; as máquinas mudariam para sempre os donos da riqueza e do poder. Inspirados por um fervor utópico, esses primeiros industrialistas prometiam que a prosperidade traria benefícios para todos, apesar de não parecerem preocupados com a satisfação no trabalho. Adam Smith, economista de Edimburgo, insistia que a divisão da produção em estágios sucessivos aumentava a eficiência, pois cada trabalhador recebia uma tarefa pequena e repetitiva, em vez de responsabilizar-se pela entrega do produto final. Seguindo o conselho de Smith, o ceramista

Josiah Wedgwood se dispôs a "transformar os homens em máquinas que não erram".

Os membros da Lunar Society se reuniam como iguais, mas são lembrados de maneira diferente. Alguns deles ficaram conhecidos como precursores da ciência: dr. Erasmus Darwin, avô de Charles e também um estudioso da evolução; Joseph Priestley, um religioso autodidata que fazia experiências químicas com gases (e ingenuamente vendeu a receita de água gaseificada para o sr. Schweppes); e dr. William Withering, que converteu um remédio à base de ervas, criado por uma mulher sábia, em um medicamento potente para o coração. Como "um gênio original iniciado desde cedo na pesquisa filosófica", Watt transitou entre a Engenharia e a Ciência. Por outro lado, seus colegas que mudaram o país, promovendo empreendimentos comerciais – Josiah Wedgwood, James Keir e Matthew Boulton – são considerados fabricantes, e assim acabaram relegados a uma posição inferior no *status* do ambiente científico.

Essas divisões entre ciência, tecnologia e comércio partiam da arrogância anacrônica dos rivais que discutiam a inscrição de Watt na sociedade. Embora Wedgwood, Keir e Boulton possam ser considerados industrialistas provincianos, esse rótulo ignora o fato de que eles também foram eleitos membros da Royal Society de Londres. Wedgwood podia ser um oportunista comercial que se apresentava como "um fazedor de vasos para o universo", mas também foi um artesão habilidoso e experimentador meticuloso, que ultrapassou seus rivais ao analisar sistematicamente argila, minerais e pigmentos, registrando os resultados em seu livro secreto de anotações. O termômetro de alta temperatura foi desenvolvido por Wedgwood para monitorar fornos, mas sua utilidade se estendeu a numerosas investigações científicas. E Keir, além de ter acumulado uma pequena fortuna com suas fábricas de sabão, tornou-se um especialista internacional em cristais. Suas detalhadas investigações químicas levaram a lucrativas contribuições para a higiene e a saúde do país.

Unidos no entusiasmo e na motivação pela melhoria, os membros da Lunar Society tiveram um grande impacto sobre a vida britânica. Boulton, um dono de fábrica de Birmingham, compartilhava os ideais baconianos da Royal Society. Ele mesmo falou assim ao escritor escocês James Bowell: "Aqui eu vendo, caro senhor, o que o mundo inteiro deseja: poder." O vapor impulsionava as máquinas de Boulton, que, por sua vez, provocavam mudanças no poder social. A prosperidade alcançada por esses homens lhes permitia desafiar a hierarquia tradicional; assim, casavam-se com moças da aristocracia, compravam terras e construíam casas luxuosas para eles e acomodações de baixo custo para seus empregados. Eles defendiam um sistema educacional democrático que fizesse da inteligência, e não do nascimento, o caminho para o sucesso. Darwin e alguns outros membros da instituição pleiteavam ainda uma educação melhor para as meninas, embora reconhecessem que o comando deveria continuar nas mãos dos homens. Em seu *Chemical Dictionary*, a intenção de Keir foi tornar a informação disponível, de maneira que os leitores chegassem às próprias conclusões. Ele queria que "o público de todas as nações e de todos os tempos decidisse com pleno conhecimento da questão." A Química devia ser para o povo, e não restrita a uma elite privilegiada.

Reforçando essas promessas de igualdade, fabricantes convenceram seus clientes de que eles poderiam comprar produtos similares aos que os mais ricos possuíam. Ou, para expressar essa estratégia de propaganda no jargão de hoje, eles prometiam mobilidade social por meio de bens materiais. As sociedades de consumo baseiam-se na convicção de que "ter" é o que faz a vida valer a pena, e essa nova abordagem da felicidade por meio da posse foi iniciada pelos grandes inovadores de marketing do século 18. Wedgwood era um excelente ceramista, mas sua maior conquista foi despertar desejo, convencer os clientes de que valia a pena trocar a louça que tinham por outra mais moderna – e depois de alguns anos trocar tudo de novo. Ao reduzir os preços, Wedgwood expandia constantemente o número de compradores dispostos a trabalhar mais para ter dinheiro que lhes permitisse comprar imitações baratas de louças finas.

Apesar dos protestos de democracia, a Lunar Society ainda acreditava que alguns homens (eles, por exemplo), deviam gozar de privilégios especiais. Da mesma forma, embora frequentemente o marido contasse com a colaboração da mulher nos negócios, a parceria entre homens e mulheres não era levada a sério. Darwin celebrou a automação em um longo e rebuscado poema, ao qual acrescentou extensas notas de rodapé cheias de detalhes técnicos, exaltando as inovações feitas por seus colegas lunares, mas omitiu empregados e mulheres. Eis uma parte do tributo lírico de Darwin às inovações da indústria têxtil.

Lentamente, com lábios suaves, o metal rodopia,
Adquire madeixas delicadas e sobe em espirais.
Voam lascas, o eixo veloz brilha
E, sem pressa, gira em torno da roda que, embaixo, trabalha.

No poema de Darwin, as máquinas lembram o movimento harmônico dos planetas, descrito por Newton, mas é a roda que trabalha. Os escravos e os trabalhadores nem são mencionados. Darwin simplesmente ignora os efeitos devastadores da mecanização sobre os hábeis fiandeiros e tecelões – tanto homens quanto mulheres – substituídos por um único supervisor, que assumia a responsabilidade por uma só máquina. Os patrões reclamavam repetidamente que os trabalhadores não eram confiáveis, não cooperavam e produziam artigos imperfeitos; segundo eles, com a automatização do equipamento, seriam entregues produtos melhores. Quando os protestos começaram a surgir, Watt e Wedgwood invocaram as maravilhas da modernização, mas pareciam esquecer as próprias origens humildes, mostrando pouca sensibilidade acerca das causas de insatisfação – fome, longas jornadas de trabalho, desemprego.

Os primeiros industrialistas eram comprometidos com o progresso. Em meados do século 19, porém, os reformadores lutavam por outras melhorias. Enquanto Darwin havia convenientemente esquecido as mulheres e os trabalhadores, uma nova geração de escritores expunha as péssimas condições das áreas pobres em torno das fábricas. Em 1842, ao aventurar-se por um bairro humilde de Manchester, um candidato a gerente de uma fábrica têxtil descobriu que "a atmosfera é escura, carregada da fumaça de dúzias de chaminés. Bandos de mulheres e crianças maltrapilhas vagueiam, tão imundas quanto os porcos que chafurdam no lixo e na lama". O nome dele era Friedrich Engels, autor do *Manifesto Comunista*, em colaboração com Karl Marx. Examinando o período da metade do século 18, Engels explicava que a Grã-Bretanha havia passado por uma transformação industrial cujo real significado só então começava a ser entendido. Se pudesse prever o futuro, ele talvez se surpreendesse com o impacto revolucionário da própria obra, que ainda atrai o interesse dos historiadores.

CAPÍTULO 26
REVOLUÇÕES

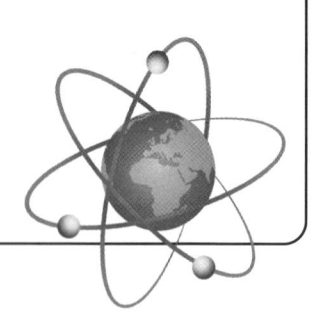

O revolucionário mais radical torna-se um conservador no dia seguinte à revolução.

- Hannah Arendt, The *New Yorker* (1970)

A Revolução Francesa transformou o rumo da História – e também mudou a maneira de como se entender a História. No terceiro ano da República Francesa Revolucionária (1794), um espião industrial retornou a Paris, depois de uma missão secreta de reconhecimento das fábricas britânicas, e relatou que: "uma revolução nas artes mecânicas, a real precursora, a verdadeira e principal causa das revoluções políticas, está se desenvolvendo de modo que ameaça toda a Europa." Ao transmitir essa mensagem alarmante sobre a transformação industrial, o espião conferia à palavra "revolução" seu mais novo sentido; em vez do movimento cíclico dos planetas ao redor da Terra, ele se referia a uma mudança abrupta e irreversível de qualquer tipo. A partir da Revolução Francesa, muitos historiadores – políticos, econômicos, científicos – adotaram essa metáfora, pensando no passado como uma série de rupturas dramáticas.

Quando se analisa o passado da ciência, a Revolução Química muitas vezes parece encaixar-se nessas mudanças repentinas. A impressão é duplamente especial pela relativa coincidência das Revoluções Francesa e Norte--americana com o fato de o mais importante personagem da Revolução Química, Antoine Lavoisier, ter-se declarado um revolucionário. Tal como um agitador político, Lavoisier planejou cuidadosamente sua tática, mantendo, porém, em segredo a maneira como pretendia revolucionar a ciência. Finalmente, em 1789, o ano em que a Revolução Francesa eclodiu, ele publicou um livro anunciando que havia derrubado as ultrapassadas teorias químicas de Joseph Priestley e seus colegas ingleses. A Figura 26 ilustra essa versão heroica de Lavoisier, que olha para Marie Paulze, sua mulher, como se ela fosse a própria musa científica, enquanto faz a revisão de seu livro, o manifesto no qual introduz nomes e símbolos químicos similares aos que são adotados atualmente. Os instrumentos em destaque sobre a mesa servem para produzir oxigênio, e os que aparecem aos seus pés enfatizam a importância de medições precisas. Pintados em detalhes, os instrumentos simbolizam a vitória de Lavoisier sobre o rival inglês.

Figura 26. "Marie Paulze e o marido Antoine Lavoisier", Jacques-Louis David, pintura a óleo (1788).

A imagem enternecedora pode ser traduzida em palavras igualmente tocantes, já que Priestley é reduzido a um indivíduo ingênuo que acreditava em uma substância mágica chamada flogisto, enquanto Lavoisier é elevado a um gênio incisivo e metódico que descobriu o Oxigênio (O) e erradicou conceitos ridículos e antiquados. Originalmente apresentado em teorias químicas alemãs (não é coincidência que os nazistas, tenham destruído a estátua de Lavoisier), o flogisto era amplamente usado para explicar a combustão e o refino de metais. Apesar das críticas, em algumas circunstâncias essa teoria realmente funcionava muito bem. Quando os minérios (óxidos, na terminologia moderna) são aquecidos com carvão vegetal, absorvem o flogisto e transformam-se em metais; quando os metais são aquecidos, liberam flogisto (visível como um brilho azulado na superfície) e voltam ao estado de minério. Os problemas começaram com o surgimento das balanças de precisão. Como explicar por que metais ganham peso quando são aquecidos e liberam o flogisto? Eles não deveriam pesar menos?

A inovação de Lavoisier foi inverter esse processo, sugerindo que os metais absorvem oxigênio, enquanto os minérios o liberam. Depois de aquecer minério de mercúrio em pó, direcionando sobre o material a luz do Sol por meio de uma lente, Lavoisier coletou o gás liberado, testou-o para eliminar outras possibilidades e inventou um novo nome para a substância: oxigênio. Existem, porém, várias objeções a esse relato dramático de sua vitória sobre Priestley. Na verdade, os dois químicos isolaram o mesmo gás, mas – tal como historiadores analisando o passado – deram interpretações diferentes. E Priestley foi o primeiro a chegar lá; o que Lavoisier batizou de oxigênio, Priestley já havia chamado de "ar deflogisticado". A maior fonte de flogisto era o sujo carvão mineral, e Priestley o associou a impurezas, orgulhando-se de haver produzido ar refinado, com maravilhosas propriedades curativas (ele não hesitara em medir em quanto tempo os ratos sufocavam, quando submetidos a diferentes tipos de gases).

O próprio Lavoisier acreditava que sua revolução ia muito além da identificação do oxigênio. Ele queria reformar toda a Química. Consciencioso coletor de impostos e advogado, Lavoisier insistia na razão e na ordem, equilibrando os dois lados de uma equação como se cuidasse das próprias contas e enfatizando a importância de medições precisas. Para acompanhar a nova linguagem matemática da França – a Álgebra – ele introduziu um vocabulário químico lógico. Tradicionalmente, as substâncias eram chamadas por nomes baseados em suas propriedades, na língua nativa do descobridor, mas Lavoisier substituiu essas denominações por palavras latinas que poderiam (dizia ele) ser entendidas por todo mundo. Sais de Epsom, por exemplo, ficaram internacionalizados como sulfato de magnésio.

Os experimentadores britânicos resistiam às recomendações de Lavoisier não por serem reacionários, e, sim, porque preferiam um estilo diferente de pesquisa. Priestley apreciava o valor das observações imprevisíveis, e criticou

Lavoisier por planejar cada passo sistematicamente, tornando impossível aprender com os resultados que viessem a surgir. Na França, assim como na Grã-Bretanha, os opositores acusavam Lavoisier de caminhar depressa demais, chegando dedutivamente a conclusões gerais a partir de poucos fatos, e confiando em instrumentos muito complicados que poderiam induzir ao erro. Pelo ponto de vista dos opositores, Lavoisier colocava-se como um especialista privilegiado que dependia de aparelhos caros e usava palavras sofisticadas, pouco familiares às pessoas que trabalhavam com Química no dia a dia – os práticos, que prescreviam sais de Epsom como laxante ou os artesãos, que faziam sabão e vidro a partir da soda (carbonato de sódio, de acordo com a nova nomenclatura).

Na França, Lavoisier tornou-se um ícone da Química revolucionária. Isso não quer dizer que estivesse absolutamente certo, mas ele convenceu pessoas influentes de que estava. Com a colaboração da mulher, empreendeu uma intensa campanha publicitária por meio de livros, palestras, peças e ilustrações, para derrotar a oposição e promover suas ideias. Depois de Lavoisier ter sido guilhotinado pelos jacobinos, por questões financeiras, seus seguidores, que não puderam (ou não quiseram) salvá-lo, passaram a sustentar que a nova Química era vital para que a França liderasse o mundo; assim, garantiram o próprio futuro. Para marcar Lavoisier como um herói revolucionário, eles promoveram um funeral simbólico que atraiu 3 mil participantes. Tal como Galileu, Lavoisier se tornou um mártir mitológico da ciência, a figura icônica retratada na Figura 26, um químico dedicado cuja ciência revolucionária tinha pouca relação com as questões práticas.

Mas essa não é a única maneira de descrever Lavoisier. Por exemplo: a pasta na parte de trás, à esquerda da cena, esconde os desenhos da mulher de Lavoisier. Assim, percebe-se que ele não foi um gênio solitário, mas o chefe de uma equipe que trabalhava em um laboratório, no qual Paulze também exercia papel importante. Segundo os jacobinos, Lavoisier foi um rico proprietário de terras que explorava os pobres – motivo pelo qual acabou preso e executado. Por outro lado, os amigos admiravam Lavoisier como um reformador radical tão comprometido com a melhoria das condições de trabalho dos empregados nas fazendas e fábricas, que usava o próprio dinheiro para desenvolver métodos agrícolas e de produção. Entre os historiadores, alguns descrevem Lavoisier como um inovador prático que melhorou a iluminação pública e o fornecimento de água de Paris, enquanto outros o acusam de ser um teórico dogmático que, pelos padrões modernos, cometeu erros estranhos – chamando de elementos químicos a luz e o calor, ou declarando que o oxigênio é um componente essencial de todos os ácidos (uma exceção comum é o ácido clorídrico).

Histórias heroicas dizem que Lavoisier criou sozinho a Química moderna. Versões mais realistas, porém, o descrevem como um entre os muitos que, aos poucos, transformaram a Alquimia e outras artes na disciplina científica da Química, aproveitando e modificando as técnicas de seus antecessores. Essas transições são simbolizadas na Figura 27, que mostra um laboratório em Kingston (perto de Londres), projetado especificamente para pesquisas químicas, por volta da metade do século 18. Os desenhos nas paredes – água encanada à esquerda, uma estufa à direita – enfatizam que a importância da Química estava em sua utilidade. O lado esquerdo é dominado por fornos desenvolvidos por alquimistas e usados para refinar metal – o contexto da mineração no qual o flogisto se originou. Espalhados pela prateleira superior e na mesa central com gavetas estão instrumentos usados em Alquimia, a origem experimental da Química. Do outro lado da imagem, na direção da janela, o pesquisador arrumou os equipamentos mecânicos, inclusive balanças delicadas para testar a pureza dos produtos. Isso indica que, tanto na Inglaterra quanto no continente, as medidas precisas havia muito tempo eram essenciais para o teste de teor do ouro, o aviamento de receitas e outras tarefas anteriores à Química científica.

Figura 27. Um laboratório químico no começo do século XVIII, em Londres. Capa de William Lewis, *Commercium philosophico-technicum*, "O comércio filosófico das artes", Londres, 1765).

Durante todo o século 18, a Química foi matéria mais prática do que teórica. Os químicos aos poucos se diferenciaram dos alquimistas, rejeitando especulações inúteis e enfatizando a utilidade de sua arte (arte, sim, e não ciência, o que implicava conhecimento técnico e não aprendizagem formal). Beneficiando-se de técnicas de Alquimia e de instrumentos desenvolvidos ao longo de séculos, eles se concentravam em chegar a produtos funcionais – tinturas, remédios, fertilizantes, alvejantes, cimento, iluminação a gás. Na Inglaterra, Keir, Wedgwood e outros produtores usavam as pesquisas químicas para desenvolver novos processos industriais e administrar negócios rentáveis. Do outro lado do Canal da Mancha havia mais patrocínio estatal, que, durante o período revolucionário, foi direcionado para necessidades militares. Lavoisier ficou responsável pela fábrica de pólvora parisiense, a qual produzia artificialmente os componentes básicos cuja importação se tornara impossível em decorrência da situação política.

Os químicos introduziram novas teorias depois, e não antes, de sua procura por aplicações práticas. O acido sulfúrico, por exemplo, havia muito tempo era conhecido dos alquimistas, mas passou a ser produzido em grande quantidade para uso industrial, embora ninguém soubesse explicar como era feito ou qual a razão de sua eficiência. A descoberta do oxigênio / ar deflogisticado não foi imediatamente considerada revolucionária, porque fazia parte de uma pesquisa coletiva de gases, desde a metade do século 18. Mesmo a ideia de que o ar podia ser a mistura de várias substâncias, e não um elemento puro, surgiu como um subproduto da pesquisa de uma droga para dissolver pedra no rim. A descoberta aconteceu inesperadamente por meio de uma pesquisa feita à moda de Priestley, quando um estudante escocês chamado Joseph Black ignorou as instruções do professor, e decidiu investigar algumas discrepâncias estranhas reveladas por pesagens precisas. Sem um resultado final em mente, Black seguiu a direção apontada pelos resultados de suas experiências e concluiu que o ar fixo (dióxido de carbono) fica dentro de alguns sais, mas pode ser liberado por ácidos ou pelo calor.

Ao final do século 18, a Química se tornava uma ciência independente. Embora ainda empregassem técnicas tradicionais desenvolvidas por alquimistas, artesãos e práticos, os químicos começaram a ganhar prestígio e ser reconhecidos por organizações oficiais, como a Royal Society. Mas seu novo *status* não surgiu facilmente; eles tiveram de trabalhar para isso. A caricatura de Gillray (Figura 24) não ironizava apenas o próprio Davy, mas também a arrogância dos experimentadores químicos. As origens na Alquimia, a utilização prática na indústria e as ligações com a Revolução Francesa faziam com que a Química fosse considerada inferior à Filosofia Natural. Para torná-la respeitável e alçá-la ao nível das outras ciências, Davy teve de distanciar a Química dessas associações e assumir uma posição de autoridade.

Para isso, Davy descartou a abordagem democrática em relação à ciência, defendida por Priestley e pelos químicos da Lunar Society, convertendo-se em uma figura ao estilo de Lavoisier, um especialista que controlava equipamentos poderosos. Ele se fez indispensável à Royal Society e à Royal Institution. Adotou também um novo instrumento inventado na Itália por Alessandro Volta (cujo nome permanece no termo "voltagem"): uma forma primitiva de bateria elétrica que lhe permitiu analisar a água e isolar dois novos elementos – sódio e potássio. Para Davy, a bateria de Volta não era apenas uma milagrosa fonte de energia, mas também "uma chave que promete revelar alguns dos mais misteriosos segredos da natureza". Ao controlar esse grande e impressionante mecanismo para produzir efeitos dramáticos, ele convenceu seus seguidores de que era a pessoa ideal para manejar aquela chave. Na Química científica do século 19, enquanto os espectadores assistiam, os especialistas agiam; somente eles tinham autoridade para criar e transmitir o conhecimento científico.

Então, para resumir a Revolução Química, vemos que ela aconteceu... Bem, quando foi que ela aconteceu? Foi em 1789, quando Lavoisier publicou seu novo manual químico? Mas muitos anos se passaram antes que ele fosse aceito, e, de qualquer forma, boa parte do conteúdo hoje parece errado. O evento mais importante foi... Bem, qual foi mesmo? A identificação do oxigênio por Lavoisier, o isolamento do mesmo gás por Priestley, a descoberta do ar fixo por Black, a análise da água por Davy? Essas perguntas têm respostas mais realistas, embora muito menos empolgantes. Não houve um único responsável nem momento crucial; a mudança ocorreu gradualmente. Quanto mais se estuda a Revolução Química, mas difícil de entender ela se torna. Quanto mais informações são consideradas, menos importante cada episódio parece. Quanto mais a fundo se analisa o herói, menos extraordinário se mostra seu comportamento.

Com o avanço das revoluções científicas, a revolução química parece menos significativa do que três outras revoluções – a científica, a industrial e a darwiniana. Elas agora nos são tão familiares, que se assemelham a episódios reais com começo e fim bem definidos, mas – como nos mostra a Química – as revoluções científicas têm definições tão nebulosas, que os historiadores às vezes as deixam de fora. Uma dificuldade é sua duração. A mais famosa delas, a Revolução Científica, geralmente é datada por volta de 1550 (assim que Copérnico colocou o Sol no centro do universo) a 1700 (uma boa data redonda, logo depois da publicação do *Principia* de Newton). De maneira semelhante, apesar de Charles Darwin ter dado nome a uma revolução, as ideias evolucionárias já eram conhecidas mesmo no tempo de seu avô, e somente na década de 1930 uma teoria darwiniana definitiva e diferente foi formulada.

Outro problema é que nem tudo muda de repente. Relatos da Revolução Científica (que não aparece neste livro) focam a Cosmologia, ignorando a continuidade em outras áreas, como a Química, e imaginando a ciência – o que quer que isso seja – operando em um vácuo cultural, sem ser afetada pelo comércio, pela política ou pelas transformações sociais. De qualquer forma, qual deve ser a intensidade de uma mudança, para ser considerada uma revolução? Dizem que Albert Einstein revolucionou a Física com sua Teoria da Relatividade, mas muitas disciplinas científicas (para não falar da vida comum) continuam a operar com a Mecânica de Newton. Harvey revolucionou a Fisiologia, ao demonstrar que o sangue circula, mas seguia as ideias de Aristóteles e teve pouco impacto imediato sobre as práticas médicas – as sangrias tradicionais continuaram a ser uma prática comum.

A divisão do passado em revoluções tem suas vantagens, pois dramatiza a História e fornece indicações convenientes das principais tendências do passado. Às vezes, no entanto, a intenção é estabelecer a diferença entre o período atual e um período anterior e supostamente inferior. Economistas vitorianos enfatizavam a Revolução Industrial porque queriam estabelecer uma ruptura definitiva entre a era progressista em que viviam e a origem feudal do país. A Revolução Científica só começou a ser citada nos relatos do passado depois da Segunda Guerra Mundial, quando historiadores otimistas (e pouco realistas) previram que a ciência representaria uma fé universal e secular a unir o mundo.

O conceito de mudança revolucionária tem implicações filosóficas e históricas. Muita gente equipara o conhecimento científico à Verdade Absoluta, considerando a ciência cumulativa e progressiva como uma corrida ou uma expedição de escalada na qual os cientistas herdam as conquistas de seus antecessores, para seguir em frente. Em modelos revolucionários, porém, a ciência muda eventualmente, em guinadas repentinas, e o conhecimento prévio é ignorado, em vez de servir de estrada para o presente. Uma boa analogia são os ramos da árvore da evolução, um processo sem final predeterminado, no qual escolas antigas de pensamento são abandonadas sempre que pesquisadores mais jovens tomam novas direções.

O principal proponente dessas teorias foi Thomas Kuhn, um físico e filósofo norte-americano, cujo livro *A Estrutura das Revoluções Científicas* afetou profundamente a ideia de ciência. Quando Kuhn definiu as disciplinas acadêmicas, os críticos não tiveram dificuldade de encontrar falhas em suas sugestões. Filósofos gostaram da história, mas encontraram lacunas na teoria, enquanto historiadores o acusavam de simplificar os fatos. As ideias originais de Kuhn foram tão drasticamente revisadas, que nada resta delas, e o próprio Kuhn renunciou a algumas de suas primeiras opiniões. Ainda assim, seu nome simboliza a visão atual de que a ciência caminha de modo imprevisível, uma atividade humana falível que, como qualquer outra, é alterada por influências locais, interesses pessoais e pressões políticas.

> AS REVOLUÇÕES NA CIÊNCIA PODEM TER ACONTECIDO OU NÃO; TUDO DEPENDE DO PONTO DE VISTA.

As revoluções na ciência podem ter acontecido ou não; tudo depende do ponto de vista. Max Planck, importante cientista alemão do início do século 20, afirmava que a mudança acontece lentamente, não em surtos: "Uma importante inovação científica raramente ganha espaço vencendo e convencendo seus críticos; é muito raro que Saulo se torne Paulo. A verdade é que os contrários à inovação vão morrendo, e a nova geração está familiarizada com a ideia." Da mesma forma, verdades históricas vão e vêm com as diferentes gerações. As revoluções atualmente estão fora de moda no meio acadêmico, embora os estudiosos considerem difícil abandonar uma forma tão conveniente e familiar de estruturar o passado.

CAPÍTULO 27
RACIONALIDADE

A Igreja dá as boas-vindas ao progresso tecnológico e o recebe com amor porque é inquestionável o fato de que o progresso tecnológico vem de Deus e, por isso, leva a Ele.

- Papa Pio XII, mensagem de Natal (1953)

Ebenezer Scrooge, sr. Gradgrind, sr. Micawber... O romancista Charles Dickens criou muitos personagens que eram, assim como seus contemporâneos da vida real, obcecados com balancetes, números e Aritmética. Fatos e números dominaram a vida vitoriana – o que explica o fato de o governo inglês ter continuado a investir no sonho de engenharia de Charles Babbage, um professor de Cambridge conhecido hoje como pioneiro da computação. Em 1837, Babbage começou a desenhar um mecanismo analítico, um enorme conjunto de engrenagens de metal que assumiria o tedioso trabalho humano de calcular, produzindo rapidamente grandes quantidades de tabelas matemáticas, com aproximação de várias casas decimais. No entanto, nunca chegou a um modelo perfeitamente desenvolvido.

Babbage começou a defender a quantificação quando ainda era um estudante rebelde que protestava contra o currículo antiquado seguido pelos professores. Ele e os colegas diziam que Cambridge estava ficando ultrapassada em relação às instituições do continente e queriam que fosse introduzida a abordagem matemática francesa, baseada nos cálculos de Leibniz, atualizando a Física praticada em seu país. A aproximação entre Matemática e ciência parece hoje um passo óbvio em direção à modernidade, mas no começo do século 19 os cientistas britânicos rejeitavam a Álgebra francesa, que lidava com símbolos abstratos em vez de objetos tangíveis ligados diretamente a observações.

O grupo de Babbage também reivindicava que os professores deixassem de aceitar os relatos da Bíblia como verdades literais. Os estudantes preferiam o deísmo, que defende, em linhas gerais, a ideia de que o universo opera independentemente de Deus e, assim, pode ser estudado racionalmente sem depender de Suas revelações por escrito. O importante teórico parisiense Pierre-Simon Laplace já havia ido ainda mais longe, eliminando Deus por completo. Napoleão, que apoiava entusiasticamente a pesquisa científica, perguntou a Laplace por que Deus estava ausente de seu cosmos. Segundo se diz, a resposta de Laplace foi: "Senhor, eu não preciso dessa hipótese."

Laplace gostava de ser chamado "o Newton francês", mas Newton não teria reconhecido aquele universo árido, movido à força, no qual redemoinhos de átomos seguem caminhos predeterminados, sem orientação divina. Sob influência de Laplace, a pesquisa francesa floresceu no começo do século 19, durante o governo de Napoleão – uma época depois chamada de era de ouro da conquista científica por Babbage e seus colegas vitorianos. Beneficiando-se de patrocínio oficial e de um sistema educacional direcionado para a tecnologia, um poderoso grupo de pesquisadores reuniu-se em torno de Laplace para estabelecer um novo estilo de Física Matemática. Representando o universo por equações, eles quantificavam sistematicamente a ciência, tornando a Matemática e as medições importantíssimas para a Física e a Química.

A racionalização não se originou da escola de pesquisa de Laplace, e, sim, de reivindicações por mudanças sociais, bem anteriores. Mesmo antes da Revolução, enquanto o rei ainda ocupava o trono, políticos filósofos proclamavam que a razão era a chave do progresso. Eles queriam aplicar à França as mesmas leis aplicadas por Deus no controle da natureza, reformando assim o governo. Se o universo agia de uma forma ordenada de acordo com a gravidade de Newton, a sociedade avançaria harmoniosamente depois que regras similares fossem descobertas para descrever o comportamento humano. Os políticos reconheciam, é claro, que emoções e interesses individuais tornavam muito mais difícil encontrar leis precisas para as pessoas do que para os planetas. Com a intenção de compensar essa confusão inevitável, os reformadores que raciocinavam matematicamente acrescentaram a probabilidade à tomada de decisões. Em vez de confiar em um juiz falível ou em um monarca instável, eles queriam políticas e vereditos elaborados coletivamente, e criaram fórmulas para calcular os riscos e probabilidades de aceitar o julgamento da maioria, quando a unanimidade não pudesse ser alcançada. A solução dessas questões legais e administrativas demandava novas teorias de probabilidade; essas teorias foram mais tarde adaptadas e aplicadas aos problemas científicos. Laplace introduziu a probabilidade na Física, avaliando o grau relativo de plausibilidade das diferentes suposições e analisando os erros associados aos resultados.

> O IMPULSO NACIONAL PELA RACIONALIDADE SE INTENSIFICOU NA FRANÇA DURANTE OS ANOS 1790.

Esse impulso nacional pela racionalidade se intensificou na França durante a década de 1790. Enquanto livravam o país da monarquia e das instituições aristocráticas, os revolucionários tentavam reorganizar a vida cotidiana com base em princípios democráticos e racionais. As mudanças foram introduzidas pelos comitês, considerados ideologicamente preferíveis a indivíduos, embora ainda sujeitos a figuras destacadas, como Laplace. Pôsteres de propaganda desse período mostram cidadãos felizes e bem alimentados medindo tecidos, vinhos e madeira com o novo sistema métrico, baseado na lógica decimal. Durante esse regime curto, o tempo foi racionalizado em semanas de dez dias, e o ano foi dividido em dez meses. Ainda se encontram relógios divididos em dez horas de cem minutos. Os comitês também decimalizaram o espaço, apagando medidas imperiais arbitrárias (como galões, libras e acres), e substituindo-as por unidades métricas (litros, gramas, hectares) baseadas objetivamente no tamanho da Terra. Em princípio, 1 metro correspondia à décima milionésima parte do quadrante que vai do Polo Norte ao equador; essa é a referência essencial para todo o sistema métrico. As novas dimensões foram determinadas (com alguma imprecisão, infelizmente) por dois astrônomos que partiram em arriscada expedição de sete anos para medir uma seção de longitude de França e Espanha. Na volta, foi exibida em Paris uma peça em platina com 1 metro de comprimento – ligeiramente mais curto do que deveria ser, mas ainda assim um símbolo político da abordagem racional do país em relação ao mundo natural.

Embora a França se tornasse mais eficiente com a unificação, em alguns aspectos a Revolução substituiu um conjunto de regras por outro. Apesar da retórica revolucionária de igualdade, o sistema métrico reintroduziu o controle central por um grupo de elite – o outro lado da unificação é a uniformidade. Antes, diferentes regiões da França empregavam métodos próprios de medida, mas quando os burocratas parisienses introduziram seu sistema racional, eliminaram as variações locais e colocaram o país inteiro sob um único regime metropolitano. As medidas e o calendário único não só isolaram a França do resto do mundo, como despertaram antagonismo entre seus habitantes: trabalhadores criticaram a semana de trabalho mais longa imposta pelo novo calendário; cristãos ficaram horrorizados com a abolição dos domingos; e compradores acusaram comerciantes oportunistas de fraudar a conversão de preços, para aumentar os lucros. Decorridos 14 anos da implantação do novo sistema, Napoleão restabeleceu a data convencional de 1806, bem como as unidades antes adotadas. Somente no final do século 19 a Europa se tornou métrica.

Outras reformas racionalizadoras também foram "uma faca de dois gumes". Por exemplo: o sistema de saúde do país melhorou drasticamente com a construção de hospitais subsidiados que tratavam cidadãos leais sem cobrar nada. As enfermarias, amplas e arejadas, tinham apenas um paciente em cada cama, e as infecções foram reduzidas com a utilização de desinfetantes químicos. Ao agrupar os pacientes, os médicos podiam medir o tempo de desenvolvimento da doença, registrar os sintomas e comparar numericamente a eficácia dos diversos tratamentos. Nessas clínicas, os médicos reuniam observações; assim, acumulavam conhecimento, desenvolvendo uma perspicácia que lhes permitia ver por meio dos sintomas superficiais e discernir a realidade subjacente. Por outro lado, os métodos eficientes de diagnóstico e terapia tendiam a reduzir o cuidado individual, mais humano, que caracterizava o tratamento medico até então. Os pacientes iam se tornando casos numerados de doenças identificadas, em vez de indivíduos com desequilíbrios de características únicas em seus humores pessoais. Os profissionais da Medicina passavam por treinamentos e exames rigorosos, mas afastavam os práticos tradicionais, como os herbalistas e parteiras de cidades pequenas, de maneira que o conhecimento ficou cada vez mais restrito a uma pequena camada composta de homens ricos formados pelas universidades. Assim, com os médicos alçados à categoria de detentores do saber, era difícil questionar suas opiniões.

Da mesma forma, o sistema educacional organizado pelo Estado dizia-se democrático, mas, na prática, permanecia restrito, sobretudo, aos privilegiados. Mesmo antes da Revolução, os colégios militares já forneciam um ensino muito mais voltado para a Matemática do que na Inglaterra. Comprometidos com melhorias tecnológicas, sucessivos governos investiram em faculdades de Engenharia, de onde saíam homens (sim, homens) muito bem preparados. Eles levaram uma visão racional às mais diversas áreas: Arquitetura, sistemas de comunicação, pesquisas científicas, maquinaria. Os exames se baseavam em habilidades matemáticas, buscando avaliar as aptidões de modo objetivo e, portanto, democrático. No entanto, um alto nível de habilidade consome muito tempo e dinheiro, e só podia ser alcançado por estudantes oriundos de famílias ricas. No começo do século 19, a antiga aristocracia hereditária tinha sido substituída por uma nova elite baseada no dinheiro e na inteligência.

> A ANTIGA ARISTOCRACIA HEREDITÁRIA TINHA SIDO SUBSTITUÍDA POR UMA NOVA ELITE BASEADA NO DINHEIRO E NA INTELIGÊNCIA.

Alguns desses engenheiros talentosos e matematicamente treinados foram atraídos pelo grupo de pesquisa organizado por Laplace e seu amigo próximo Claude Berthollet, um médico e químico que convenientemente morava na casa ao lado, em Arcueil (bem perto de Paris), que se tornou o centro da ciência na era napoleônica. Embora formados antes da Revolução, os dois haviam lecionado em escolas técnicas, estavam envolvidos nos projetos de Lavoisier para reformar a Química e acreditavam que as forças ocultas da natureza vêm da ligação poderosa entre partículas minúsculas. Bem estabelecidos, eles conseguiram influenciar as comissões de seleção, canalizando recursos financeiros para os assistentes de sua preferência. Assim, o patrocínio permaneceu tão importante no novo regime quanto vinha sendo havia séculos. Juntos, Laplace e Berthollet reuniram um talentoso grupo de discípulos que rapidamente se expandiu e consolidou a abordagem matemática de Laplace, aplicando-a a outros fenômenos. Depois de alguns anos, porém, as reservas dos observadores se transformaram em desafio e em franca refutação, fazendo com que o programa de Laplace fosse abandonado abruptamente.

Laplace era um homem poderoso em muitos sentidos. Ele impôs suas ideias aos seguidores, adaptou os modelos de natureza a suas visões preconcebidas e enxergou o mundo em termos de forças de alcance restrito. Um inglês cético em relação às ideias de Laplace disse certa vez que a genialidade dele era como um martelo que desmontava quebra-cabeças matemáticos, "mas não completava nem dava beleza a nenhum deles". Uma das primeiras realizações de Laplace foi tornar o newtonianismo mais perfeito do que a versão original. Newton acreditava que, sem a intervenção de Deus, as interações gravitacionais dos planetas acabariam instabilizando todo o sistema. Aplicando uma Matemática sofisticada, Laplace mostrou que Newton estava errado. Assim, para desgosto de Napoleão, as teorias laplacianas podiam prescindir de Deus. A partir de então, Laplace adequou os resultados que obtinha a sua versão do newtonianismo. Ele queria justificar o que havia herdado, e não lançar um esquema original.

No cosmos de Laplace, as forças mandam. As moléculas se atraem e se repelem, e desde que se saiba onde tudo começou pode-se calcular onde cada molécula estará no futuro. Esse é um modelo determinista, no qual o comportamento é guiado implacavelmente por forças abstratas e pode ser previsto matematicamente. De acordo com a versão de Laplace para o newtonianismo, a matéria comum – metal, osso, sal – mantém a unidade porque forças de atração agem a curta distância entre partículas muito pequenas. Além dessas moléculas comuns, outras, especiais, compõem fluidos levíssimos e invisíveis, como a luz, o calor e a eletricidade. Dentro dessas substâncias etéreas, as partículas próximas se repelem, embora sejam atraídas pelas partículas comuns. A intenção de Laplace era usar esses conceitos básicos para formular uma sofisticada estrutura matemática que uniria toda a Física terrestre.

Laplace trabalhou numerosos tópicos da Física e da Química, reservando as tarefas mais importantes para os pesquisadores que endossassem suas ideias. Um exemplo claro foi a Ótica. Ignorando as objeções de seus críticos, Newton afirmara que a luz não é uma onda, como o som, mas uma corrente de corpúsculos. Laplace orientou um de seus alunos mais brilhantes, Etienne Malus, a examinar o espato da islândia, um cristal incomum que produz imagens duplas quando se olha através dele. Como era de se esperar, Malus chegou a uma explicação corpuscular, matemática, confirmando a opinião newtoniana de Laplace. No entanto, enquanto Malus confirmava de modo triunfante a glória de Arcueil, pesquisadores de outros centros, que não obedeciam ao controle direto de Laplace, rebelavam-se contra sua força repressora. A partir de 1815, mais ou menos, a visão alternativa da luz começou a predominar, quando Augustin Fresnel usou suas experiências com a difração para expor algumas falhas no trabalho de Malus e demonstrar que, contrariamente ao que afirmava Newton, a luz é carregada por ondas. À medida que Fresnel conquistava seguidores na fechada comunidade científica parisiense, Laplace ia perdendo a influência sobre as comissões, e, uma vez desacreditada a visão laplaciana da luz, as críticas se estenderam a outras áreas – Calor, Eletromagnetismo, Química. Em 1825, o poder científico da França não mais se baseava em Arcueil.

O circulo de Laplace se desfez, mas deixou sua marca no futuro da ciência. Mais tarde, no século 19, o sistema métrico defendido por ele voltou à baila, e a sede mundial da organização internacional para o estabelecimento de medidas padronizadas foi instalada na França. No entanto, os oponentes de Laplace continuaram a influenciar o padrão da pesquisa na França, rejeitando sua ousada abordagem hipotética, para dar preferência a observações meticulosas. A França gradualmente deixou o posto de líder mundial em Física teórica. Por outro lado, a campanha lançada por Babbage e seus colegas de Cambridge mostrou-se bem-sucedida: embora tenham abandonado o modelo de forças de curto alcance, os cientistas britânicos acabaram adotando a abordagem matemática de Laplace. Ironicamente, desenvolveram também seu trabalho sobre a teoria das probabilidades, criando um novo tipo de Física baseado em estatística e na possibilidade; a análise cuidadosa das evidências apontadas pelas experiências, feita pelo próprio Laplace, acabou inviabilizando aquele cosmos totalmente previsível.

A ascensão e a queda de Pierre-Simon Laplace não resultaram somente de suas teorias, mas também das manobras de seus aliados e inimigos. Assim como qualquer outra atividade humana, a prática científica é afetada por ambições, complacência e oportunismo. Na busca de fama e resultados rápidos, Laplace passou à frente dos próprios colegas, manipulando comissões científicas para promover seus discípulos, e usufruiu da centralização administrativa francesa, garantindo que suas ideias fossem perpetuadas em livros didáticos e no conteúdo dos exames. Seus críticos empregaram táticas semelhantes: editavam publicações, influenciavam eleições, garantiam cargos importantes em instituições de ensino. Mas o destino de Laplace significa menos do que seu impacto a longo prazo, uma vez que a abordagem racional e matemática adotada por ele foi seguida por físicos britânicos e alemães durante o século 19, e ainda hoje permeia a ciência.

CAPÍTULO 28
DISCIPLINAS

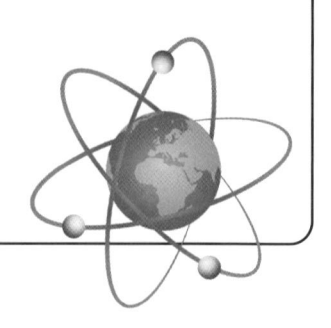

> *Por que a Inglaterra é uma grande nação? Porque seus filhos são corajosos? Não; os selvagens habitantes da Polinésia também são corajosos. A Inglaterra é grande porque sua bravura é reforçada pela disciplina, e disciplina é uma ramificação da ciência.*
>
> - William Grove, *On the Progress of the Physical Science*,
> "Sobre o Progresso da Ciência Física" (1842)

"Todo selvagem sabe dançar", declarou o sr. Darcy, personagem de Jane Austen em *Orgulho e Preconceito*. A resposta de seu antagonista hoje parece estranha: "Não duvido de que o sr. seja um adepto das ciências, sr. Darcy." "Ciência" é uma das palavras mais enganosas – em especial na língua inglesa – porque, embora esteja em uso há centenas de anos, seus significados mudam constantemente, impossibilitando uma definição precisa. O plural – significados – foi proposital. No início do século 19, quando Austen casualmente mencionou a ciência da dança, outros autores ainda usavam a palavra "ciência" para disciplinas medievais, como Gramática, Lógica e Retórica. Muito tempo depois, "ciência" ainda podia significar qualquer disciplina escolar, porque a distinção moderna entre artes e ciências ainda não estava solidificada. John Ruskin, um crítico de arte da era vitoriana, listou cinco assuntos cujo estudo considerava importantes na universidade: Ciências da Moral, História, Gramática, Música e Pintura. Nenhuma delas caberia no conceito moderno de ciência, e, no entanto, segundo Ruskin, eram mais desafiadoras intelectualmente do que a Química, a Eletricidade ou a Geologia.

Por mais habilidade que o sr. Darcy tivesse para praticar a ciência da dança, Austen jamais poderia chamá-lo de cientista. Essa palavra, hoje tão comum, só seria inventada 20 anos mais tarde, em 1833, durante a terceira reunião anual da British Association for the Advancement of Science (BAAS – Associação Britânica para o Progresso da Ciência). Quando os participantes falaram da necessidade de um termo que abrangesse todos os seus diversos interesses, o poeta Samuel Taylor Coleridge rejeitou "filósofo", e William Whewell – um dos aliados de Babbage, um astrônomo matemático de Cambridge – sugeriu "cientista".

A nova palavra custou a ser aceita. Muitos vitorianos insistiam em usar expressões mais antigas, como "homem da ciência", "naturalista" ou "filósofo experimental". Mesmo cientistas hoje considerados os mais importantes do século 19 – Darwin, Faraday, Lorde Kelvin – se recusavam a usar o novo termo em relação a eles mesmos. "Por que inventar uma palavra tão feia, quando já existiam expressões perfeitamente adequadas?" – perguntavam. Equivocadamente, os críticos argumentavam que "cientista" era uma palavra americana, um neologismo importado do outro lado do Atlântico. Um famoso geólogo declarou que era melhor morrer do que "agredir a nossa língua com esse estrangeirismo". Mais de 60 anos depois de Whewell ter introduzido a ideia, o debate continuava, e só no começo do século 20 o termo "cientista" foi amplamente aceito.

Nos Estados Unidos, a nova palavra foi adotada de imediato. Na Grã-Bretanha, a rejeição se manteve por décadas. Ironicamente, parte do problema vinha de experimentadores como Davy, já reconhecidos como especialistas, que achavam cada vez mais difícil acompanhar as descobertas em outras áreas, apesar do profundo conhecimento das áreas nas quais atuavam. Na opinião de Whewell, especialização implicava estreiteza de pensamento; ele se preocupava com a possibilidade de, ao se aprofundarem em um assunto, os especialistas perderem de vista o panorama geral da ciência e falharem na comunicação com os colegas. Refletindo nostalgicamente sobre uma era desaparecida, quando era possível aprender sobre todas as áreas do conhecimento natural, Whewell incentivava os pesquisadores a se unirem, para manter a integridade da comunidade científica. Segundo ele, ao se identificarem como cientistas, os pesquisadores se destacariam dos artistas, escritores e músicos, que também buscavam negociar uma identidade de alto *status*.

O dinheiro era uma questão delicada nesse debate. Os que gostavam da nova palavra argumentavam que um grupo de cientistas teria mais poder de persuasão, e conseguiria convencer o governo ou grandes empresas a financiar seus projetos de pesquisas, cada vez mais ambiciosos e caros. Por outro lado, cavalheiros bem relacionados gostavam de se considerar parte de um grupo de elite que simplesmente buscava o conhecimento. Mesmo os que não haviam nascido ricos nem aristocráticos consideravam ganhar dinheiro um procedimento sórdido, e olhavam com desdém os empresários que transformavam suas atividades científicas em empreendimentos comerciais.

> A CIÊNCIA SE ABRIU PARA MUITOS COMO PROFISSÃO, DEIXANDO DE SER UMA OCUPAÇÃO ALTAMENTE DISPENDIOSA PARA AS CLASSES MAIS ABASTADAS.

As discussões do século 19 sobre "cientistas" eram acirradas porque havia muito mais em jogo do que a palavra, simplesmente. O novo rótulo sinalizava mudanças no status, no dinheiro e na sociedade – transformações que as classes privilegiadas tinham dificuldade em aceitar. De certa forma, os aristocráticos homens da ciência tornaram-se vítimas do próprio sucesso, uma vez que foi parcialmente por causa de seus esforços que a ciência se democratizou. Empenhados em divulgar os benefícios de sua atividade, eles disponibilizaram para uma fatia maior da sociedade o conhecimento científico, que gradualmente deixou de ser um privilégio de poucos. Com a expansão das pesquisas e da educação, surgiram novas oportunidades para trabalhadores assalariados, como assistentes de laboratório, curadores de museus ou calculistas de observatórios astronômicos. Muito lentamente, a ciência se abriu para muitos como profissão, deixando de ser uma ocupação altamente dispendiosa para as classes mais abastadas. Com o passar do tempo, chamar alguém de cientista passou a ser um elogio, e não uma afronta.

O simples termo "cientista" juntava disciplinas de passados muito diferentes. Alguns assuntos – Astronomia, Ótica, Mecânica – vinham diretamente do currículo das universidades medievais; embora tivessem mudado no decorrer dos séculos, suas raízes estavam claramente no passado. Por outro lado, embora se tratasse de uma ciência nova, a origens da Química não estavam em incompreensíveis estudos acadêmicos, mas nas práticas do dia a dia, como a Alquimia e a Medicina. Da mesma forma, a palavra "biologia" só foi inventada no começo do século 19, mas a nova especialidade herdou enormes quantidades de conhecimento de herboristas, comerciantes e colecionadores, tanto mulheres quanto homens.

Nem todas as novas ciências vinham de tão longe. Uma disciplina recém-criada era a Geologia, que começou a existir em 1807, com a fundação da primeira sociedade científica especializada da Grã-Bretanha. O desejo dos geólogos de simplesmente estudarem a estrutura da Terra, sem ganho prático algum, era mais ou menos recente. Antes deles, diversos grupos haviam acumulado conhecimento especializado – mineiros que sabiam detectar e identificar jazidas, agrimensores que escolhiam os melhores caminhos para traçar estradas, agricultores que sabiam qual a cultura adequada a cada solo, soldados que mapeavam o terreno de áreas a serem conquistadas. No entanto, só no começo do século 19 as coleções de peças geológicas passaram a ser moda na classe média; as pessoas levavam horas martelando rochas, para tirar lascas de amostras minerais e fósseis, muitas vezes revelados pela abertura de canais e ferrovias. Mas a Geologia também veio a ser uma ciência séria, cujas críticas à versão da Bíblia para a Criação estimularam teorias para a evolução.

A disciplina que dominou a ciência do século 19 – o Eletromagnetismo – também era nova. Apesar de inseparáveis hoje em dia, Eletricidade e Magnetismo já foram matérias completamente distintas. Isso acontecia porque, como forças da natureza, comportavam-se de maneiras muito diferentes: a eletricidade brilha e machuca, enquanto o magnetismo é invisível e afeta os metais, mas não os seres humanos. E mais, os conteúdos eram contrastantes. A Eletricidade representava uma inovação empolgante do século 18, propagada por filósofos experimentais que captavam a atenção do público com suas performances espetaculares; o Magnetismo, por outro lado, era um dos tradicionais mistérios da natureza, um poder que emanava de Deus, utilizado por navegantes mas ignorado por filósofos naturais. Embora alguns interessados tenham tentado entender os princípios do Magnetismo, bússolas e limalhas de ferro não conseguiam competir com a fascinação despertada por faíscas e cargas elétricas.

O ano simbólico da mudança foi 1820, quando Hans Oersted, professor de Física em Copenhage, em uma demonstração dramática para impressionar os alunos, passou uma corrente por um fio, fazendo uma pequena agulha magnética se mexer. Por toda a Europa, pesquisadores começaram a investigar esse efeito, e Humphry Davy – àquela altura presidente da Royal Institution, pediu a seu assistente, Michael Faraday, que se dedicasse ao assunto. Em poucos meses, Faraday havia desenvolvido um pequeno e incrivelmente simples instrumento que unia em definitivo a Eletricidade e o Magnetismo. Além disso, demonstrou que ambos tinham poderes simétricos: tanto era possível fazer a corrente elétrica mover um ímã, como fazer um fio elétrico girar ao redor de um ímã. Criava-se uma nova disciplina científica – Eletromagnetismo – que unia as invenções elétricas dos filósofos iluministas aos conhecimentos seculares dos marinheiros acerca do magnetismo.

"Cientista" era um termo abrangente, mas nem todo mundo podia abrigar-se dentro dele. Ávidos por prestígio, os cientistas queriam ter autoridade para se declararem inquestionavelmente certos; queriam que o conhecimento produzido por eles nos laboratórios fosse irrefutável. Novas especializações eram criadas, nem todas dignas de pertencer à ciência, que se dividia em disciplinas – mas disciplinar quer dizer controlar, além de ensinar. Como patrulheiros que guardassem as fronteiras nacionais, os cientistas decretavam o que deveria ser incluído nos amplos domínios que governavam e o que deveria ser considerado fora da lei.

Embora hoje essas decisões pareçam claras, na época nem sempre foram consideradas assim. A Química se tornou uma importante disciplina científica, mas a caricatura de Gillray (Figura 24) ilustra como os químicos eram inicialmente menosprezados, por causa de suas ligações com a Alquimia, o setor industrial e a Revolução Francesa. Ao contrário, práticas atualmente consideradas absurdas tiveram muitos defensores que as consideravam legítimas. Em princípio, determinar se essas ciências eram válidas ou não deveria ser um processo racional que levasse em consideração sua aplicabilidade. Muitas vezes, porém, não era o que acontecia; preconceito, prestígio e política acabavam influenciando as decisões.

Vejamos o Mesmerismo, ou magnetismo animal, uma terapia aplicada intermitentemente no século 19. A prática foi introduzida na década de 1780 por Franz Mesmer, que dizia curar os doentes redirecionando os fluidos magnéticos do corpo. Embora os opositores o chamassem de charlatão, Mesmer enriqueceu rapidamente depois que abriu uma clínica em Paris. Ricos aristocratas, mulheres entre eles, acorriam em busca de tratamento, não só porque o Mesmerismo estava na moda, mas porque parecia dar resultado. A Figura 28 mostra pacientes ao redor de uma tina oval de madeira, repleta de limalhas de ferro, ímãs, metais e outros componentes especiais. À direita, Mesmer conduz as operações com um bastão magnético. Um homem coxo, à esquerda, prende a perna a uma argola de ferro que vai sugar o fluido magnético da tina, enquanto a mulher à esquerda está desmaiada na cadeira – um polêmico efeito colateral supostamente causado pela proximidade, o olhar fixo e os sugestivos movimentos de mão que faziam parte do tratamento de Mesmer. Críticos o acusaram de comportamento sexual impróprio, mas ele conseguiu comoventes depoimentos de pacientes agradecidos que testemunhavam o sucesso de sua terapia.

Figura 28. Um salão na clínica de magnetismo de Franz Mesmer. H. Thiriat, gravura (sem data).

O magnetismo animal tinha antecedentes respeitáveis. Mesmer, um médico vienense bem qualificado, recebeu o doutorado por suas teorias, desenvolvidas a partir das ideias de Newton sobre a gravidade. Essas técnicas se originaram do uso de ímãs perto da pele, um tratamento recentemente recomendado com entusiasmo por uma comissão francesa oficial. O misterioso fluido magnético de Mesmer que circulava pelo ambiente pode parecer estranho, mas conceitualmente não era mais estranho do que a eletricidade, impalpável, defendida por filósofos naturais europeus de renome. E o mais importante: o tratamento de Mesmer parecia aliviar os sintomas dos pacientes – o que explica por que tantos continuavam pagando seus altos honorários.

O aparente risco representado por Mesmer não se devia a uma diferença drástica entre seus métodos e os métodos de outros médicos, e sim pela semelhança, que o tornava uma ameaça real. Atualmente, o Mesmerismo poderia ser classificado como medicina alternativa, mas há 200 anos não havia essa classificação. Mesmo os médicos mais treinados pouco tinham a oferecer, e pacientes desesperados se dispunham a pagar o que fosse preciso para aliviar os sintomas de doenças incuráveis. Na disputa por prestígio, médicos famosos chamavam de charlatães os colegas com menos formação, apesar de também cobrarem preços exorbitantes por suas panaceias. A qualificação do médico podia ser muito variada. Em um extremo estavam os doutores da alta sociedade que haviam estudado em universidades, pertenciam a associações profissionais e cobravam altos preços. No outro extremo, ficavam homens e mulheres sem treinamento que tentavam ganhar a vida tratando os pobres. No meio disso, havia práticos para todos os tipos de doença e todos os tipos de bolso – cirurgiões, farmacêuticos, herboristas, parteiras. Para conferir autoridade à ciência era preciso impor limites claros entre formação e charlatanismo, entre ortodoxia e pseudociência. Na ausência de critérios teóricos para diferenciá-los, as decisões muitas vezes eram tomadas com base em aspectos sociais.

Incapazes de fornecer um tratamento satisfatório, os adversários de Mesmer viam preocupados os pacientes mais ricos correrem para ele. Logo grupos dissidentes se espalharam pela França. Já que pessoas de pouca qualificação podiam ser treinadas como mesmeristas, a Medicina magnética começou a ligar-se à política radical, ameaçando a posição dos médicos tradicionais. Acusar Mesmer de charlatanismo era um meio de afastá-lo, e uma comissão real foi instituída para justificar sua exclusão da Medicina. Depois de uma série de investigações, a comissão emitiu a sentença: banimento. Por incrível que pareça, admitiu-se que seus tratamentos funcionavam, mas deviam ser interrompidos por não haver uma explicação racional para eles. A comissão atribuiu as curas à força da imaginação, um efeito psicossomático inexplicável.

Assim como a Alquimia, a Astrologia e muitas outras práticas, o Mesmerismo acabou banido da ciência legítima, e Mesmer foi tachado de charlatão, apesar de sua formação tradicional. Ainda assim, as sociedades mesméricas floresceram durante o século 19, em parte porque se tratava de uma terapia democrática que podia ser praticada por pessoas comuns, o que tinha implicações revolucionárias. Se os magnetizadores tinham poder sobre os pacientes, o que aconteceria, caso o controle saísse das mãos das classes privilegiadas? E, pior: como Mesmer agia sobre a saúde física dos pacientes, influenciando sua imaginação, desafiava a supremacia da razão.

Essa era uma visão assustadora, já que a ideologia do pensamento científico afirmava que os homens racionais da ciência podiam usar a mente para disciplinar o corpo. A ciência disciplinar devia basear-se na ordem, na lógica e nas explicações. O século 18 é muitas vezes chamado de Era da Razão, e os filósofos iluministas transmitiram aos cientistas essa paixão pela racionalidade. Treinados como especialistas e organizados em disciplinas especializadas, os cientistas do século 19 tinham como objetivo unificar e disciplinar o mundo, encontrando leis simples que descrevessem o comportamento de todas as coisas – pessoas e objetos, mentes e corpos.

PARTE 5

Leis

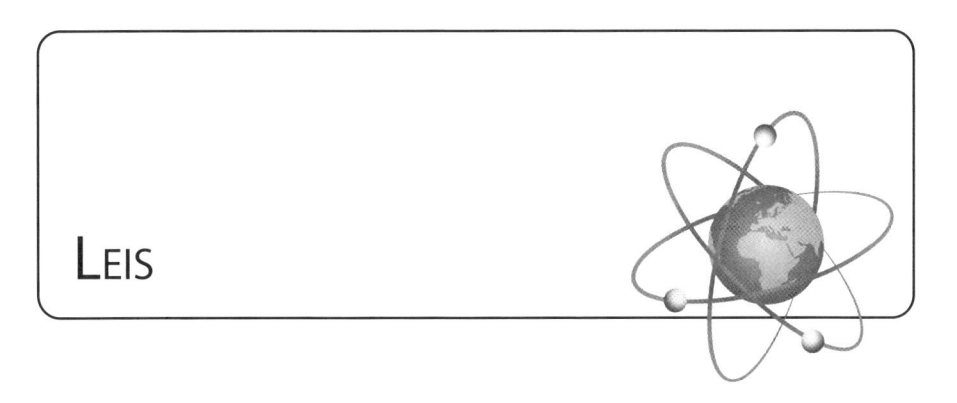

Comprometidos com o progresso, os cientistas do século 19 procuravam por leis que governassem ao mesmo tempo o mundo dos seres humanos e o mundo físico. Ao se estabelecerem como especialistas, eles gradualmente conquistaram prestígio, tomando a autoridade dos líderes religiosos para criar um novo clero científico. No entanto, embora alguns cientistas se apresentassem como inflexíveis defensores da razão, atitudes teológicas continuaram a permear os debates sobre a vida e o universo, sem uma mudança brusca da fé bíblica para as convicções relativas à ciência. Cientistas afirmavam analisar o mundo objetivamente para alcançar a Verdade Absoluta, mas essa visão foi desafiada pelos filósofos românticos alemães, que acreditavam em um cosmos unificado, no qual os humanos se integravam ao mundo natural. Embora, em última análise, esses filósofos sejam menos influentes do que os defensores de leis precisas e matemáticas, sua abordagem combina com as modernas atitudes ambientais. Na suposta neutralidade da ciência, porém, as opiniões pessoais não desapareceram. Projetados para eliminar o erro humano, ainda assim os instrumentos inevitavelmente partiam de interpretações subjetivas. Mesmo a mais famosa inovação do século – a teoria da evolução por seleção natural, de Charles Darwin – não resultou de uma análise lógica; foi o resultado de indícios que se acumularam, e não de provas incontestáveis. Em vez de se espalhar de maneira uniforme ao redor do globo, a ciência variava geograficamente, desenvolvendo-se por meio de processos locais de adaptação e troca. A princípio, a colaboração científica internacional transcendia as diferenças políticas. Embora tenha sido um processo repleto de conflitos, a padronização do tempo levou à relatividade, uma teoria misteriosa que partiu de preocupações práticas com a melhoria dos sistemas de telegrafia.

CAPÍTULO 29
Progresso

Deus criou o homem à Sua imagem e semelhança, mas o público é criado pelos jornais.

- Benjamin Disraeli, *Coningsby* (1844)

Em um dia ensolarado de outono do ano de 1858, um grupo de renomados cientistas, religiosos e políticos comandava um desfile pelas ruas de Grantham, pequena cidade do interior da Inglaterra. Ao som de uma banda militar, o octogenário Henry Brougham – barão escocês e juiz conceituado – subiu no palanque decorado com as cores do arco-íris e sentou-se em uma poltrona surrada, com o forro à mostra. Essa relíquia preciosa, deliberadamente não recuperada, havia pertencido a Isaac Newton, um herói local elevado a herói nacional. Brougham ia inaugurar a estátua de Newton moldada com o material de um canhão russo capturado durante a Guerra da Crimeia e doado pela própria rainha Vitória.

A inauguração da estátua de Newton foi um evento tão importante, que chegou à imprensa nacional – diversos jornais reproduziram a Figura 29. Embora esculturas de monarcas, santos e líderes militares fossem comuns em toda a Europa, honrar a memória de um cientista era novidade. A cuidadosamente planejada cerimônia em Grantham mostra como o *status* da ciência havia melhorado durante a primeira metade do século 19, quando Newton foi aclamado como gênio inglês da ciência, fazendo companhia a William Shakespeare, gênio da literatura. Custeado por doações vindas de todos os cantos do país, o imponente monumento em homenagem a Newton é um dos primeiros exemplos do nacionalismo britânico. A ideia dos cientistas era impulsionar o entusiasmo do público pela ciência e favorecer as oportunidades de financiamento.

Figura 29. Estátua de Isaac Newton em Grantham, esculpida por William Theed (1858). Illustrated by *London News* (2 de outubro de 1858), 315.

A escultura não só tenta reproduzir a aparência de Newton, mas também representa uma forma idealizada de sua postura, conforme a visão dos físicos vitorianos. Admirado pela extrema dedicação, Newton representa o cientista metódico, que busca inabalável e logicamente a Verdade Absoluta. De toga, com um gesto autoritário, aponta um diagrama planetário, símbolo das três leis do movimento e da ordem matemática, por ele impostas ao universo. "Procurem por leis!" – esse é o resumo de uma palestra de Faraday na Royal Institution, e um tema recorrente na ciência do século 19. O principal objetivo dos físicos vitorianos era explicar o mundo em leis matemáticas, unindo as várias áreas – Calor, Luz, Mecânica, Eletricidade – em um sistema único. Cientistas de outras áreas tentavam adotar essa abordagem baseada em leis, para descrever o comportamento das sociedades, as mudanças na paisagem da Terra, o funcionamento dos organismos vivos. Assim como Deus age por meio de leis morais, e governantes mantêm a disciplina por meio da legislação, Newton conferiu regularidade ao cosmos ao decifrar as leis da natureza – um triunfo matemático que os cientistas vitorianos queriam imitar.

Diante da estátua de Newton, Brougham expôs sua lei científica – a "Lei do Progresso Gradual". Tal como muitos vitorianos, o *workaholic* Brougham acreditava que o trabalho árduo é a chave do sucesso, e pregava os benefícios do conhecimento construído passo a passo. A sóbria figura de bronze de Newton simboliza as vantagens da dedicação, e serviu de inspiração a Margaret Thatcher, outra famosa *workaholic*, que passava pelo monumento em sua caminhada diária até a escola. Para despertar nas pessoas a fé no potencial da ciência, Brougham traçou eloquentemente uma visão geral progressiva da história da humanidade. Segundo ele, Newton havia herdado as conquistas de seus antecessores e, utilizando desde cedo sua genialidade, conseguira ir mais longe, estendendo os limites do conhecimento teórico e, de maneira igualmente importante, preparando o caminho para o advento das máquinas a vapor, a fonte da supremacia industrial inglesa. Brougham afirmou que, ao construir sobre o legado de Newton, os cientistas levariam a Inglaterra a um futuro magnífico.

O progresso foi tema recorrente na ciência do século 19. Os analistas previam avanços em muitas frentes: novas leis seriam formuladas, partes inexploradas do globo seriam descobertas e controladas, máquinas se tornariam maiores, melhores e mais rápidas, o nível geral de educação melhoraria... As promessas se multiplicavam. Significativamente, na década de 1830, as teorias científicas carregavam a noção de progresso, contrariando a visão tradicional de que o universo que encontramos é exatamente o mesmo criado por Deus. Os geólogos descreviam um planeta que se resfriou lentamente, partindo de um estado fluido original; os astrônomos sugeriam que o sistema solar resultava da condensação de um turbilhão de nuvens; e os primeiros evolucionistas ousavam propor que as plantas e os animais nem sempre existiram tal como se mostravam.

Além de persistente defensor da ciência, Brougham era um político astuto. Por toda a vida, traçou esquemas utópicos para tornar acessível o conhecimento científico, levando-o até mesmo ao mais humilde trabalhador. Quando uma sociedade dedicada à difusão do conhecimento científico, a Society for the Diffusion of Useful Knowledge (SDUK), começou a publicar livros científicos, vendidos a preços baixos, Brougham escreveu um entusiástico tratado que vendeu mais de 30 mil cópias – um número enorme para a época. Não se tratava, porém, de um apelo por oportunidades iguais para todos. Em vez de incentivar os trabalhadores a buscarem formação universitária, Brougham sustentava que eles alcançariam melhor desempenho profissional se entendessem melhor suas tarefas.

A SDUK se apresentava como sociedade filantrópica, mas seus organizadores agiam como missionários científicos com uma agenda oculta. A própria denominação escolhida para a instituição revela sentimento de superioridade, implicando que uma elite transmitiria aos trabalhadores informações já compiladas não necessariamente desafiadoras, em termos intelectuais, mas que favoreceriam a eficiência, gerando assim um lucro maior para os empregadores. Ao convencer os trabalhadores de que o progresso viria por meio da ciência, as classes privilegiadas esperavam reduzir os protestos políticos por melhores salários e condições de trabalho. Um escritor de ideias radicais chegou a fazer graça, dizendo que a intenção de Brougham era fazer com que todos os ingleses lessem Bacon, mas o que eles realmente precisavam era de bacon na mesa de refeições.

Figura 30. William Heath [Paul Pry], *The March of Intellect*, 1829.

Os planos de Brougham para educar os trabalhadores, e suas visões otimistas sobre o progresso científico, receberam muitas críticas. A caricatura *A Marcha do Intelecto* (Figura 30) traz a legenda satírica "Deus sabe como o mundo melhora à medida que envelhecemos", que se tornou um ditado comum na época. A cena mostra objetos que parecem absurdos, mas remetem a projetos de engenharia existentes na época. A locomotiva desenhada por George Stephenson acabava de ser lançada, e os primeiros viajantes de trem ficavam aterrorizados com a velocidade dos "cavalos a vapor" (no canto inferior direito). No centro do desenho, passageiros embarcam em Greenwich para uma viagem até Bengala em transporte movido a vácuo. Menos de 20 anos depois, porém, trens subterrâneos com propulsão similar já eram usados em várias linhas.

> AS MÁQUINAS A VAPOR TORNAVAM OS BENS MANUFATURADOS MAIS BARATOS, MAS TAMBÉM AMEAÇAVAM A HIERARQUIA EXISTENTE.

As máquinas a vapor tornavam os bens manufaturados mais baratos, mas também ameaçavam a hierarquia existente. Ao fantasiar sobre máquinas a vapor e dirigíveis, o artista ridicularizou os privilegiados que questionavam o valor das inovações tecnológicas, mostrando que o conforto resultaria inevitavelmente em decadência moral e deterioração intelectual. Segundo esses críticos, se as classes trabalhadoras tivessem acesso a educação, viagens e luxos, talvez negligenciassem o trabalho. Os aristocratas ricos temiam perder o poder, se o passassem a *self-made men*, homens de negócios que investiam na indústria, fazendo fortuna rapidamente; daí a inscrição em latim acima da "máquina para limpeza de botas de nobres privilegiados", no canto inferior direito: "Deus aprecia as mãos puras, não as mãos cheias." Diversas cenas mostram o comportamento inadequado de trabalhadores. O proprietário do limpador de botas encosta-se indolentemente a uma parede, lendo um jornal francês, enquanto um lixeiro e um colega muito sujo se fartam de comidas estranhas, ignorando acintosamente uma elegante senhora que se abriga embaixo do guarda-sol de um empregado negro.

Apesar das sátiras, as máquinas a vapor realmente tiveram um impacto dramático sobre o progresso científico. Trens e navios velozes deixaram o mundo muito menor, fazendo com que conhecimento e pessoas, espécimes e instrumentos fossem transportados com rapidez jamais vista. De igual importância foi a revolução causada pelo vapor no mercado editorial. Livros e publicações vendidos a preços baixos permitiram que, pela primeira vez, um amplo setor da população pudesse ler sobre ciência. Com a mecanização dos processos de produção, os custos do papel despencaram, e a impressão foi significativamente acelerada. Na década de 1830, os editores perceberam que fazia sentido reduzir os preços, aumentando os lucros por meio do volume de vendas – uma oportunidade inédita. Não foi por coincidência que, nessa época, a SDUK e seus concorrentes cresceram tanto.

Por causa dessa redução nos custos da impressão, Brougham sabia, ao fazer seu discurso newtoniano aclamando o progresso científico, que suas palavras chegariam ao país inteiro. Panfletos se esgotaram no mesmo dia, jornais publicaram resumos do discurso, e estampas onde se via a estátua de Newton com sua postura autoritária alcançaram regiões muito além dos limites de Grantham. Essas novas oportunidades de divulgação permitiam que cientistas se promovessem com mais eficiência, influenciando a opinião pública a favor de investimentos em viagens exploratórias e projetos de pesquisa. Ao mesmo tempo, como ilustra a caricatura *A Marcha do Intelecto*, os críticos também ganharam visibilidade. Em vez de se restringirem a uma minoria privilegiada, os debates sobre a ciência e seu impacto começaram a chegar ao público.

Essas possibilidades inéditas de divulgação transformaram a ciência. Uma organização de especial influência foi a British Association for the Advancement of Science (BAAS), uma associação progressista que se aproveitou dos baixos custos de impressão para divulgar a ciência e aumentar o número de pessoas envolvidas. Fundada em 1831, a BAAS incentivava os pesquisadores a usar as reuniões anuais realizadas em cidades do interior para revelar suas descobertas. Seguindo as ideias de William Whewell, que reconheceu a importância de se formar uma comunidade científica, a instituição não só estimulava os cientistas a unir forças, argumentando que isso lhes daria mais credibilidade do que se divididos em disciplinas separadas, como também fornecia a proteção de que necessitavam, na ausência de estruturas de apoio profissional.

Em vez de seguirem um caminho já traçado, os indivíduos que ingressavam na vida científica eram forçados a forjar uma trajetória de carreira. Sem a segurança profissional que existe atualmente, mesmo figuras destacadas encontravam no dinheiro um problema. Thomas Huxley, por exemplo, hoje famoso por promover a Teoria da Evolução de Darwin, enfrentava constantes apuros financeiros. Muitos cientistas trabalhavam em casa, sendo Darwin o exemplo mais famoso. Outro exemplo foi Lord Rayleigh, um físico de Cambridge, obrigado a recolher diariamente os instrumentos científicos de cima do piano, para dar espaço às rezas familiares. Até mesmo no ambiente universitário os professores precisavam esforçar-se para conseguir as condições mínimas de trabalho. Lord Kelvin converteu em laboratório uma adega abandonada, mas era incomodado pelo pó de carvão que vinha de um depósito próximo. Somente ao final do século, depois de muito empenho e iniciativas individuais, os formandos começaram a contar com a possibilidade de receber um salário para exercer a profissão de cientista.

Além dessas práticas que incentivavam a ação coletiva, os cientistas do século 19 foram também teoricamente levados à cooperação. Eles acreditavam que as ciências são interligadas; assim, o progresso em direção à Verdade Absoluta só poderia acontecer com base em descobertas variadas, sem depender dos avanços inerentemente limitados em uma área do conhecimento. Os cientistas, além disso, acreditavam em um único meio para descobrir as leis matemáticas unificadoras que governam a natureza: a busca sistemática. Em todas as áreas de atuação, os cientistas afirmavam utilizar-se de um método científico comum que caracterizava sua abordagem única em relação ao mundo e os distinguia dos não cientistas.

Entretanto, a exposição também criou problemas. Os cientistas divulgavam suas realizações, com o objetivo de disseminar ideias, melhorar a educação científica e angariar seguidores, consolidando assim o *status* alcançado. Conscientes do novo poder disponibilizado pelo barateamento das publicações, eles produziram grande quantidade de livros e artigos de revista, assim levando sua atividade a um público cada vez numeroso. Os líderes da BAAS, porém, consideravam-se privilegiados, cujo profundo pensamento científico escapava ao entendimento das pessoas comuns, e perguntavam: Seria justo esperar que homens de classes menos favorecidas – sem mencionar as mulheres – seguissem as rigorosas exigências mentais do método científico? Caprichosamente, ao insistir na singularidade de suas habilidades, os cientistas impossibilitaram uma ampla participação do público nos avanços da ciência.

Esse sistema de classes baseado no intelecto colocava trabalhadores e mulheres no nível mais baixo da hierarquia científica. Mesmo na supostamente democrática BAAS, mulheres e filhas só podiam participar de reuniões nos fins de tarde, para tratar de assuntos leves. Vitorianos de elite se orgulhavam do progresso alcançado, mas hesitavam em reconhecer que esse progresso também se devia ao trabalho de indivíduos que não faziam parte dos altos escalões da ciência. Muitos grupos menos privilegiados deram contribuições importantíssimas, e ainda assim permaneceram praticamente invisíveis. Claro que muitos assistentes técnicos trabalhavam anonimamente – homens menos capacitados que, no entanto, eram essenciais à fabricação de equipamentos, à organização de laboratórios e à condução de experiências. Da mesma forma, cientistas de renome raramente conferiam a suas mulheres, muitas vezes escolhidas como colaboradoras em potencial, o crédito pela edição, ilustração e classificação de espécies. Mary Lyell, por exemplo, foi a ajudante ideal. Filha de um rico e famoso cientista (o que era perfeito para um genro ambicioso), tornou-se a parceira intelectual (jamais reconhecida) do marido, o geólogo Charles Lyell. Antes do casamento, ela concordou em aprender alemão, para poupá-lo desse trabalho. Como lua de mel, o casal viajou para o campo, quando recolheu material que serviria a estudos geológicos. Mais tarde, Mary editou e ilustrou os livros de Charles, organizou sua coleção de minerais e tornou-se especialista na classificação de conchas. Chegou mesmo a treinar sua criada para matar e limpar caracóis.

> O SISTEMA DE CLASSES, BASEADO NO INTELECTO, COLOCAVA TRABALHADORES E MULHERES NO NÍVEL MAIS BAIXO DA HIERARQUIA CIENTÍFICA.

Embora os cientistas se considerassem especialistas, o conhecimento não se difundiu simplesmente de cima para baixo, a partir das elites. Na verdade, as mudanças, muitas vezes, resultavam da interação de diversos grupos e da troca de informações. Alguns fósseis extremamente importantes, por exemplo, não foram desenterrados por destacados geólogos londrinos, mas por habitantes de cidades pequenas que entregavam suas descobertas em troca de dinheiro. A mais famosa delas foi Mary Anning de Lyme Regis, que ainda muito jovem descobriu o primeiro dinossauro no litoral inglês. Mais tarde, ela abriu um negócio para a venda de fósseis a cientistas ricos, que ficavam intrigados com aqueles esqueletos tão diferentes de qualquer espécie viva. Muitos desses fósseis acabaram em museus (a maioria sem crédito para Mary), e apesar de suas descobertas terem transformado a Geologia, fornecendo provas concretas da extinção dos dinossauros, Mary jamais divulgou seu trabalho e, assim, não conseguiu o reconhecimento formal. Tornou-se ela mesma apenas uma espécie de item de colecionador, uma curiosidade provinciana a ser admirada pelos visitantes londrinos.

Especialistas em outras disciplinas dependiam de redes parecidas, cujos participantes se destacavam de diferentes maneiras; os experts em ciência nem sempre sabiam mais do que os outros. Em vários pontos de Manchester, grupos de tecelões fundaram sociedades botânicas informais, que se reuniam em tavernas locais. Apesar de nem sempre terem recebido educação formal, os tecelões levavam seus estudos a sério, multando quem chegasse bêbado para as reuniões e comparando cuidadosamente as ilustrações dos livros didáticos com os exemplares recolhidos, para aprender seus nomes em latim. De tanto explorar as colinas das redondezas, eles acumularam conhecimento sobre a distribuição de plantas. Botânicos famosos confiavam nesses estudiosos amadores, capazes de identificar e colecionar flores raras que jamais teriam encontrado por conta própria.

Outra forma de participação de não profissionais no desenvolvimento da ciência foi a publicação maciça de livros. Autores mais espertos já haviam tentado aumentar as vendas, dirigindo-se às mulheres como potenciais compradoras, mas durante o século 19 elas mesmas começaram a escrever. O exemplo mais significativo é Mary Somerville, uma naturalista matemática de tanta capacidade que, apesar da desvantagem de não poder cursar a universidade, fez pesquisas suficientemente originais para serem publicadas na revista *Philosophical Transaction of the Royal Society*. No entanto, proibida de entrar na sede da instituição, teve de recorrer ao marido para a apresentação de seus trabalhos. Mais tarde, os membros da Royal Society ergueram um busto em sua homenagem no saguão de entrada.

Tal como outras mulheres talentosas excluídas dos laboratórios científicos e das sociedades acadêmicas, Somerville teve uma influência profunda na ciência por meio de seus trabalhos. Convocada por Brougham para criar uma versão mais popular do livro de Laplace sobre Astronomia, ela acabou produzindo um texto próprio. Nele explicava aos cientistas britânicos com dificuldades em Matemática os cálculos complexos essenciais ao entendimento das inovações apresentadas por Laplace. Embora menos especializado, o livro seguinte de Somerville abordava um tema central da Física do século 19: a ligação entre fenômenos aparentemente distintos.

Além de sintetizar as ideias de muitos autores com os quais estava familiarizada, Somerville forneceu novas interpretações que influenciaram futuros debates sobre Luz e Eletromagnetismo. Leitores comuns compreenderam os conceitos, depois que ela apresentou alguns diagramas. Cientistas de elite se impressionaram. *On the Connexion of the Physical Sciences* ("Sobre a Conexão das Ciências Físicas", em tradução livre), livro de Somerville publicado em 1834, tornou-se um clássico que muito contribuiu para consolidar a reputação dos físicos vitorianos. Ao escolher a unificação, Somerville escreveu exatamente sobre o tópico que inspirou a fundação da BAAS. Whewell empregou pela primeira vez a palavra "cientista" na crítica entusiástica que escreveu sobre o trabalho dela.

CAPÍTULO 30
GLOBALIZAÇÃO

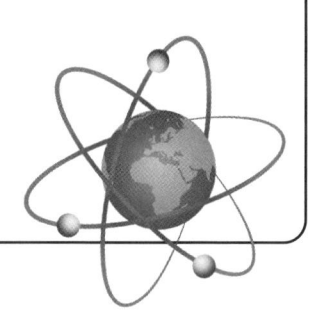

Graças ao sistema de rodovias interestaduais, agora é possível viajar de costa a costa sem ver coisa alguma.

- Charles Kuralt, *On the Road* (1980)

Depois que Cristóvão Colombo partiu rumo à Índia, mas foi parar nas Bahamas, os europeus tiveram de reconhecer a existência de outra grande extensão de terra. Decididos a manter a separação entre o o Velho e o Novo Mundo, eles imaginaram uma linha do Norte ao Sul, passando pelo meio do Oceano Atlântico. Decorridos 300 anos, um Colombo alemão chamado Alexander von Humboldt passou cinco anos explorando a América Latina e decidiu dividir o mundo em outra direção: pela linha do equador. Dizendo estar mais interessado no clima do que na História, Humboldt planejava utilizar medições sistemáticas para fundar uma nova Física terrestre, que uniria o mundo inteiro.

De certa forma, a ciência já era global. Os estudiosos de História Natural já usavam ligações do comércio internacional e amizades pessoais para trocar exemplares; plantas, animais e minerais viajavam ao redor do mundo em muitas direções. As novas ciências da Botânica e da Geologia dependiam desse intercâmbio global, que aumentou durante o século 19, com a expansão dos territórios e das redes comerciais das nações. Informações também passavam de um lugar para outro, não só em livros, mas também na troca de informações sobre processos de manufatura, tratamentos médicos, técnicas agrícolas. Comerciantes, imigrantes e colonos integravam os próprios costumes à cultura local. Assim, o conhecimento não era adotado como um todo; só chegava a outras regiões depois de transformado e assimilado. Por exemplo: ao projetarem sistemas de irrigação, engenheiros europeus incorporaram métodos desenvolvidos no vale do Nilo durante séculos, enquanto médicos que viajaram para colônias nos trópicos testaram remédios tradicionais para desenvolver drogas poderosas que pudessem ser utilizadas em larga escala.

Surgia um novo tipo de ciência. Cientistas começaram a enxergar o globo terrestre como uma entidade a ser analisada, de maneira que o próprio mundo se tornou um laboratório. Os estudiosos europeus passaram a investigar os fenômenos naturais nos lugares onde ocorriam, em tempo real, em vez de recolher amostras para uma análise futura. Humboldt, um dos pioneiros dessa abordagem com base no trabalho de campo, considerava-se um físico terrestre de atuação muito diferente dos naturalistas. Seu objetivo era analisar, e não apenas coletar e descrever; ao construir uma ampla rede de dados com medições precisas, ele conseguiu elaborar leis científicas para descrever o mundo inteiro. Ao unir Oriente e Ocidente, Humboldt imaginou faixas climáticas em torno da Terra, acima e abaixo da linha do equador, cada uma com vegetação, paisagem e sociedades típicas.

> CIENTISTAS COMEÇARAM A ENXERGAR O GLOBO TERRESTRE COMO UMA ENTIDADE A SER ANALISADA.

Adepto da autopromoção, Humboldt aproveitou a crescente indústria da comunicação, para divulgar suas viagens. Os cientistas alemães, moderados por natureza, relegavam as aventuras romanceadas de Humboldt ao gênero da literatura infantil, mas em outros países ele se tornou o símbolo do desbravador ousado que enfrentava corajosamente montanhas, rios e doenças, com o objetivo de mapear o mundo cientificamente. Além de promover as ciências da Terra, Humboldt dedicou-se a atividades, muitas vezes, consideradas alheias ao campo científico, como incentivar investidores europeus e colaborar com movimentos de independência. Humboldt conseguiu que os europeus se convencessem da importância dos territórios localizados nas Américas Central e do Sul, tornando-se um herói aos olhos dos habitantes dessas regiões. Ao contrário da maioria dos cientistas modernos, Humboldt vinha de uma família de posses e não tinha uma agenda profissional a seguir. Como um estudioso relativamente livre, escolheu investir vultosas somas e longos períodos de tempo na coleta de medições precisas, e buscou ouvir também opiniões de indígenas e de revolucionários políticos. Depois de aprender com os agricultores peruanos a usar o guano (esterco de aves marinhas), ele impulsionou a economia local e conquistou a glória, ao transformar esse tradicional fertilizante em descoberta científica que beneficiaria os europeus.

Equipado com uma grande variedade de instrumentos de precisão, Humboldt demonstrou que a coleta de medições cuidadosas pode revelar padrões nas condições da natureza, assim impondo ordens matemáticas a fenômenos variáveis, como a pressão do ar, o magnetismo e a distribuição de plantas. A figura 33 mostra visualmente que deve haver leis gerais para descrever como a temperatura varia pela superfície terrestre. O mapeamento de Humboldt se estende da costa leste da América, na esquerda, até a Ásia, na direita, e ilustra uma nova e crucialmente importante abordagem estatística para a natureza. Em vez de mapear as temperaturas em determinado dia, Humboldt calculou a média anual das temperaturas para cada lugar; assim, reuniu milhares de observações em algumas linhas curvas, chamadas de curvas isotérmicas. Uma vez calculada a média dessas flutuações, Humboldt registrou e demonstrou a regularidade global.

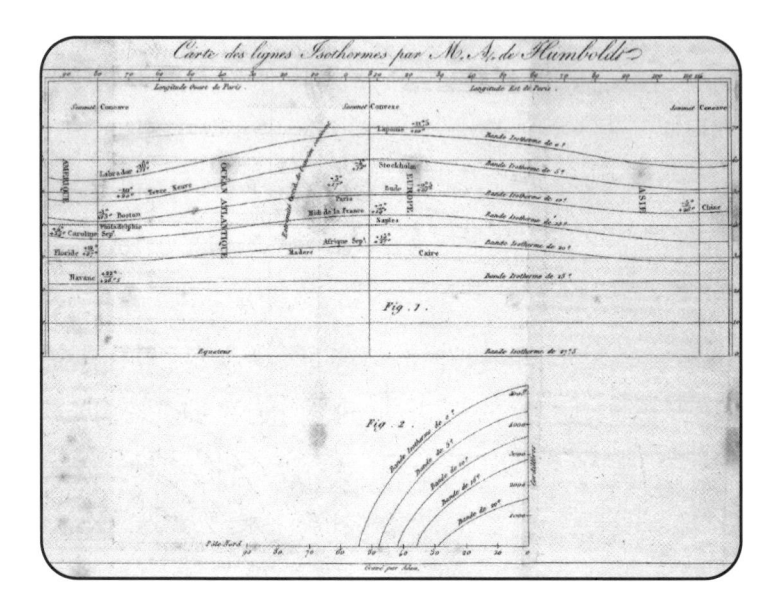

Figura 31. "Gráfico de linhas isotérmicas" de Alexander von Humboldt. *Annales de chimie et de physique* 5 (1817).

Em termos visuais, Humboldt foi um inovador. A Figura 31 é um dos exemplos mais antigos de como os diagramas ajudam cientistas, publicitários e políticos a reunir evidências e apresentá-las de maneira convincente (ainda que nem sempre justa). Na primeira metade do século 19, gráficos e tabelas apenas começavam a ser utilizados, e custaram a popularizar-se. Para tentar interpretar dados diagramáticos, os cientistas tiveram de aprender uma nova linguagem visual, uma vez que a leitura e a interpretação de gráficos e mapas só se automatizam com a prática. Mesmo as curvas de nível, que remetem à altura de montanhas, pareciam estranhas e só passaram a ser usadas rotineiramente no começo do século 20. As curvas isotérmicas de Humboldt envolviam um salto conceitual ainda maior, porque eram resumos idealizados, sem uma realidade física. Humboldt registrava as médias em forma de linhas, tornando visível a regularidade estatística. Assim, eliminava a leitura de grandes quantidades de anotações, substituídas pelas relações científicas identificáveis com um simples olhar.

Essa habilidade de raciocinar por meio de diagramas foi estimulada pelas novas técnicas de impressão, que possibilitaram a reprodução de imagens a baixo custo, bem como sua incorporação ao texto, em vez de serem apresentadas em folhas separadas. Aos poucos, técnicas inovadoras de visualização tornaram-se importantes em muitas áreas da ciência. Faraday, por exemplo, sabia pouco de Matemática, mas foi um inspirado criador de visualizações em três dimensões. Para desenvolver o conceito de campos eletromagnéticos, ele imaginou linhas de força quase reais a se estenderem pelo espaço. No campo da Geologia, o grande inovador visual foi um amigo de Darwin, Charles Lyell, que incluiu um grande número de diagramas em sucessivos volumes de sua influente obra de 1830-3, *Principles of Geology* ("Princípios da Geologia", em tradução livre). À medida que aprendiam a interpretar cortes esquemáticos da crosta terrestre, os geólogos iam adquirindo a habilidade de transferir automaticamente a escala vertical para longos períodos de tempo.

A busca por leis unificadoras levou Humboldt a integrar a sociedade de seres humanos à natureza. Ele analisou o mundo sob a ótica do ambientalismo, e efetivamente dividiu o continente americano em dois estereótipos: ao norte as regiões temperadas, parecidas com a Europa; ao sul os trópicos, onde a natureza floresce com exuberância, mas impossibilita uma cultura refinada. Com palavras e imagens, Humboldt retratou a América equatorial como um território magnífico, onde os visitantes se deparavam com a força e os mistérios da natureza. Para reforçar o impacto, ele mencionava chuvas torrenciais e vegetação invasiva, e referia-se aos habitantes locais como figuras exóticas, que esperavam passivamente a oportunidade de servir os visitantes civilizados:

> A BUSCA POR LEIS UNIFICADORAS LEVOU HUMBOLDT A INTEGRAR A SOCIEDADE DE SERES HUMANOS À NATUREZA.

"Quando não encontrávamos mais a terra firme, entrávamos na água e atravessávamos a pé ou nos ombros de um escravo... Os índios faziam incisões nos troncos das árvores com seus facões, chamando a nossa atenção para belas madeiras vermelhas e douradas, que algum dia serão usadas por nossos torneiros e marceneiros."

A visão de Humboldt influenciou fortemente as complexas relações entre o Velho e o Novo Continente. Essas relações complexas estão simbolizadas na Figura 32, a página de rosto de sua obra *Atlas géographique et physique du Nouveau Continent*, que retrata os muitos elos entre ciência, comércio e política. Abraçados, os dois europeus – a deusa da sabedoria (Atena) e o deus do comércio (Hermes) – consolam o guerreiro asteca que derrotaram unidos. Para enfatizar a pouca idade das sociedades do Novo Continente, a estátua destruída (no canto inferior esquerdo) é intencionalmente rudimentar, enquanto as ruínas da cultura mexicana correspondem à turbulência política, representada pelo vulcão ao fundo, símbolo das forças da natureza. Essa montanha coberta de neve é o Monte Chimborazo, no Equador, local da glória pessoal de Humboldt; depois de quase alcançar o pico, ele declarou haver chegado mais alto do que qualquer outro homem. A divisão horizontal da montanha é outro dos artifícios visuais de Humboldt, indicando que ele havia calculado a média de numerosos dados, condensando o clima e a agricultura da América Latina em zonas ambientais distintas. Assim como a Física terrestre havia imposto a ordem às poderosas forças da natureza no Novo Continente, os rebeldes habitantes locais seriam domados pela civilização europeia.

Figura 32. Página de rosto da obra de Alexander von Humboldt *Atlas géographique et physique du Nouveau Continent*, Paris, 1814. Gravura de Barthélemy Roger, sobre desenho de François Gérard.

Exploradores nunca são observadores neutros. Por mais preciso e cuidadoso que seja o registro dos dados coletados, a seleção e a interpretação partem de uma perspectiva pessoal. Em vez de retratar um continente primitivo de natureza tropical exuberante, Humboldt poderia ter enfatizado a agricultura bem organizada do continente americano. Suas impressões da América eram influenciadas pelas descobertas feitas em recentes expedições arqueológicas ao Egito. De maneira semelhante, seus relatos sobre a

América do Sul influenciaram visões posteriores em relação à África e à Ásia. Graças, em especial, às campanhas de autopromoção, Humboldt tornou-se um ícone romantizado que inspirou Charles Darwin e muitos outros jovens a aventurar-se por locais remotos do globo. Tal como Humboldt, os pioneiros descreviam paisagens e pessoas em cores dramáticas, mostrando-se como conquistadores que haviam superado condições extremas da natureza, levando a civilização aos habitantes nativos; assim, seduziam as plateias. Escondendo sua dependência do conhecimento local, eles se apropriavam da sabedoria daqueles que os recebiam, assumindo o papel de descobridores autônomos de fatos científicos.

Humboldt insistia na necessidade de uma obsessiva coleta de dados, para encontrar leis globais. No entanto, sem uma coordenação sistemática, o mapeamento do mundo seguiu desordenadamente. Hoje parece claro que faz sentido os países buscarem recursos e trocarem informações, mas na época os governantes precisavam ser convencidos de que valia a pena investir em ciência. Era mais fácil levantar fundos para projetos práticos que glorificassem as nações individualmente. Como ressaltou Humboldt, por exemplo, o estudo do magnetismo terrestre prometia melhorar a navegação. Assim, na década de 1830, um grupo de cientistas britânicos, muitos dos quais associados à BAAS, decidiu conferir medições magnéticas de todas as partes do mundo.

Os participantes, porém, viam-se constantemente divididos entre os desejos conflitantes de colaborar com pesquisadores estrangeiros e de contribuir para a glória nacional, competindo com rivais políticos. Embora o progresso científico despertasse entusiasmo, foi o desejo de derrotar a França e a América que convenceu o governo britânico a financiar uma expedição ao continente antártico. O financiamento de uma rede internacional de postos de observação foi ainda mais difícil. Ainda assim, o *lobby* acabou dando resultado, e na metade do século 19 lugares tão distantes entre si, como Filadélfia, Pequim e Praga, já compartilhavam informações sobre Magnetismo. Aos poucos, embora sem regularidade, redes de laboratórios se estenderam pelo globo, monitorando constantemente os padrões de clima, as marés e outros fenômenos variáveis. No entanto, a localização mal planejada e as equipes nem sempre bem preparadas desses laboratórios fizeram com que as iniciativas individuais continuassem muito importantes, no que se refere às medições. Para os investidores, a elaboração de leis científicas globais era questão de baixa prioridade.

A comunicação global parecia um investimento muito mais atraente. A partir da década de 1840, governos e empresas privadas passaram a investir pesadamente em sistemas elétricos de telegrafia, usados de início na Grã-Bretanha para mandar mensagens ao longo das linhas férreas; esse tipo de comunicação propiciou a prisão de um assassino na estação de Paddington. A seguir, a instalação de cabos submarinos permitiu que as mensagens fossem transmitidas quase instantaneamente de um país para outro – a princípio entre França e Inglaterra, e depois por todo o globo. Assim como em tantas outras inovações tecnológicas, não houve um momento decisivo, um único inventor responsável pela transformação nas comunicações internacionais da noite para o dia. O pioneiro mais famoso foi o norte-americano Samuel Morse, conhecido por utilizar seu código de toques longos e curtos para enviar, entre as cidades de Washington e Baltimore, nos Estados Unidos, significativa mensagem bíblica: "O que Deus criou?". Ideias brilhantes raramente surgem prontas, e Morse beneficiou-se não só de sua habilidade em conseguir recursos financeiros como do conhecimento do sistema de patentes. Incontáveis outros inventores, cada qual com uma história heroica de descobertas, ficaram esquecidos: o inventor russo que estabeleceu comunicação entre os palácios de verão e de inverno do czar; o norte-americano que furtou a roupa íntima de seda de sua mulher para isolar o eletromagnetismo; e (infelizmente, mais comum), o eletricista britânico que, pressionado pelos concorrentes e sem dinheiro para requerer patentes, fugiu para a Austrália.

A Grã-Bretanha tomou a iniciativa na metade do século 19. As nações rivais não conseguiam competir com seu enorme conhecimento sobre Eletricidade, seus maciços investimentos financeiros em cabos submarinos e seu controle sobre recursos naturais extraídos das colônias, como a guta-percha, da Malásia, utilizada para isolamento. Engenheiros insistiam que, para o sistema telegráfico funcionar globalmente, todos os países deviam adotar o mesmo sistema de medidas; como a Grã-Bretanha dominava a telegrafia, as unidades elétricas britânicas tornaram-se padrão no mundo inteiro. Acima de tudo, o sistema telegráfico global foi um produto do Império Britânico.

A ciência estava definitivamente ligada a esse complexo comercial-tecnológico-imperial. A nova disciplina do Eletromagnetismo havia inspirado as invenções que tornaram a telegrafia possível. Reciprocamente, e com a mesma importância, a implantação de redes telegráficas mundiais estimulou novas pesquisas, fazendo com que muitas inovações surgissem em colônias. Como precisavam monitorar os sinais que chegavam, os cientistas da telegrafia criaram instrumentos muito sensíveis, como condensadores e bobinas de resistência, mais tarde utilizados em todos os laboratórios científicos. Imperialistas vitorianos comparavam a rede telegráfica a um enorme sistema nervoso que conectava o cérebro, Londres, a regiões remotas, como os braços sensíveis das estrelas-do-mar em busca de alimento. Com a expansão territorial, essas extremidades elétricas da comunicação acabaram por abraçar o globo, enviando ordens para garantir o poder central; contudo, dependiam de informações essenciais geradas em outros continentes.

> A NOVA DISCIPLINA DO ELETROMAGNETISMO HAVIA INSPIRADO AS INVENÇÕES QUE TORNARAM A TELEGRAFIA POSSÍVEL.

A solução de problemas práticos ligados à transmissão de mensagens por longas distâncias levou os cientistas a desenvolverem diversas teorias para explicar como a eletricidade viaja. A maioria dos cientistas franceses e alemães privilegiava as interações de correntes e partículas elétricas. Diferentemente, os físicos britânicos deixaram de pensar nos cabos telegráficos, para estudar o papel do espaço, da área que circunda o cabo. Confusos com alguns efeitos estranhos, eles recorreram a Faraday, que voltou ao cenário científico e desenvolveu suas visões sobre campos eletromagnéticos que se expandiam por um universo aparentemente vazio. Depois de Faraday, esses modelos de campo se tornaram essenciais para a moderna Física teórica. Contudo, na era vitoriana, o Eletromagnetismo foi sustentado por preocupações práticas do setor telegráfico.

Humboldt considerava-se o primeiro físico terrestre, mas a Eletricidade foi a nova Física global do século 19. À medida que se tornava mais rica e poderosa, a Grã-Bretanha cobria suas colônias com redes de telégrafo, impunha suas unidades de eletricidade à ciência mundial e dominava a Física com teorias de campo derivadas da telegrafia a cabo. Em questões de Eletricidade, o centro nervoso da Grã-Bretanha era Glasgow, onde William Thomson (mais tarde lorde Kelvin) consolidou a fama de principal físico de telegrafia; o engenheiro econômico que uniu governos, indústria e ciência quando, depois de algumas tentativas frustradas, conseguiu implantar o cabo telegráfico sob o Oceano Atlântico, em 1866. Tal como Humboldt, Thomson uniu o Velho e o Novo Mundo; Humboldt teria aprovado a abordagem quantitativa adotada por ele em relação a teorias abstratas. Thomson disse: "Quando consegue medir e expressar em números aquilo de que fala, você aprende. Mas, se não consegue fazer as medições, é sinal de que suas ideias pouco avançaram para o estágio de ciência."

CAPÍTULO 31
OBJETIVIDADE

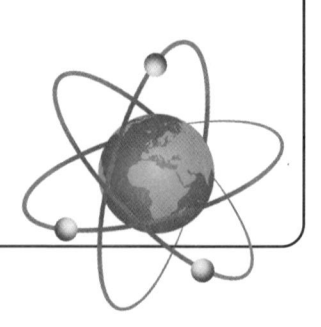

Dizem que a mente governa o mundo. Mas o que governa a mente? Preste muita atenção: o corpo está à mercê do mais onipotente dos potentados – o químico.

- Wilkie Collins, *The Woman in White*, publicado em português sob o título "A Mulher de Branco" (1860)

Os cientistas vitorianos endeusavam Isaac Newton – ou melhor, o símbolo de racionalidade que imaginavam ver nele (Figura 29). Omitindo os relatos de experiências alquímicas e de episódios de insanidade, eles o aproximavam da descrição de Nietzsche para "o homem objetivo": um ser impassível, preocupado apenas em "funcionar como reflexo" daquilo que ele quer ver. Tal qual um instrumento científico, Newton supostamente anotou o mundo ao seu redor com neutralidade, para depois analisar os dados com distanciamento. Levado ao extremo, Newton simboliza um estereótipo científico universal, embora inatingível: o gênio abnegado que mede o universo como se fosse um observador externo.

Muitos questionavam se essa objetividade era possível, ou mesmo desejável. Tais dúvidas se intensificaram especialmente na Alemanha durante a primeira metade do século 19, quando artistas, escritores e filósofos românticos buscavam transcender as diferenças entre o mundo físico e o mundo humano, entre a pesquisa abstrata e a criatividade inspirada, entre a ciência e a literatura. Os mais atuantes entusiastas dessa visão idealizada eram os chamados naturphilosophen, classificação esta mantida em alemão para caracterizar a diferença em relação aos filósofos naturais. O prefixo "natur" indica a crença de que, como seres humanos, estamos definitivamente ligados à natureza. É impossível fugir a esse fato; não conseguimos evitar que nossa mente prepare a forma como vamos analisar e interpretar o que vemos.

Segundo os naturphilosophen, a ciência caminhava na direção errada. Formando um grupo heterogêneo, sem uma filosofia comum, incorporavam os seres vivos a seu desenvolvimento, em busca de teorias completas que ligassem o universo. Enquanto Newton, Descartes e os filósofos mecânicos pensavam na criação como um imenso relógio astronômico, eles imaginavam um organismo cósmico e acreditavam em uma natureza orgânica em evolução – um cosmos com vida própria. Se essa tentativa de resumir tudo parece vaga e obscura, reflete as enormes imprecisões de suas teorias. No entanto, por mais diferentes e herméticos que fossem, os naturphilosophen exerceram uma forte influência sobre a ciência do século 19, tanto imediata – o Eletromagnetismo de Faraday e a Física terrestre de Humboldt, por exemplo – quanto a longo prazo, sobre questões tão variadas quanto a evolução, a Mecânica Quântica e o ambientalismo.

Se os Naturphilosophen quisessem adotar um símbolo, poderia ser a Figura 33, retirada de um baralho de cartas desenhado por Johann Wolfgang von Goethe para suas primeiras aulas sobre Ótica. Sim, Goethe, apesar de hoje conhecido como o Shakespeare alemão, foi um ativo pesquisador científico, um especialista em minerais que possuía 18 mil amostras de rochas e também participava de discussões internacionais sobre Biologia e Ótica, especialmente no terreno das cores. A abordagem subjetiva de Goethe em relação à experimentação científica incluía deliberadamente as reações do observador. Na imagem, o olho maçônico se projeta com firmeza, emitindo raios de luz para afastar as nuvens escuras da ignorância. Segundo Descartes, Newton e os defensores da objetividade, um prisma ou uma lente servem para produzir imagens distintas que podem ser avaliadas com imparcialidade, como se o próprio olho humano fosse um instrumento. De acordo com Goethe, porém, os seres humanos estão inevitavelmente envolvidos nas observações que fazem. Ele olhava diretamente para o prisma, convertendo a retina em tela de projeção. Para Goethe, a ciência pertencia ao mundo, e não apenas aos laboratórios. Ele examinava os efeitos que sentia ao olhar a roupa colorida de uma mulher ou uma montanha coberta de neve e, em seu romance *As Afinidades Eletivas*, comparou as mudanças no casamento a transformações moleculares. Em vez de negar sua imaginação,

Goethe afirmava que, sendo um gênio criativo do romantismo, a intensidade emocional e a consciência apurada o ajudariam a elaborar um conhecimento científico mais humano.

Figura 33. Johann von Goethe, xilogravura que acompanha sua obra *Optical Lectures* (1792).

O arco-íris da imagem simboliza a hostilidade de Goethe em relação à Ótica newtoniana. Enquanto Newton acreditava que as cores já vinham misturadas na luz solar, Goethe insistia que elas resultavam da conjunção de opostos polares, apontando as bordas coloridas que se veem no limite entre o preto e o branco. Para os cientistas britânicos, a honra nacional estava em jogo. Assim, com a intenção de defender Newton, eles ridicularizavam as ideias de Goethe, frequentemente com críticas violentas, sem noção alguma de decoro. Os fisiologistas alemães, ao contrário, incorporaram a seus estudos sobre percepção a ciência cromática de Goethe, voltada para a pessoa. Muitos experimentadores românticos (inclusive Samuel Taylor Coleridge, um notável representante dos Naturphilosophen na Grã-Bretanha) apoiavam a ênfase de Goethe à polaridade, que combinava com seus estudos sobre atividade magnética, elétrica e química – sul e norte, positivo e negativo, atraente e repelente. Assim como Goethe usava o próprio olho como instrumento de registro, esses estudiosos ligavam o próprio corpo a circuitos elétricos. As dores, que provavelmente suportaram, sugere que eles, e não Galileu, merecem ser chamados de "mártires da ciência".

Sem meias-palavras, pode-se dizer que os Naturphilosophen foram retirados dos livros de História porque a ideologia da objetividade dominou o século 19. Os cientistas afirmavam mostrar o mundo como realmente é, objetivo este praticamente impossível de alcançar, pois a quantidade de anotações sobre o universo formaria uma pilha do tamanho do próprio universo. Daí a necessidade de resumos e seleções, uma óbvia porta de entrada para a subjetividade. Não há como garantir a tipicidade de plantas, ímãs ou cristais recolhidos, por mais meticulosa que seja a documentação de sua aparência e comportamento.

Um modo de resolver esse dilema é representar uma versão ideal, o melhor exemplo possível e imaginável, uma amálgama irrealizável ou a essência de componentes perfeitos. Essa foi a solução adotada durante o Iluminismo, quando artistas aperfeiçoavam deliberadamente o objeto estudado. Os retratos de Joseph Banks e seus contemporâneos não os mostram como realmente eram, porque os pintores escolhiam poses apropriadas e exageravam algumas características, para representar seus modelos humanos como tipos ideais – estudiosos, administradores, cirurgiões. Mesmo os anatomistas, que se vangloriavam de fazer representações fiéis, converteram o *Homo sapiens* em *Homo perfectus*, ao criar ilustrações de acordo com as próprias expectativas. Eles gostavam de mostrar esqueletos masculinos com cabeça grande e pernas longas, enquanto os femininos pareciam estranhamente pequenos, com a região das costelas bem estreita e a bacia larga, talvez para refletir deformações causadas pelos espartilhos apertados. Da mesma forma, apesar de Peter Camper ter medido crânios de forma precisa (Figura 22), o quadriculado do fundo dava apenas uma ligeira ilusão de objetividade.

Os cientistas vitorianos não admitiam que a subjetividade fizesse parte da ciência. Assim, adotavam a estratégia de rejeitar o conceito iluminista de formas ideais, universais, insistindo em que os naturalistas representassem com fidelidade os exemplares em estudo, incluindo suas imperfeições. Os cientistas eram incentivados a exercer a autodisciplina, agindo como se fossem instrumentos criados para produzir uma visão objetiva. Os artistas profissionais contratados eram supervisionados de perto, a fim de evitar a introdução de detalhes que deixassem suas imagens esteticamente mais agradáveis, em vez de cientificamente precisas. A etapa seguinte, logicamente, foi eliminar e substituir por máquinas o observador humano, uma vez que elas são mais fáceis de controlar. Segundo prometiam os inventores, os instrumentos de registro forneceriam uma transcrição direta do mundo, sem intervenções de seres humanos. Os médicos, por exemplo, teriam acesso direto ao corpo do paciente por meio de termômetros e estetoscópios, enquanto as fotografias poderiam esclarecer definitivamente a questão da vida na Lua.

> OS CIENTISTAS VITORIANOS NÃO ADMITIAM QUE A SUBJETIVIDADE FIZESSE PARTE DA CIÊNCIA.

No entanto, apesar dessas medidas que visavam garantir a objetividade, as observações pessoais continuavam presentes. Um bom exemplo foi um engenhoso equipamento médico que monitorava o pulso da pessoa e, com uma agulha sensível, produzia uma linha em ziguezague sobre um pedaço de vidro. Por mais fiel que fosse o instrumento, o padrão das vibrações tinha pouco valor, e não revelava imediatamente o estado de saúde do paciente. Os médicos reclamavam que: "os registros são escritos em uma linguagem que mal começamos a entender... As oscilações da agulha são tão misteriosas quanto as vibrações da agulha telegráfica, para quem não conhece o alfabeto apropriado." Para decifrar o gráfico do diagnóstico era preciso aprender a relacionar as marcas no vidro aos eventos físicos que os haviam causado, em um processo de interpretação que exigia experiência, conhecimento e opinião pessoal. À medida que as máquinas se tornavam mais sofisticadas, durante o século 20, o problema ficava ainda mais evidente. Mapas magnéticos, radiografias e fotografias em câmara de expansão produzem informações detalhadas, mas só para os especialistas que sabem traduzi-las. E como os especialistas são pessoas, nem sempre chegam às mesmas conclusões.

Até a máquina fotográfica, que não mente, revelava versões diferentes da realidade. Faraday, um dos primeiros a aderir, disse: "Nunca houve mão humana que traçasse linhas tão precisas como as que são mostradas nessas imagens. Impossível prever o que os homens conseguirão fazer, a partir de agora que a mãe natureza pode mostrar-se como realmente é." Nem todos acreditavam, porém, na fotografia como meio de acesso imediato ao mundo natural. Por um lado, havia problemas técnicos a superar – longos tempos de exposição, chapas frágeis, papéis que encolhiam ou esticavam, impedindo medições precisas. E havia ainda a considerar a reputação da fotografia. Espiritualistas diziam mostrar imagens de visitantes do outro lado, enquanto oportunistas vendiam às escondidas visões estereoscópicas da Lua e fotos de mulheres nuas. Como essa fonte de entretenimento poderia ser um instrumento científico legítimo?

A palavra "fotografia" foi empregada pela primeira vez em 1839, pelo astrônomo John Herschel, e a Astronomia veio a ser a principal ciência fotográfica. Fotografias de planetas distantes e nebulosas encantavam os leitores de jornais na era vitoriana, enquanto o próprio Herschel aparecia como um gênio inspirado com uma aura de cabelos brancos despenteados. Mas essa não foi uma história de sucesso científico instantâneo: os inovadores discordavam quanto à melhor utilização da fotografia em Astronomia. Por um lado, os empreendedores ligados ao comércio elogiavam a nova tecnologia pela possibilidade de revelar novos fenômenos, como as labaredas visíveis ao redor do Sol durante um eclipse, e promoviam a fotografia como um instigante instrumento exploratório que revelaria os segredos escondidos do cosmos. Os astrônomos profissionais, por sua vez, estavam mais interessados na precisão. Responsáveis por supervisionar times de observadores inconsistentes, eles esperavam que a fotografia pudesse substituir as pessoas com maior precisão.

> ATÉ MESMO A MÁQUINA FOTOGRÁFICA REVELAVA VERSÕES DIFERENTES DA REALIDADE.

Para ambos os campos, a intervenção humana provou-se essencial, e a ilusão de objetividade continuou falsa. Produzir fotos era um processo demorado e caro; assim, copiavam-se os originais à mão para reproduções em massa, de maneira que a maioria das pessoas via pinturas, e não transcrições diretas da natureza. Em vez de reproduzir as fotografias com precisão, os desenhistas melhoravam as imagens, para destacar alguma característica importante. Ao final do século 19, a reprodução automática contínua dos céus acabou se tornando possível, e parecia que talvez – finalmente – a falibilidade humana seria eliminada. Mas surgiu um novo problema: abranger todo o céu exigiria uma pilha inimaginável de fotografias astronômicas. O sonho de Faraday de acessar diretamente a "mãe natureza" parecia impossível.

A fotografia causou um primeiro impacto sobre a arte dos retratistas, e não sobre a ciência. Os cientistas logo aproveitaram a nova forma de registro para se promover: posavam empertigados em estúdios, segurando crânios ou amostras geológicas. Mais tarde, outras pessoas também passaram a ser registradas. Embora as câmeras fossem supostamente observadores neutros, as fotografias finais resultavam tão artificiais quanto as produzidas para peças publicitárias. A coleta de dados, que deveria ser imparcial, acabou prestando-se ao controle social. Médicos de hospitais psiquiátricos, por exemplo, divulgavam imagens chocantes de loucura, reforçando os preconceitos existentes e justificando assim a internação dos pacientes. Para enfatizar a objetividade de seu olhar fotográfico, cientistas começaram a catalogar diversos tipos de seres humanos, reduzindo os retratados a espécimes; habitantes de colônias eram forçados por antropólogos a posarem nus diante de uma grade de medição, prisioneiros reduzidos a retratos de frente e perfil que podiam ser quantitativamente comparados.

Ao fotografar as pessoas que julgavam anormais – pacientes mentais, outras raças, criminosos – cientistas determinavam o que significava ser normal. Eles usavam a fotografia, supostamente uma ferramenta objetiva de classificação, para fundamentar opiniões pessoais quanto a quem devia ser aceito como membro da sociedade. Isso significava tentar a representação de um grupo – loucos, cidadãos respeitáveis ou africanos, por exemplo – por meio da síntese das características de seus indivíduos. No século 18, a solução foi descrever um tipo ideal. Os vitorianos adotaram uma abordagem diferente: desenvolver métodos estatísticos que levassem a uma média; para reforçar a aparência de imparcialidade, conferiram à normalidade uma base numérica.

O pensamento estatístico permeou a vida do século 19. Em vez de restringir-se a uma especialidade matemática de difícil compreensão, a estatística dominou a pesquisa científica, tornando-se uma ferramenta vital para os reformadores sociais. Florence Nightingale foi uma das primeiras adeptas: usou dados para mostrar que, nos hospitais, a higiene reduzia os custos e o número de mortes. Os estatísticos se vangloriavam de praticar a verdadeira ciência objetiva, na qual apenas os fatos contam, e as opiniões são banidas. "Quanto mais árido melhor", disse um especialista em cólera; "A estatística deve ser a mais árida das ciências."

Francis Galton, primo de Charles Darwin e obsessivo colecionador de dados, aparece entre os que buscaram destacar a importância dos números, desenvolvendo diversas maneiras inteligentes de expor informações estatísticas. Além de condensar em mapas climáticos enormes quantidades de números ligados à Meteorologia, Galton inventou um tipo de máquina fotográfica para fazer o que chamou de "estatística ilustrada". Primeiro, ele fotografava indivíduos de determinada categoria – assassinos, irmãs, homens com sífilis – e depois sobrepunha as figuras individuais, originando uma imagem composta. A fileira superior da Figura 34 ilustra essa tentativa de identificar criminosos pelo processo de acumulação mecânica, revelado aqui por traços espectrais que rodeiam os rostos centrais. As quatro imagens inferiores expõem a suposição esnobe de Galton, de que a diferença de patente entre oficias e soldados estaria caracterizada na aparência.

Figura 34. Composição de fotografias de criminosos montada por Francis Galton (década de 1880).

As fotografias compostas de Galton representam visualmente a distribuição normal, a curva campanular (em forma de sino) que se desvia simetricamente em ambos os lados da média, com frequência chamada de distribuição gaussiana, porque foi introduzida pelo matemático alemão Karl Gauss, para calcular os erros envolvidos na Astronomia. Gauss mostrou que, quando a mesma medida se repete diversas vezes, as leituras se agrupam em uma curva fechada em torno da média: quanto mais aberta a curva, maior a chance de uma leitura em particular ser incorreta. Ao permitir que cientistas calculassem a confiabilidade de seus resultados, as técnicas de

Gauss acrescentaram convicção matemática às afirmações de que as medições eram objetivamente precisas, não corrompidas pelos erros humanos.

Ainda assim, esse conceito numérico de normalidade permitia que conclusões subjetivas viessem à tona. Bastou um pequeno passo, para se ir da descrição à prescrição, do mapeamento social à engenharia social. Galton foi apenas um dos muitos cientistas vitorianos convencidos de que a medição de características físicas dos seres humanos poderia levar ao julgamento imparcial de capacidade mental, tendências psicológicas e origens raciais. Criminosos, por exemplo, ficariam nas extremidades das distribuições normais, porque, em relação à média, tinham queixo retraído e braços longos, sugerindo que fossem seres corrompidos, inferiores aos cavalheiros vitorianos. Da mesma forma, os gênios eram descritos como magros e com sobrancelhas cheias. O fato de a figura de Sherlock Holmes combinar com essa descrição não é coincidência.

Em retrospecto, parece óbvio que, assim como o projeto de Camper, essas questões carregavam pressupostos e impasses. Em nome da objetividade, cientistas enfatizavam a importância de evidências fotográficas e de medições precisas, mas esses dois instrumentos de análise também foram usados no século 20 por partidos políticos para promover campanhas em favor do que consideravam a purificação social. Ativistas da Alemanha nazista, por exemplo, distribuíam pequenos cartões comparando a cor dos olhos de arianos e judeus; e na Suécia, onde ainda nos anos 1960 as pessoas eram esterilizadas à força, os médicos colecionavam fotografias de diferentes tipos raciais e psicológicos. Claro que Galton não pode ser culpado pelo holocausto, mas talvez os naturphilosophen estivessem certos em questionar o ideal da objetividade.

CAPÍTULO 32
DEUS

Ele demonstrou o projeto de Deus –
Esses blocos e estrias azuis, marrons, dourados,
Assentados em seus contornos flexíveis, em um fluxo sólido,
Que se acomodou em moldura própria:
Granada vermelha, ao lado de mica prateada;
Um pedaço de ágata como um mar interior...

- Clive Wilmer, *Minerals from the Collection of John Ruskin*,
"Minerais da Coleção de John Ruskin" (1992)

Em dezembro de 1871, o príncipe de Gales parecia à beira da morte, vítima de tifo. O bispo de Cantuária e seus aliados resolveram entrar em ação, enviando pelo sistema de telégrafos preces especiais para serem lidas nas igrejas de todo o reino. O príncipe logo se recuperou, mas a nação ficou dividida: teria havido intervenção de Deus, ou a Medicina moderna era responsável pela cura aparentemente milagrosa? Um cirurgião de renome sugeriu que a questão fosse resolvida estatisticamente, fazendo com que as pessoas rezassem durante alguns anos por uma enfermaria do hospital local, para ver se o número de curas aumentava. Apesar de a experiência jamais ter sido realizada, o debate sobre a oração continuou durante anos – a doença representava um castigo por desobediência à lei divina ou podia ser evitada, pela obediência às leis científicas da saúde?

Essas discussões sobre preces podem parecer um conflito direto entre ciência e religião; no entanto, não se discutia exatamente quem tinha razão, mas quem poderia assumir a responsabilidade de decidir essa questão. Tradicionalmente, a autoridade cabia à Igreja Anglicana. No século 19, porém, os cientistas britânicos começaram a reivindicar o poder para seu novo credo racional. Cientistas ambiciosos, interessados em consolidar sua reputação como especialistas de elite, procuravam afastar todos que considerassem inadequados. Uma estratégia foi rotular de "amador" quem não tivesse formação completa, o que os estabelecia como profissionais. Assim, foi marginalizado um numeroso grupo de estudiosos – mulheres, colecionadores, astrônomos que trabalhavam em casa.

Outra tática foi fazer pela primeira vez uma distinção clara entre ciência e religião. Francis Galton usou alguns cálculos estatísticos, selecionando números que comprovassem um supostamente reduzido número de líderes religiosos na diretoria de sociedades científicas. Assim, depois de algumas manobras lógicas, concluiu que os homens do clero não eram bons cientistas. Segundo ele, a vocação religiosa era incompatível com a aptidão para a ciência. O mais eloquente crítico da Igreja era Thomas Huxley, adepto da teoria darwiniana de evolução da espécie e criador da palavra "agnóstico". Huxley desferiu seu golpe mais famoso durante um debate público em Oxford, ao dizer que preferia ser descendente de um macaco a ter como ancestral o bispo fanático com quem discutia. Apesar da dúvida sobre a autenticidade dessa história, Huxley condenava definitivamente qualquer um que se considerasse ou imaginasse possível vir a ser, ao mesmo tempo, "um verdadeiro filho da Igreja e um leal soldado da ciência".

Ao criticar os opositores religiosos, Huxley fez as ideias de Darwin mais plausíveis. Ainda assim, sua agressividade demonstra como as questões teológicas se misturavam à pesquisa científica, em meados do século 19. De modo geral, havia duas questões principais. Uma linha de argumentação se relacionava especificamente à Teologia bíblica. Fósseis e formações rochosas indicavam que a Terra era muito, muito mais velha do que a Bíblia sugeria; as teorias acerca da evolução contradiziam as crenças tradicionais de uma vida inalterada desde a criação divina. Para muitos vitorianos, porém, os relatos das escrituras representavam metáforas poderosas, e não uma descrição fiel da realidade; assim, alguma contradição em detalhes da Bíblia não significava um problema sério. Em vez disso, os críticos da ciência se preocupavam mais com as implicações filosóficas das ideias recentes. Os cristãos acreditavam em um cosmos teológico, criado por um Deus onisciente, o Grande Projetista, com um propósito específico. Essa visão reconfortante foi ameaçada pelos novos métodos estatísticos na Física e pela

Teoria da Evolução de Darwin, que admite a intervenção do acaso entre gerações, com a introdução de novas características.

Deus foi excluído da Astronomia durante a Revolução Francesa, quando Pierre-Simon Laplace reformulou as teorias de Newton para criar seu cosmos determinista, no qual as leis científicas governam todos os movimentos dos planetas, sem a necessidade de intervenção divina. Inspirado por esse sucesso, um astrônomo belga chamado Alphonse Quetelet concluiu que as sociedades humanas também são controladas por leis. Cada país teria padrões estatísticos constantes – taxas de crimes e suicídios, por exemplo – e assim um "homem comum" poderia resumir as características de uma nação inteira. Segundo Quetelet, os políticos deviam agir como médicos sociais, tentando melhorar o comportamento mediano, em vez de se preocuparem com anomalias extremas. Para ele, as variações da média estatística – bem como as oscilações planetárias – eram imperfeições que deviam ser corrigidas para favorecer o progresso.

Quetelet havia introduzido uma maneira radicalmente nova de refletir sobre os seres humanos. Como disse um de seus admiradores: "o homem é um enigma apenas como indivíduo; em massa, é um problema matemático." Os seguidores de Quetelet levaram suas ideias em muitas direções. A importância política de seu trabalho está nas várias interpretações possíveis. Enquanto conservadores diziam que pouco podia ser feito para alterar o sistema vigente, radicais acusavam os governos de impedirem o curso natural do progresso, e visionários – como Karl Marx – imaginavam uma sociedade harmoniosa governada por leis naturais. Os projetos de coleta de dados eram cada vez mais numerosos, e os estatísticos buscavam leis que determinassem todos os aspectos da vida, das condições climáticas ao avanço da civilização, das flutuações do mercado de ações à incidência de doenças. Muitos cientistas seguiam as ideias de Quetelet, em vez de livros didáticos, mas acrescentavam visões próprias. Enquanto Quetelet considerava os desvios individuais da norma como erros a serem eliminados, os cientistas preferiam estudar como ocorriam as variações.

Em Física, os gases, matéria de grande interesse para a Europa movida a vapor, passaram a ser a aplicação mais importante da Estatística, porque o estudo da Termodinâmica – as ligações entre calor, movimento e potência – prometia tornar as indústrias mais eficientes. Em 1873, James Clerk Maxwell, um cientista escocês de Cambridge, surpreendeu a plateia do encontro anual do BAAS ao comparar o comportamento das populações ao comportamento geral dos gases, descrito com base na velocidade média de suas moléculas, que supunha movimentarem-se aleatoriamente. Maxwell considerava impossível estabelecer um conhecimento absoluto e abrangente de gases e de outros sistemas microscópicos; para ele, eram possíveis apenas certezas estatísticas, com limites vagos.

> A GEOLOGIA LEVANTAVA QUESTÕES LIGADAS MAIS DIRETAMENTE AO CRISTIANISMO

Longe de ser apenas um hábil artifício matemático, essa posição levantou questões fundamentais sobre o determinismo. A proposta equivalente de Quetelet para descrever as sociedades humanas estatisticamente já havia gerado intenso debate. Se dez pessoas, em média, cometem suicídio por ano, seu destino foi predefinido, ou cada indivíduo tem livre-arbítrio? A visão predominante dizia que o livre-arbítrio é básico para a vida humana, mas transferir esse conceito para a Física era outra questão. Conferir às moléculas a capacidade de tomar decisões anularia a distinção entre seres espirituais e matéria inerte, introduzindo uma filosofia materialista completamente contrária à Teologia cristã. Outro problema era a teoria de Maxwell quanto à movimentação aleatória das moléculas de gás, o que sugeria um cosmos surgido ao acaso, e não criado por Deus. As técnicas estatísticas se desenvolveram na ciência porque funcionavam, mas os problemas teológicos sem solução – bem como os críticos – continuaram atormentando Maxwell.

A Geologia levantava questões ligadas mais diretamente ao cristianismo. O Gênesis, o primeiro livro da Bíblia, descreve como Deus criou o universo a partir do nada, em seis dias. Alguns crentes se apegavam a esse relato, embora se preocupassem menos com a rapidez de Deus do que com a noção de que Ele havia criado pessoas, animais e plantas exatamente como se apresentavam; não havia espaço em sua visão para extinções nem para o surgimento de novas espécies. Outra grande preocupação era a idade da Terra. As Bíblias frequentemente traziam uma discreta nota explicativa que dizia ter sido o mundo criado em um domingo, dia 23 de outubro de 4004 a.C., uma data cuidadosamente calculada, com a qual os cronologistas eclesiásticos de modo geral concordavam.

Durante o século 18, os críticos dessa ortodoxia agiam com cautela, muitas vezes preferindo a acomodação ao confronto. Para seguir o naturalista newtoniano Frances Georges Buffon, por exemplo, eles engenhosamente dividiram a história da Terra em seis épocas, correspondentes aos seis dias da criação mencionados nas Escrituras. O problema central enfrentado pelos geólogos era explicar como rochas claramente originadas da sedimentação sob a água encontravam-se em terra firme – uma transformação explicada convenientemente na Bíblia pelo dilúvio de Noé. Uma escola de geólogos – os netunistas, assim chamados em alusão a Netuno, o deus romano dos oceanos – sustentava que um oceano cobrira a superfície terrestre, mas havia secado com o tempo; eles apenas evitavam explicar o destino de toda aquela água. O movimento netunista mostrava-se especialmente forte nas escolas alemãs de Geologia, onde a classificação de rochas era a principal atividade prática. Seus oponentes eram chamados de plutonistas, em alusão ao deus do mundo subterrâneo. Eles afirmavam que violentos terremotos, causados pelas temperaturas internas da Terra, haviam levado à superfície áreas de terra seca.

O plutonista mais influente era James Hutton, que transitava no círculo intelectual de Edimburgo, do qual também faziam parte o engenheiro James Watt e o economista Adam Smith. Depois de entediar-se com o trabalho de químico industrial, Hutton decidiu ser fazendeiro. De tanto olhar a paisagem, tentando descobrir seu potencial para a agricultura, Hutton se voltou para a Geologia. Acabou descobrindo que essa área do conhecimento demandava trabalho árduo; com o traseiro dolorido, depois de tanto andar a cavalo, em uma longa jornada científica pelo interior do País de Gales, ele disse: "Deus tenha piedade do traseiro daquele cuja cabeça só pensa em recolher rochas." Mais importante – e essa foi uma inovação radical, ao fim do século 18 – Hutton imaginava um contínuo e extraordinariamente lento ciclo de mudanças: com a erosão causada pelo vento e pela água, as partículas rochosas são depositadas no fundo do mar, onde vão se acumulando e sedimentando, até formar uma montanha. Esse sistema de constante mutação demandaria um período de tempo inimaginável. Hutton polemizou, ao afirmar dramaticamente: "Não encontramos vestígios de um começo; e nenhuma previsão de fim."

Teologicamente, esse esquema foi interpretado de diferentes maneiras. Apesar de o próprio Hutton não estar preocupado com o Gênesis, Deus era fundamental em seu cosmos, que via como uma gigantesca máquina de moto contínuo criada expressamente para manter seus habitantes felizes por toda a eternidade. Alguns críticos ficaram escandalizados, pois Hutton contradizia ostensivamente os 6 mil anos de idade estabelecidos pela Bíblia.

Ao mencionar novamente o Dilúvio, rejeitando o sistema de mudanças graduais de Hutton, os críticos se concentravam em alterações drásticas, catástrofes como terremotos e enchentes. Diferentemente, geólogos franceses e alemães ignoravam a Bíblia, mas tinham outros motivos para defender os esquemas catastróficos. Senão, como explicar a presença de gigantescas rochas espalhadas pela paisagem?

Quando o anatomista Frances Georges Cuvier examinou as rochas ao redor de Paris, descobriu que estavam dispostas em diferentes camadas ou estratos que guardavam tipos característicos de fósseis. Para Cuvier, pareceu clara a ocorrência de convulsões violentas entre uma era e outra, e muitos geólogos concordaram. Adeptos da teoria passaram a procurar evidências de catástrofes em todos os cantos do mundo. Um acadêmico de Oxford encontrou em Yorkshire uma toca de hienas enlameada, que considerou um claro indício do Dilúvio; Alexander von Humboldt relatou a existência de vulcões na América do Sul; e Charles Lyell, um advogado britânico muito míope, treinou a mulher, Mary, e levou-a para ajudá-lo em uma viagem à Itália. O que viu lá o fez mudar de ideia e, com a ajuda de Mary, ele escreveu em 1830-3 *Principles of Geology* ("Princípios da Geologia", em tradução livre), uma influente obra em três volumes que rejeitava o catastrofismo e resgatava as ideias de Hutton.

Segundo Lyell, as mudanças acontecem lenta e uniformemente, durante longos, muito longos períodos de tempo. Como costuma acontecer quando surgem ideias novas, a teoria não foi aceita da noite para o dia. Em uma postura semelhante à de Galton e Huxley, Lyell estava determinado a separar a religião da ciência – a deixar Moisés livre da Geologia, como afirmou certa vez. Com isso, não quis dizer que apenas ateus poderiam ser cientistas – afinal, muitos de seus aliados geólogos eram cristãos –, mas que a ciência só conquistaria prestígio quando se livrasse dos homens apegados a formas antigas de pensamento. Os cientistas vitorianos que lutavam pela autoridade social pretendiam tornar sua comunidade mais seletiva, excluindo dela quem baseasse hipóteses científicas em argumentos religiosos, e não erradicar a fé.

Lyell tinha muito orgulho dos detalhes em dourado na capa da edição de luxo de seu livro (Figura 35). O templo de Serápis, perto de Nápoles, um famoso monumento da civilização clássica, simbolizava para Lyell os eventos geológicos ocorridos muito tempo antes. Sobre as colunas, as faixas escuras deixadas por moluscos marinhos mostravam que a construção original tinha estado submersa e voltara à superfície. Serápis resume o ponto principal da teoria de Lyell – de que pequenas e constantes mudanças são responsáveis até mesmo pelos aspectos mais espetaculares da superfície terrestre. Ao contrário do que prega a Teologia cristã, este é um mundo em contínua mutação, sem um padrão de progresso preestabelecido nem uma linha de tempo apontando inexoravelmente do passado para o futuro.

Figura 35. O Templo de Serápis. Capa da obra de Charles Lyell, *Principles of Geology*, vol. I (Londres, 1830).

Na imagem de Lyell, a história da humanidade e a história da Geologia estão interligadas. Um homem moderno aparece de pé ao lado das colunas, enquanto a figura sentada contempla o duplo sinal do passado. Essa visão integrada representa uma mudança radical no modo como as pessoas se consideravam e como encaravam sua relação com o cosmos. De acordo com o relato bíblico, só há um tipo de História – situações que envolveram seres humanos durante os últimos 6 mil anos, quando a Terra foi criada exatamente como é hoje. Os geólogos forçaram os vitorianos a contemplar uma versão extrema do tempo, um mundo inabitado que se estendia para o passado de maneira inimaginável, muito antes de a vida existir. Huxley defendeu esse ponto de vista com eloquência em uma palestra para alguns trabalhadores, no leste da Inglaterra, quando disse: "Um capítulo importante da história do mundo está escrito diretamente no solo." Segundo Huxley, quem examinasse a terra embaixo dos próprios pés ou os resíduos no bolso de um carpinteiro aprenderia mais sobre o passado do que os acadêmicos enterrados em livros.

O tempo e o espaço foram mais explorados ao longo do século 19. Telescópios poderosos alcançavam grandes distâncias, revelando um panorama aparentemente infinito onde se viam estrelas, nebulosas e outros sistemas planetários. A observação do espaço implica olhar para trás, para um passado longínquo, porque a luz viaja depressa, mas não chega imediatamente ao destino; quanto mais distante a luz nos parece, mais tempo faz que deixou o ponto de partida. Penetrar na Terra também significava viajar ao passado; eis por que Júlio Verne – sempre atualizado quanto às mais novas ideias científicas – imaginou monstros pré-históricos no centro da Terra. Embora os geólogos não soubessem quantos zeros deveriam acrescentar à idade do planeta, ficou claro que até mesmo as civilizações mais antigas estavam a poucos segundos de distância, no relógio geológico.

Essa expansão do tempo na área da Geologia abalou a ciência e representou uma transformação no pensamento europeu. Tal como havia acontecido, quando se descobriu que o Sol, e não a Terra, ocupava o centro do universo, o novo conceito reduziu radicalmente a expressão da vida humana. Não é coincidência que o poema mais lido durante o século 19 tenha sido In Memoriam, uma meditação sobre Deus, a natureza e a vida, inspirada pela morte prematura de um rapaz. Nessa famosa elegia, Alfred Tennyson – que havia lido Lyell e acompanhava os debates científicos – trata da angústia causada por um cosmos incerto e sem um objetivo definido. Como, ele se perguntava, abandonar a crença cristã de que "nada caminha sem propósito"?. Assim como muitos outros intelectuais do século 19, Tennyson era bem informado sobre questões científicas, e adaptou a descrição das contínuas alterações na paisagem, feita por Lyell, para enfatizar que a civilização não passa de um evento recente na longa história do mundo:

Onde antes havia árvores, as profundezas se agitam.
Ó, Terra, quantas mudanças já viste!
Lá, onde hoje rugem longas estradas,
Houve um dia o silêncio do mar interior.

CAPÍTULO 33
EVOLUÇÃO

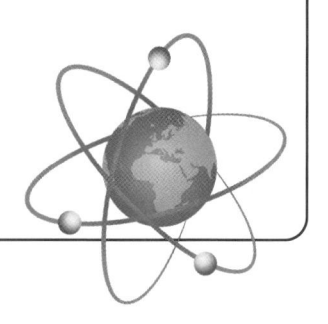

Ele começa a sentir um contentamento religioso à medida que sua importância cresce... As 500 páginas [de Darwin] levam a uma única conclusão: formas de vida infinitas e belas, inclusive seres superiores como nós, surgiram de leis físicas, de batalhas da natureza, da fome e da morte. Eis, pois, a grandeza. E uma espécie de alívio reconfortante no breve privilégio da consciência.

- Ian McEwan, *Saturday* (2005)

"A natureza disputada." *In Memoriam*, a famosa obra de Tennyson, evoca a competitividade cruel que há por trás da Teoria da Evolução de Charles Darwin. É verdade que concentrar-se em datas costuma ser um modo entediante de estudar História, mas muitas revelações podem surgir daí. Tennyson publicou sua elegia nove anos antes do lançamento, em 1859, de *On the Origin of Species* ("A Origem das Espécies"), e o conceito básico de evolução já existia antes do tempo do avô de Darwin. Rejeitado durante décadas, o modelo darwiniano nunca foi plenamente aceito, o que não impediu que "Darwin" e "evolução" se tornassem sinônimos. A síntese das ideias desse modelo que chegou ao século 20 é muito diferente da formulação original.

Darwin hoje disputa com Newton o posto de maior gênio da ciência da Grã-Bretanha. No entanto, ele sempre foi uma celebridade polêmica. As críticas que recebia eram agressivas e públicas – uma das razões pelas quais passou a maior parte da vida virtualmente recluso em sua casa de campo. Os críticos vitorianos achavam difícil aceitar que os seres humanos descendessem de outros animais, em vez de resultarem de uma criação em separado. Embora a maior parte das pessoas concordasse com algumas formas de evolução, quando Darwin publicou sua obra, numerosas caricaturas – inclusive a Figura 36 – o retrataram como um macaco, um grave insulto na Inglaterra do século 19. Na figura, as sobrancelhas cheias foram exageradas, e a cauda preênsil é muito mais longa do que a barba típica dos filósofos. Esse Darwin símio ergue a mão esquerda, em um gesto de advertência, parodiando uma bênção do papa a suas teorias sacrílegas.

Figura 36. Caricatura de Charles Darwin, revista *Fun* (16 de novembro de 1872).

As discussões sobre evolução eram acirradas porque havia muito mais em jogo do que uma hipótese científica. Mesmo os ásperos debates sobre a Bíblia escondiam disputas mais sérias, funcionando como válvula de escape para opiniões apaixonadas. As ideias acerca da evolução refletiam a essência básica das pessoas, o que achavam de si mesmas e sua relação com o mundo. A versão cristianizada da Grande Cadeia dos Seres, de Aristóteles, permitia que os europeus se vissem instalados em segurança no topo de uma hierarquia imutável, regendo o mundo de maneira favorável a eles, conforme instruções recebidas diretamente de Deus. Ricos proprietários, herdeiros de grandes extensões de terra, apegavam-se a essa versão tranquilizadora, satisfeitos por poderem – bem como seus descendentes – usufruir o que consideravam pertencer-lhes por direito. Os políticos radicais, ao contrário, recebiam de bom grado a ideia de mudança; argumentavam que, se o mundo natural havia evoluído, a sociedade também podia ser transformada, para romper com a tradição e redistribuir a riqueza da nação.

As ideias acerca da evolução surgiram na França pré-revolucionária, mas foi o avô paterno de Darwin, Erasmus, quem as expressou coerentemente pela primeira vez – desde que não se examinem os detalhes com muita atenção. A noção central era de que os seres criados por Deus podiam melhorar com o tempo, em um paralelo evidente com sua história de vida, um bem-sucedido médico do interior, membro da classe média em ascensão, que conquistou dinheiro e poder por esforço próprio, na Grã-Bretanha em processo de industrialização. De acordo com Erasmus Darwin, novos órgãos se desenvolviam nos seres humanos como resultado dos pequenos avanços transmitidos pelos pais à geração seguinte – exatamente como ele e Josiah Wedgwood, seu colega na Lunar Society, um *self-made man*, fariam mais tarde ao deixar de herança para seus netos, Charles e Emma Darwin, casados e primos em primeiro grau, a fortuna que acumularam. Em outras palavras, as características adquiridas por um indivíduo ao longo da vida poderiam ser transmitidas.

O exemplo clássico dessa transmissão de características por herança é a girafa, cujo pescoço supostamente foi crescendo ao longo de muitas gerações. Mas o homem que ficou conhecido por esse ponto de vista não se chama Darwin; foi um contemporâneo mais jovem, um naturalista francês chamado Jean Lamarck, que trabalhava no Museu de História Natural de Paris. Lamarck adaptou a sugestão de Georges Buffon, segundo a qual, à medida que o universo esfriava, formas de vida eram geradas espontaneamente. Acrescentando conclusões próprias, Lamarck imaginou a vida em constante aperfeiçoamento – embora os organismos viessem de diferentes criações espontâneas, evoluíam seguindo caminhos predeterminados. Lamarck provavelmente ficaria horrorizado se soubesse que, hoje, seria lembrado por uma parte relativamente insignificante de sua notável teoria. Para ele, o ponto crucial não eram as características adquiridas, mas o avanço contínuo da vida.

Infelizmente para Lamarck, seu maior rival também trabalhava no Museu de História Natural. Articulador experiente, Georges Cuvier cuidou de promover sua imagem e suas opiniões, enquanto Lamarck ficava em segundo plano. Político de ideias conservadoras, Cuvier insistia na estabilidade, rejeitando o princípio da mudança constante, defendido por Lamarck; assim, consolidou sua posição. No entanto, apesar de antievolucionista, o trabalho de Cuvier influenciou profundamente as futuras teorias da evolução, já que os animais foram classificados em grupos de acordo com a Anatomia. Em vez de concentrar-se na aparência externa da criatura, Cuvier estudava sua estrutura interna. Elefantes, peixes e cobras, por exemplo, podem não apresentar semelhanças visíveis, mas Cuvier os agrupou na categoria dos vertebrados porque percebeu que as semelhanças entre seus esqueletos os diferenciava nitidamente das criaturas que não possuem coluna vertebral.

Uma das grandes inovações de Cuvier foi dividir o reino animal em quatro tipos básicos. Esse foi o ponto crucial, porque eliminou a ordem hierárquica. Embora acreditasse que os vertebrados se diferenciam fundamentalmente dos outros três grupos, que podem ser representados por ostras, aranhas e estrelas-do-mar, Cuvier não os considerava intrinsecamente superiores. Muitos naturalistas não aceitaram a ideia, mas Cuvier pelo menos levantou a possibilidade de pensar de uma forma que não fosse linear, encadeada. Ele rejeitava até as categorizações internas: segundo ele, peixes e mamíferos eram vertebrados, embora adaptados a ambientes diversos. Impondo uma interpretação teológica, naturalistas ingleses usaram o conceito de adaptação de Cuvier como argumento para apresentar Deus como um projetista amoroso. Com criatividade, eles justificavam mesmo a expressão empregada por Tennyson, "a natureza, em unhas e dentes": por causa da benevolência divina, os predadores salvavam as presas da morte pela fome.

Oportunista, vaidoso e carreirista, Cuvier se dizia capaz de descrever o esqueleto inteiro de um animal a partir de um único osso. Um exagero – mas ao aplicar aos fósseis seus conhecimentos de Anatomia, Cuvier introduziu elementos paleontológicos nos debates sobre a evolução. Por muito tempo os fósseis vinham sendo valorizados como peças de coleção, mas como encaixá-los na história da criação imutável, contada na Bíblia? Por que Deus os teria colocado lá? Ou seriam eles resultado de poderes ocultos que atuavam dentro das rochas? E o que eram aqueles esqueletos enormes que os exploradores encontraram na Sibéria e na América, no fim do século 18?

Cuvier examinou os fósseis de maneira sistemática, provando anatomicamente que a Terra já havia abrigado espécies então extintas. Com base em espécimes e desenhos enviados por colecionadores de todas as partes do mundo, ele demonstrou sem sombra de dúvida que mamutes e mastodontes eram diferentes dos elefantes. Cuvier também conduziu pessoalmente escavações perto de Paris. Ao reconstruir vertebrados a partir de fósseis encontrados em sítios cada vez mais profundos, ele descobriu que quanto mais antiga a rocha, mais estranha a criatura nela contida. Como conservador ferrenho, Cuvier recusou-se a aceitar a mudança, creditando a sucessivos eventos catastróficos a eliminação das espécies de cada era. Só não conseguiu explicar de onde vinham as novas espécies, depois de cada catástrofe. Com o acúmulo de descobertas de fósseis – inclusive de alguns impressionantes dinossauros –, os defensores da evolução usaram os resultados de Cuvier para apoiar as próprias opiniões.

> CUVIER EXAMINOU OS FÓSSEIS DE MANEIRA SISTEMÁTICA, PROVANDO ANATOMICAMENTE QUE A TERRA JÁ HAVIA ABRIGADO ESPÉCIES ENTÃO EXTINTAS.

Atitudes políticas e religiosas tinham grande importância nos debates sobre evolução. Muitos aceitavam o conceito de progresso defendido por Lamarck, mas rejeitavam a geração espontânea, com a implicação de que a vida podia surgir a partir da matéria – uma visão materialista que contrariava as convicções cristãs. Para tornar a evolução mais aceitável, um escocês empreendedor chamado Robert Chambers defendia a mudança como parte de um plano divino para o universo inteiro. Chambers, um *self-made man* oriundo da classe média, atuava no ramo da editoração. Politicamente comprometido com o progresso, ele não queria apenas ganhar dinheiro, mas também usar suas máquinas impressoras a vapor para produzir material de leitura barato e de qualidade, favorecendo a capacitação das classes trabalhadoras.

Inteligentemente, Chambers abriu sua obra *Vestiges of the Natural History of Creation* ("Vestígios da História Natural da Criação", em tradução literal), publicada em 1844, com informações relativamente precisas sobre Astronomia, mas logo passou a tratar da Geologia progressiva e da evolução, descrevendo um processo regrado em direção a formas de vida cada vez mais elaboradas, de modo que aos peixes, répteis e pássaros seguiam-se os mamíferos e, por último, os seres humanos. Como era de se esperar, ele colocou os homens e os caucasianos acima das mulheres e de outras etnias. De início, os críticos elogiaram a mensagem democrática e o estilo eloquente do livro. Tennyson percebeu com satisfação que as ideias de Chambers se harmonizavam com as dele, e incorporou algumas a seu *In Memoriam*. Logo, porém, *Vestiges* era severamente criticado – cientistas encontraram falhas, conservadores rejeitaram a descrição materialista da vida e da inteligência, e quase todos se horrorizaram com a ideia de serem descendentes de animais.

As críticas ferozes fizeram disparar as vendas, e o livro de Chambers causou sensação internacional. Quando a obra de Charles Darwin foi publicada, 15 anos depois, a revolta contra a evolução já era bem menos intensa. Darwin leu *Vestígios* apenas alguns meses depois de terminar um longo rascunho de seu livro e acompanhou toda a controvérsia de perto. Percebeu aliviado que, ao tentar estabelecer uma lei geral da vida, Chambers havia atraído boa parte das críticas que seriam dirigidas a ele, quando lançasse sua teoria. Ele leu com "medo e temor" uma crítica particularmente áspera ao livro de Chambers, mas ficou "feliz ao descobrir que não havia ignorado nenhum argumento, apesar de os ter exposto timidamente". Ainda assim, Darwin preferiu observar e esperar, aprofundando os estudos e adiando a publicação do trabalho, para evitar críticas públicas. Meticuloso, quase obsessivo, ele iniciou um estudo dos crustáceos que durou oito anos.

Darwin nunca foi um candidato óbvio à galeria dos gênios. Estudante medíocre, saiu da universidade apaixonado por insetos e por Geologia, e com poucas ambições, a não ser de escapar da vida religiosa, que o pai havia estabelecido para ele. Inspirado por Humboldt, Darwin viajou ao redor do mundo a bordo do Beagle, e usando como guia de viagem o livro de Lyell, *Principles of Geology*, interpretou com foco na mudança os fenômenos observados. Concluiu, por exemplo, que os recifes de coral passaram por lentas transformações, e nem sempre estiveram submersos, assim como o templo de Serápis, mostrado na capa do livro de Lyell. Na América do Sul, Darwin descobriu fósseis parecidos com a fauna viva, e viu colonizadores europeus que sobreviveram porque se adaptaram ao novo e estranho ambiente. Seriam as alterações surgidas nos animais uma reação ao meio ambiente?

Apesar de colecionador meticuloso, Darwin infelizmente ignorou alguns indícios importantes nas ilhas Galápagos, onde encheu sacos e mais sacos de espécimes recolhidos em diferentes sítios, sem ouvir os que os habitantes locais tinham a ensinar. Somente quando já era tarde demais ele descobriu que as tartarugas podiam ser identificadas pelo formato do casco, e concluiu que deveria ter sido mais cuidadoso nas classificações. A confusão com os pássaros só foi completamente esclarecida (por outro cientista) depois da volta de Darwin à Inglaterra, quando se percebeu que os tentilhões de ilhas vizinhas tinham bicos diferentes, uma clara evidência do acerto de suas ideias.

Durante um quarto de século, Darwin leu e observou longamente, até chegar à teoria de seleção natural. O texto bem elaborado demonstra cuidado e paixão. "Há grandiosidade nesta visão de vida", ele escreveu no famoso fechamento de seu livro sobre evolução; "Enquanto este planeta segue a lei imutável da gravidade, de um início tão simples, uma infinidade de belas e maravilhosas formas evoluiu, e ainda evolui." Em conversas com fazendeiros e criadores de pombos, Darwin aprendeu como criar novas espécies, escolhendo algumas características para modificar pássaros e animais, de acordo com as necessidades humanas. Além desses produtos da seleção artificial, Darwin acumulou numerosos exemplos de adaptação natural: flores de trevos que atraíam diferentes abelhas, sementes de dentes-de-leão suficientemente leves para serem carregadas pelo vento, besouros-d'água com pernas franjadas. Às vezes, porém, perdia-se em fantasias. Ou será que ele realmente acreditava que as baleias evoluíram de ursos que nadavam de boca aberta para pegar insetos aquáticos?

Darwin também se preocupava com as sociedades humanas. O trabalho de Thomas Malthus, um economista do século 8, serviu-lhe de alerta. Malthus era contra a reforma social; segundo ele, se as pessoas dispusessem de melhores condições e fossem encorajadas a ter filhos, logo não haveria alimento suficiente para todos. Na época de Darwin, as terríveis previsões de Malthus pareciam tornar-se realidade. As populações das cidades não paravam de crescer, e apesar do avanço da Economia, o capitalismo industrial fazia inúmeras vítimas. Darwin vivia confortavelmente com o dinheiro que recebera de herança, mas via-se rodeado de morte e sofrimento. Trabalhadores muito pobres imigravam para a Austrália e a África, onde muitos acabaram morrendo – e onde contribuíam para dizimar as populações locais, que sucumbiam a doenças trazidas da Europa.

Ao receber uma carta da Malásia, de um colecionador desconhecido, Darwin convenceu-se de que outros cientistas seguiam uma linha de raciocínio semelhante à dele, e com o incentivo dos simpatizantes, decidiu publicar seu trabalho. Assim, para passar à frente de outros cientistas, foi editado o livro *On the Origin of Species* ("A Origem das Espécies"). Darwin não defendia apenas a mudança – àquela altura amplamente aceita –, mas também a noção de seleção natural baseada na luta pela sobrevivência. "Em um ambiente hostil", dizia Darwin, "qualquer vantagem, ainda que aparentemente insignificante, contribui para a perpetuação da espécie"; através dos longos períodos de tempo estabelecidos por Lyell, as características benéficas são transmitidas de geração em geração, fazendo eventualmente surgir uma nova espécie mais bem adaptada – mais adequada – ao ambiente.

A primeira edição do livro vendeu muito bem, mas as tão temidas críticas logo começaram a aparecer. Os prestigiosos amigos de Darwin rapidamente se mobilizaram para garantir que a seleção natural fosse levada a sério; sem a ajuda deles, talvez Darwin fosse relegado à obscuridade. Para muitos cristãos, a maior objeção ao livro era a ausência de Deus. Em vez de um universo teleológico, planejado por um projetista divino, Darwin apresentava um universo governado pelo acaso, sem regras morais para garantir o progresso espiritual. *On the Origin of Species* ("A Origem das Espécies"). mal mencionava a espécie humana, mantendo um silêncio cauteloso sobre a possiblidade de macacos e seres humanos serem parentes próximos.

Apesar de um religioso ter apontado Darwin, sem meias-palavras, como "possivelmente o homem mais perigoso da Inglaterra", os ataques não se restringiram ao terreno religioso. Darwin escreveu seu livro como uma longa argumentação, do início ao fim, e estava certo. Os céticos o acusavam de enumerar exemplos para apoiar sua teoria, em vez de fornecer provas definitivas. Darwin manteve-se diplomaticamente calado sobre alguns pontos polêmicos, mas os cientistas levantaram questões complicadas: Qual a explicação para a origem das mudanças? Era possível um órgão tão complexo quanto o olho humano ser criado sem um projeto? E como surgiu a primeira forma de vida? Consciente de que a geração espontânea era assunto perigoso, Darwin evitou essa questão.

Doente, Darwin se recolheu, delegando a outros a tarefa de defender suas teorias. Nem a expressão "sobrevivência dos mais aptos" foi inventada por ele. Somente anos mais tarde, quando a exaltação já havia desaparecido, tomou coragem para explicar suas visões sobre os seres humanos. As caricaturas foram impiedosas, mas demonstram como as pessoas comuns estavam bem informadas sobre as controvérsias científicas. A Figura 36 foi publicada em um jornal popular, e para entendê-la era necessário que os leitores estivessem a par dos detalhes mais recentes. De acordo com Darwin, os ascidáceos marinhos, seres sedentários que vivem nas pedras, descendem de organismos que nadavam ativamente. Essa degeneração era o outro lado da evolução como progresso. Os vitorianos se assustaram com a possibilidade de uma regressão a estágios anteriores, o que talvez significasse o futuro declínio da civilização. Esses receios inspiraram romances de muito sucesso, como Drácula ou O Médico e o Monstro – e acabaram alimentando a propaganda nazista pela purificação.

> DARWIN CONSIDERAVA AS MULHERES SERES MENORES, AFIRMANDO QUE SUAS CARACTERÍSTICAS ERAM TRAÇOS "DAS RAÇAS INFERIORES".

A caricatura também trata da atitude de Darwin em relação às mulheres. Sem-graça, a elegante mulher evita o olhar do "macaco", enquanto Darwin lhe toma o pulso, indicando que seu comportamento tem origem física, o que é típico da natureza feminina. Darwin considerava as mulheres seres menores, afirmando que suas características – intuição, imaginação – eram traços "das raças inferiores, restos do passado e de uma civilização menos desenvolvida". Ao estudar pássaros, como o pavão, Darwin concluiu que as penas vistosas dos machos representavam uma vantagem, pois atraíam as fêmeas à procura de um par. Os vitorianos não gostavam desses argumentos sobre seleção sexual, não porque discordassem daquela opinião sobre o gosto feminino, mas porque conferia às mulheres um papel de liderança: ao escolherem o parceiro, elas comandavam a evolução. Conforme ironizou John Ruskin, o principal crítico de Darwin, "o que seria da espécie humana se as donzelas tivessem uma predileção por narizes azuis, como o dos babuínos, na hora de escolher o companheiro?".

Assim como Linneaus, Darwin foi afetado por preconceitos da época. Ao partir do pressuposto de que mulheres são seres fúteis, ele interpretou suas observações para construir um argumento que confirmasse cabalmente essa crença inicial. Como seus pronunciamentos carregavam o estigma da ciência, podiam ser usados para justificar a discriminação e permitir que as pessoas dissessem que as mulheres simplesmente são do jeito que são; de nada adiantaria brigar contra a natureza. De maneira semelhante, os políticos usavam as teorias de Darwin sobre evolução para apoiar essa abordagem *laissez-faire*, argumentando que nada deveria ser feito para aliviar a pobreza dos trabalhadores, porque isso iria contra a luta natural pela sobrevivência. Citando a lei da seleção natural, industriais norte-americanos enriqueceram rapidamente, passando sem escrúpulo algum por cima dos concorrentes, e os darwinistas alemães apoiaram campanhas políticas para estabelecer uma raça superior e dominar a Europa.

Por volta de 1900, a Teoria da Evolução já tinha sido aceita, mas as explicações de Darwin começavam a perder prestígio. Seus simpatizantes não conseguiam explicar o mecanismo da mudança, e teorias contrárias se multiplicavam. Alguns cientistas – inclusive o próprio Darwin – resgatavam as opiniões de Lamarck, segundo as quais as características adquiridas poderiam ser transmitidas. Psicologicamente, o lamarckismo é atraente porque aceita um auspicioso viés teleológico: se os pais passam adiante suas qualidades, de certa maneira escolhem como lidar com o ambiente, em vez de deixar tudo ao acaso.

Outros críticos tiveram acesso a experiências conduzidas anos antes, em uma plantação nas montanhas, por um desconhecido monge austríaco, Gregor Mendel, e adaptaram os resultados, para desafiar a seleção natural. Depois de 20 anos de discussões acirradas, a teoria estava instalada, e a Genética mendeliana é hoje um componente vital do darwinismo. O progresso era a palavra de ordem dos cientistas vitorianos, mas a história da evolução deixa claro que a ciência não avança sempre em linha reta. Mendel não escreveu absolutamente nada sobre genes, e o darwinismo moderno é muito diferente do darwinismo de Darwin.

CAPÍTULO 34
PODER

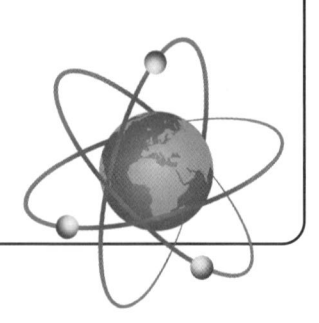

Quando o homem quis fazer uma máquina que andasse, ele criou a roda, que em nada lembra uma perna.

- Guillaume Apollinaire, *Lês Mamelles de Tiresias* (1918)

Quando o viajante do tempo criado por H. G. Wells em sua obra *The Time Machine* ("A Máquina do Tempo") vai parar milhões de anos no futuro, encontra um planeta sem vida. "A escuridão se espalhava rapidamente... Os sons do homem, o balido das ovelhas, o canto dos pássaros, o zumbido dos insetos, a atividade que é o pano de fundo das nossas vidas – tudo tinha terminado." Tratava-se de uma narrativa ficcional, mas solidamente baseada na ciência do século 19. De acordo com os físicos britânicos, a Terra estava em inexorável decadência, caminhando irreversivelmente para o fim. Segundo eles, o tempo de vida que restava ao planeta era curto demais para os demorados processos de seleção natural imaginados por Darwin.

Os indícios dessa morte inevitável do universo vinham das máquinas a vapor. Saltar das máquinas para a evolução pode parecer uma linha de raciocínio estranha, mas o ponto de ligação era a energia, o conceito favorito dos vitorianos para analisar poder e produtividade. As leis que governavam a energia vinham da nova ciência da Termodinâmica, que lidava com os dois problemas mais sérios enfrentados pela Europa industrializada: tornar as máquinas mais eficientes e as fábricas mais rentáveis. Ao responderem essas questões comerciais, os físicos britânicos conquistaram poder, estabelecendo-se como especialistas nacionais, aptos a opinar sobre todas as grandes questões da ciência. O poder estava guardado nas leis vitorianas da Física.

Essa fusão entre Física e indústria aconteceu excepcionalmente cedo na Grã-Bretanha. Na França, Napoleão havia investido em educação técnica, matematizando a ciência. A indústria francesa, porém, manteve-se estagnada, vítima da centralização rígida e de um sistema educacional tão compartimentado, que os institutos de Engenharia avançada tinham pouco impacto sobre o desenvolvimento prático. As pesquisas teóricas conduzidas pelos engenheiros franceses foram usadas por físicos britânicos para estudar o que acontece quando os princípios matemáticos da Termodinâmica são aplicados em equipamentos reais nas fábricas, e não em máquinas ideais projetadas no papel. Uma de suas conclusões ficou conhecida como a Segunda Lei da Termodinâmica, a lei que previu o cenário de desolação criado por H. G. Wells.

> A SEGUNDA LEI ERA CONSIDERADA DESANIMADORA E INCOMPREENSÍVEL.

Apesar de considerada desanimadora e incompreensível, a Segunda Lei da Termodinâmica baseia-se em duas observações de simples bom senso: para passar de um corpo mais frio para outro mais quente, o calor tem de ser forçado – uma geladeira precisa de um motor que resfrie o ar dentro dela; e, por mais bem regulada que esteja uma máquina, seu rendimento nunca é de 100%, uma vez que pequenas quantidades de energia se perdem, pelo atrito ou pelo aquecimento. Fundamentados nessas duas realidades cotidianas, os físicos pintaram um cenário melancólico. Uma vez perdida, a energia não pode ser recuperada, e torna-se permanentemente indisponível para um trabalho útil. Em algum momento, tudo vai chegar à mesma temperatura, e as moléculas vão parar de se mover. Em um cosmos governado pela uniformidade, a organização vai desaparecer, e a informação vai parar de circular.

A previsão do fim do mundo alinhou os cientistas com a Bíblia e deu à vida na Terra uma direção que não existia na teoria de Darwin, de evolução por meio da seleção natural. O maior defensor do esgotamento do calor era o grande físico britânico da era vitoriana William Thomson, um professor escocês que conseguiu a então inédita façanha de usar a ciência para ficar rico e famoso. Thomson é mais conhecido por ter instalado o cabo de telégrafo sob o Oceano Atlântico, mas esse foi apenas um de seus lucrativos projetos de engenharia, o que levou a rainha Vitória a sagrá-lo barão Kevin de Largs. Poderoso defensor dos argumentos da Termodinâmica, ele forçou os geólogos a incorporar métodos da Física para calcular a idade do nosso planeta. Segundo Thomson, o Sol é a fonte de força da Terra, e, sem ele, não haveria evolução, por falta de energia suficiente para manter a vida pelo longo tempo necessário à concretização da teoria de Darwin. Kevin viveu até uma idade avançada, mas jamais admitiu que estivesse errado, e recusou-se a acreditar que o poder oculto da radioatividade servisse como fonte de energia adicional.

Ao unir ciência, engenharia e economia, Kelvin ficou muito rico, mas também perpetuou a sobriedade dos industriais do Norte: preservar a energia, evitar desperdício e exercer a autodisciplina. Além disso, conduziu das fábricas aos laboratórios essa ética de trabalho cristã, fazendo da energia uma ferramenta básica para a Física vitoriana. Anteriormente, físicos britânicos haviam seguido a indicação de Newton, concentrando-se nas forças que movem os objetos. Durante o século 19, porém, eles começaram a pensar em possibilidades de trabalho e movimento contidas em um sistema completo. Na Eletricidade, por exemplo, em vez de descrever como as partículas carregadas se atraem e se repelem, Faraday desenvolveu sua teoria de campo da seguinte maneira: imaginou curvas de nível que se espalhavam pelo espaço, fazendo com que a eletricidade fluísse de picos com mais potencial de energia para outros pontos em níveis inferiores.

Os cientistas teóricos estavam determinados a mostrar que sabiam mais sobre a eficiência dos sistemas de telegrafia do que os engenheiros práticos. Embora, em termos pragmáticos fizesse sentido pensar na eletricidade como água correndo por um cano, Kelvin adotou a abordagem mais conceitual de Faraday, analisando como campos eletromagnéticos se espalham invisivelmente em torno dos fios contidos nos cabos. O mais influente físico da teoria de campo era outro professor escocês, James Clerk Maxwell. Ele foi para o Sul, onde fundou o Laboratório Cavendish, em Cambridge, que rapidamente tornou-se referência no meio científico. Enquanto o prático Kelvin só acreditava no que podia medir, Maxwell operava em um plano mais abstrato, construindo analogias matemáticas imaginárias. Com sua abordagem de matemático, Maxwell estava mais interessado em desenvolver equações que dessem certo do que em transportá-las para a realidade física.

Maxwell acreditava que o espaço está repleto de um éter eletromagnético invisível, representado na Figura 37: o corte transversal de um favo de mel mostrando linhas de força como tubos cheios de um fluido incompressível.

Os redemoinhos hexagonais de fluido são separados pelas rodas intermediárias, que representam partículas lançadas lateralmente quando a corrente passa. As pequenas setas indicam como o fluido gira em sentido anti-horário dentro dos tubos; a função das rodas intermediárias é girar na direção oposta, coordenando assim o movimento – embora haja falhas no desenho abaixo da linha AB, no qual diversas setas apontam a direção errada. Diante das críticas recebidas, Maxwell acabou admitindo que seu diagrama não representava exatamente o éter, mas o defendeu como valioso modelo conceitual. Afinal, segundo ele, um planetário também não corresponde exatamente ao sistema solar.

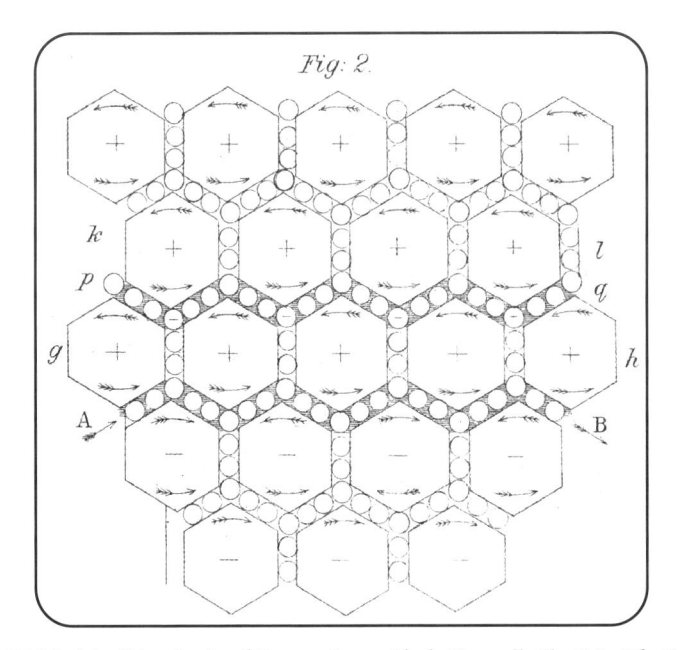

Figura 37. Modelo físico do éter feito por James Clerk Maxwell. *The Scientific Papers of James Clerk Maxwell*, Cambridge, 1890).

Para Maxwell, a energia eletromagnética desse campo era intercambiável com a energia mecânica que move os equipamentos industriais. Críticos estrangeiros zombavam do gosto britânico por bombas e polias. "Pensamos estar entrando no tranquilo e ordenado reduto da razão, mas, na verdade, acabamos em uma fábrica", ironizou um físico francês. Mas a intenção era exatamente essa: usar as mesmas leis da Física para descrever o éter e as máquinas. Pelo menos, era o que se fazia na Grã-Bretanha. Na teoria, durante a segunda metade do século 19, pesquisadores de toda a Europa tiveram muitas oportunidades para conhecer os resultados dos colegas de outros países; surgiam novos jornais, a comunicação melhorava, e não havia guerras de grandes proporções em andamento. No entanto, os cientistas, muitas vezes, ignoravam ou tentavam refutar as teorias estrangeiras. Apesar da crença retórica de que o conhecimento fluía livremente na comunidade científica, encontravam-se cientistas com estilos próprios, conforme o país.

As diferenças mais notáveis ocorriam entre a Grã-Bretanha e a Alemanha, duas importantes potências industriais, com opiniões contrastantes acerca de como e onde se deveria praticar a ciência. Enquanto as pesquisas britânicas sobre Energia eram feitas por engenheiros, na Alemanha as leis da Energia eram desenvolvidas por fisiologistas. Na metade do século 19, os cientistas alemães queriam desligar-se dos antigos naturphilosophen, e resolveram medir os corpos dos trabalhadores, com a mesma precisão que buscavam nos equipamentos da fábrica, eliminando assim as discrepâncias da Fisiologia. Como disse o cientista alemão Hermann Helmholtz: "A ideia do desempenho de uma máquina vem a partir da comparação com homens e animais. Ainda calculamos a potência das máquinas a vapor de acordo com a força de um cavalo."

Assim como Kelvin, Helmholtz era o mais importante cientista de seu país, mas as similaridades param por aí. Estudioso da Filosofia alemã e da Física Matemática francesa, Helmholtz imaginava um cosmos ordenado pelas forças newtonianas, em vez de um éter vibrante ou um campo carregado de energia. Enquanto Kelvin levava a Física acadêmica para as indústrias, Helmholtz estudara Medicina, com as despesas pagas pelo Exército, e só mais tarde veio a ser um pesquisador acadêmico. Como fisiologista quantitativo, Helmholtz transportou a precisão numérica para o universo mecânico, sustentando que entrada e saída devem estar em equilíbrio – uma versão antecipada da lei que nega a criação ou destruição da energia, que é sempre conservada. Com base no conhecimento da Química alemã, Helmholtz analisou o processo alimentar, considerando a natureza como um enorme depósito de energia disponível para as pessoas, tal como acontece com os moinhos de vento e as máquinas a vapor.

Seguindo o modelo alemão de ensino, Helmholtz atraiu um grupo de admiradores, que o procuraram em busca de inspiração e passaram a trabalhar sob sua constante supervisão. O aluno mais destacado era Heinrich Hertz, um ex-engenheiro que se voltou para a Física e herdou de Helmholtz a fidelidade às leis de Newton. No início, Hertz discordava de Maxwell: acreditava que os efeitos da eletricidade de alguma forma pulam sobre espaços vazios, em vez de serem carregados por um éter. Depois de alguns anos de pesquisas cuidadosas, porém, foi mudando de ideia. Em uma série de demonstrações dramáticas, provou que a eletricidade se comporta como se viajasse em ondas através de um fluido; chegou mesmo a refletir e refratar as ondas, para ilustrar a semelhança com o comportamento da luz. Entusiasmado, o recém-convertido Hertz garantia que seu trabalho experimental havia fornecido provas irrefutáveis sobre o acerto das teorias matemáticas de Maxwell.

Na Grã-Bretanha, os físicos teóricos estavam satisfeitos. Hertz havia comprovado suas hipóteses e – o que era igualmente importante – justificara seu sentimento de superioridade sobre os engenheiros práticos. Ao contrário de Hertz, cujo objetivo era rever as teorias eletromagnéticas de Maxwell, os cientistas britânicos se interessavam pelo potencial comercial das ondas elétricas. Um dos colegas de Maxwell realçou que, enquanto os raios de Sol são bloqueados por paredes e pelo *fog* de Londres, as ondas de rádio (como são conhecidas atualmente) podem atravessar esses obstáculos. Seria possível estabelecer uma nova forma de telegrafia que não precisasse de cabos submarinos, tão dispendiosos? Ansioso por tornar a ciência algo rentável, o governo britânico apoiou um inventor italiano chamado Guglielmo Marconi, e o investimento revelou-se altamente lucrativo. Em 1901, Marconi enviou uma mensagem pelo ar, de Cornwall à Terra Nova, e, pela primeira vez, os dois lados do Atlântico fizeram um contato virtualmente instantâneo. No começo do século 20, o rádio, havia realmente tornado o mundo menor.

Outra diferença crucial entre a ciência alemã e a britânica era a organização. A Grã-Bretanha continuava a ser a terra da livre empresa, onde a ciência se misturava aos interesses econômicos. Na Alemanha, por outro lado, o Estado decidiu investir na educação científica. Reformadores se inspiravam em Justus von Liebig, um químico empreendedor que, antes da primeira metade do século 19, transformou sua pequena escola do interior, para formação de farmacêuticos, em um enorme centro internacional para a Química orgânica, por meio do qual a grande novidade foi a combinação de pesquisa e educação. Além de ensinar a usar os precisos equipamentos de medição, Liebig sugeria aos alunos a execução de projetos individuais que complementariam as pesquisas em andamento. Ao administrar e capacitar essa força de trabalho coletivo, ele se tornou o mais influente químico da Europa. Seu laboratório se converteu em uma fábrica eficiente de conhecimento químico, de maneira que as ideias de Liebig eram levadas por muitos de seus alunos para áreas tão diversas como Farmacologia, Indústria e Agricultura.

Mantidas pelo Estado, as universidades alemãs começaram a instalar laboratórios conforme o modelo de Liebig, com um professor-pesquisador que incentivava os alunos a participarem de projetos e seminários. Foram criados institutos especiais para Física experimental, dedicados a formar profissionais capazes de melhorar a indústria alemã. A chamada educação secundária também foi aperfeiçoada, com a inauguração de escolas voltadas para habilidades práticas em ciência, tecnologia e línguas modernas. Na década de 1870, já se viam os resultados. O nível geral de conhecimento científico era muito melhor na Alemanha do que em qualquer outro país europeu, e a indústria crescia. Bem informados, os capitalistas alemães tornaram o treinamento sistemático um artigo tão importante para o poder econômico quanto equipamentos modernos ou uma numerosa força de trabalho.

Hoje em dia, a ciência é absolutamente presente e poderosa, e em retrospecto sua expansão mundial parece ter sido inevitável. No entanto, apesar de muitos outros países terem invejado o sucesso alemão, os caminhos adotados variavam enormemente. Na Grã-Bretanha, por exemplo, o governo continuou a dar pouco apoio financeiro, e, até boa parte do século 20, não havia uma educação técnica eficiente. Alguns cientistas chegaram a inaugurar laboratórios especializados – como o Cavendish, de Maxwell, em Cambridge – mas, sem uma organização centralizada, as escolas de pesquisa dependiam de iniciativas individuais. Em Liverpool, um professor montou um departamento de Física em um antigo hospital psiquiátrico, usando até mesmo as celas almofadadas.

A Alemanha influenciou de maneira mais direta os Estados Unidos, onde as universidades adaptaram o sistema alemão às instituições anglo-americanas existentes. Foi criada uma nova entidade – as Graduate Schools, onde os alunos, em vez de se unirem em torno de uma única figura influente, recebiam aulas de um grupo de especialistas. Essas Graduate Schools norte-americanas ofereciam uma abordagem cuidadosamente estruturada à educação avançada, capacitando os alunos à pesquisa, além de oferecer-lhes a possibilidade de progredir, alcançando o topo de uma carreira acadêmica sistemática. Ao final do século 19, os Estados Unidos haviam se tornado por direito uma poderosa nação científica.

A ciência tecnológica não se espalhou de maneira uniforme pelo mundo; ela foi se modificando e adaptando, para adequar-se às necessidades locais. No Japão, por exemplo, o regime político mudou drasticamente em 1868, quando a dinastia Meji chegou ao poder e começaram a abrir o país para o mundo exterior. De repente, o Japão começou a importar conhecimento em ciência e tecnologia, transformando sua organização científica. O Ministério da Educação lançou intensas campanhas que divulgavam as conquistas da ciência europeia, imprimindo livros traduzidos e distribuindo pôsteres que mostravam momentos decisivos de inspiração científica, como Watt e sua chaleira, ou Franklin e sua pipa. Esses heróis da ciência eram usados para promover a importância do trabalho paciente e dedicado – o significado tradicional da palavra "indústria". Durante séculos de sistema feudal, a população japonesa servira fielmente aos senhores locais, e os novos cientistas profissionais transferiram essa lealdade para a nação. No começo do século 20, já se fazia no Japão pesquisa de excelente qualidade, embora a mudança repentina, do isolamento para a abertura, tivesse deixado marcas; bem depois da Segunda Guerra Mundial, os engenheiros e cientistas japoneses ainda eram acusados de dependerem das inovações ocidentais, em vez de praticarem ideias próprias.

Nem dentro dos limites de determinados países houve resposta uniforme à introdução da ciência. No caso da China, por exemplo, a Astronomia europeia havia chegado com os missionários jesuítas no século 17. Como sua maior preocupação era converter novos cristãos, eles evitavam discutir as teorias polêmicas de Copérnico e Galileu, mas tentavam – em geral sem sucesso – impressionar os habitantes locais com instrumentos elaborados. Alguns astrônomos chineses preferiam resgatar as técnicas de seus antecessores, e somente na segunda metade do século 19, quando os poderes imperiais interferiam na política interna do país, uma nova leva de missionários protestantes impôs uma educação europeia sobre amplos setores da população, e o governo começou, embora com relutância, a ensinar a ciência moderna.

De maneira semelhante, os habitantes das colônias britânicas não necessariamente viam com bons olhos a chegada de máquinas pesadas e a imposição de um novo currículo escolar. Na Índia do século 19, ainda que alguns indivíduos ambiciosos da classe média se interessassem em aliar-se aos colonizadores, para garantir o poder, outros grupos foram menos receptivos. Fazendeiros não apoiaram a mecanização, considerando mais eficientes as técnicas tradicionais de arar a terra e semear, diante das condições da agricultura local. A pressão foi tanta, que os britânicos reviram as próprias práticas e incorporaram o conhecimento dos nativos. Muitos indianos achavam a Medicina importada pouco eficaz, e continuavam a confiar nos remédios antigos, temendo contaminar-se com substâncias químicas vindas de fora. No começo do século 20, nacionalistas indianos que buscavam a independência consideravam a ciência europeia um símbolo da opressão britânica.

Do ponto de vista dos capitalistas europeus, o progresso científico representou poder dentro e fora do continente, pois as novas tecnologias, como os meios de transporte movidos a vapor e o telégrafo elétrico, permitiam o controle sobre extensas regiões do mundo. Muitos imperialistas acreditavam genuinamente contribuir para a melhoria de vida dos povos conquistados, e custavam a entender a recepção fria que recebiam. Hoje em dia, os políticos estão mais conscientes do potencial de destruição da ciência. Os cientistas talvez devessem ter prestado mais atenção a Mahatma Gandhi em 1928, quando ele estimulou os indianos a lutarem pela liberdade. "Deus não permita que a Índia se industrialize como o Ocidente", ele disse. "Se uma nação de 300 milhões adotar tal exploração econômica, o mundo inteiro será devastado, como se fosse atacado por uma praga de gafanhotos."

CAPÍTULO 35
TEMPO

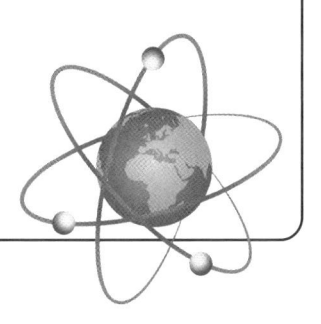

Verdadeiro relógio da Alemanha,
Que está sempre em conserto e desmanchado
E que horas não dá certas, salvo quando vigiado,
Para andar sempre no passo.

- William Shakespeare, *Love's Labour's Lost*,
"Trabalhos de Amor Perdidos" (1595)

Para que as coisas aconteçam na hora certa, é preciso controle. Quando, no final do século 13, os relógios mecânicos foram introduzidos, impuseram regularidade às atividades tradicionais das pessoas. Decorridos 600 anos, aparelhos de medição de tempo mais precisos disciplinavam as sociedades com maior rigor. Em Paris, durante a década de 1880, os relógios da cidade inteira eram coordenados por lufadas de ar comprimido, lançadas de uma sala de máquinas central, através de uma tubulação subterrânea. Os cidadãos interessados em conhecer esse sistema pneumático podiam visitar uma elegante sala de exposição, iluminada por uma tocha na réplica da Estátua da Liberdade, ignorando as restrições impostas pela automatização centralizada. Esses clientes ricos estavam seduzidos pelo culto à precisão.

Durante o século 19, medir o mundo cada vez mais precisamente tornou-se uma verdadeira obsessão. Quando um inventor norte-americano apresentou um instrumento ótico recém-inventado, com surpreendentes 43 mil linhas por polegada, os cientistas alemães se assustaram com a possibilidade de perder a liderança na corrida pela máxima precisão. Assim, os soldados britânicos foram instruídos a contar quantos postes de telégrafo passavam pela janela do trem a cada milha, durante as viagens; um meteorologista solitário fez observações do clima a cada hora, durante 12 anos; e o astrônomo John Herschel muitas vezes passou horas sob o ar frio da noite, até alcançar a mesma temperatura de seu telescópio.

> MEDIR O MUNDO, CADA VEZ MAIS PRECISAMENTE, TORNOU-SE UMA VERDADEIRA OBSESSÃO.

Os vitorianos consideravam a precisão um símbolo da ciência moderna. No entanto, tal como o tempo, a precisão não é uma ideia absolutamente teórica, e envolve consenso. Quando psicólogos norte-americanos introduziram testes de inteligência para analisar possíveis imigrantes, chegaram a resultados numéricos que sustentavam a crença na superioridade dos europeus do Norte sobre judeus, italianos e negros. Mas saber se alguém marcou 105, 106 ou 107 pontos é irrelevante, a não ser que todos os envolvidos concordem sobre a importância do valor encontrado. De maneira semelhante, os cientistas devem decidir se o valor apontado na escala é válido, ou seja, se registra com precisão algum aspecto útil.

A certeza da leitura de um instrumento é mais complicada do que parece. Uma precaução é fazer checagens constantes, verificar se o instrumento está em bom estado, se pode suportar condições climáticas extremas e se dá o mesmo resultado para todos os observadores – pelo menos para os bem treinados. Existem, porém, algumas questões ainda mais importantes. Nenhum aparelho mostra exatamente o mesmo valor sempre, mas será que, para reformular uma antiga teoria com base em uma nova leitura, é preciso ter 99% ou 99,99999% de certeza? E se dois cientistas altamente capacitados chegarem a conclusões diferentes, como decidir em quem confiar? A solução dessas questões exige consenso.

A expansão da rede de telegrafia, que exigia coordenação internacional, forçou os cientistas a confrontarem esses problemas. Para controlar o império em termos de eletricidade, os engenheiros britânicos precisavam certificar-se de que na Índia ou na África obteriam os mesmos bons resultados alcançados no próprio país. Como explicou James Clerk Maxwell na *Encyclopedia Britannica* ("Enciclopédia Britânica"): "As equações a que chegamos devem ser de tal maneira claras, que qualquer pessoa, em qualquer nação, ao substituir os valores numéricos encontrados pelas unidades nacionais, consiga um resultado verdadeiro." Quando os especialistas em telegrafia compilavam tabelas de conversão comparando os resultados obtidos por estudiosos em diferentes países, descobriram que, apesar de todo o trabalho ter sido registrado em números significativos, os valores não combinavam.

O estabelecimento de padrões internacionais gerou enormes controvérsias. O orgulho nacional estava em jogo, e os nacionalistas britânicos se opunham aos planos franceses de restaurar o sistema métrico, abandonado alguns anos depois de sua introdução durante a Revolução Francesa. Alguns arqueólogos britânicos insistiam que a medição em jardas de uma pirâmide egípcia revelava como os construtores tinham sido inspirados divinamente a criar proporções perfeitas. Mais influente ainda, o astrônomo John Herschel descreveu como pesquisadores militares da Índia haviam provado que o metro não corresponde a uma fração exata das dimensões da Terra. De qualquer forma, segundo ele, "como o Império Britânico domina o mundo, os outros países devem seguir a nossa orientação". Esses argumentos podem não parecer científicos, mas mostraram-se poderosos: Maxwell conseguiu que os padrões eletromagnéticos estabelecidos em seu laboratório de Cambridge fossem aceitos no mundo inteiro.

> O ESTABELECIMENTO DE PADRÕES INTERNACIONAIS GEROU ENORMES CONTROVÉRSIAS.

De todas as medições discutidas, o tempo era a mais importante. Até a metade do século 19, as cidades seguiam horários próprios, e os moradores ajustavam os relógios de acordo com as estrelas e o Sol. Quando os trens começaram a ligar lugares distantes centenas de quilômetros entre si, a coordenação dos relógios tornou-se essencial. Na Grã-Bretanha, as companhias de estradas de ferro concordaram em adotar o horário de Londres, diariamente medido a partir das estrelas, em Greenwich, e enviado a todo o país por sinais de telégrafo, ao longo das linhas férreas. A situação em outros países era mais complicada. Na França, os trens obedeciam ao horário de Rouen, cinco minutos atrasado em relação a Paris, onde os relógios dentro das estações marcavam cinco minutos a menos do que o resto da cidade. Os Estados Unidos eram tão extensos, que decidiram estabelecer zonas horárias internas, uma prática depois adotada em todo o mundo.

À medida que se estabeleciam redes elétricas de comunicação, os países foram forçados a colaborar mais, chegando a sistemas padronizados de medidas, para que o mundo inteiro marcasse o tempo no mesmo ritmo.

Sinais de telégrafo e de rádio ligavam regiões distantes em um só sistema, reduzindo as dimensões do mundo, de maneira que a informação pudesse chegar imediatamente, em vez de levar semanas ou meses para ser transmitida. Assim como aconteceu com os trens, essas novas tecnologias não só possibilitaram um controle centralizado, como trouxeram novas exigências em termos de coordenação – dessa vez em escala global.

A colaboração internacional foi essencial também para a Cartografia, que dependia da marcação correta do tempo. O grande problema era a longitude: pesquisadores queriam medir o espaço de tempo entre dois pontos na mesma latitude, para descobrir a distância entre eles. Desde o século 18, quando muitos desastres ocorreram em alto mar, porque os navios saíam inadvertidamente da rota, ofereciam-se prêmios para quem conseguisse resolver esse problema. Inventores em busca de dinheiro enviaram sugestões criativas, e uma vez eliminadas as mais bizarras, ficou claro que o relógio era a melhor solução. Infelizmente, nem o instrumento mais resistente conseguia manter o tempo preciso durante uma longa e tormentosa viagem de um lado a outro do Oceano Atlântico.

A telegrafia parecia ser a solução. Como os sinais elétricos viajam praticamente de imediato, horários locais de lugares muito distantes podiam ser comparados quase ao mesmo tempo. Os cartógrafos tiveram de abandonar o hábito de colocar no centro do mapa-múndi, a cidade onde viviam, então, a um sistema de numeração universal para a longitude. Mais uma vez a Grã-Bretanha prevaleceu: em 1884, um Comitê Internacional decidiu traçar, em Greenwich, a linha zero para o planeta inteiro – embora os franceses tenham mantido o horário de Paris até 1911.

À medida que a precisão aumentava, as pessoas começavam a se preocupar com a possibilidade de estarem atrasadas ou adiantadas. Antes do século 19, saber a hora exata era algo tão sem importância (e difícil), que nos relógios não havia o ponteiro dos minutos; na década de 1880, porém, os cidadãos reclamavam do sistema pneumático subterrâneo de Paris, por demorar alguns segundos para enviar as lufadas de ar, da sala de controle central para as diversas partes da cidade. Na virada do século, as grandes metrópoles começaram a instalar sistemas de relógios unificados eletricamente, para garantir que todos mostrassem o mesmo horário.

Os técnicos em telegrafia enfrentavam um problema especialmente complicado, pois tinham de fazer aproximações até os mínimos períodos de tempo

– as frações de segundo – necessários para o sinal elétrico alcançar o destino do outro lado do mundo. Quando era exigida uma precisão extrema, mesmo pequenos erros de ajuste podiam levar a grandes discrepâncias nas distâncias medidas. A corrida pela longitude renasceu em uma versão do século 20, quando inventores otimistas criaram aparelhos para sincronizar períodos de tempo em todos os cantos do mundo. Com a intenção de proteger as fortunas que pretendiam acumular, eles registravam patentes na Suíça, centro da fabricação de relógios. E muitos de seus projetos chegavam à mesa de um físico e filósofo, originalmente muito mais interessado em Termodinâmica do que em medição do tempo – o examinador de patentes Albert Einstein.

Einstein se tornou um ícone da impossibilidade de compreensão teórica. Para a maioria das pessoas, as equações da Figura 38 não passam de rabiscos sem significado; ainda assim, visitantes acorriam a Oxford para admirar aquele quadro-negro, cuidadosamente preservado desde 1931. (O de Cambridge tinha sido descartado anos antes.) Quando Einstein anotou essas equações, a plateia aos poucos se desligou da palestra supostamente introdutória sobre a Teoria da Relatividade. "Eu não os culpo. Ainda que a Matemática que conhecem seja suficiente para entender o que ele disse, certamente seu conhecimento de alemão não é" – comentou um cientista. Esses cálculos, em particular, levavam à idade da Terra estimada por Einstein; ele se preocupava com recentes indícios de erros em seus cálculos. Àquela altura, ele deixara de trabalhar como examinador de patentes, e havia transformado a experiência com os problemas práticos ligados à medição do tempo em modelos matemáticos do cosmos inteiro.

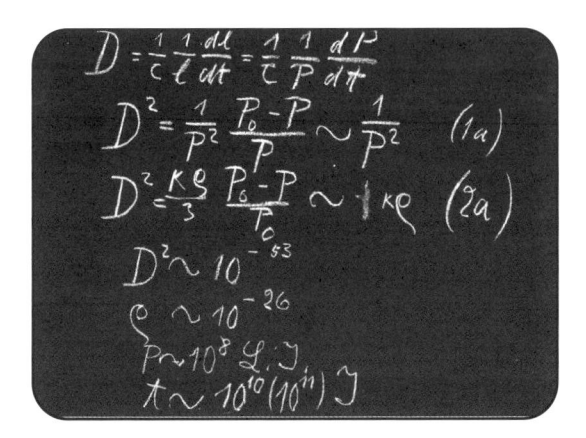

Figura 38. O quadro-negro onde Albert Einstein ilustrou uma palestra em maio de 1931, em Oxford.

Em 1944, Einstein perguntou a um jornalista do New York Times: "Por que ninguém me entende, mas todo mundo gosta de mim?". Obviamente ele não esperava uma resposta, mas a pergunta é instigante. De que maneira um desconhecido teórico da Cosmologia veio a ser mundialmente famoso? Até que Einstein tivesse por volta de 40 anos de idade, ninguém além de um pequeno círculo de físicos matemáticos havia sequer ouvido falar dele. Notícias sobre ele chegaram às manchetes internacionais pela primeira vez em 1919, quando uma expedição britânica investigando um eclipse solar confirmou sua Teoria Geral da Relatividade. Logo a cabeleira despenteada e o bigode volumoso passaram a identificar o herói que havia ousado desafiar Isaac Newton – e vencera o debate intelectual.

> EINSTEIN ADORAVA RESSALTAR COMO SUA TEORIA DA RELATIVIDADE HAVIA REVOLUCIONADO O CONCEITO DE TEMPO.

Tal como muitos heróis da ciência, Einstein era um especialista em autopromoção que fazia palestras entusiásticas e adorava ressaltar como sua Teoria da Relatividade havia revolucionado o conceito de tempo. "Uma hora ao lado de uma bela menina em um banco de praça passa em um minuto, mas um minuto sentado em cima de um forno quente parece uma hora" – ele disse. Einstein não estava sozinho em sua fascinação pelo tempo. Muitos músicos, escritores, artistas de vanguarda, também queriam encontrar novas maneiras de representar o mundo, e diziam-se inspirados por sua Física. Para desgosto de Einstein, a expressão "tudo é relativo" perdeu o sentido e se popularizou. No entanto, serviu para reforçar a noção de que Einstein era um gênio extraordinário, criador de uma teoria incompreensível para as pessoas comuns.

O primeiro artigo de Einstein sobre a relatividade, publicado em 1905, não trazia referências nem notas de rodapé, como se fosse uma solicitação de registro de patente feita por um inventor interessado em afirmar sua originalidade. Embora tal artigo seja hoje saudado como um evento histórico, a revolução não foi imediata. A Teoria da Relatividade foi desenvolvida e testada ao longo de muitos anos, e alguns aspectos só foram comprovados depois de meio século. Nem mesmo a famosa equação $E = mc^2$, que une energia, massa e a velocidade da luz, aparecia no primeiro artigo de Einstein.

A relatividade abala as maneiras comuns de pensar sobre espaço e tempo, estabelecidas por Newton três séculos antes. Para Newton, o espaço é fixo, e o tempo passa inexoravelmente a uma velocidade constante. Para Einstein, o tempo depende de onde você está e da velocidade da movimentação; portanto, só faz sentido definir o tempo pessoal em relação a outro referencial. No cosmos relativista de Einstein, apenas um elemento é constante: a velocidade da luz. Com esse postulado básico, Einstein elimina as conjecturas de Maxwell, sobre o éter. Cientistas haviam tentado descobrir como reduzir a velocidade da luz, se ela avançar na direção contrária, rumo ao éter que rodeia a Terra – ou acelerar, caso seja empurrada pelo éter –, mas o conceito de relatividade dispensou tais hipóteses.

Einstein produziu duas versões de sua teoria. A teoria especial de 1905 é comparativamente direta, em termos matemáticos, mas dez anos depois ele publicou uma teoria geral, mais abrangente, que leva em consideração a gravidade e faz algumas afirmativas que parecem estranhas: a luz se curva ao aproximar-se do Sol; e os viajantes do espaço voltarão à Terra mais jovens do que os colegas que deixaram aqui. Os humoristas logo se aproveitaram desses fenômenos. Um *cartoon* publicado na revista *Punch* mostrava um policial prendendo um ladrão com tochas que emitiam raios curvos, enquanto um poeta espirituoso compunha este poeminha:

Era uma vez uma menina chamada Clara
Que corria mais do que a luz.
Ela partiu um dia
Relativamente
E voltou na noite anterior.

Há pelo menos três erros científicos nesses versos: a menina Clara morreria muito antes de conseguir viajar rápido o suficiente para ser afetada pela relatividade; nada pode viajar mais depressa do que a luz; e a ordem dos acontecimentos não pode ser mudada, apenas o intervalo entre eles.

No entanto, por mais confusas e desconcertantes, as pilhérias faziam sucesso e não ridicularizavam a imagem de Einstein; além disso, contribuíam para divulgar seu nome e aumentar sua fama. Sob uma análise mais cuidadosa, porém, não parece tão claro que ele mereça tantos louvores. Ao desenvolver suas teorias, Einstein se baseou no trabalho de outros matemáticos. Com uma observação mais detalhada, até a experiência que confirmou sua teoria geral parece suspeita. Essa experiência ocorreu em 1919, quando uma expedição britânica liderada pelo astrônomo Arthur Eddington, de Cambridge, foi estudar um eclipse e supostamente provou que Einstein – transformado de uma hora para outra em estrela da mídia – estava certo, e Newton, errado. O planejamento teria começado dois anos antes, quando Eddington buscava um meio de não ser preso como desertor, durante a guerra. Para justificar os gastos em um projeto não militar, Eddington se dedicou a comprovar que Einstein estava certo.

De acordo com a teoria de Einstein, a luz de uma estrela distante é curvada pela gravidade quando passa pelo Sol. Isso significa que, para quem olha da Terra, a estrela parece estar em lugar diferente do que estaria se a luz viajasse em linha reta. Então, se medirmos a posição da estrela perto do Sol durante um eclipse, comparando o resultado com outras medições feitas em localizações distantes do céu, veremos se os resultados combinam com as previsões de Einstein ou de Newton. No entanto, o que parece um teste crucial para distinguir entre duas teorias rivais mostrou-se muito complicado na prática. E o mais grave: não havia estrelas adequadas perto do Sol durante o período do eclipse. Esse fato só aumentou a necessidade de precisão, de maneira que os observadores tinham diante de si uma tarefa tão difícil quanto medir uma moedinha a 1 quilômetro de distância. Para complicar os problemas técnicos, no grande dia o tempo estava encoberto.

Quando os resultados se mostraram inconclusivos, Eddington começou a manipular os dados, descartando fotografias que não confirmavam suas visões preestabelecidas e omitindo evidências contraditórias reunidas por outras equipes. Muitos cientistas já haviam aderido às teorias de Einstein, e Eddington procurou seus contatos influentes, a fim de convencê-los de que a expedição demonstrava a verdade que eles queriam ouvir. Ainda assim, alguns especialistas continuaram céticos, e passaram-se duas décadas antes que os astrônomos americanos se convencessem.

Einstein gostava de se ver como sucessor de Newton na galeria dos grandes gênios, quase como se um poder divino e imaterial pudesse passar de um intelecto extraordinário para outro. Ainda assim, sua teoria enigmática fez parte dos problemas práticos da coordenação de relógios sob o regime de precisão do século 19. Os ícones científicos são adorados como seres de outro mundo que flutuam acima da realidade da vida cotidiana. Einstein comprova que mesmo o mais abstrato pensador não se encaixa nessa visão idealizada.

PARTE 6

INVISÍVEIS

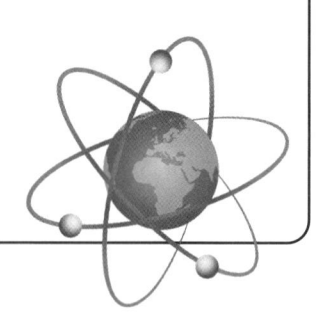

Durante os séculos 19 e 20, os cientistas desenvolveram instrumentos cada vez mais precisos, mas não deixaram de recorrer a entidades invisíveis para explicar fenômenos naturais. Parece que, por mais meticuloso que fosse o estudo, as causas definitivas sempre lhes escapavam. Alguns físicos afirmaram com segurança que as leis da natureza logo estariam esclarecidas, mas sua convicção foi abalada pela radioatividade, que revelou um microuniverso inexplorado e inesperado, cujo comportamento somente as leis obscuras da Mecânica Quântica poderiam explicar. A incerteza parecia parte integrante do universo, tornando impossível aos cientistas atômicos saberem tudo sobre todas as coisas, tanto na teoria quanto na prática. Em buscas infrutíferas pela base material da vida, biólogos também se esforçavam para deixar visível o invisível, confiando em poderosos instrumentos óticos e químicos que investigavam as células cada vez mais a fundo, para revelar agentes ocultos que afetassem a existência humana. Lançados em nome do progresso, programas de pesquisas anunciavam promover a ciência e melhorar a humanidade, mas carregavam implicações políticas e comerciais que suscitavam sérias restrições éticas.

CAPÍTULO 36
VIDA

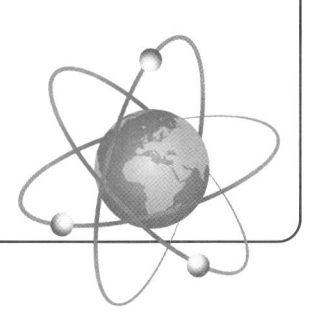

A propaganda é uma arma traiçoeira: segure-a nas mãos por muito tempo, e ela vai se mover como uma cobra, e tomar a direção contrária.
- Jean Anouilh, *The Lark*, adaptação de *L'Alouette* (1953)

"Foi em uma noite sombria de novembro", recordou-se Victor Frankenstein. "Juntei os instrumentos ao meu redor e infundi uma faísca de vida no ser inanimado que estava deitado aos meus pés... Vi o olho amarelo e pesado da criatura se abrir; ele respirava com dificuldade, e um movimento convulsivo agitou seus braços e pernas." Frankenstein se tornou uma criatura quase mítica dos pesadelos, um monstro científico muitas vezes confundido com a criatura inocente que ele trouxe à vida. No entanto, os leitores não se surpreenderam por tomarem conhecimento de um feito impossível, mas porque as atividades do dr. Frankenstein beiravam a plausibilidade.

A autora de *Frankenstein*, Mary Shelley, estava atualizada com as mais recentes pesquisas científicas. Apesar de ficcional, o livro fornece uma visão crítica do panorama da ciência em 1818, quando Frankenstein foi publicado pela primeira vez. Naquela época, trazer os mortos de volta à vida parecia uma possibilidade real. Afogados haviam sido ressuscitados com sucesso, e anatomistas faziam experimentos públicos em criminosos recém-enforcados, aplicando aos corpos choques elétricos fortíssimos, até os membros estremecerem, as costas se dobrarem, e os olhos se abrirem. As pesquisas continuaram, e em 20 anos cientistas debatiam acaloradamente relatos de que um geólogo havia criado insetos aplicando choques elétricos em uma pedra.

Na época, a Biologia começava a alcançar o status de nova ciência (identificada pela primeira vez em uma simples nota de rodapé de um livro alemão, em 1800), e seus pioneiros perseguiam a mais difícil pergunta de todas: Qual é a natureza da vida? A opinião dos britânicos se dividia em duas vertentes principais. De acordo com a visão tradicional, a vida surge quando uma alma – ou espírito – é tocada por Deus. No outro extremo estavam os materialistas, reducionistas científicos convencidos de que a vida está na matéria em si, em alguma recomposição de unidades fundamentais. Essas ideias pareciam particularmente ameaçadoras porque vinham da França, um lugar conhecido pelos mais tradicionalistas como a fonte da revolução e do ateísmo. Os debates eram acirrados. Em uma tentativa conciliadora, um famoso cirurgião londrino sugeriu diplomaticamente que a vida é infundida em substâncias inertes por alguma forma de força vital, talvez um fluido superfino parecido com a eletricidade. Shelley sabia desses debates quando retratou Frankenstein como um experimentador desajeitado, um alquimista esotérico cujas tentativas de gerar vida por meio da eletricidade resultaram em desastre.

Shelley também conhecia a linha polêmica seguida por William Lawrence, médico de seu marido, que desprezava todas as teorias ligadas à eletricidade. Segundo ele, sabia-se apenas que a vida passa de geração em geração, e o segredo disso com certeza está na própria constituição do corpo. Os novos biólogos preferiam aliar-se a físicos e químicos, e não aos estudiosos da História Natural, alegando que utilizariam experimentações precisas para analisar melhor a vida, em vez de simplesmente coletar e classificar organismos vivos. Esse tipo de pesquisa baseada em laboratórios expandiu-se rapidamente depois da década de 1830, quando passaram a ser produzidos microscópios de alta qualidade. Embora inventados havia 200 anos, esses equipamentos até então mostravam imagens muito imprecisas, para uma observação detalhada. Com a introdução de componentes óticos mais avançados, os biólogos conseguiram identificar microrganismos e investigar a fundo as células de criaturas vivas.

No entanto, ainda que armados de instrumentos poderosos, os biólogos não chegavam a um acordo, e os debates sobre a vida continuaram acirrados ao longo do século 19. Havia muito mais em jogo do que simples fatos. Cristãos fervorosos consideravam um sacrilégio sugerir que o dom da vida não fosse exclusivo de Deus – um dos motivos pelos quais Frankenstein foi recebido com tanto horror. Essa oposição religiosa ao materialismo tornou-se ainda mais patente depois que a teoria da evolução começou a ser levada a sério. Embora as hipóteses sugeridas (inclusive a de Darwin) passassem ao largo do sur-

> OS DEBATES SOBRE A VIDA CONTINUARAM ACIRRADOS AO LONGO DO SÉCULO 19.

gimento da vida, todas indicavam que a geração espontânea – a criação independente, a partir da matéria – havia acontecido pelo menos uma vez em um passado remoto. Eis uma ideia que muita gente achava difícil de aceitar.

Religião e ciência não eram obrigatoriamente antagônicas. Em toda a Europa, alianças e debates se estabeleceram de acordo com a política local. Na França, a Igreja se uniu ao imperador (sobrinho de Napoleão), para manter um regime autoritário, e o maior crítico da geração espontânea, Louis Pasteur, era um católico fervoroso, comprometido com a defesa do papel de Deus na criação. As controvérsias nacionais se inflamaram ainda mais, com a tradução para o francês do livro de Darwin, On the Origin of Species (A Origem das Espécies, em português), cujo prefácio provocador denunciava o catolicismo como uma religião perigosa imposta por padres corruptos. Na França, portanto, ser um bom patriota significava rejeitar a geração espontânea – um gesto de lealdade praticado por Pasteur, que contribuiu para fazer dele o mais famoso cientista de seu país.

Especialista na produção de vinhos e cervejas, durante os anos 1860, Pasteur construiu sua imagem de herói nacional ao abordar a mais importante questão científica da época: se a vida pode surgir a partir de plantas e animais mortos. Seu maior oponente era Félix-Archimede Pouchet, um renomado naturalista, criador de um aparelho que aparentemente produzia microrganismos. A técnica básica de Pouchet consistia em ferver feno com água, criando uma infusão estéril, isolada do ar por meio de uma tigela de mercúrio, e depois esperar por algum sinal de vida.

Pasteur tratou essa pesquisa com ideias preconcebidas – sem neutralidade ideológica. Sua orgulhosa declaração de que "o acaso só favorece a mente preparada" tornou-se uma das mais famosas máximas da ciência, porque abordar a natureza com total isenção não costuma ser uma atitude considerada muito produtiva; o sucesso frequentemente depende de que se reconheça a importância de algum efeito minúsculo até então ignorado. Interpretada com menos benevolência, a frase de Pasteur pode mostrar que ele tinha um interesse maior em provar que estava certo, do que em descobrir o certo. Ambicioso e pouco tolerante, Pasteur era conhecido por apropriar-se dos resultados dos assistentes, e seus cadernos de anotações revelam que, desde o início da disputa com Pouchet, já estava convencido da resposta que obteria.

Sem revelar seus insucessos anteriores, Pasteur desenvolveu um método que considerou de importância crucial, para testar a geração espontânea. Com frascos especiais, cujos gargalos longos e sinuosos eram projetados para impedir que a poluição da atmosfera contaminasse a experiência, ele comparou o que acontece a duas misturas de fermento, água e açúcar, uma fervida e a outra não. Em seus testes, apenas a mistura não fervida criou mofo; nenhum organismo vivo apareceu na solução estéril. Assim, Pasteur concluiu haver desmentido definitivamente a ideia da geração espontânea, e conseguiu contornar todas as objeções levantadas por Pouchet e seus aliados. Para tanto, entre outras estratégias, acusou o rival de usar mercúrio contaminado, ao fazer as experiências. Se por um lado Pasteur de fato conduziu bons testes – até levou seus frascos para o alto de geleiras, em busca de ar puro –; por outro, escondia evidências contrárias a seu trabalho e, sempre que lhe convinha, ignorava as conclusões dos rivais. Assim, usava como justificativa as próprias convicções, em vez de dados. Quando ele disse ter provado que a geração espontânea não poderia acontecer em lugar algum, referia-se a uma negativa, o que carece de lógica.

Pasteur virou herói, suas crenças preconcebidas tornaram-se fatos estabelecidos, e Pouchet foi esquecido. Os dois pesquisadores acabaram reféns das próprias teorias porque adotavam procedimentos similares para obter resultados opostos. Como saber qual dos dois estava certo? Em pesquisa, esse é um problema comum, parecido com o dilema provocado pela eletricidade quando diferentes tipos de instrumentos forneciam resultados incompatíveis. Assim como aconteceu com os britânicos e o sistema telegráfico, essas discrepâncias podem levar a uma situação em que o grupo mais forte decide qual é a verdade. Muitos anos depois, ficou comprovado que os resultados de Pouchet eram válidos, porque alguns microrganismos presentes no feno podem suportar a fervura; as pessoas haviam presumido erroneamente que as infusões eram totalmente estéreis. Se Pasteur tivesse seguido estritamente o protocolo científico, não conseguiria eliminar a questão da geração espontânea com tanta facilidade.

Se ciência e religião não eram obrigatoriamente antagônicas, também nem sempre eram aliadas nas controvérsias sobre a vida. Depois de Otto von Bismarck assumir o cargo de chanceler em 1871, a recém-unificada Alemanha se tornou líder em pesquisa científica na Europa, e muitos cientistas apoiaram a campanha do governo contra a Igreja Católica. Ernst Haeckel, o principal defensor das ideias de Darwin em território alemão, criticou a religião como se escrevesse um manifesto político, e não um texto científico. Na guerra santa contra a "servidão intelectual e a falsidade", ele proclamava, inflamado, que "a Embriologia é a artilharia pesada na luta pela verdade". A Embriologia era uma ciência importante na Alemanha, e Haeckel esperava que, ao comparar o desenvolvimento de diversos animais, conseguisse revelar as forças misteriosas que transformavam algumas poucas células em uma criatura viva independente.

> CIÊNCIA E RELIGIÃO NEM SEMPRE ERAM ALIADAS NAS CONTROVÉRSIAS SOBRE A VIDA.

Além de teorias, a ciência precisa de instrumentos. Sem um aperfeiçoamento drástico na tecnologia dos microscópios, Pasteur não teria conseguido examinar tão detalhadamente os minúsculos organismos que causam as doenças e a fermentação, e a Embriologia jamais teria adquirido tanta importância na Alemanha. Enquanto os fabricantes ingleses se concentravam em fornecer instrumentos caros aos estudiosos de História Natural, os fabricantes alemães produziam telescópios de excelente qualidade, por um preço que até os estudantes podiam pagar. Utilizando esses instrumentos para comparar as estruturas internas de plantas e animais, cientistas alemães concluíram que as células eram as unidades básicas da vida, apesar das enormes variações na aparência.

A teoria das células dominou a pesquisa alemã durante os últimos dois terços do século 19. Depois de algumas décadas de investigações sistemáticas, que envolveram o abandono de diversas teorias, os biólogos concordaram em uma descrição geral ainda aceita atualmente: todas as células têm um núcleo que contém cromossomos, e esse núcleo fica em suspensão no citoplasma, de consistência gelatinosa. No entanto, embora tais elementos pudessem ser observados ao microscópio, suas funções permaneciam obscuras. Sabia-se que animais se desenvolvem a partir de óvulos e esperma, tornando-se embriões completos, mas os processos envolvidos continuavam misteriosos, e os cientistas se mantinham frustrantemente longe de revelar os segredos da vida.

Quando Haeckel começou a investigar embriões, beneficiou-se do fato de pertencer à comunidade de pesquisa orientada para as células, formada por especialistas em microscópios. Ele também herdou a crença especificamente alemã de que algum tipo de força orientava a vida. Os naturphilosophen haviam imaginado o desenvolvimento em estágios, rumo a objetivos previamente estabelecidos, de modo que a mente surgisse da matéria, em algum tipo de processo pré-ordenado que nunca teve uma boa explicação. Na opinião dos naturphilosophen, as mesmas leis fundamentais do progresso regiam o macro e o microcosmos. Para ilustrar esse paralelismo, eles apontavam os embriões, que pareciam crescer de acordo com algumas regras predeterminadas até chegarem à forma final, como se repetissem – e recapitulassem – dentro do útero a ancestralidade da espécie.

Essas visões idealizadas iam contra as teorias materialistas da evolução. Na forma original, a seleção natural não prometia o progresso, embora alguns britânicos defensores das ideias de Darwin – inclusive Huxley, seu famoso assistente – viessem a insistir que devia haver alguma espécie de roteiro que ia dos organismos mais simples aos mais complexos. Com um movimento semelhante, Haeckel fundiu a seleção natural e o progresso inato, ficando conhecido como "o Darwin alemão", embora defendesse ideias contrárias às de Darwin. Muito hábil em promoção pessoal, Haeckel formalizou uma versão própria da evolução, resumindo-a em uma frase memorável: "A ontogenia é uma recapitulação breve e rápida da filogenia." Esse é um modo inteligente e direto de dizer que o desenvolvimento de um indivíduo (ontogenia) recapitula os estágios percorridos durante a evolução da espécie (filogenia); assim, os embriões de espécies mais recentes passam pelas formas de outras espécies mais antigas.

VIDA

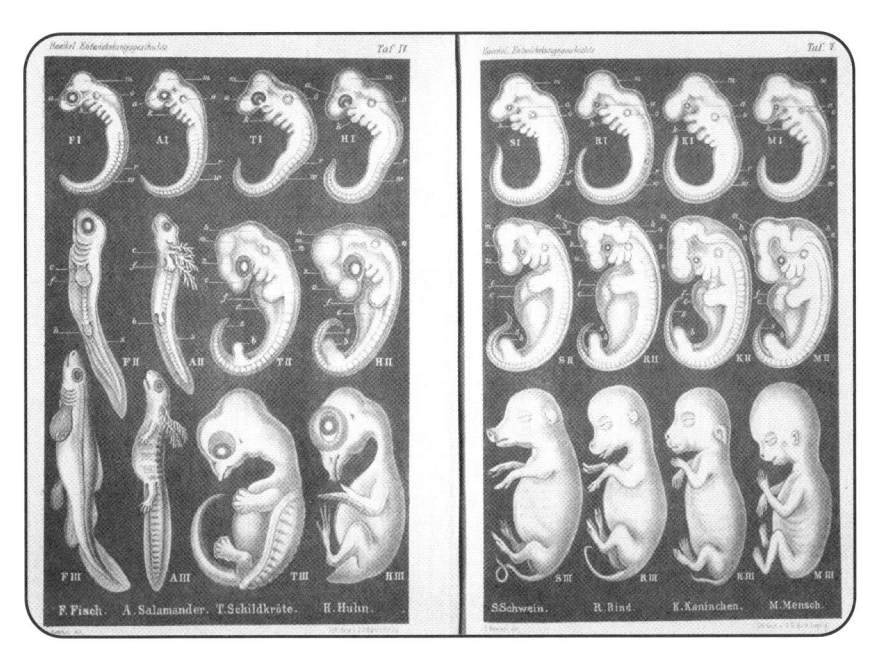

Figura 39. Comparação de embriões em três estágios da evolução. Ernst Haeckel, *A Popular Exposition of the Principal Points of Human Ontogeny and Phylogeny* (Londres, 1883).

Como ilustra a Figura 39, Haeckel queria evitar longas explicações, substituindo-as por uma imagem autoexplicativa. As oito colunas do diagrama comparam a aparência de oito animais em três estágios antes do nascimento. A complexidade dos modelos vai de um peixe, à esquerda, até um ser humano, à direita. Na fileira de cima, os jovens embriões são muito parecidos, enquanto os estágios mais avançados, na fileira de baixo, diferenciam-se claramente. Haeckel usou esses quadros para deixar claro que os vertebrados têm um padrão comum de desenvolvimento, e também para explicar como os embriões passam sucessivamente por formas inferiores na árvore da evolução. O feto humano, por exemplo, logo no primeiro estágio apresenta características que lembram guelras e barbatanas encontradas na forma mais matura do peixe visto embaixo, à esquerda.

Os diagramas convincentes, o texto interessante e a retórica antirreligiosa de Haeckel garantiram que sua versão da recapitulação se tornasse muito influente em toda a Europa e em outros continentes. Na metade do século 20, muito tempo depois de a recapitulação ter sido desacreditada, as belas ilustrações de Haeckel ainda eram reproduzidas para fundamentar argumentos darwinistas de que, apesar de os animais parecerem diferentes, têm um ancestral comum. As imagens de Haeckel parecem persuasivas –, mas será que contam a história certa? Assim como Pasteur, Haeckel acreditava que a ciência envolve ao mesmo tempo persuasão e investigação, e apresentava seus argumentos sob as condições mais vantajosas. Certos críticos chamaram de fraudulentas algumas táticas por ele consideradas admissíveis, como simplificar o original para ressaltar determinadas características. Essas acusações foram exploradas mais tarde por cristãos de direita para defender os próprios pontos de vista políticos.

Haeckel não praticou fraude, exatamente, mas manipulou dados para ressaltar as similaridades que acreditava existirem. Rivais com visões preconcebidas contrárias às opiniões de Haeckel também examinaram embriões e, de maneira nada surpreendente, chegaram a teorias diferentes. Como queriam derrubar a recapitulação, disfarçavam as semelhanças e destacavam as diferenças. Para enfatizar a influência do ambiente sobre a ancestralidade, alguns cientistas passaram a interferir no desenvolvimento dos embriões, na tentativa de isolar as causas físicas e químicas de mudanças específicas. A teoria da recapitulação de Haeckel aos poucos perdeu o apelo, embora ele ainda hoje seja saudado como o pioneiro da evolução na Alemanha.

Haeckel foi mais azarado do que mentiroso. Muitos cientistas defenderam as próprias crenças com a mesma determinação – inclusive Pasteur, que não seguia rigidamente as regras do correto procedimento científico, mas é reconhecido como herói por ter rejeitado a geração espontânea muito antes que os estudos comprovassem o equívoco da teoria. A má sorte de Haeckel foi defender uma hipótese hoje sabidamente falsa. A evolução continua sendo um assunto polêmico, e os criacionistas modernos ainda usam as provas manipuladas de Haeckel para atacar toda a construção da ciência darwiniana. No entanto, ao destacarem um único exemplo para argumentar em causa própria, eles estão – assim como Haeckel – incorrendo em um exagero deliberado.

CAPÍTULO 37
GERMES

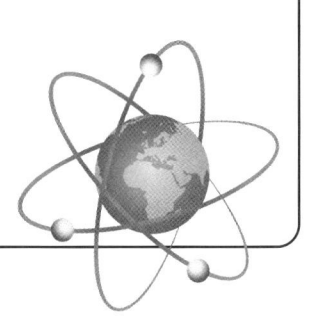

Certamente poderíamos saber mais do que vemos, e aí está a dificuldade: porque, se conseguirmos ver, devemos saber o suficiente; mas os objetos que vemos são, na maioria, diferentes do que nos parecem; assim, os verdadeiros filósofos passam o tempo duvidando do que veem e tentando adivinhar o conhecimento que existe no que não veem.
   - Bernard de La Fontenelle, *A Descoberta de Novos Mundos* (1686).

Victor Frankenstein tentou criar a vida, enquanto médicos assumem a missão menos ambiciosa de prolongá-la. Mas a Medicina do século 18 não era muito eficaz. Mesmo os médicos mais bem treinados muitas vezes pouco podiam fazer, além de ajudar os pacientes a morrer com algum conforto; os altos honorários cobrados, além dos remédios duvidosos receitados, às vezes os aproximavam perturbadoramente dos charlatães inescrupulosos. Quando Mary Wortley Montagu importou da Turquia a inoculação contra a varíola, teve dificuldade em encontrar médicos "virtuosos o suficiente para abrir mão de um ramo tão lucrativo de seu trabalho, para pensar no bem da humanidade".

Os médicos faziam diagnósticos de acordo com os sintomas, tentando a cura por meio do equilíbrio dos humores, conforme a constituição da pessoa. Ao menos era o que acontecia com os pacientes ricos; os pobres muitas vezes consultavam um boticário local ou uma curandeira – ou morriam. Depois da Revolução Francesa, a Medicina se tornou mais igualitária, e foram criados hospitais destinados a receber enfermos em grande número. Os que apresentassem sintomas parecidos eram agrupados na mesma ala do hospital, de maneira que os médicos pudessem reconhecer e tratar as doenças como entidades próprias, em vez de integrar as queixas aos indivíduos.

Os hospitais eram lugares perigosos. Um famoso cirurgião vitoriano comentou que um paciente "deitado sobre a mesa de operação... está mais arriscado a morrer do que um soldado nos campos de Waterloo". Quem tinha boas condições financeiras preferia contratar o tratamento individualizado de um médico de família, sem deixar o conforto do lar. Apesar das novas drogas em desenvolvimento nos laboratórios, os práticos locais relutavam em ter a autoridade abalada por uma Medicina baseada na ciência. Para reforçar o *status* de conhecedores do ofício, eles criavam novas técnicas de diagnóstico baseadas em exames físicos mais apurados e avaliações precisas de dados.

> MUITA GENTE ACREDITAVA QUE AS EPIDEMIAS ERAM CAUSADAS POR MIASMAS VENENOSOS, NUVENS INVISÍVEIS E DIFUSAS DE MATÉRIA TÓXICA.

As doenças infecciosas, como a varíola, regularmente ceifavam milhares de vidas, mas ninguém sabia ao certo como se espalhavam. Muita gente acreditava que as epidemias eram causadas por miasmas venenosos, nuvens invisíveis e difusas de matéria tóxica. Ao contrário dos germes, que causam doenças específicas, dizia-se que esses miasmas podiam transmitir gripe, cólera ou qualquer outro mal, dependendo da constituição original ou do estado de saúde da vítima. Quando Charles Dickens e outros ativistas sociais de classe média protestaram contra a superpopulação e a sujeira das comunidades de baixa renda, também estavam interessados em proteger a própria saúde, livrando as cidades das venenosas nuvens de miasmas.

Ao estudarem o século 19, os historiadores podem contar a história de uma sucessão de sucessos. Os médicos introduziram vacinas para evitar doenças fatais; os microbiologistas isolaram germes responsáveis por doenças específicas; com o uso de antissépticos, os cirurgiões reduziram drasticamente a incidência de infecções hospitalares; e, nos laboratórios, os químicos começaram a produzir drogas bem mais eficazes. As taxas de mortalidade caíram significativamente (ao menos na Europa e na América do Norte), e os médicos puderam finalmente oferecer aos pacientes uma esperança real de cura. Por outro lado, nem todos os projetos de pesquisa deram bons resultados, e as causas das doenças mais fatais – malária, gripe, beribéri – continuavam desconhecidas. O progresso, hoje tão evidente, era na época nebuloso.

No caso da varíola, os médicos adotaram a vacina turca recomendada por Montagu, mas o procedimento doloroso e arriscado matou muitas crianças saudáveis. Na década de 1790, Edward Jenner, um cirurgião radicado no interior, teve a sábia ideia de ouvir as mulheres que ordenhavam as vacas e os fazendeiros locais. Segundo eles, as pessoas que contraíam varíola bovina, e se curavam, raramente pegavam varíola. Apesar de saudado como um dos grandes heróis da Medicina, Jenner seria banido se aplicasse hoje os testes que usou na época. Ele escolheu um garoto de oito anos e infectou-o com varíola bovina; depois, tentou infectá-lo com varíola humana. Para a sorte de ambos, o voluntário/vítima sobreviveu, e Jenner foi recompensado pelo governo com 30 mil libras por inventar a vacina contra a varíola.

Assim como tantas outras inovações, a vacinação nos parece um procedimento importantíssimo, mas foi criticada com veemência ao ser lançada. As críticas incluíam uma pitoresca mas bem informada caricatura, da autoria de James Gillray, satirizando uma das clínicas gratuitas instaladas em Londres (Figura 40). Vestido em traje formal (sujo, provavelmente), Jenner segura as lâminas de seus instrumentos de vacinação, auxiliado por um voluntário com uma barrica onde se lê "vacina de pústula fresca de vaca ye", enquanto um assistente distribui conchas cheias da "mistura preparatória". A cena inventada representava medos muito reais. Uma mulher à direita dá à luz um bezerro e ao mesmo tempo vomita outro, enquanto diversos pacientes apresentam formações estranhas em várias partes do corpo, em referência ao comentado caso de um menino que teria ficado parecido com uma vaca (suas glândulas incharam) depois de receber a vacina. As críticas à vacinação continuaram ao longo do século 19, muito tempo depois de sua eficácia ter sido comprovada.

Médicos e pacientes tinham bons motivos para desconfiar. Os procedimentos eram dolorosos, deformantes e aplicados sem higiene alguma, fazendo com que as infecções se espalhassem rapidamente. A falta de explicações teóricas para os resultados anormais provocaram críticas; por ser cirurgião, Jenner foi chamado de açougueiro e violador de túmulos. Acima de tudo, parecia um sacrilégio contaminar um corpo humano com material retirado de um animal que, além de doente, ocupava um lugar muito inferior na escala da vida. Embora as vacinações parecessem funcionar, ativistas influentes – inclusive Florence Nightingale – defendiam que o Estado não tinha o direito de interferir na vida das pessoas, tornando as vacinas obrigatórias. Essa oposição ao controle do governo fez com que epidemias de varíola continuassem a surgir na Grã-Bretanha até o século 20.

Figura 40. James Gillray, *The Cow-Pock – or – The Wonderful Effects of the New Inoculation* (1802).

O comércio e as viagens internacionais espalhavam doenças por todo o mundo. Vinda da Europa, a varíola dizimou populações nativas da América, sem resistência a essa enfermidade. Da mesma forma, exploradores franceses e britânicos disseminaram doenças sexualmente transmissíveis nas ilhas do Pacífico, que consideravam paradisíacas. No começo do século 19, os germes passaram a viajar na direção contrária. Os médicos entraram em pânico quando perceberam que não sabiam como interromper o avanço da epidemia de cólera, que se espalhava a partir da Ásia em direção à Europa. A doença foi detectada na Grã-Bretanha pela primeira vez em 1831, causando sentimentos de conformação e impotência, tal como aconteceria bem mais tarde, quando apareceu a aids. Nos hospitais superlotados, os doentes inevitavelmente agonizavam e morriam em poucas horas. Quando essa epidemia recuou, vieram outras, o que acabou forçando as autoridades a agirem.

Embora sem muito empenho, o governo tentou melhorar as condições básicas de vida da população, mas muitos britânicos reprovavam essa interferência do Estado. Os vitorianos eram especialistas no registro de dados, e depois de muito analisarem as estatísticas os médicos acabaram descobrindo como o cólera era transmitido. Ficou convencionado que o herói dessa história é John Snow, um cirurgião londrino que supostamente resolveu o problema sozinho, por dedução lógica. De fato, ele passou muitos anos estudando pesquisas anteriores, e antes de começar a investigar, já havia concluído que o cólera se transmitia por micróbios presentes na água. Armado de suas convicções preconcebidas, Snow resolveu provar que estava certo, e, ao mapear sistematicamente os casos de cólera no local onde morava, concluiu que uma bomba de água era a fonte de contaminação. Em uma versão dramática desse mito, dizem até que ele retirou a manivela da bomba, para evitar que funcionasse. Na verdade, foi uma comissão que removeu a peça, mas somente depois que o perigo já havia passado.

Assim como Pasteur, Snow acabou glorificado, ainda que não oferecesse certezas absolutas. Como seus oponentes diziam, os dados de Snow podiam levar também à conclusão de que o foco de cólera era o lixo amontoado junto à tal bomba de água. E, conforme acrescentavam, ainda que o cólera viajasse pela água, isso não servia como prova de que nenhuma outra doença fosse causada pelos miasmas. Em um segundo estudo, mais cuidadoso, Snow demonstrou que os índices de contaminação em uma casa dependiam da empresa que fornecia a água. Esse resultado animou os ativistas que lutavam pela limpeza urbana; somente os médicos continuaram em dúvida. O cólera foi tema constante na agenda de comissões internacionais para decisões sobre saneamento básico, que nunca citaram as pesquisas de Snow. Ele não foi, porém, um gênio solitário, e sim um dos muitos indivíduos talentosos que colaboraram no projeto coletivo de salvar vidas e reduzir mortes.

Snow teve sorte – defendia que o cólera se transmite pela água, teoria que está de pé até hoje. Outros heróis da Medicina se destacaram graças a teorias mais tarde desmentidas. Um bom exemplo é o cirurgião Joseph Lister, famoso por suas campanhas para eliminar os germes dos hospitais. Homem bonito, carismático e adepto da autopromoção, Lister se apresentava como o salvador, cuja equipe de assistentes vestidos de branco borrifava cuidadosamente com ácido carbólico (fenol) a sala de cirurgia, como se fossem religiosos espalhando incenso no interior de uma igreja. Os céticos criticavam, fazendo comparações e trocadilhos com as palavras *spray* e *pray*, semelhantes em inglês, a primeira com o significado de "borrifar", e a segunda com o significado de "orar".

Lister era um cirurgião habilidoso que muito contribuiu para melhorar as condições das cirurgias. Por outro lado adotou técnicas de seus rivais, seguiu ideias ultrapassadas e reorganizou a carreira, com o intuito de mostrar-se como o maior defensor da teoria moderna sobre germes, mas estava longe de ser o primeiro a enfatizar a importância da higiene. Com a taxa de mortalidade no pós-operatório perto dos 65%, os estudiosos da saúde pública haviam recomendado a aplicação de cal sobre as paredes, o isolamento de pacientes e a melhor ventilação dos ambientes. Embora tivessem como alvo os miasmas, esses procedimentos – que incluíam a aplicação de fenol – mostraram-se eficazes. Por isso, os cirurgiões inicialmente não levaram em consideração a sugestão de Lister, de que se os instrumentos fossem mergulhados em fenol, e a mesma substância fosse aplicada sobre as feridas abertas, o número de mortes seria reduzido. E mais: ele usava roupas sujas de sangue, nunca lavava as mãos nem mandava trocar os lençóis das camas dos pacientes – sem falar na dor que o ácido devia causar, ao ser aplicado sobre uma ferida aberta. Mais tarde, analisando sua carreira de médico, Lister convenientemente mudou de opinião, para acompanhar as novas tendências. De início, ele considerava os germes como fontes das infecções em geral, mas na década de 1880 substituiu esses germes genéricos por outros específicos, de maneira tão habilidosa, que admiradores ainda o consideram pioneiro da moderna teoria dos germes.

O verdadeiro herói da teoria dos germes foi o bacteriologista alemão Robert Koch, famoso por descobrir o organismo responsável pela principal causa de morte na Europa industrial: a tuberculose, também conhecida como doença do peito ou tísica pulmonar. O sucesso de Koch veio do desenvolvimento de novos métodos e da divulgação das descobertas. Com a invenção das placas de Petri – assim chamadas em homenagem a um de seus assistentes – Kock conseguiu criar culturas em ambientes cuidadosamente controlados, bem como desenvolver técnicas para fotografar imagens microscópicas. Essas inovações lhe possibilitaram comparar quantitativamente os procedimentos e anunciar suas descobertas de maneira eficiente. Ao organizar uma série de procedimentos experimentais (chamados de postulados de Koch), ele estabeleceu as relações de causa e efeito com 100% de precisão, demonstrando sem sombra de dúvida que cada bactéria provoca uma doença específica.

Os pesquisadores comemoravam o progresso, enfatizando que, com as descobertas de Koch e de seus sucessores, responsáveis pela identificação de uma quantidade cada vez maior de microrganismos, a incidência de mortes por doenças infecciosas cairia vertiginosamente. Mas nem todos os interessados em saúde pública estavam convencidos. A queda dos números também tinha causas menos heroicas: as pessoas se alimentavam melhor, estendia-se o saneamento básico, e os governos aumentavam os investimentos em hospitais e na educação para a saúde. Contudo, essas importantes medidas não pareciam tão interessantes; as pessoas prefeririam acreditar que médicos heroicos lutavam contra doenças maléficas nos laboratórios. De acordo com os adeptos da teoria dos germes, ao contrário de ser regido por humores que podem perder o equilíbrio, o corpo humano é uma coleção de células vulneráveis ao ataque de microrganismos invisíveis e mortais. O ser humano não permanece naturalmente em harmonia com o universo; como entidade independente, precisa proteger-se contra minúsculos invasores: os micróbios.

> A Medicina passou a usar um vocabulário militar que incluía "avanços", "derrotas" e "destruição".

Para acompanhar esse conceito de invasão inimiga, a Medicina passou a usar um vocabulário militar que incluía "avanços", "derrotas" e "destruição". Assim como outras metáforas científicas, tais imagens tinham dupla função: descrever a noção de doença e dizer como os estrangeiros deviam ser tratados. As associações são mostradas na Figura 41, que tem o título de "Ao ataque" e faz parte de uma série sobre "O exército do interior". As duas imagens menores mostram o que os microscópios revelavam sobre as batalhas internas do nosso corpo: glóbulos brancos atravessam a parede de uma veia para atacar uma bactéria invasora misturada ao fluxo de grandes glóbulos vermelhos. Para a mensagem ficar mais atraente, a ilustração mostra soldados britânicos desbravando um rio para capturar o interior da África ou da Ásia. No alto do desfiladeiro, bactérias de cor escura se parecem com caricaturas de africanos ameaçando os exploradores europeus.

Assim como o corpo tinha de ser protegido contra micróbios intrusos, as nações ricas tentavam defender-se de doenças que chegavam com os imigrantes. Culpar os estrangeiros pelo surgimento de novas moléstias não era novidade, e com a teoria dos germes, os antigos medos ganharam explicações racionais. Preconceitos ligados à raça e aos hábitos de higiene podiam receber um enfoque científico. Quando um chinês, morador de São Francisco, morreu de uma doença contagiosa, toda a região de Chinatown ficou de quarentena, em uma medida discriminatória que acabou justificada como precaução médica. No começo do século 20 o governo dos Estados Unidos instalou um programa de triagem, para avaliar a saúde dos milhões de estrangeiros que chegavam ao país. Embora divulgado como medida de segurança médica, o programa facilitava preferencialmente a entrada de europeus ricos.

Figura 41. David Wilson, "Ao ataque", desenho a bico de pena, com base em fotografias de bactérias feitas por Elie Metchnikoff; em *The Army of the Interior Pearson´s Magazine* (1899).

Os pesquisadores europeus também se deslocavam para os países asiáticos, tentando conter as grandes epidemias que atrapalhavam o lucro do comércio. Ao final do século 19, quando Koch e outros especialistas chegaram à Índia para estudar como as bactérias agiam e quais seriam os tratamentos mais eficazes, encontraram o país transformado em um gigantesco laboratório. Os indianos em geral não recebiam bem essa intervenção, que implicava serem eles incapazes de cuidar de si. Quando os europeus resolveram regular rigidamente a saúde publica, frequentemente transgrediam normas locais – reuniam membros de castas diferentes no mesmo hospital, impediam muçulmanos de viajar para Meca, submetiam mulheres a exames físicos feitos por médicos, e não por médicas. O controle de doenças restringia as liberdades individuais, e era exatamente esse o argumento dos adversários da vacinação obrigatória.

Segundo os descontentes, apesar dos avanços, os cientistas não haviam alcançado a vitória total sobre o inimigo: as doenças. O que muitas vezes parecia simples no laboratório mostrava-se complicado fora dele, e essas discrepâncias fortaleciam os críticos da teoria dos germes. Embora tivesse provado que ninguém pega tuberculose sem ser exposto ao bacilo específico, Koch não conseguia explicar por que apenas 10% das pessoas se contaminavam. E pior: as taxas de cura eram muito inferiores ao esperado. Com a coleta sistemática de dados, os estatísticos concluíram que essa doença era mais comum em áreas industriais pobres; faltava encontrar a relação de causa e efeito. O agente inimigo estava identificado, mas parecia deixar ilesas muitas vítimas em potencial, como se houvesse algum tipo de predestinação. Os estereótipos foram mudando: no final do século 18, a tuberculose era considerada um mal romântico que afetava poetas e artistas de constituição delicada; cem anos depois, ganhava nova identidade, como um mal contagioso que circulava em regiões miseráveis – marca de inferioridade, e não de vulnerabilidade estética.

Os pacientes foram isolados em grandes sanatórios, criados para facilitar o tratamento e proteger a sociedade. Contrair tuberculose passou a ser motivo de vergonha, como se os enfermos fossem culpados, em vez de meras vítimas aleatórias de micróbios. Assustador e misterioso, o assunto virou tabu. Apenas dois meses antes de morrer, o escritor Franz Kafka, nascido em Praga, comentou: "Quando discutem a tuberculose, as pessoas falam com um jeito tímido, evasivo, impessoal." Outras doenças contagiosas carregavam o mesmo estigma, especialmente a sífilis, cuja culpa pelo contágio era muitas vezes imputada às mulheres. O nome "sífilis" vem de um poema que descreve como a maldosa Luxúria induziu Hércules ao pecado, em uma versão grega de Adão sendo tentado por Eva no Jardim do Éden. Na mitologia médica correspondente, as prostitutas (e não seus clientes masculinos) eram consideradas as fontes sujas dos males.

Essas atitudes emocionais ainda persistem. O século 20 já passava da metade, e via-se o câncer como a nova tuberculose, o nome perigoso que não podia ser mencionado, enquanto a aids dirigia aos homossexuais masculinos a condenação antes voltada para as prostitutas. Na peça *Ghosts*

("Fantasmas"), do norueguês Henrik Ibsen, um personagem diz: "Não é somente o que herdamos dos nossos pais que nos assombra. São todas as ideias obsoletas... Elas grudam em nós e não conseguimos mais nos libertar." Os fantasmas do passado continuam no presente, mas talvez o exorcismo dependa da compreensão de suas origens.

CAPÍTULO 38
RAIOS

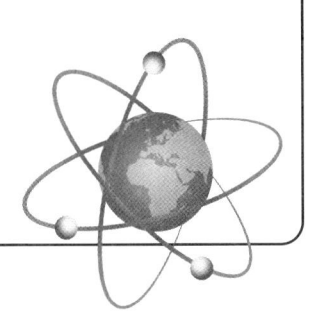

Há muito tempo, discursos vagos e sem sentido, e termos mal-empregados são considerados mistérios da ciência. E, por estarem escritas, palavras duras ou injustas, com pouco ou nenhum significado, são confundidas com o conhecimento profundo, com o máximo da reflexão, a tal ponto que não será fácil convencer, tanto os que falam como os que ouvem, de que elas são apenas disfarces para a ignorância, empecilhos no caminho do verdadeiro conhecimento.

- John Locke, *Essay Concerning Human Understanding*, "Ensaio sobre o Conhecimento Humano" (1690)

Ao fotografar bactérias, os biólogos conseguiram provar que elas existiam. E ao transmitir mensagens de rádio, os físicos mostraram que o éter era real. Foi mesmo? Se ver nem sempre é crer, como será não ver? Quando entidades hipotéticas não se tornavam visíveis, muitas vezes permaneciam envoltas em dúvida.

Distinguir entre verdade, mentira e autoengano nem sempre foi tarefa simples. Entusiastas diziam que suas câmeras não mentiam jamais, mas muita gente achava difícil acreditar que a fotografia pouco nítida de uma mulher arrastando um vestido longo fosse realmente a imagem de um espírito do outro mundo. No entanto, se as ondas de rádio podiam vibrar em torno do planeta através de um éter indetectável, talvez a noção de comunicação supratelegráfica com os mortos não fosse afinal tão bizarra. Algumas pessoas sensíveis conseguiam ver auras luminosas ao redor de certos corpos, enquanto havia quem cedesse rapidamente à influência dos hipnotizadores. Mediunidade, sessões espíritas e comunicação telepática foram denunciadas como fraudes, mas durante a segunda metade do século 19 os cientistas não pensavam assim.

Nessa atmosfera de incertezas, efeitos estranhos eram vistos com desconfiança, e inicialmente alguns fenômenos atômicos não pareciam mais autênticos do que as manifestações espirituais. Quando o físico britânico William Crookes anunciou haver descoberto a matéria radiante, os colegas não se convenceram, mas com habilidade ele conseguiu criar demonstrações claras de que algo de estranho acontecia dentro de seus tubos de descarga. Semelhantes a pequenas lâmpadas de néon, esses instrumentos continham gás a baixa pressão e eram muito populares em demonstrações públicas, porque brilhavam quando uma corrente passava por eles. Crookes introduziu no tubo uma hélice em miniatura sobre um pequeno trilho. Quando se ligava a corrente, a hélice se movia em direção a uma das extremidades, acionada – segundo Crookes – por partículas de matéria radiante que emanavam da placa de metal (o catódio).

As sólidas evidências de Crookes se confirmaram quando ficou comprovada cientificamente a existência dos misteriosos raios catódicos, rebatizados como elétrons. Crookes também usou suas incontestáveis habilidades de pesquisador para investigar o espiritualismo, um fenômeno ainda hoje polêmico. Especialista em eletricidade, ele se sentiu qualificado para analisar relatos de comunicação a longa distância. Depois de muitos médiuns famosos serem submetidos a seus testes sem que se encontrassem indícios de fraude, numerosos vitorianos ficaram convencidos de que realmente era possível fazer contato com os mortos. Os céticos diziam que um físico inocente estava sendo enganado por charlatães – se não fosse ele mesmo um charlatão –, mas Crookes e seus colegas queriam fornecer uma explicação material para esses supostos efeitos espirituais. Eles sugeriram que talvez se pudesse fazer uma analogia entre o rádio e o ser humano; assim, pessoas com órgãos especialmente sensíveis poderiam sentir vibrações etéreas.

Crookes acusou os colegas cientistas de traírem a própria vocação. Segundo ele, a recusa em analisar o espiritualismo era uma atitude preconceituosa que: "parece um círculo vicioso: só vamos investigar o que soubermos ser possível, mas só podemos dizer o que é impossível, matematicamente, se soubermos tudo." Essa argumentação resumiu o ponto principal do que significa ser cientista. Se rejeitarmos automaticamente e nos recusarmos a investigar o que não nos é familiar, nada será descoberto.

Grandes descobertas implicam pensar fora dos moldes tradicionais, eliminar preconceitos e desafiar conhecimentos anteriores. É verdade que seria contraproducente checar todos os experimentos já feitos, mas não é necessariamente absurdo desafiar uma ideia amplamente aceita.

Alguns outros fenômenos estranhos, verificados inesperadamente em laboratórios científicos, pareceram de início tão inexplicáveis quanto a comunicação com os mortos, em sessões espíritas. Em 1896, Wilhelm Röntgen, um desconhecido professor alemão, surpreendeu o mundo com uma fotografia em raios X dos ossos da mão de sua mulher, na qual se via claramente a aliança de casamento. Ele tomara conhecimento dessa misteriosa radiação por acaso, quando fazia experiências com tubos de descarga. Outros cientistas, inclusive Crookes, já haviam percebido que placas fotográficas cobertas ficavam opacas perto desses tubos, mas Röntgen decidiu descobrir o que estava acontecendo.

> GRANDES DESCOBERTAS IMPLICAM PENSAR FORA DOS MOLDES TRADICIONAIS.

Ao contrário da frase de Pasteur, de que "a sorte favorece as mentes preparadas", Röntgen tentou evitar qualquer pressuposição teórica. Como dizia, ele investigava, em vez de pensar. Ao explorar experimentalmente as propriedades desses novos raios, Röntgen demonstrou que eram diferentes dos raios catódicos, também produzidos em tubos de descarga. Enquanto os raios X são neutros – radiações leves como a luz ou as ondas de rádio – os raios catódicos possuem carga elétrica (negativa) e peso (pouco). Em alguns anos, os aparelhos de raios X se tornaram equipamentos comuns em hospitais, Röntgen ganhou o primeiro Prêmio Nobel de Física, e os raios X entraram no repertório de artistas performáticos que se apresentavam nas feiras, como neste exemplo:

Perplexidade, susto e encantamento
É o que sinto.
Porque hoje em dia
Ouvi dizer que eles espiam
Através de mantos, togas e até espartilhos
Esses inconvenientes raios de Röntgen.

Apenas alguns meses depois, um cientista igualmente modesto de Paris fez outra grande descoberta por acaso: Henri Becquerel, o primeiro a detectar a radioatividade. Apesar de também ter sido um dos primeiros vencedores do Prêmio Nobel, Becquerel modestamente dedicou suas conquistas à família, que por tradição investigava a fosforescência. Em um projeto de análise sistemática dos raios X, Becquerel trabalhava com substâncias fosforescentes e decidiu usar o sal de urânio, produzido anteriormente por seu pai. A sorte de Becquerel foi não seguir estritamente o protocolo científico; cansado de esperar pelo nascer do Sol, revelou algumas chapas fotográficas muito tempo antes de estarem prontas.

Em vez das imagens difusas que esperava, Becquerel se deparou com silhuetas em preto e branco muito bem definidas. Sem entender o acontecido, decidiu investigar melhor. Logo descobriu que, mesmo sem a luz do sol, os cristais de urânio de seu pai produziam uma imagem fotográfica, e depois de experimentações sistemáticas concluiu que a fosforescência – seu ponto de partida – era irrelevante. O que realmente fazia a diferença era o urânio. Mas por quê? E seria o urânio a única substância a produzir tal resultado, ou haveria outras que se comportavam da mesma forma? A causa e o alcance do fenômeno permaneceram misteriosos.

Ao longo dos anos seguintes, outros efeitos inexplicáveis surgiram, surpreendendo os cientistas, que tiveram de criar novas palavras – inclusive "radioatividade". Três outros tipos de raios se juntaram aos misteriosos raios X, recebendo os nomes das primeiras letras do alfabeto grego: alfa (α), beta (β) e gama (γ). Alguns cientistas tinham um estranho senso de humor – é só ver a palavra "quark", tomada de uma obra de James Joyce; e quando Ralph Alpher e George Gamow se juntaram para escrever um artigo científico, convidaram um terceiro autor, Hans Bethe, de modo que os três sobrenomes soassem como alfa, beta e gama. Nomes menos imprecisos foram surgindo aos poucos, e mais tarde descobriu-se que apenas os raios gama são radiação (assim como a eletricidade ou os raios X); ficou comprovado que os outros dois tipos não passam de jatos de partículas. Os raios alfa são compostos de núcleos de hélio carregados positivamente (dois prótons e dois nêutrons), enquanto os raios beta (também chamados de raios catódicos) são muito mais leves, de elétrons carregados negativamente.

Sim, é complicado. E naquela época a confusão era grande. Radioatividade, comunicação com espíritos, raios catódicos – esses fenômenos curiosos não tinham uma causa visível, e aparentemente se juntavam para desestabilizar o universo regido por leis que os cientistas do século 19 queriam demonstrar. No começo do século 20, era difícil prever a importância que esses fenômenos teriam no futuro. Alguns cientistas ainda se interessavam profundamente pelo espiritualismo, e a radioatividade de Becquerel parecia uma irregularidade de pouca importância. Por isso, uma improvável e desconhecida pesquisadora, Marie Curie, pôde pesquisar o assunto. Somente mais tarde os cientistas reconheceram o significado da descoberta de Becquerel.

> Em eletricidade, as grandes questões eram os raios catódicos e os raios X.

Em eletricidade, as grandes questões, aquelas que interessavam aos físicos de maior prestígio, eram os raios catódicos e os raios X. Primeiro, os cientistas resgataram os tubos de descarga de Crooke, modificando-os para examinar melhor os raios catódicos, que ainda não entendiam bem. O mais famoso desses pesquisadores foi Joseph John Thomson – um nome que nem os colegas pesquisadores da época saberiam reconhecer, pois todos o chamavam de J-J; as novas regras do mundo editorial, porém, exigem que seja mencionado o primeiro nome completo. Chefe do departamento de Física de Cambridge – um dos Laboratórios Cavendish – Thomson fez com que seu tubo de descarga se comportasse como uma televisão, dirigindo os raios catódicos com campos magnéticos e elétricos. Essa manipulação dos raios provava que eles deviam ser diferentes dos raios X, e Thomson imaginou que fossem jatos de partículas, que chamou de elétrons.

Em retrospecto, a identificação dos elétrons, feita por Thomson, é celebrada como uma experiência revolucionária, mas muitos de seus contemporâneos não ficaram convencidos. Defensores do éter se recusavam a mudar de ideia, e tinham alguns bons argumentos. O mais óbvio era que ninguém jamais havia visto um elétron – ao contrário dos espíritos fotografados. Medir a carga elétrica dos elétrons era algo incrivelmente difícil, e os valores possíveis variavam muito. Essa falta de precisão permitiu aos críticos de Thomson usarem os mesmos resultados para defender uma ideia contrária à dele – que a eletricidade não é feita de partículas isoladas, e sim contínuas, como se fosse uma onda que viaja pelo éter.

Embora tão desajeitado, que os assistentes tinham de mantê-lo longe dos equipamentos mais delicados, Thomson era muito querido pelos alunos.

Segundo eles, toda vez que lhe pediam ajuda intelectual, e não prática, o professor identificava corretamente o problema e sugeria soluções intuitivas. Agir intuitivamente pode não parecer uma característica adequada a um verdadeiro pesquisador, mas intuição e instinto eram essenciais para fazer com que equipamentos pouco sofisticados fornecessem os resultados certos. E o que seriam resultados "certos"? Eis uma questão recorrente. Ao fazer uma medição pela primeira vez, como ter certeza de que o equipamento funciona corretamente? Os cientistas muitas vezes se deparam com o problema de decidir o que fazer com um resultado que contraria as expectativas. Se eles o levam a sério – como Crookes fez com o espiritualismo – correm o risco de prejudicar a reputação que conquistaram ou de distorcer uma média numérica, pela inclusão de um erro. Se, ao contrário, eles o ignoram, o resultado pode parecer mais coerente, mas o sucesso de Röntgen e Becquerel aconteceu exatamente porque eles se recusaram a ignorar o inesperado.

Esse dilema não tem uma resposta "certa". Embora se espere a imparcialidade dos cientistas, muitas grandes descobertas vieram do uso seletivo de dados, inclusive no caso do experimento que supostamente serviu de base para a medição definitiva da carga de um elétron. Robert Millikan, um físico norte-americano que não acreditava no éter, deixou pendentes gotas de óleo eletrificadas, entre placas elétricas. Ao descobrir a força elétrica necessária para mantê-las paradas, contra o movimento natural de queda causado pelo peso das gotas de óleo, Millikan calculou a carga que elas continham. Ao menos, esse foi o princípio utilizado. O delicado equipamento, porém, alterava-se com facilidade, e armado com sua convicção de que os elétrons realmente existiam, Millikan descartou cerca de dois terços de suas leituras. De acordo com os registros, ele sabia muito bem o que procurava. "Isso está quase exatamente certo, e é o melhor resultado que já consegui", ele comemorou, em dezembro de 1911. Em abril de 1912, parecia ainda mais confiante: "1,5% acima", anotou ao lado de uma medição. "Perfeito", escreveu ao lado de outra. Seria natural surgirem críticas a seu comportamento arbitrário, mas os cientistas precisam, ao mesmo tempo, usar a experiência e a lógica. Objetivamente sintonizado com as variações de seu equipamento, Millikan chegou a um valor para a carga do elétron muito próximo do valor hoje aceito.

Desde o início convencido de que elétrons existiam, Millikan arriscou seu futuro e conquistou um Prêmio Nobel. Diferentemente, um grupo de cientistas franceses agiu da mesma forma e acabou desacreditado. Enquanto investigavam os raios X, eles afirmaram ter descoberto mais uma forma misteriosa de radiação, que emanava de criaturas vivas e de matéria comum, e só poderia – tal como os espíritos – ser vista por observadores supersensíveis. Do mesmo modo que a luz visível pode dividir-se em um espectro, os raios N (assim chamados em referência à Universidade de Nancy, onde trabalhavam os cientistas franceses) poderiam atravessar um prisma de alumínio e formar um padrão sobre uma tela especial. A suposta descoberta causou impacto, os raios N foram tema de cerca de cem trabalhos científicos sérios entre 1903 e 1906, e muitos observadores acreditaram genuinamente ter conseguido detectar seus efeitos. Em vários países a questão foi encarada com ceticismo, mas a comunidade científica francesa aliou-se aos pesquisadores de Nancy, defendendo-os vigorosamente contra os críticos alemães.

Os franceses acabaram desmentidos por um visitante americano que, disfarçadamente, retirou o prisma de alumínio, enquanto os anfitriões continuavam as medições. É fácil achar graça agora, mas no início, os raios N e a radioatividade pareciam igualmente inverossímeis. E é fácil criticar, mas teria sido a falta de ética dos entusiasmados pesquisadores de Nancy superior à de Becquerel, que abandonou a programação e revelou as chapas fotográficas antes da hora? Ou superior à atitude antiética de Millikan, que sacrificou a imparcialidade, descartando dados inconvenientes? Quando o escândalo veio à tona, a França reorganizava sua estrutura científica, com a intenção de dar nova vida às pesquisas e recuperar seu status no cenário internacional. Será tão surpreendente ou reprovável ambiciosos cientistas franceses se unirem contra estrangeiros hostis, tentando firmar Nancy como um destacado centro de pesquisas?

Em 1903, duas descobertas francesas chegaram às manchetes: os raios N, em Nancy, e o rádio, em Paris. Ironicamente, a salvadora científica da pátria não veio da elite privilegiada. Era uma mulher estrangeira – duplamente marginalizada, portanto – casada com o físico francês Pierre Curie: uma polonesa chamada Manya Sklodowska, mundialmente conhecida mais tarde como Marie Curie. Sem recursos financeiros nem curso de doutorado, Curie resolveu continuar o trabalho de Becquerel com os sais de urânio, para descobrir se alguma outra substância se comportaria da mesma forma. Com a ajuda do marido, ela passou seis anos examinando os mínimos sinais de radioatividade e manipulando com grande habilidade aparelhos delicados, além de fazer o árduo trabalho físico necessário ao processamento de grande quantidade de material empregado nas experimentações.

Marie Curie conseguiu isolar dois novos elementos radioativos – primeiro, o polônio (assim denominado em homenagem à Polônia), e depois o rádio. A radioatividade foi saudada entusiasticamente. A Figura 42, tirada de uma série britânica chamada *Men [sic] of the Day* ("Homens do Dia"), mostra o casal orgulhoso admirando um cristal de rádio, que brilha como uma estrela milagrosa. Curie morreu de leucemia em consequência de seu trabalho, e nem Hiroshima ou Chernobyl arranharam o entusiasmo inicial despertado no mundo inteiro pela descoberta. Como primeira professora universitária da França, Curie montou um centro de pesquisas para estudar o novo fenômeno, e durante a Primeira Guerra Mundial demonstrou o valor prático da radioatividade, utilizando aparelhos móveis de raios X para examinar soldados feridos.

Figura 42. Julius Mendes Price ("Imp"), caricatura de Marie e Pierre Curie, *Vanity Fair Album*, (1904).

Primeira cientista a receber dois prêmios Nobel, Curie se tornou um modelo para as jovens. A caricatura mostra que a mitologia pode ser dúbia. Retratada como uma figura miúda, ela tudo observa por sobre o ombro do marido, que segura um tubo de ensaio, de onde a glória da genialidade se irradia para sua testa avantajada. Apesar de Marie ter vários trabalhos científicos independentes publicados, na imagem é o marido quem segura um livro; ela, na prática subordinada a ele, apoia-se à mesa de instrumentos. O vestido simples indica que renunciou aos interesses tipicamente femininos. O estilo de vida despojado do casal alimentou terríveis histórias romanceadas sobre suas péssimas condições de trabalho. Em muitos relatos Marie aparece como uma serviçal doméstica que examinava cuidadosamente toneladas de pechblenda (minério do qual se extrai o urânio), em uma atividade correspondente à culinária doméstica.

> DURANTE A PRIMEIRA GUERRA MUNDIAL, CURIE DEMONSTROU O VALOR PRÁTICO DA RADIOATIVIDADE.

A mensagem parece clara: as mulheres devotadas à ciência pertenciam a uma categoria especial: não eram cientistas de primeira linha, nem mulheres comuns. Esse preconceito durou décadas (e ainda persiste, de acordo com muitas mulheres), embora no começo do século 20 os homens também sofressem discriminação. Tal como Marie Curie, Ernest Rutherford se tornou mundialmente famoso, mas de início era visto como forasteiro. Filho de fazendeiro, oriundo de uma escola pública na Nova Zelândia, Rutherford usava as roupas erradas e falava com o sotaque errado quando chegou à universidade, em Cambridge. Ainda assim, veio a suceder J-J Thomson como chefe do Departamento de Física e tornou-se um pioneiro da Física Nuclear. Rutherford se orgulhava das origens neozelandesas e, quando foi sagrado barão, criou um brasão que exibia uma ave kiwi, um guerreiro maori e Hermes Trimegistus, o santo padroeiro da Alquimia.

De acordo com o próprio Rutherford, o evento mais importante de sua vida aconteceu em Manchester, em 1909. Trabalhando havia mais de dez anos com a radioatividade, ele era conhecido pela teoria herética de que alguns átomos são instáveis, e emitem raios e partículas quando se desintegram de um elemento para outro. Certo dia, Rutherford teve uma intuição. Em seus estudos com Hans Geiger (cujos contadores são usados até hoje), ele já havia percebido que um feixe de partículas alfa não atravessa uma folha metálica fina; em vez disso, espalha-se em diferentes direções. O que aconteceria, pensou Rutherford, se fossem colocados contadores em ambos os lados da folha metálica? O resultado, segundo ele, "foi virtualmente inacreditável, como se uma granada de 15 polegadas (375 milímetros) lançada contra um lenço de papel acertasse o alvo e voltasse, atingindo o atirador." Algumas partículas alfa eram refletidas pelo anteparo.

Passaram-se 16 meses antes que Rutherford estivesse pronto para anunciar o que havia descoberto. Seus testes mostraram que os metais não são feitos de átomos grudados uns nos outros, como laranjas em uma caixa; em vez disso, possuem núcleos pesados, tendo entre eles distâncias enormes, na escala subatômica. Se uma partícula alfa leve se chocar com um desses núcleos, é repelida. Rutherford passou os 20 anos seguintes examinando átomos e núcleos, de início com a ajuda de colaboradores. Com a explosão da Primeira Guerra Mundial, porém, passou a trabalhar sozinho, já que muitos de seus colegas, mais jovens, foram para a frente de batalha, onde alguns morreram.

Sob a orientação de Rutherford, as estruturas atômicas se tornaram mais claras – pode-se dizer menos extraordinárias. Quando ele morreu, em 1937, os cientistas já haviam descoberto os prótons e os nêutrons; haviam dividido o núcleo artificialmente, bombardeando-os com nêutrons; e haviam construído os primeiros aceleradores lineares para produzir jatos de partículas de alta velocidade. No entanto, em retrospecto, Rutherford parecia muito preocupado em não supervalorizar o potencial de sua pesquisa. Em uma de suas últimas palestras, ele advertiu a plateia de que "a utilização da energia dos átomos por meio de processos artificiais de transformação não parece bem encaminhada". A guerra começou daí a dois anos, e sua previsão logo se mostrou surpreendentemente ingênua: em 1945 foram lançadas as primeiras bombas atômicas.

CAPÍTULO 39
PARTÍCULAS

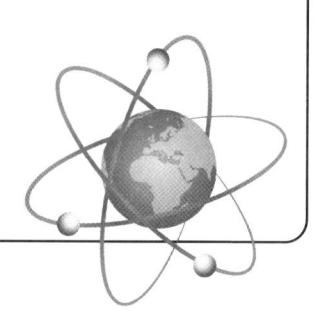

Encontrei na mãe natureza uma amante que não posso chamar de cruel, mas muito modesta: noites de vigília, dias de ansiedade, refeições frugais e trabalhos intermináveis devem ser a sina de todos que a perseguem, por seus labirintos e meandros.

- Alexander Pope, *Memoirs of the Extraordinary Life, Works and Discoveries of Martinus Scriblerus*, "Memórias da Vida, do Trabalho e das Descobertas Extraordinárias de Martin Scriblerus" (1741)

Para os químicos, que valorizam a ordem, a tabela periódica representa o legado supremo da engenhosidade humana. Celebrada como a chave para a decodificação do cosmos, essa sequência lógica condensa as numerosas substâncias do universo em um padrão organizado, parecido com um gigante quebra-cabeça químico de sudoku. Os elementos seguem com regularidade pelas linhas, ordenados numericamente, aumentando um próton entre um átomo e outro. Se a tabela for lida verticalmente, os elementos em cada coluna se ligam por terem o mesmo número de elétrons livres. Mas essa beleza taxonômica não era nem um pouco clara, e só se tornou evidente depois de décadas de investigação. Quando a tabela estava sendo estruturada, na segunda metade do século 19, os cientistas nada sabiam sobre a estrutura interna dos átomos, que eram considerados partículas indivisíveis, os componentes básicos da matéria. Tentativas anteriores de dispor os elementos matematicamente foram prejudicadas por irregularidades, desajustes e disparidades.

Uma observação mais atenta sugere a presença de decisões políticas nos símbolos da tabela. Tradicionalmente, o nome remetia à propriedade do elemento: o inerte argônio; o acidificante oxigênio (uma herança equivocada de Lavoisier); ou o rápido mercúrio (o mensageiro grego dos deuses). Mais tarde, as denominações passaram a refletir as glórias de seus descobridores, como polônio para Marie Curie ou európio para o inglês William Crookes (também conhecido pela ligação com o espiritualismo). Depois da Segunda Guerra Mundial, quando substâncias altamente instáveis foram criadas dentro de aceleradores, a ciência se tornou um campo de batalha da guerra fria. Não é coincidência os elementos amerício, berquélio e califórnio estarem na mesma linha, o elemento kurchatóvio ter sido diplomaticamente renomeado como ruterfórdio, e que pesquisadores americanos não quisessem batizar um elemento em homenagem ao criador da tabela, o químico russo Dimitri Mendeleev.

> UMA OBSERVAÇÃO MAIS ATENTA SUGERE A PRESENÇA DE DECISÕES POLÍTICAS NOS SÍMBOLOS DA TABELA PERIÓDICA.

Mas será que foi mesmo Mendeleev quem criou a tabela periódica? Fora da Rússia, alguns historiadores hesitaram em atribuir-lhe o feito, afirmando ter sido ele apenas um entre seis cientistas que desenvolviam esquemas parecidos, mais ou menos ao mesmo tempo. Para os russos, porém, não há dúvida: Mendeleev, professor de Química em São Petersburgo e consultor do governo, é o maior herói científico do país. De acordo com eles, depois de 15 anos de dedicação aos estudos, o conceito de periodicidade surgiu na mente de Mendeleev em um dia de 1869. No entanto, apesar de sua inteligência, ele foi forçado a passar décadas lutando contra críticos ignorantes e hostis. Durante a era soviética, o status de Mendeleev como personalidade nacional só cresceu porque ele estava politicamente comprometido com a melhoria da produção industrial e pregava que a sociedade pode ser explorada cientificamente – doutrinas que combinavam com a ideologia marxista.

As discussões acerca de Mendeleev como gênio inspirado seguem linhas previsíveis. Os partidários dos russos dizem que os ocidentais não sabem ler as fontes originais, enquanto os céticos enfatizam a disseminada e duradoura oposição às ideias de Mendeleev. Esses debates sobre descobertas heroicas mostram-se recorrentes quando analisamos o passado da ciência, porque nem teorias nem invenções nascem prontas; desenvolvem-se ao longo dos anos, frequentemente muito tempo depois da morte de seu "criador". De todo modo, Mendeleev merece uma menção especial, pelo empenho na divulgação de sua tabela periódica. Como disse Sigmund Freud certa vez, outros cientistas conviveram com a tabela periódica, mas foi Mendeleev quem se casou com ela.

Mendeleev inicialmente alinhou os elementos de acordo com suas propriedades químicas, como se arrumasse as cartas para um jogo de paciência científico. Algumas relações hoje parecem óbvias. Cobre, prata e ouro, distribuídos verticalmente em sua tabela, por exemplo, haviam sido agrupados havia séculos. Da mesma forma, os gases flúor, cloro e iodo, recém-descobertos, se pareciam. Em seguida, Mendeleev achou que faria sentido arrumar os elementos de acordo com o peso atômico; embora jamais tivessem visto um átomo, os cientistas haviam encontrado maneiras de calcular essas medidas. Foi então que as coisas começaram a desandar. Por mais que embaralhasse suas cartas químicas, o cientista russo não conseguiu fazer os elementos seguirem as regras simples estabelecidas per ele.

Para revolver esse impasse, Mendeleev tomou uma decisão arriscada e polêmica: em vez de alterar a hipótese, voltou-se para os dados. Ele concluiu que alguns pesos atômicos tinham sido medidos erradamente e que, no futuro, novos elementos seriam descobertos para preencher os intrigantes espaços vazios de sua tabela. Até mesmo na Rússia os químicos tradicionais duvidaram dessa abordagem teórica, cujas propostas foram ignoradas na Europa Ocidental. No entanto, as evidências a favor de Mendeleev acumularam-se pouco a pouco, até a vitória pública sobre um cientista francês que havia isolado um novo elemento, ao qual patrioticamente deu o nome de gálio: foi o químico russo quem previu com acerto as propriedades do novo elemento, usando sua tabela periódica.

Embora Mendeleev sempre tivesse negado a existência de elétrons, eles depois se tornaram vitais para a ordenação dos elementos em sua tabela. A posição de um elemento não é determinada pelo peso atômico, mas pelo número atômico – o número de prótons carregados positivamente no núcleo, equilibrados eletricamente com o mesmo número de elétrons negativos. No começo do século 20, muitas investigações sobre a estrutura atômica foram realizadas nos laboratórios Cavendish, em Cambridge, onde Thomson havia identificado os elétrons, e os vários experimentos de Rutherford mostravam que os átomos possuíam pequenos núcleos. Os cientistas de Cambridge logo concluíram que o próprio núcleo devia ser constituído de partículas ainda menores, e sua primeira sugestão foi que cada núcleo contivesse grandes prótons positivos e pequenos elétrons negativos, tudo envolto por uma nuvem de elétrons extras. No entanto, restavam mistérios inquietantes: por que elementos parecidos têm números diferentes de elétrons externos?

Tal como Mendeleev e seus contemporâneos, os cientistas que estudavam o átomo procuravam por padrões numéricos. Para quem crê em um universo organizado de maneira lógica, faz sentido buscar a simplicidade matemática – o tipo de beleza estética regrada na qual Einstein acreditava. Diante de muitas observações inquietantes, pesquisadores britânicos resolveram abordar o desconhecido com base no que lhes era familiar. Assim, visualizaram cada átomo como um sistema planetário em miniatura, com o Sol/núcleo no centro, e os planetas/elétrons girando ao redor. Mas as analogias nunca são perfeitas. É aí que entra o físico dinamarquês Niels Bohr.

Bohr é muitas vezes considerado o segundo maior cientista do século 20, ficando atrás apenas de Einstein. Por isso recebeu dos pesquisadores de Cambridge o apelido de "Cão Dinamarquês", que refletia sua nacionalidade e sua postura séria. Foi Bohr quem conferiu ordem aos elétrons do átomo. Como relatou um de seus colegas certa vez, Bohr concluiu que os elétrons deviam comportar-se como bondes e não como ônibus – sobre trilhos, em vez de circular aleatoriamente. No modelo de Bohr, os elétrons ficam confinados em órbitas específicas, cada uma com um número máximo de elétrons; quando uma órbita está cheia, os elétrons começam a preencher o próximo trilho disponível, de dentro para fora. Isso fornecia uma explicação razoável para o comportamento semelhante dos elementos em cada coluna da tabela periódica: todos têm o mesmo número de elétrons na órbita mais externa.

A explicação de Bohr deixou muito clara a disposição da tabela periódica, embora ainda fosse difícil entender de que maneira partículas carregadas podiam caber em um núcleo minúsculo. A solução para esse problema deixou a situação, ao mesmo tempo, mais e menos complicada. Em 1932, James Chadwick descobriu uma terceira partícula subatômica, o nêutron. (Em um daqueles notórios dilemas da História, talvez Chadwick chegasse a essa descoberta muito antes, se não tivesse passado a Primeira Guerra Mundial internado na Alemanha, com uma doença crônica.) As experimentações de Chadwick mostraram que os nêutrons são pesados, como os prótons, mas não têm carga – daí seu nome. Os cientistas começaram a rearranjar seus modelos atômicos, banindo os elétrons do núcleo e fazendo-o constituído apenas por prótons e nêutrons. Mas a resposta a uma pergunta gerou várias outras. Já havia três partículas subatômicas: elétrons, nêutrons e prótons. Quantas outras poderiam existir? Que tipo de cola mantinha o núcleo unido, evitando que todos aqueles prótons positivos se repelissem, provocando uma explosão? E o que dizer do princípio das bonequinhas russas – se o átomo contém núcleo, e o núcleo contém prótons e nêutrons, haveria partículas ainda menores a serem reveladas?

Sim, havia. Em 1959, já eram 30, embora a pesquisa se tornasse menos intensa durante a Segunda Guerra Mundial, quando muitos cientistas foram convocados para o serviço militar. O instrumento mais importante para tornar visíveis esses elementos subatômicos foi a câmara de expansão, precursora dos aparelhos modernos e fonte de numerosas fotografias, como a da Figura 43. Riscadas por enigmáticas linhas brancas, essas imagens revelam vestígios permanentes da passagem e da breve existência de partículas que, não fosse esse recurso, seriam invisíveis.

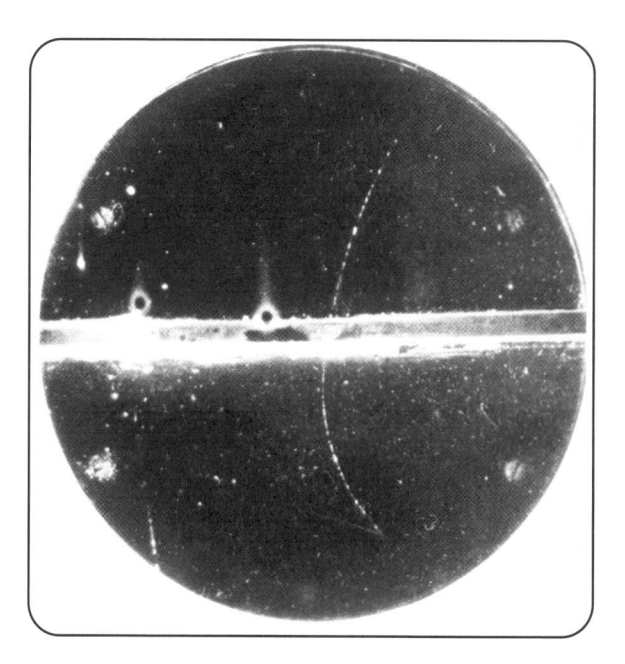

Figura 43. A primeira fotografia de um pósitron, feita por Carl Anderson (1932).

Assim como outros equipamentos científicos, as câmaras de expansão foram projetadas originalmente com outra finalidade – reproduzir as condições climáticas. Esses dispositivos, hoje usados pela moderna Física de alta energia, foram inventados por Charles Wilson, um meteorologista vitoriano que trabalhava em Cambridge. No laboratório Cavendish, a principal abordagem privilegiava a análise e a experimentação, mas Wilson optou pela réplica dos fenômenos naturais, para tentar entendê-los. Assim, procurou reproduzir em laboratório o efeito glorioso das nuvens banhadas de sol sobre as montanhas escocesas. Em um primeiro momento, condensou gotículas de água nas partículas de poeira em suspensão, para produzir névoa artificial, e após anos de pesquisa conseguiu inventar um aparelho elétrico que fotografava os rastros deixados pelas gotículas criadas por partículas carregadas. Ao importar técnicas da Física, Wilson ao mesmo tempo mudou a Meteorologia e expandiu a visão dos físicos, que puderam enxergar o universo submicroscópico de raios cósmicos e átomos.

> A PRINCIPAL ABORDAGEM PRIVILEGIAVA A ANÁLISE E A EXPERIMENTAÇÃO, MAS WILSON OPTOU PELA RÉPLICA DOS FENÔMENOS NATURAIS.

A análise de resultados exigia habilidade e paciência. Para leigos, era difícil distinguir entre dois conjuntos de manchas e linhas. Milhares de imagens foram feitas pelas câmaras de expansão, mas só muito raramente eram captadas uma colisão ou uma explosão que revelassem a existência de novas partículas. A análise de enorme quantidade de instantâneos, embora fosse uma atividade mal paga, serviu como fonte de renda para donas de casa americanas, uma força de trabalho raramente reconhecida, mas de importância vital para a Física Atômica; eram olhos e cérebros atentos, prontos para detectar a menor anomalia nos padrões em preto e branco.

Em 1932, o mesmo ano em que Chadwick descobriu os nêutrons, a fotografia da Figura 43 foi revelada na Califórnia. Muito entusiasmados, os cientistas, no entanto, discordavam fundamentalmente quanto ao que a imagem revelava. Ignore a barra branca horizontal – é uma placa de chumbo. O detalhe mais importante é o arco fininho que corta a imagem verticalmente. Quatro explicações diferentes surgiram, mas apenas uma sobreviveu às críticas: duas partículas foram criadas ao mesmo tempo: um elétron negativo curvado para baixo por um campo magnético; e sua imagem espelhada, uma partícula positiva que viaja na direção oposta. Apesar das dúvidas iniciais e da pouca nitidez da imagem – para olhos não treinados – os cientistas agora concordam que a fotografia é uma prova inequívoca e visível de que os pósitrons existem como parceiros positivos dos elétrons.

A informação visual que supostamente revela os segredos da natureza aparece envolvida em certa ironia. Quando perguntaram a Rutherford sobre a existência das partículas alfa, ele respondeu irritado que podia vê-las tão claramente quanto a colher que segurava. Sim, é preciso ver para crer, mas só os conhecedores veem. O uso de máquinas para a coleta de dados pode dar a impressão de sempre favorecer a objetividade, eliminando falhas humanas. Na prática, porém, como os cientistas vitorianos acabaram percebendo, muitas vezes acontece o contrário, porque para decifrar os resultados gerados por equipamentos tecnológicos é preciso interpretá-los. As fotografias de partículas subatômicas fornecem evidências definitivas, independentemente de qualquer ser humano, mas – tal como as tomografias computadorizadas ou os mapas termais, por exemplo – são poucos os que as entendem.

Os químicos vitorianos impuseram ordem aos elementos, organizando-os nos espaços da tabela periódica. De maneira semelhante, durante a segunda metade do século 20, os físicos organizaram as partículas subatômicas em uma tabela chamada modelo-padrão, que faz o mundo subatômico parecer arrumado, dividido em colunas fixas de partículas com nomes estranhos – férmions e bósons, léptons e glúons. No entanto, assim como na tabela periódica, chegar a essa simplicidade taxonômica não foi fácil. Um físico de altas energias escreveu no livro de registros do laboratório uma história que servia de advertência: "Cansado, depois de semanas de trabalho árduo, o homem se abaixou para examinar a peneira no riacho e viu duas pepitas brilhantes. 'Oba!' – ele gritou. Em seguida, levantou-se, para analisar o conteúdo da peneira com mais cuidado. Outros vieram correndo para ver, e na confusão a peneira e seu conteúdo caíram no riacho. Seriam aquelas pepitas ouro ou pirita? Então, ele voltou a peneirar a areia."

Os cientistas tanto precisam de teorias como de experimentos. Se não quiserem ser enganados pelo ouro de tolo, devem descobrir antecipadamente qual o melhor lugar para procurar a verdade. No mesmo patamar de Mendeleev estava Murray Gell-Mann, um cientista norte-americano que igualmente deixou um vazio em seu modelo, prevendo (com razão, conforme se viu mais tarde) que outras partículas seriam descobertas. Gell-Mann também imaginou uma nova família de partículas ainda menores, os minúsculos componentes internos de prótons e nêutrons – os quarks, um nome que ele tomou emprestado da obra de James Joyce, *Finnegan´s Wake*, publicada em português sob o título *Finnicius Revém*. Equipes de pesquisa adotaram várias táticas para confirmar as ideias de Gell-Mann e, em 1974, acabaram encontrando a prova de que precisavam.

Desde então, mais *quarks* foram previstos, e outros mais foram encontrados, depois categorizados conforme as características. Contudo, eles permanecem invisíveis: ninguém nunca viu um *quark*. Então, como ter certeza de sua existência? Os cientistas tinham a resposta. Segundo eles, os *quarks* deviam ser reais, por explicarem com precisão o que acontecia nas experimentações. Diversas vezes, em situações variadas, pesquisadores previram resultados teóricos com base na existência dos *quarks* e descobriram que as previsões combinavam rigorosamente com os resultados obtidos de forma experimental. Isso aconteceu em muitos laboratórios, com abordagens diferentes, e não apenas com uma equipe tentando provar as próprias convicções. À medida que as evidências se acumulavam, ficou cada vez mais difícil acreditar em uma explicação contrária àquela.

No entanto, os mistérios continuam. Vejamos, por exemplo, a massa, que intuitivamente parece ser mais fácil de entender do que as forças e os giros quânticos. Os cientistas dividiram suas partículas em três famílias: leve, média e pesada. A diferença entre as partículas maiores e as menores é comparável à diferença entre um elefante e uma formiga. Mas por que suas massas variam tanto? E ainda: o que é massa? Das três explicações possíveis, duas dependem da existência de mais uma partícula a ser detectada – o bóson de Higgs. Mesmo que se prove a existência desse bóson, outra dúvida permanece: por que o mundo que vemos é composto de partículas de uma única família, inclusive os bósons de Higgs?

Quando Mendeleev deixou espaços vazios na tabela, foi acusado por cientistas de privilegiar a teoria, em detrimento da observação. A procura dos bósons de Higgs significa criar instrumentos cada vez maiores, para uma investigação específica. Ideologicamente, pesquisa científica quer dizer "testar previsões". Na prática, com a importância cada vez maior dos aspectos teóricos e financeiros, também pode significar "confirmar previsões".

CAPÍTULO 40
GENES

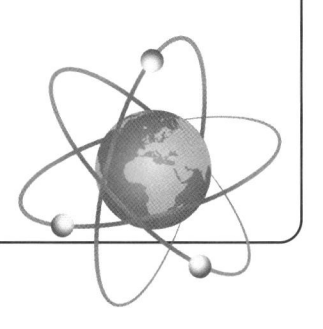

Ah, meu amor, sejamos sinceros!
Pois o mundo, que parece
Estender-se diante de nós como uma paisagem de sonho,
Tão diversa, tão bela, tão nova,
Na verdade não tem alegria, nem amor, nem luz,
Nem certeza, nem paz, nem alento para a dor.

— Matthew Arnold, *Dover Beach* (1867)

Pai dedicado, Charles Darwin se preocupava com as implicações da própria teoria – com a possibilidade de prejudicar a saúde dos filhos, por ser casado com uma prima. Darwin também temia que a nação inteira entrasse em decadência, e advertia seus ricos leitores vitorianos que "os membros mais temerários, indignos e corruptos da sociedade (uma observação sarcástica e não muito sutil sobre os irlandeses) tendem a multiplicar-se mais do que os indivíduos prudentes e, geralmente, íntegros (subtexto: pessoas como ele mesmo)".

Os políticos também tinham essa preocupação, e tomaram as ideias de Darwin sobre evolução como justificativa científica para suas tentativas de purificar a raça por meio do controle de natalidade e da eliminação de quem não fosse considerado perfeito. "Essa raça selvagem", falou raivosamente um demagogo do século 20, "deveria ser reduzida ao máximo... pela seleção artificial inteligente... Assim, a nação que produzir a raça mais pura e digna alcançará a vitória final." A defesa do aperfeiçoamento racial não foi feita por Adolf Hitler, mas por um dos médicos mais famosos da Grã-Bretanha, ao discursar contra a Alemanha. Hitler é hoje o símbolo do mal, mas quando os nazistas defendiam a purificação da raça ariana, seguiam o exemplo dos purificadores sociais que existiam na Europa e nos Estados Unidos.

Da década de 1880 até boa parte do século 20, os defensores da seleção artificial adotaram duas abordagens complementares. Um grupo, os eugenistas positivos, encorajava as pessoas instruídas e ricas a ter muitos filhos. Mas eles eram menos influentes do que seus aliados, os eugenistas negativos, que impunham rigorosas medidas restritivas, recomendando a esterilização obrigatória de pobres e a prisão de mães solteiras. Na Suécia, cerca de 60 mil pessoas foram esterilizadas compulsoriamente como parte de um programa social do Estado que pretendia eliminar os "biologicamente incapacitados" – geralmente pessoas com baixa pontuação em testes de QI. O projeto só foi abandonado em 1967. Os Estados Unidos representaram um modelo poderoso para os nazistas. Do outro lado do Atlântico, homens ricos doavam milhões de dólares para pesquisas de "melhoria da raça". Diversos estados aprovaram leis que permitiam a esterilização de indivíduos mental e fisicamente inferiores, e restrições à imigração excluíam quem não tivesse origens nórdicas. Hitler levou o sistema americano ao extremo, eliminando aqueles que considerava indesejáveis – não só judeus, mas também homossexuais, ciganos e deficientes mentais.

A Eugenia não é de forma alguma um beco sem saída, e integra-se às ciências da vida moderna. Como ciência, a Eugenia se originou na Grã-Bretanha, fundada por um primo de Darwin, Francis Galton, e chegou ao século 20 por intermédio de um dos filhos de Darwin, Leonard. Todas essas relações familiares são importantes, porque Galton compilou um estudo sobre as mais notáveis inteligências do país, utilizando-o para fundamentar sua convicção de que a capacidade mental passa de pai para filho – embora reconhecesse que a mãe tem alguma participação no processo. No entanto, nem todo mundo se convenceu imediatamente de que a inteligência se deve apenas à hereditariedade. Os debates sobre genética/ambiente eram tão acalorados na era vitoriana quanto são hoje, e críticos ponderados ressaltavam que crianças ricas claramente se beneficiavam de uma melhor educação. Para enfrentar tal argumento, Galton defendia seu programa eugênico desenvolvendo novas técnicas estatísticas – os mesmos métodos quantitativos e matemáticos que mais tarde ajudariam a criar o darwinismo moderno.

No começo do século 20, as ideias de Darwin eram criticadas em livros com títulos dramáticos, como *At the Deathbed of Darwinism* ("No leito de morte do Darwinismo"). Essa oposição feroz não se travava apenas no terreno religioso; envolvia também aspectos científicos. Não restavam dúvidas de que a evolução tinha acontecido. Só faltava decidir como. Paleontólogos apontavam grandes lacunas nos registros de fósseis, o que implicava uma evolução em grandes saltos, em diferentes partes do mundo, e não de forma lenta e gradual. Críticos também acusavam Darwin de não explicar de maneira convincente como os organismos podem mudar de uma geração para a outra. Alguns cientistas (inclusive o próprio Darwin) ecoavam a ideia lamarckista de que as crianças herdam características adquiridas pelos pais. Outros sugeriam que o desenvolvimento da criança pode ser determinado – de alguma forma – pela combinação do plasma do embrião de pai e mãe, definido vagamente como uma substância imutável que carrega instruções codificadas. Muitos cientistas esperavam encontrar um modelo de evolução não fundamentado na luta implacável pela sobrevivência, que consideravam moralmente repugnante.

Um dos mais fortes movimentos antidarwinistas foi o mendelismo, um adversário surpreendente, considerando-se seu foco nas teorias sobre a evolução. A Genética moderna apaga qualquer imagem de progresso científico em linha reta, pois se baseia em experiências que inicialmente serviam como argumento contra a evolução por meio da seleção natural, defendida por Darwin. Ao contrário do modelo darwiniano de mudança contínua e gradual, a pesquisa de Gregor Mendel apoiava a noção de transformações abruptas. Esse monge da Europa Central adquiriu uma aura romântica, intensificada pela falta de informações consistentes. Estudioso pobre, contemporâneo de Darwin, Mendel conduziu suas pesquisas em um mosteiro remoto e divulgou os resultados mais importantes em uma obscura publicação local. Mais de três décadas se passaram antes de alguns biólogos (o número preciso é tema de debates acadêmicos) redescobrirem, independentemente, o trabalho de Mendel, incorporando-o a projetos próprios.

"Darwin + Mendel = darwinismo moderno." Pena não ser simples assim! Infelizmente para aqueles que gostam de enquadrar as histórias em padrões rígidos, essa equação não está correta. Uma versão revista da evolução por seleção natural foi desenvolvida de forma gradual e esporádica ao longo da primeira metade do século 20, à medida que as opiniões de diferentes grupos de pesquisa foram sendo contestadas, alteradas e moldadas em um novo padrão. Mendel nada sabia sobre genes, um conceito introduzido muito depois de sua morte, e interessava-se mais pelo cultivo de plantas do que em debater as origens dos seres humanos. Ele acreditava ser possível produzir uma nova espécie de planta por meio da hibridização, combinando duas espécies diferentes (o equivalente vegetal a criar mulas a partir do cruzamento de jumentas e cavalos, ou jumentos e éguas), e quis demonstrar esse processo matematicamente.

> MENDEL INTERESSAVA-SE MAIS PELO CULTIVO DE PLANTAS DO QUE EM DEBATER AS ORIGENS DOS SERES HUMANOS.

Assim como muitos outros cientistas, antes de começar os testes, Mendel já tinha uma boa ideia do que pretendia descobrir. Além disso, seus resultados são estranhamente precisos. Como objeto de estudo, Mendel escolheu as ervilhas. Depois de cruzar tipos contrastantes de ervilhas, ele computou como as características dos pais passavam para os descendentes. Por exemplo, quando se misturavam ervilhas compridas e curtas, a primeira geração era toda de ervilhas compridas. Mas quando essas eram cruzadas entre si, a geração seguinte continha (exatamente!) três ervilhas compridas para cada ervilha curta. O comprimento menor reapareceu, como se ligado a algum tipo de fator recessivo, oculto pela dominância do comprimento maior.

Quando o trabalho de Mendel foi redescoberto em 1900, sua abordagem matemática atraiu uma nova geração de cientistas, interessados em estabelecer a Biologia como uma ciência moderna baseada em evidências sólidas. O maior defensor das ideias de Mendel foi William Bateson, um evolucionista de Cambridge, que inventou a palavra "genética" e estava convencido de que a hereditariedade se manifesta em pequenos passos descontínuos. Depois que os experimentos de Bateson confirmaram as relações numéricas de Mendel, criadores profissionais de plantas e animais se entusiasmaram, porque uma previsão mais acertada da produção significaria a possibilidade de aumento dos lucros. Os cientistas não se deixaram convencer com tanta facilidade. Entre os críticos desse processo estavam os estatísticos seguidores de Darwin, os sucessores de Galton – que insistiam na continuidade da evolução – e Thomas Hunt Morgan, um embriologista norte-americano.

Morgan é outro herói improvável da evolução darwinista. Embora tenha recebido o Prêmio Nobel por demonstrar o mendelismo, Morgan originalmente era contrário à teoria. Segundo ele, a ideia dos "fatores" dominantes e recessivos de Mendel era vaga demais para ser levada a sério, e provavelmente só se aplicaria a ervilhas e algumas outras plantas. Morgan, no entanto, fez pesquisas que o convenceram do contrário. Ele transformou a ciência genética ao levá-la de seu ambiente natural – jardins, florestas, fazendas – para os laboratórios, onde os testes podiam ser cuidadosamente controlados. Dispondo de um orçamento escasso, Morgan e sua equipe relacionaram os vagos "fatores" de Mendel com entidades físicas escondidas nas células vivas.

Morgan escolheu um organismo apropriado ao estudo – a drosófila, uma mosca das frutas que se reproduz rapidamente, com mutações bem visíveis. A Figura 44 mostra seis de seus sujeitos experimentais, criados com milhares de outros dentro de garrafas de leite armazenadas sobre mesas de madeira antigas, no laboratório improvisado que Morgan apelidou de "sala das moscas". Esses mutantes artificiais têm asas diferentes, descritas por palavras prosaicas, incluindo "cortadas" (no alto à esquerda) e "atarracadas" (no alto à direita e embaixo à esquerda). O estudo da transmissão de características, como o formato das asas e a cor dos olhos, levou o grupo de Morgan a identificar o papel vital dos cromossomos, pequenos filamentos que se encontram no interior do núcleo da célula e podem ser vistos ao microscópio. Eles foram ainda mais longe, mapeando aos poucos os cromossomos em partes distintas chamadas "genes", na época unidades hipotéticas invisíveis, responsáveis pela transmissão de atributos específicos – sexo, cor dos olhos, desenho das asas – de geração em geração. Morgan tornou o mendelismo convincente, ao demonstrar que suas leis numéricas têm origens físicas no interior das células.

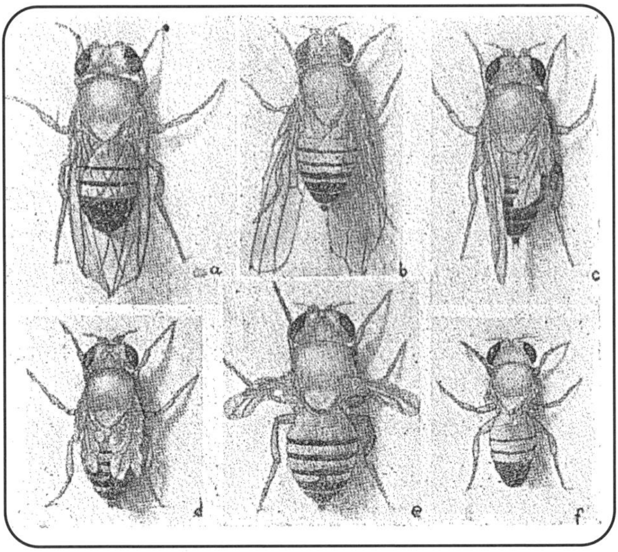

Figura 44. Algumas mutações nas asas da mosca das frutas, Drosophila. Thomas Hunt Morgan, *Evolution and Genetics*, Princeton, 1925.

Embora os genes estejam no cerne do darwinismo moderno, a genética laboratorial teve origens antidarwinistas. Morgan publicou suas imagens de moscas em um livro chamado *A Critique of the Theory of Evolution* ("Uma Crítica à Teoria da Evolução"). Ele acabou admitindo que pequenas mutações podem afetar uma população inteira, mas jamais aceitou que a evolução eliminasse impiedosamente os mais fracos. Tal como seus seguidores, acreditava que a raça é aperfeiçoada gradualmente pela incorporação de pequenas mudanças benéficas. Esses debates continuaram até a metade do século 20. Assim, quase cem anos depois da publicação de *On the Origin of Species*, de Darwin, ainda não havia um consenso científico sobre a seleção natural.

Entre 1920 e 1950, uma nova forma de darwinismo foi sintetizada, como resultado da combinação de abordagens diferentes adotadas em todas as partes do mundo, aglutinadas em um novo modelo teórico. Além da colaboração dos pesquisadores de laboratórios americanos, uma importante contribuição veio dos matemáticos teóricos de Londres. Em vez de focar organismos individuais, eles estudavam estatisticamente grandes populações, traçando curvas regulares para sugerir que as características são herdadas continuamente, e não em passos descontínuos, como indicava o trabalho de

Morgan. Para conciliar essas visões, os geneticistas matemáticos dedicados ao estudo das populações faziam cálculos precisos (e muito complicados), mostrando que, embora pequenas alterações individuais possam acontecer abruptamente, grandes transformações gerais podem ser graduais.

Outras inovações vieram de naturalistas de campo, cientistas que estudavam animais e plantas em seu ambiente natural. Apesar de não estarem familiarizados com as fórmulas complicadas produzidas pelos estatísticos, eles haviam chegado à mesma conclusão: era essencial estudar as populações. No começo do século 20, essa abordagem pró-Darwin foi particularmente importante na Rússia, onde os biólogos evolucionistas investigavam o que acontecia com as moscas das frutas locais quando eram introduzidos alguns espécimes criados no laboratório de Morgan. Para explicar seus resultados, esses biólogos teorizaram que as variações circulam em uma combinação de genes na população, sem serem utilizadas nem percebidas, até o momento em que uma mudança as torna necessárias. Por exemplo: quando as árvores das cidades industriais cobriram-se de fuligem, durante o século 19, a mariposa cinzenta ficou facilmente visível contra os troncos escurecidos, tornando-se vulnerável aos predadores – até que, em um processo de rápida adaptação, as mariposas negras, raras até então, começaram a predominar.

Ao longo de muitas décadas, representantes de diferentes tipos de pesquisas acabaram fazendo contato e trocando ideias. Assim, aos poucos foi elaborada a síntese que sustenta o darwinismo moderno. Como exemplo dessa fusão, em 1927, um cientista russo chamado Theodosius Dobzhansky se mudou para os Estados Unidos, unindo-se à equipe de Morgan. Levava com ele a abordagem adotada em seu país para o estudo das populações, e durante uma pesquisa independente sobre insetos, combinou a experiência prática como naturalista às formulações abstratas dos matemáticos e às estatísticas de laboratório dos geneticistas. Na segunda metade do século 20, esse estilo colaborativo de investigação já era habitual, e os cientistas concordavam que os genes são o mecanismo secreto de hereditariedade, que Darwin não pudera encontrar.

Tudo se passava quase sempre desse modo – mas não na Rússia stalinista. Apesar da importância de suas pesquisas anteriores, em 1940 os geneticistas mais importantes estavam exilados na Sibéria, e a liderança do setor de pesquisas tinha sido entregue ao agricultor ucraniano Trofim Lysenko. Em uma nova adaptação das ideias de Lamarck, Lysenko dizia que efeitos permanentes e hereditários podiam ser produzidos por uma mudança no ambiente.

Tal como muitos cientistas russos, Lysenko tinha como objetivo aliviar a escassez de alimentos, e suas primeiras tentativas de submeter as sementes de trigo a baixas temperaturas acabaram produzindo exatamente os resultados que interessavam aos políticos. Assim, com habilidade, ele foi abrindo caminho em meio às hierarquias científica e política, e alcançou o poder ao proclamar que contava com o apoio de Stálin para reformar a agricultura soviética e banir a Genética ocidental. Sob a administração de Lysenko, porém, a produção agrícola declinou, e a fome se espalhou, até que, em 1965, ele foi afastado do cargo.

O lysenkoísmo é – bem como o mesmerismo – muitas vezes chamado de pseudociência, mas na época a situação não parecia tão evidente, e a batalha foi travada com palavras, não com ideias. Para atingir Lysenko, críticos de dentro e de fora da Rússia incitavam a histeria do povo, acusando-o de charlatanismo. Do outro lado, os aliados de Lysenko adotaram táticas complementares, apontando ligações entre mendelismo e fascismo, imperialismo e cultura burguesa corrupta. Embora há muito o lysenkoísmo esteja desacreditado como teoria, deve-se reconhecer que seus seguidores levantaram críticas à visão da maioria absolutamente coerentes. As caricaturas da Figura 45 apareceram em uma popular revista semanal soviética, para ilustrar um violento artigo criticando os seguidores de Mendel e Morgan. Sob o título *Fly-lovers – Man-haters* ("Amor às moscas – Ódio aos homens", em tradução literal), a matéria acusava os anglo-americanos de usar a ciência para justificar ideologias racistas.

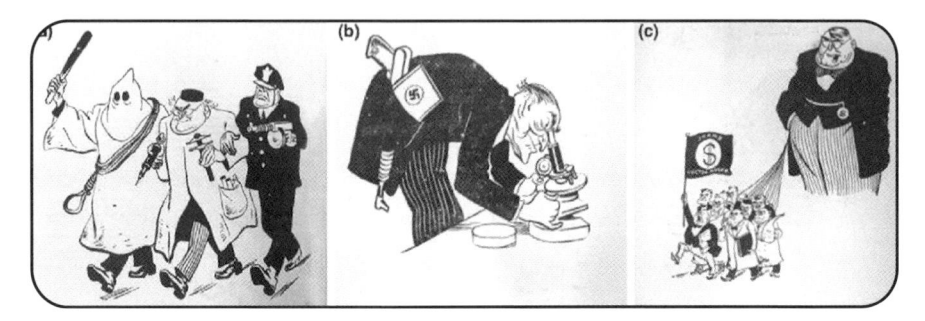

Figura 45. Caricaturas por Boris Efimov em Ogonek (*Little Flame*, 1949).

Os marxistas consideravam a criação de moscas uma procura inútil por genes invisíveis. Além disso, de acordo com eles, a genética era inseparável da política e dos negócios. O autor de *Fly-lovers – Man-haters* não era jornalista nem político, mas um professor de Biologia soviético bem informado.

Ao enfocar os eugenistas norte-americanos e suas sugestões de esterilização, ele queria que os leitores notassem a face contraída de um membro do comitê de vigilância da Ku Klux Klan espiando sobre o ombro de um geneticista. No desenho da esquerda, os três homens de braços dados personificam o racismo, a ciência que mata e o Estado. Na ilustração central, um panfleto nazista escapa do bolso de um homem que usa o microscópio para procurar inutilmente entidades imateriais. E à direita, um capitalista norte-americano gordo mantém preso às rédeas um grupo de cientistas indecisos que clama por independência, mas carrega a bandeira da "Ciência Genuína" com um grande cifrão.

O termo "darwinismo" é utilizado desde a metade do século 19, embora não tenha hoje o significado de então. Para pessoas que ligam a ciência ao progresso, a síntese moderna é sem dúvida um aperfeiçoamento da versão original de Darwin, porque se baseia em complexas estatísticas, sérias pesquisas de laboratório e numerosas confirmações experimentais. E será que a Matemática e os microscópios levam inevitavelmente a uma ciência melhor? Como diriam Lysenko e seus seguidores, depende do que se entende por "melhor". A ideologia seguida por eles, voltada para a agricultura, devastou a economia do país, mas sua recusa em aceitar a ligação entre Genética e Eugenia estava bem fundamentada, e muitas questões éticas que levantaram confundem ainda hoje a pesquisa científica. Enquanto garantiam às teorias não comprovadas de Darwin uma base quantitativa sólida, a estatística de Galton e os genes de Mendel alimentavam os preconceitos dos reformadores eugenistas. Ciência e política ligavam-se intimamente em ambos os lados da Cortina de Ferro.

CAPÍTULO 41
SUBSTÂNCIAS QUÍMICAS

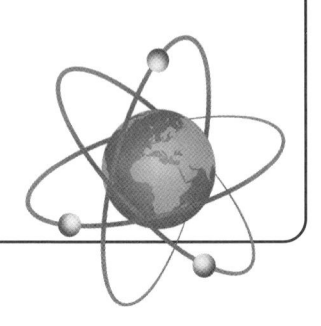

What is matter? – Never mind.
What is mind? – No matter.
(O que é a matéria? Não se preocupe.
O que é a mente? Não importa.)

- Thomas Hewitt Key, *Punch* (1855)

Depreciar as mulheres tem sido um esporte popular desde que Eva foi acusada de se deixar levar pela conversa sedutora de uma serpente no Jardim do Éden. Quando Darwin afirmou que a seleção natural resultara na superioridade do homem sobre a mulher, até seus críticos o apoiaram. Assim como eles, Darwin estava preso a convicções vitorianas. Ele tinha crescido ouvindo dizer que os ingleses eram mais civilizados do que os irlandeses, que os europeus brancos deviam mandar nos africanos, e que os homens eram mais fortes e mais espertos do que as mulheres. Ao incluir tais preconceitos em sua teoria da seleção natural, Darwin os justificou cientificamente, consolidando-os.

Apoiar a discriminação por meio da ciência não era uma atitude exclusiva de Darwin. Os anatomistas da época do Iluminismo exageravam as diferenças entre esqueletos masculinos e femininos, tentando adequá-los ao tipo físico esperado de cada um. Ao mesmo tempo, organizaram os crânios de primatas em uma ordem que confirmasse convenientemente a supremacia europeia (figura 24). Durante o século 20, a máscara da racionalidade objetiva ainda escondia antigos preconceitos. De acordo com relatos convencionais sobre a concepção, o óvulo feminino fica inativo, como a Bela Adormecida à espera do príncipe – o espermatozoide heroico que supera os rivais, enfrenta os fluidos vaginais hostis e alcança o alvo. Desde a década de 1980, cientistas pós-feministas inverteram o sentido da antropomorfização, visualizando os óvulos como *femmes fatales* que seduzem o espermatozoide errante com substâncias químicas atraentes, aprisionando-os nos tentáculos.

Mesmo entre os pesquisadores mais criteriosos, as abordagens a esses estudos partem de ângulos diferentes. Na metade do século 19, alguns fisiologistas alemães conceituaram as pessoas como máquinas químicas, lubrificadas por fluidos internos que mantêm corpo e mente operando de modo regular e harmônico. O polêmico cientista Karl Vogt afirmou que "O cérebro produz pensamentos, como o estômago produz suco gástrico, como o fígado produz bile, e o rim produz urina." Esse grupo argumentava que, se pudesse entender exatamente como a máquina humana opera, poderia desenvolver remédios químicos que a fizessem funcionar com perfeição. Os críticos desprezavam essa redução dos seres vivos a moléculas complexas. Ainda assim, a abordagem materialista produziu bons resultados no ajuste de mecanismos internos, tais como as drogas para combater infecções. No entanto, a confirmação de diferenças químicas entre homens e mulheres, ou entre africanos e europeus forneceu também novas justificativas científicas para a discriminação.

Os fisiologistas estudavam cada vez mais a fundo os tecidos do corpo humano, procurando metodicamente por distinções de gênero no cérebro, no cabelo e nas artérias, até que apenas o olho manteve a condição de "unissex". No começo do século 20, masculinidade e feminilidade eram atribuídas aos hormônios, mensageiros químicos carregados pelo sangue, produzidos pelas glândulas para controlar o comportamento e o físico. Ao mesmo tempo, médicos diagnosticavam doenças antes consideradas específicas de determinada raça. Algumas eram claramente tendenciosas, como a síndrome etíope da insensibilidade à dor, inventada como uma desculpa conveniente para os donos de escravos. Outras se baseavam em evidências sólidas, mas eram usadas para confirmar a intolerância existente. A anemia falciforme, por exemplo, foi ligada a um tipo de hemácia malformada, mais frequente em negros africanos (e em afroamericanos) do que em brancos. Foi o bastante para que o sangue dos negros acabasse conhecido como "sangue ruim", um perigoso transmissor de doenças que ameaçavam a sobrevivência dos brancos em caso de casamento interracial.

Na segunda metade do século 19, a ciência de laboratório se expandiu significativamente e mudou a Medicina para sempre. Em resumo, doenças e curas passaram a ser definidas não por médicos que observavam sinais superficiais, mas pelos químicos pesquisadores, que expunham entidades invisíveis; instrumentos poderosos possibilitaram a identificação de organismos microscópicos responsáveis por doenças infecciosas – tuberculose, cólera, antraz – e a busca de meios para sua destruição. Técnicas desenvolvidas em laboratório puderam então ser testadas no mundo exterior, já que os doentes foram inseridos em estudos orientados pelos pesquisadores.

Os diagnósticos saíram da cabeceira dos pacientes para os laboratórios dos hospitais, onde as doenças podiam ser identificadas por meio da aplicação de testes-padrão em amostras sem identificação para lá enviadas. Os tradicionais médicos de família protestavam, dizendo que, embora a Medicina se tornasse mais eficiente e efetiva, a atenção se concentrava na doença, e não no doente. Alguns médicos se preocupavam demais em analisar as enfermidades, a ponto de esquecerem o que deveria ser seu objetivo principal: evitar o sofrimento. Isso aconteceu não só na Alemanha nazista, mas também nos Estados Unidos, onde, por exemplo, uma equipe de pesquisadores interrompeu de propósito o tratamento de portadores de sífilis – significativamente um grupo de homens negros – para observar sua decadência nos estágios finais da doença.

Os fisiologistas químicos começaram a usar os próprios pacientes como minilaboratórios. Para eles, as doenças serviam como uma espécie de experimentação. Segundo argumentavam, na vida real o corpo doente tem uma natural perturbação do funcionamento; no laboratório, a normalidade também é interrompida, mas de modo artificial e intencional. Alguns pesquisadores testavam remédios químicos neles mesmos. Inclui-se aí o pesquisador idoso que relatou sentir-se milagrosamente rejuvenescido depois de injetar em si um extrato de testículos de cachorro. Outros escolhiam "voluntários involuntários". Louis Pasteur injetou em um adolescente mordido por um cachorro uma vacina contra a raiva ainda não testada, correndo o risco de matá-lo, sem saber se ele estava ou não infectado pela doença. Outras pessoas foram contaminadas sob condições controladas. Para confirmar as suspeitas acerca da transmissão da febre amarela, por exemplo, indivíduos saudáveis foram expostos aos mosquitos e observados depois de adoecerem, enquanto se faziam testes semelhantes para explorar os efeitos de substâncias químicas sobre o cérebro e o sistema nervoso.

Quando as doenças não podiam ser atribuídas a um invasor externo, como o bacilo de Koch ou um parasita, os pesquisadores procuravam causas internas. Para entender o que havia de errado, eles precisavam descobrir o que acontece quando o organismo humano funciona de acordo com o esperado. Assim, inventaram todo tipo de instrumento para medir as funções do corpo numericamente. Alguns eram aparelhos mecânicos, projetados para registrar os batimentos cardíacos, a respiração ou a temperatura; outros, químicos, mediam a concentração de ácido no estômago ou de minerais nos ossos. Alguns procedimentos eram indolores – medir a pressão sanguínea, por exemplo; outros, mais invasivos, exigiam amostras de sangue ou mesmo cirurgias exploratórias, muitas vezes sem o uso de anestésicos. Não admira que os sujeitos das experiências fossem quase sempre pobres, negros ou indivíduos confinados em instituições para doentes mentais.

Adoecer significava desviar-se da normalidade – não o equilíbrio pessoal de humores de um paciente, mas a normalidade estatística de uma população inteira. A começar pela Paris do século 19, como já vimos, pacientes com sintomas parecidos passaram a ser agrupados em grandes enfermarias, onde podiam ser tratados coletivamente. A contabilização dos fracassos e sucessos de um tratamento permitia a classificação sistemática das doenças, o acompanhamento cuidadoso dos efeitos das drogas e o registro dos resultados, para uma comparação entre as características físicas dos enfermos e dos saudáveis. Com o fortalecimento das abordagens estatísticas, os médicos passaram a incluir no tratamento a avaliação do paciente feita por instrumentos científicos – termômetros, estetoscópios, medidores de pressão – depois descrita em termos numéricos. A novidade estava no aspecto quantitativo da abordagem. William Harvey, por exemplo, havia demonstrado no início do século 17 a função de bombeamento exercida pelo coração, mas passaram-se mais de 200 anos até que os médicos começassem a medir rotineiramente e com precisão o pulso dos pacientes.

O emprego de substâncias químicas nas investigações da normalidade permitiu aos médicos tratarem doenças que, havia milênios, ameaçavam a sobrevivência dos seres humanos. Vejamos o diabetes. Desde a Antiguidade, sucessivas gerações de médicos foram refinando o diagnóstico, e na metade do século 19 haviam localizado sua origem no pâncreas. A quantidade de descobertas aumentou quando os primeiros pesquisadores fascinados pelos hormônios químicos isolaram a insulina, testada depois pelos médicos nos pacientes internados nas enfermarias. A etapa seguinte dessa história é desagradável, com disputa de prioridades. Ainda assim, o resultado confirmou cabalmente o poder das pesquisas fisiológicas e bioquímicas. Depois da recuperação espetacular de algumas pessoas que receberam insulina experimentalmente, a substância começou a ser produzida em massa na década de 1920, e o diabetes deixou de ser uma doença fatal, tornando-se uma condição de possível convivência.

O progresso cumulativo é um conceito gratificante, implícito em muitas versões da História da ciência. Na Figura 46, o modelo de uma molécula de insulina aparece em meio a papéis amontoados sobre a mesa de trabalho de Dorothy Hodgkin, ganhadora do Prêmio Nobel por sua pesquisa com Cristalografia, um campo onde, de forma surpreendente, encontram-se mulheres influentes em número elevado. A luz que entra pela janela incide sobre um modelo molecular tridimensional de uma substância química que, tal como o conhecimento que representa, indica o crescente sucesso da pesquisa científica. Ao contrário, o resto de sanduíche está fadado a desintegrar-se, assim como a própria Hodgkin, cuja transitoriedade humana aparece nas mãos retorcidas, uma consequência dolorosa da artrite reumatoide crônica.

Figura 46. Maggi Hambling, *Dorothy Hodgkin*, óleo sobre tela (1985).

De maneira simbólica, ela é retratada executando diversas tarefas ao mesmo tempo: toma notas, analisa um desenho, usa uma lupa de aumento dupla. Na vida real, Hodgkin se envolveu em vários projetos de pesquisa. Além de analisar a insulina, estudou a penicilina e a vitamina B12, as três substâncias químicas que mais transformaram a Medicina, cada uma a seu modo. Enquanto a insulina foi isolada para tratar uma doença específica, a penicilina se tornou a maravilha da Segunda Guerra Mundial, capaz de debelar uma série de infecções, e a vitamina B12 se mostrou essencial à cura da anemia perniciosa, doença até então não identificada. As histórias dessas drogas ilustram as diversas influências do interesse pessoal sobre a pesquisa científica. Mesmo quando fenômenos invisíveis são revelados por equipamentos de laboratório, os pesquisadores não necessariamente os interpretam com objetividade clínica.

> A DESCOBERTA ACIDENTAL DA PENICILINA TORNOU-SE UM DOS MAIS PODEROSOS MITOS DA MEDICINA MODERNA.

A descoberta acidental da penicilina tornou-se um dos mais poderosos mitos da Medicina moderna. A história contada é esta: Alexander Fleming, cientista pesquisador escocês, notou que o mofo havia destruído as bactérias que estava cultivando e reconheceu de imediato a importância daquele acaso. A partir daí, desenvolveu a penicilina, uma nova e poderosa droga que revolucionou o tratamento de doenças. Nacionalistas britânicos receberam muito bem essa versão dos fatos, utilizada durante a guerra para destacar o espírito de iniciativa de Fleming, ao agarrar uma oportunidade inesperada – um símbolo da coragem e da independência do povo da Ilha. No entanto, para os historiadores que buscam a precisão, esse relato é falho, pois ignora muitos aspectos menos interessantes do que aconteceu: a falta de referência a procedimentos experimentais anteriores, feitos pelo próprio Fleming; um intervalo de 15 anos, desde que a penicilina foi mencionada pela primeira vez; a pesquisa detalhada de uma equipe de Oxford (que não incluía Fleming); e o investimento maciço feito por industriais americanos.

A vitamina B12 também tem um passado complicado. Antes que a Medicina se tornasse tecnológica, jovens que pareciam pálidas e apáticas frequentemente recebiam dos médicos o diagnóstico de "clorose". As supostas causas variavam – virgindade, espartilhos apertados, liberdade demais, liberdade de menos – porque a clorose era definida não só pelos sintomas, mas também pela opinião pública acerca do comportamento das mulheres. A cura geralmente envolvia mudança de estilo de vida. Em outras palavras: a obrigação de obedecer a preceitos morais vinha disfarçada de prescrição médica. Assim, as portadoras de clorose eram levadas a acreditar serem responsáveis pela própria doença, mais ou menos como acontece aos que se descobrem diabéticos em idade avançada; em vez de serem considerados vítimas inocentes de um mal hereditário, são acusados de precipitar a doença, por se alimentarem erradamente.

No começo do século 20, a clorose virtualmente desapareceu – não porque os sintomas deixassem de existir, mas porque as pesquisas de laboratório faziam do sangue um instrumento eficiente de diagnóstico. Primeiro, veio a anemia por falta de ferro, confirmada ao microscópio, mas também identificada como doença feminina. Diferentemente da clorose, a anemia era retratada como um fardo injusto e inevitável, um dos diversos "males femininos", típicos de mulheres exaustas, por terem de trabalhar e cuidar da família. Os laboratórios farmacêuticos viam com bons olhos a abordagem química para essas moléstias, e comercializavam uma miscelânea de pílulas e tônicos à base de ferro. Por outro lado, muitos médicos protestavam, ao verem sua posição enfraquecida, uma vez que eram substituídos por técnicos que usavam entidades invisíveis para diagnosticar males até então inexistentes. A disputa se intensificou depois de especialistas de laboratório identificarem uma nova doença – a anemia perniciosa, mais rara e fatal, que afetava homens e mulheres. Farmacêuticos ganharam muito dinheiro vendendo um extrato de fígado que aparentemente funcionava, mas nem sempre. Assim, os médicos relutavam em prescrever produtos comerciais questionáveis para uma patologia diagnosticada fora de seus consultórios. Afinal, a B12 foi apontada como responsável pelas curas, mas essa descoberta envolveu preconceitos sexistas e disputas acirradas entre grupos médicos com interesses diversos. Suposições preconceituosas semelhantes, mas baseadas na etnia, haviam cercado a descoberta em laboratório da anemia falciforme, que adquiriu a reputação de ser uma doença típica do "sangue negro".

Durante o século 20, o número crescente de drogas químicas sinalizava uma mudança de atitude em relação à saúde. Em vez de se conformarem com a probabilidade de doenças crônicas e incapacitantes, as pessoas passaram a esperar e querer uma vida melhor e mais longa. Os médicos assumiram uma nova missão: preservar o bem-estar, em vez de ajudar os pacientes a morrerem confortavelmente. Durante a década de 1960, como parte dessa missão, drogas foram ministradas em larga escala a uma população saudável, com a comercialização das primeiras pílulas contraceptivas, depois de experiências incompletas. Mulheres de boa situação financeira, na Europa e nos Estados Unidos, ficaram satisfeitas com essa inovação química, mas tornaram-se cobaias involuntárias em um programa global de testes.

Os hormônios representavam grandes lucros desde a década de 1920, quando alguns laboratórios farmacêuticos que vendiam insulina passaram a comercializar também hormônios sexuais. Logo de início, os hormônios femininos foram um sucesso comercial muito maior do que os masculinos. Durante séculos as mulheres foram definidas em termos do sistema reprodutivo, e seus problemas físicos e emocionais, atribuídos à situação do útero. No começo da era da Medicina laboratorial, a anemia levou parte da culpa. Então, químicos encontraram uma explicação ainda mais engenhosa para o comportamento das mulheres: os hormônios, acusados de afetar todos os aspectos da mente e do corpo. Nos anos 1930, os produtores de hormônios femininos prometiam sucesso no tratamento de "praticamente todas as doenças tipicamente femininas".

No entanto, embora a terapia hormonal se tornasse uma panaceia quase universal, outros 20 anos se passaram antes que começasse a ser usada como contraceptivo – ou, para empregar os mesmos termos de sua apresentação, para controlar a reprodução. "Controle" era a palavra de ordem. Inicialmente, os recursos financeiros e a inspiração para o desenvolvimento da pílula contraceptiva (ou anticoncepcional) não vieram do governo nem da indústria química, mas de Margaret Sanger, uma feminista norte-americana que queria dar às mulheres a possibilidade de controlar a própria vida. Apesar de encontrar oposição ferrenha, sua campanha acabou bem-sucedida, apoiada por eugenistas e adeptos do controle populacional, cuja intenção era melhorar a sociedade e reduzir os índices de natalidade.

Considerados aceitáveis na época, ainda assim os programas de testes ficavam muito abaixo dos padrões modernos, e podem parecer quase ridículos. Para fugir às objeções legais e morais no que se refere à contracepção, as experiências foram oficialmente direcionadas aos problemas ginecológicos. Primeiro, os médicos experimentaram os hormônios sexuais em mulheres que buscavam tratamento para a infertilidade; em seguida, fizeram uma experiência malsucedida em um hospital para doentes mentais, onde os homens(!) reclamaram que seus testículos estavam menores. O projeto depois se mudou para Porto Rico, que se tornou uma ilha laboratório. Com o tempo, porém, muitas mulheres desistiram do projeto, desanimadas pelos frequentes exames físicos e pelos incômodos efeitos colaterais. Preocupados com o encolhimento da amostragem, os pesquisadores usaram a criatividade: passaram a relatar os resultados dos ciclos menstruais, em vez de computar as mulheres individualmente, dando a impressão de um banco de dados muito mais amplo.

Os testes podem parecer superficiais hoje, mas em 1957 a pílula foi aprovada nos Estados Unidos, embora efetivamente disfarçada como tratamento para desordens da menstruação. Todo mundo sabia o que isso queria dizer. Em apenas dois anos, meio milhão de norte-americanas já usavam a pílula como contraceptivo, havendo rápido crescimento da demanda nas camadas da população que podiam pagar por ela. Pelo menos a droga era afinal testada em larga escala – em cobaias humanas desavisadas. Para garantir a eficácia da pílula, no início eram prescritas doses maciças, e começaram a surgir vários tipos de efeitos colaterais. Pesquisadores usaram esses resultados para mudar a formulação, mas algumas das primeiras compradoras foram afetadas severamente ou morreram, alimentando os protestos feministas contra a manipulação praticada pelos grandes laboratórios. Ainda assim, as vantagens pareciam evidentes, e meio século mais tarde, mais de 70 milhões de mulheres agradecidas tomavam a pílula diariamente.

Pela primeira vez, havia uma prescrição em massa de uma droga para pessoas saudáveis, e não para as doentes. Essa era a diferença fundamental entre a pílula contraceptiva e os tratamentos hormonais destinados a compensar o mau funcionamento dos órgãos. A insulina, por exemplo, trata o diabetes contrabalançando a incapacidade do pâncreas do paciente de produzi-la naturalmente; a pílula anticoncepcional costuma ser tomada mais por conveniência do que por necessidade. Enquanto a insulina salva vidas, algumas outras drogas hormonais – as que aceleram o crescimento ou reduzem a formação de espinhas, por exemplo – foram desenvolvidas para fazer a vida melhor.

A terapia medicamentosa pode facilmente resvalar para a melhoria cosmética. Visto dessa forma, o equilíbrio hormonal corresponde uma terceira forma de eugenia – nem positiva nem negativa, mas que representa uma promessa de melhoria da população, enquadrando indivíduos em normas desejáveis. A realização de sonhos por meio da ingestão de substâncias químicas depende de onde a pessoa mora e de sua situação financeira. Depende também do sexo. Para a pílula anticoncepcional feminina, 40 anos se passaram entre a inspiração inicial e o uso seguro. Diferentemente, na década de 1990, o Viagra foi aprovado em poucos meses pelos comitês de avaliação, financiado por grandes laboratórios farmacêuticos que o comercializavam agressivamente.

CAPÍTULO 42
INCERTEZAS

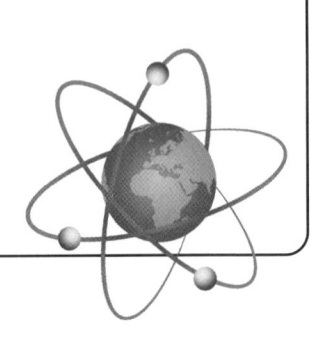

Não é que eles não consigam ver a solução. É que eles não conseguem ver o problema.

- G. K. Chesterton, *The Scandal of Father Brown*,
"O Escândalo do Padre Brown" (1935)

Albert Einstein gostava de publicidade, e brincava com a mídia, recusando-se ostensivamente a usar meias e criando frases de efeito que dariam para encher um dicionário pessoal. Em uma ocasião pouco comum, ele ficou sem resposta quando alguém lhe perguntou se a Teoria da Relatividade, a Psicanálise Freudiana e a Liga das Nações estavam relacionadas, como produtos de uma era revolucionária. Ele mais tarde concordaria – a Física, a Psicologia e a Política estavam interligadas, como aspectos diferentes de movimentos sociais e intelectuais contemporâneos.

Desde então, Freud e Einstein são citados com frequência como os dois mais importantes cientistas de sua era. Ambos reconheciam a relevância de sua identidade judaica, e ambos foram afetados profundamente pelas incertezas do século 20, em nítido contraste com a segurança política e a certeza científica em meio às quais haviam nascido. Na década de 1920, quando muitos alemães previam o colapso econômico e a desintegração social, os físicos baniram a certeza do mundo subatômico, declarando ser impossível prever eventos com 100% de segurança. Na nova Mecânica Quântica, somente probabilidades eram admitidas. O conhecimento estava restrito a probabilidades.

Para Einstein, essas normas eram apenas uma ferramenta matemática; ele jamais aceitou que representassem uma explicação definitiva da realidade. Em sua frase mais citada, rejeitou a incerteza física, declarando que "Deus não joga dados com o universo". Pacifista comprometido, Einstein também procurava a estabilidade política. Em 1932, em busca da paz mundial, voltou-se para outro judeu mundialmente famoso que vivia na Europa alemã – Sigmund Freud. Este revelou suas previsões sombrias, na descrição da guerra psicológica que se desenrolava na cabeça das pessoas: "Não é provável que sejamos capazes de eliminar as tendências agressivas da humanidade." Einstein ficou horrorizado quando Freud sugeriu que a guerra podia ser evitada se fossem acentuadas suas consequências terríveis. Daí a sete anos, porém, Einstein assinava uma carta pedindo ao presidente norte-americano que se antecipasse aos alemães, desenvolvendo uma bomba atômica, e tanto Einstein como Freud haviam emigrado para fugir da perseguição nazista.

> EINSTEIN FICOU HORRORIZADO QUANDO FREUD SUGERIU QUE A GUERRA PODIA SER EVITADA SE FOSSEM ACENTUADAS SUAS CONSEQUÊNCIAS TERRÍVEIS.

Em busca de paz na própria vida, Freud optou por casar-se e ter filhos, abandonando as pesquisas em laboratório sobre a estrutura e o funcionamento do cérebro. Iniciou então uma atividade mais lucrativa como médico particular especializado em doenças nervosas. Pai de família tradicional, Freud orientava a mulher e os pacientes, os filhos e os seguidores com a mesma autoridade paternalista. Sua influência foi enorme. No entanto, embora ele se considerasse um cientista em busca das leis universais que governam a psicologia humana, seus críticos afirmavam enfaticamente que ele devia ser excluído de qualquer *hall of fame* da ciência. Há combatentes inflamados em ambos os lados da chamada "Guerra de Freud", e é difícil encontrar relatos imparciais de sua vida e obra.

Cientista e médico qualificado, aparentemente destinado a seguir uma carreira tradicional, Freud acabou deixando para trás a pesquisa laboratorial em 1886, quando trocou a prática da Medicina em Viena por um novo tipo de pesquisa dedicado a estabelecer a primeira ciência da mente. Abandonando os antigos métodos, quando examinava cérebros de cadáveres com bisturis e produtos químicos, Freud começou a explorar o psiquismo dos vivos por meio de instrumentos mentais criados por ele, como a análise dos sonhos e a livre associação. Essas técnicas se mostraram eficientes no mapeamento do inconsciente e na identificação de pontos de resistência quando o paciente – o sujeito da experiência – se sentia desconfortável. Essas pontas de *icebergs* psicológicos indicavam onde Freud deveria investigar mais a fundo.

A etapa seguinte foi a elaboração de dois tipos de teorias interdependentes, uma metapsicológica e outra terapêutica. Com base em relatos e observações de pacientes e também dele mesmo, Freud desenvolveu seu modelo de uma psique dinâmica movida por forças conscientes e inconscientes; nas mentes freudianas, os instintos primários de sexo e destruição estão sempre em luta contra poderes repressivos e racionais que tentam impor a conformidade. Ele concluiu que as técnicas psicanalíticas curam, pois expõem esses conflitos ocultos, aliviando assim os distúrbios físicos, que são a manifestação visível dessa silenciosa luta interna.

Freud mudou a maneira como as pessoas pensam em si mesmas. Ao enfatizar a importância dos desejos e eventos de infância, incorporando-os a uma teoria científica do desenvolvimento, Freud desafiou as crenças tradicionais de que as pessoas nascem com uma personalidade específica. Ele também rejeitou a unidade da psique, desenvolvendo um modelo baseado na ambivalência, no qual memórias, desejos e sentimentos de culpa escondidos resultam em comportamentos contraditórios e emoções conflitantes. Para os seguidores de Freud, a sexualidade se tornou um elemento fundamental da vida, crucial para a definição psicológica não só de adultos, mas também de crianças.

Embora tão famoso quanto Einstein, Freud até hoje desperta fortes reações de ceticismo em relação a suas ideias. Um dos principais adversários foi o filósofo Karl Popper, que chamou a Psicanálise de pseudociência. No entanto, apesar de ser uns 50 anos mais jovem, Popper se parece com Freud em muitos aspectos. Ambos eram intelectuais judeus de Viena, forçados a emigrar durante o regime nazista, e ambos procuravam por leis universais – um para definir a ciência, o outro para descrever a mente. Na opinião de Popper, porém, nem psicanalistas nem astrólogos são cientistas, porque é impossível refutar suas conclusões. Segundo ele, os bons cientistas buscam constantemente ideias contrárias às próprias teorias, para testá-las, enquanto os pseudocientistas sempre procuram maneiras de defender suas opiniões.

Popper foi o mais importante filósofo da ciência do século 20.

Depois de assistir em 1919 a uma palestra de Einstein sobre a Teoria da Relatividade Geral, ele declarou que é possível traçar uma separação nítida entre a ciência verdadeira e a não ciência. De acordo com Popper, qualquer hipótese que mereça o rótulo de "científica" pode ser negada. Einstein passa no teste de Popper, porque a expedição que estudou o eclipse acabou negando a teoria de Newton. Os psicanalistas, ao contrário, não possuem critérios objetivos para decidir entre explicações alternativas. Freud declarou que, quando um garotinho chamado Hans sonhou com um cavalo, expressava medos sexuais em relação ao pai; mas por que essa explicação faria mais sentido do que Hans simplesmente ter-se assustado com um cavalo de verdade que viu na rua?

> DE ACORDO COM KARL POPPER, QUALQUER HIPÓTESE QUE MEREÇA O RÓTULO DE "CIENTÍFICA" PODE SER NEGADA.

Por outro lado, ainda segundo Popper, as teorias científicas jamais podem ser comprovadas definitivamente. Não existe certeza absoluta de que amanhã haverá dia, porque talvez uma desconhecida lei superior congele o Sol. Em princípio, todas as teorias sobre regularidade cósmica podem ser anuladas se, um dia, o Sol não nascer. E se alguma futura experiência discordar das previsões de Einstein, a Teoria Geral da Relatividade terá de ser abandonada. Pode parecer que Popper queria minar todas as certezas científicas até então construídas, mas ele estava convencido de que o conhecimento científico é especial. Embora não gostem que pessoas estranhas ao meio opinem sobre suas atividades, os cientistas receberam bem as visões de Popper sobre a importância de os experimentos distinguirem com imparcialidade o certo do errado.

Entre os adversários das ideias freudianas, as mulheres tiveram atuação destacada. Por ironia, o autoritário Freud gostava de suas seguidoras, talvez imaginando (erradamente) que elas seriam mais dóceis do que os rebeldes colegas masculinos. Em um primeiro momento, as feministas saudaram o fato sem precedentes de verem sua sexualidade reconhecida, mas logo começaram a criticar a perspectiva de Freud, centrada no homem. Segundo elas, além de ter elaborado o conceito de inveja do pênis, ele ignorava o papel vital exercido pelas mulheres na criação dos filhos. Freud muitas vezes parecia não confiar nos relatos dos pacientes, preferindo as próprias interpretações. Um ponto crucial do desenvolvimento de suas teorias foi quando ele decidiu rejeitar os testemunhos de mulheres que contavam ter sofrido abuso sexual na infância. Em uma atitude que os críticos consideraram ofensivamente machista, Freud disse que elas estavam se enganando, presas à fantasia de seduzir o próprio pai.

Para outros críticos, a objeção definitiva a Freud é movida por sua conduta terapêutica. O psicanalista não tem como fornecer provas cabais de que seu tratamento é mais eficaz do que o tempo, as drogas ou outras terapias. Muitas vezes, dizem os críticos, os maiores benefícios da Psicanálise aparecem na conta bancária do analista. De qualquer forma, ainda que Freud estivesse certo sobre sua família e seus pacientes, será que faz sentido generalizar a partir de um grupo pequeno – formado sobretudo por judeus vienenses ricos – estendendo as conclusões à humanidade inteira?

Freud reuniu uma equipe coesa de discípulos para divulgar suas ideias sobre Psicanálise. Embora alguns se afastassem, criando novas correntes, eles conseguiram fazê-lo famoso nos Estados Unidos e na Europa. Somente na Grã-Bretanha isso não aconteceu, uma vez que a ênfase freudiana sobre a sexualidade tornava suas teorias completamente inaceitáveis. Com a eclosão da Primeira Guerra Mundial, porém, os médicos militares britânicos elaboraram uma versão "filtrada" e aceitável do freudianismo. Os soldados voltavam da frente de batalha com sintomas inexplicáveis. O corpo parecia intacto, mas não funcionava normalmente. Depois de criar um diagnóstico vago de "neurose de guerra", os médicos começaram a procurar causas orgânicas para casos desconcertantes de cegueira, paralisia, perda de memória. Ao verem que a abordagem física não levava a lugar algum, concluíram que os pacientes sofriam de histeria. Essa foi uma conclusão polêmica, porque a histeria (assim chamada a partir da palavra grega para "útero") sempre havia sido depreciada, como "doença de mulher". Para entender o que acontecia, os psiquiatras adaptaram Freud. Deixando de lado os aspectos sexuais, que consideravam desagradáveis, eles mantiveram as teorias de repressão, a fim de explicar como os sentimentos de terror e nojo experimentados no campo de batalha foram inicialmente varridos para o inconsciente, surgindo mais tarde como sintomas físicos.

A Psicanálise recebeu novo impulso durante a Segunda Guerra Mundial, em particular nos Estados Unidos. Dessa vez, consultores foram preparados com antecedência e recrutaram um pequeno exército de psiquiatras para levantar o moral das tropas, com programas de propaganda. Assim, os feridos logo retornavam ao campo de batalha. A partir de então a Medicina Psiquiátrica cresceu, tornando-se uma abordagem padrão, com o intuito de melhorar não só a eficiência militar, mas também a produtividade industrial e o bem-estar individual. Como pregadores de uma religião leiga, os psicólogos indicam programas de autoanálise para favorecer a consciência pessoal e o crescimento interior.

> A Medicina Psiquiátrica cresceu, tornando-se uma abordagem padrão, com o intuito de melhorar o bem-estar individual.

Apesar de todas as críticas, Freud foi – e ainda é – muito influente. Quaisquer que sejam as limitações de seu modelo mental, ele tornou possível pensar sobre mente e corpo, sobre família e sexualidade, sobre saúde e doença, de maneiras totalmente novas. Em especial, fez com que se falasse sobre desejos inconscientes e sexualidade infantil. Ainda que suas teorias não sejam científicas, será esse um bom motivo para rejeitá-las? Talvez a ciência não seja o único caminho para o progresso. Quem quer que priorize a compreensão das relações interpessoais, seja na vida real ou na Literatura, dirá que a contribuição de Freud para a civilização é maior do que a de Einstein. Sua terapia pode não ser uma panaceia universal, mas encorajou as pessoas a refletirem sobre si mesmas e sobre a vida.

Freud e Einstein se tornaram símbolos do livre pensamento moderno, vistos como iconoclastas que derrubaram o senso comum antiquado. Movidos pela certeza, eles seguiram seus antecessores do século 19, na busca por leis universais que conferissem ordem ao cosmos. De certa forma, ambos se afastaram das consequências das próprias inovações. Assim como Freud favoreceu uma abordagem autoritária, diretiva, e renegou os discípulos que levaram suas ideias em novas direções, Einstein jamais aceitou totalmente as incertezas do mundo da Mecânica Quântica e dissociou-se das conclusões – baseadas em sua teoria – a que outros físicos chegaram. Freud lidava com a mente humana, Einstein, com o cosmos e as partículas subatômicas, mas compartilhavam uma preferência clássica por leis deterministas que permitem a utilização do passado para a previsão do futuro.

Mesmo quando as probabilidades foram introduzidas na Física durante o século 19, o determinismo se manteve. Embora os comportamentos médios fossem calculados com base nas estatísticas, isso não afetava o princípio fundamental de que – em tese, se não na prática – é teoricamente impossível prever a trajetória de cada partícula. Nos anos 1920, um pequeno grupo dissidente tomou uma atitude radical, declarando que, com certeza, não se pode saber tudo. Ainda que com os melhores instrumentos imagináveis, as medições em um nível minucioso ao extremo são vagas por natureza; não se trata de imprecisão, mas de impossibilidade. Esse conceito perturbador foi apresentado pelo físico alemão Werner Heisenberg em seu famoso *Princípio da Incerteza*. Segundo Heisenberg, quando se sabe onde está uma partícula, não se pode ter certeza da velocidade com que ela se move; e se for medida sua velocidade (mais especificamente, a energia cinética), não há como determinar sua localização. A certeza sempre escapa.

No mundo subatômico da Mecânica Quântica, nada é sabido seguramente com antecedência – só há probabilidades. Influenciado por uma escola de pensamento filosófico que remete a Goethe e aos naturphilosophen, Niels Bohr afirmava que os físicos são parte do sistema que observam. Isso quer dizer que observações isentas são impossíveis por natureza, pois toda vez que um cientista tenta fazer uma medição, altera o cenário com sua presença. Ao interferir, o cientista precipita um resultado que, antes, representava apenas uma entre várias possibilidades. Quando os físicos observam um feixe de luz, os instrumentos que utilizam influenciam o que veem; o modo como registram a luz faz com que ela pareça vir em ondas ou em partículas. Assim, em vez de descrever a luz como uma onda ou um jato de partículas, Bohr dizia que ela se comporta das duas maneiras.

Duvidoso e difícil de acreditar. É o que se pensa ainda hoje do conceito criado por Bohr. Einstein também pensava assim. A luta de ideias entre Einstein e Bohr aconteceu em 1927, em uma conferência em Bruxelas. Como mostra a Figura 47, todos os físicos mais importantes do mundo estavam lá. Os mais fáceis de identificar são Marie Curie e Albert Einstein, sentados perto um do outro na primeira fileira. Menos fácil de ser reconhecido, Heisenberg aparece na fileira de trás, para a direita. Está de pé, próximo de seu maior aliado, e rival de Einstein, Niels Bohr, o "Cão Dinamarquês" de Cavendish, sentado junto ao alemão Max Born, seu colega. Àquela altura, Bohr estava de volta à Dinamarca, onde fundou a Copenhagen School of Physics, com o intuito de propagar suas ideias, bem como as de Heisenberg, Born e outros.

Figura 47. Cientistas na quinta Conferência de Solvay, Bruxelas,
(23-29 de outubro de 1927).

Ao chegar à Conferência de Solvay, Bohr estava certo de que Einstein aceitaria sua mais recente interpretação da Mecânica Quântica. Mas estava enganado. Todas as manhãs, na hora do café, Einstein apresentava uma nova objeção; e, na hora do jantar, Bohr sempre aparecia com uma contestação. Em vez de conduzir experimentos reais, Einstein inventava testes imaginários que, segundo ele, levariam a resultados mais sólidos do que as informações geradas pelo modelo de Bohr, carregado de incertezas. Mas Bohr sempre encontrava um detalhe esquecido por Einstein. A batalha durou anos, até Einstein finalmente ser derrotado, quando Bohr mostrou que o adversário tinha deixado de levar em consideração a própria Teoria da Relatividade. Ainda assim, Einstein não desistiu: passou o resto da vida à procura de leis fundamentais de certezas, que envolveriam todo o universo em beleza matemática.

As desconcertantes noções de Mecânica Quântica foram desenvolvidas durante o intervalo entre as duas guerras mundiais, quando os físicos também estavam sujeitos a incertezas, e a ciência se desenvolvia com fins bélicos. Existem muitas fotografias semelhantes à da Figura 47, feitas para documentar breves conferências internacionais. No registro em questão, porém, nada indica que os cientistas judeus ali presentes em breve se dispersariam, sob o regime de Hitler. Einstein imigrou para os Estados Unidos, Born foi para Cambridge, e Bohr escapou para a Suécia em um barco de pesca, chegando à Inglaterra, destino igualmente escolhido por

Freud. Talvez alguns deles mais tarde tenham meditado sobre a imagem cuidadosamente posada – uma ilha de certezas em um mundo perturbado por dúvidas e mentiras.

Heisenberg, que não era judeu, permaneceu na Alemanha, que afinal se revelou um refúgio pouco seguro. A chamada "física judaica" de Einstein tinha sido banida oficialmente pelo regime nazista, e Heisenberg foi perseguido por negar-se a condená-la. Ele também recebeu críticas do exterior por aceitar o comando do programa de pesquisas atômicas do governo alemão. Eis, pois, outra incerteza. Heisenberg dizia que, naquela posição-chave, poderia evitar que Hitler tivesse a bomba. Nem todos acreditaram nele.

PARTE 7

Decisões

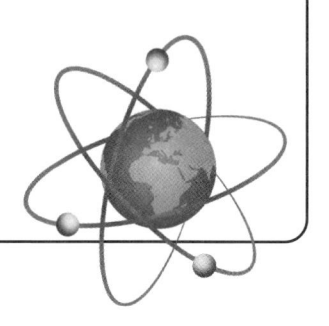

Durante o século 20, governos e organizações comerciais passaram a financiar projetos de pesquisa científica, que foram ficando cada vez mais ambiciosos, semelhantes a operações industriais. As primeiras dessas empresas de alta ciência, que operavam como fábricas, contavam com o trabalho de físicos e voltavam-se para a pesquisa atômica, a indústria de material bélico e as viagens espaciais. No entanto, depois da decodificação da hélice dupla do DNA, aumentaram os investimentos nas ciências da vida, e a genética se tornou um grande negócio internacional. Os maciços investimentos em Ciência, Tecnologia e Medicina deram ótimo retorno. Comparados aos babilônios do começo deste livro, os cientistas modernos possuem conhecimentos muito mais amplos sobre a estrutura do universo e dos organismos vivos. Ainda assim, não encontraram as respostas a algumas perguntas básicas sobre a existência humana, levantadas há milênios. Às vezes, grandes conquistas científicas revelam-se "uma faca de dois gumes": a divisão do núcleo atômico liberou realmente uma imensa quantidade de energia, que tanto foi usada em bombas como em usinas elétricas; a utilização de pesticidas químicos melhorou a produção agrícola e reduziu a fome, mas, ao mesmo tempo, desestruturou a cadeia alimentar; muita gente tem hoje uma vida mais saudável e confortável, mas a população mundial está se expandindo em imensuráveis proporções, e o aquecimento global ameaça o planeta. O aproveitamento de descobertas científicas exige decisões

CAPÍTULO 43
GUERRA

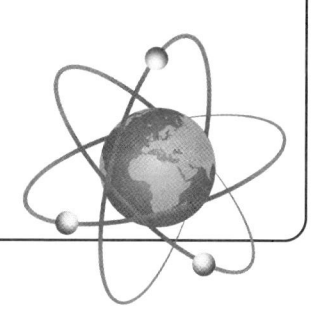

Entenda-se que a Tinta é a principal Arma das letras, em todas as Batalhas dos Letrados. Por meio de uma espécie de Dispositivo chamado Pena, grande Quantidade dela é disparada contra o Inimigo, pelos Bravos de cada lado, com igual habilidade e violência, como se fossem uma Luta de Porcos-espinhos.

- Jonathan Swift, *A Full and True Account of the Battel Fought Last Friday, between the Ancient and the Modern Books, in St. James' Library*, "A Completa e Verdadeira História da Batalha de Sexta-Feira Passada, entre os Livros Antigos e Modernos, na Biblioteca de St. James" (1704)

Em sua campanha para evitar uma segunda guerra mundial, Einstein uniu forças com seu amigo britânico, o filósofo e matemático Bertrand Russel. Pacifista atuante, Russel havia passado duas temporadas na cadeia, por sentar-se nas ruas durante os protestos, e pediu a ajuda de Einstein para organizar um grupo de cientistas que exercesse pressão em favor da paz. Durante a primeira metade do século 20, Einstein e Russel testemunharam a fusão de ciência, governos e indústria. Nascidos na década de 1870, eles atravessaram a Primeira Guerra Mundial (a guerra química; de gases tóxicos e explosivos) e a Segunda Guerra Mundial (esta física; de radares, computadores e bombas atômicas). A ciência ocupou o centro das decisões políticas, em uma relação simbiótica ilustrada pela Figura 48, na qual o físico quântico Robert Oppenheimer discute uma explosão experimental com seu chefe militar, o general Leslie Groves, organizador do programa norte-americano da bomba. As duas bombas atômicas, que devastaram o Japão, espalharam desilusões. Como disse Russel, "Mudança é uma coisa; progresso é outra. A 'mudança' é científica, o 'progresso' é ético; a mudança é inconstestável, enquanto o progresso é polêmico."

Figura 48. Robert Oppenheimer e o general Leslie Groves no Marco Zero (1945).

Em questão de ética, a guerra pode ter sido um retrocesso, mas serviu para acelerar a produção da Grande Ciência, que caracterizou o século 20. Pensar em termos grandiosos não era exatamente novidade; astrônomos chineses e islâmicos construíram observatórios, cristãos europeus ergueram catedrais, e industriais vitorianos abriram fábricas. A Grande Ciência que surgiu na primeira metade do século 20, movida por dinheiro, força de trabalho, máquinas, militarismo e mídia, era diferente em dois aspectos: a abrangência e a íntima ligação com os governos e as grandes organizações comerciais.

Esses cinco fatores atuaram em conjunto para consolidar a Grande Ciência. Ao reconhecerem o valor do envolvimento científico na guerra e na defesa, os governos começaram a injetar dinheiro e mão de obra no desenvolvimento de máquinas voltadas aos projetos militares. Durante a Primeira Guerra Mundial, por exemplo, Winston Churchill convocou para fazer parte do almirantado britânico o bioquímico Chaim Weizmann, que havia escapado da Rússia em uma balsa feita de toras. Em resposta a uma circular que solicitava sugestões de descobertas úteis, Weizmann propôs-se a produzir acetona, indispensável à fabricação de cartuchos para munição. "Precisamos de 30 mil toneladas de acetona. Você consegue fazer isso?", – Churchill perguntou. Transformando em laboratório uma fábrica de gim, Weizmann acelerou os processos químicos e partiu para a produção em massa, quando chegou a ocupar seis destilarias adaptadas, além de lançar uma campanha nacional pela coleta de castanhas-da-índia usadas como matéria-prima.

> A COLABORAÇÃO ENTRE CIENTISTAS E POLÍTICOS FUNCIONAVA EM AMBOS OS SENTIDOS.

A colaboração entre cientistas e políticos funcionava em ambos os sentidos. Weizmann, um sionista ativo, negociou como recompensa a promessa do apoio da Grã-Bretanha à implantação da pátria dos judeus na Palestina. Outros cientistas britânicos também reconheceram nessa valorização sem precedentes de suas habilidades uma chance de negociar em condições muito favoráveis, e fizeram exigências, insistindo em participar de decisões políticas e em receber patrocínio governamental para suas pesquisas. Mudanças semelhantes vinham acontecendo em outros países desde o início do século, e ao período da Segunda Guerra Mundial, os interesses científicos, políticos, industriais e militares pareciam definitivamente interligados.

O quinto elemento, a mídia, também contribuiu para o avanço da ciência. Quando a expedição de observação do eclipse chegou às manchetes em 1919, Einstein virou celebridade internacional da noite para o dia. Da mesma forma, os dramáticos relatos dos jornais sobre testes atômicos colocaram a Física de alta energia entre os candidatos a receber patrocínio. Durante os anos 1930, a mídia incentivou uma corrida internacional, cujo objetivo era dividir o núcleo atômico e descobrir o que havia dentro dele. Em um primeiro momento, cientistas usavam os raios X e os nêutrons emitidos naturalmente por substâncias radioativas. O passo seguinte foi construir enormes aceleradores de partículas atômicas, até que houvesse energia suficiente para dividir o núcleo.

Os cientistas que trabalhavam nos Estados Unidos conseguiram os melhores patrocínios para financiar os maiores aceleradores. O mais bem-sucedido foi Ernest Lawrence, de Berkeley, na Califórnia. Ele construiu o primeiro cíclotron, uma máquina circular que utiliza campos elétricos e magnéticos para fazer as partículas carregadas – como os elétrons ou prótons – correrem, cada vez mais rapidamente, por um caminho em espiral. Lawrence começou com um dispositivo convencional adaptado ao tampo de uma mesa, desenvolvendo ao longo do tempo novos equipamentos em escalas sem precedentes. Para concretizar suas ambições, ele persuadiu empresários que ocupavam posições de liderança – em especial na florescente indústria elétrica – a financiar seus estudos, convencendo-os de que isso resultaria em vantagens mútuas. Formado em Física, Lawrence tornou-se um empreendedor da área científica, administrando fábricas voltadas à produção de partículas de alta energia.

Os experimentos em ciência avançada acabaram envolvendo centenas de cientistas, engenheiros e técnicos, que trabalhavam em conjunto para pôr em ação uma operação industrial com patrocínio externo. Envolvido pelo próprio sucesso, assim que uma nova máquina passava à fase de construção, Lawrence começava a planejar outra maior. As fotografias mostram como os membros de sua equipe pareciam pequeninos ao lado de gigantescos eletroímãs e tubos curvos. Por toda a Europa e América, os físicos interessados em construir aceleradores recrutavam especialistas que tivessem trabalhado sob o comando de Lawrence. Inspirados pelo exemplo do mestre, eles buscavam o patrocínio de governos, de homens de negócios e de entidades médicas, para projetos nucleares.

Durante os anos tensos que levaram à Segunda Guerra Mundial, cientistas de laboratórios rivais – Roma, Berlim, Cambridge – competiam pelo primeiro lugar na disputa pela descoberta do que havia no núcleo atômico. Uma vez iniciada a guerra, as implicações de um curioso experimento com urânio tornou-se especialmente importante. Essa pesquisa acontecia em Munique, embora uma participante do grupo, a física Lisa Meitner, enviasse suas contribuições da Suécia. Assim como muitos cientistas judeus, ela fugira da perseguição nazista, e essas mudanças forçadas influenciaram profundamente a pesquisa científica. Meitner se recusou peremptoriamente a participar do projeto da bomba atômica norte-americana; no entanto, foi ela quem desenvolveu a teoria física de fissão nuclear que tornou a arma possível. Para explicar aos colegas os estranhos resultados obtidos, Meitner lançou a ideia de que, ao ser atingido por um nêutron, o núcleo de um átomo de urânio divide-se em dois, liberando, ao mesmo tempo, uma quantidade enorme de energia e – em um resultado igualmente importante – emitindo mais nêutrons. Quando esses nêutrons atingem os átomos ao redor, o processo se repete, produzindo cada vez mais energia e mais nêutrons, até desencadear uma explosiva reação em cadeia que logo se torna incontrolável.

Assim que os cientistas reconheceram a importância dessa experiência, os sonhos de colaboração internacional desapareceram. A súbita ausência de relatos sobre a pesquisa nuclear, nas publicações científicas, deixou claro que os laboratórios nos Estados Unidos e na Grã-Bretanha exploravam em segredo o potencial militar da descoberta. Mas o que estava acontecendo na Alemanha? Embora não se soubesse ao certo, um grupo de judeus refugiados pediu a ajuda de Einstein na tentativa de convencer o governo norte-americano de que a bomba atômica alemã era uma possibilidade muito real. Tal possibilidade serviu de justificativa para o avanço das pesquisas, embora houvesse poucos indícios do sucesso alemão. Os físicos britânicos também se envolveram, trocando seus estudos avançados sobre a fissão nuclear pelo conhecimento dos norte-americanos sobre os atributos essenciais a um grande projeto científico. Patrocinados pelo Estado, os cientistas criavam a destruição.

Durante a Segunda Guerra Mundial, os recursos investidos na ciência passaram de 50 milhões para 500 milhões de dólares anuais. Boa parte foi destinada ao projeto Manhattan, que passou a operar com eficiência militar depois que o general Groves (Figura 48) assumiu o comando, em 1942. Para começar, ele instalou uma rede nacional de zonas industriais, algumas do tamanho de pequenas cidades, cujas construções consumiram uma fatia polpuda do orçamento. Elementos radioativos eram produzidos por aceleradores e outros instrumentos gigantescos, operados por milhares de trabalhadores que não faziam a menor ideia de que ajudavam a construir uma bomba. Como Groves impôs uma política de sigilo, em 1945, menos de cem pessoas conheciam integralmente o programa. Criadas em áreas carentes, as cidades atômicas serviam a experimentações, ao mesmo tempo, em planejamento social e em Física Nuclear. Equipadas com centros comerciais, cozinhas modernas e cinemas, elas escondiam os objetivos militares sob a aparente normalidade norte-americana.

Via-se uma atmosfera totalmente diferente nas estações experimentais, como Chicago e Los Álamos, onde cientistas atômicos trabalhavam em equipe com um fervor sem precedentes, em busca de soluções para os problemas. Mais tarde, muitos deles se referiram a essas atividades durante a guerra como o melhor período de suas vidas. A pintura da Figura 49, a seguir, ilustra a idealização dos experimentos: sob iluminação dramática, os físicos mostram uma atitude de expectativa, de uma tensão quase palpável; vestidos formalmente, como pedia a moda, aguardam ansiosos, para observar se as descobertas de Munique sobre fissão nuclear poderiam ser usadas em grande escala. Na pintura, seu local de trabalho – embaixo da arquibancada de um estádio de futebol americano em Chicago – não parece frio e sujo como era na realidade; nada indica que se sujeitavam a temperaturas abaixo de zero, respiravam ar contaminado e muitos deles sofriam as consequências de acidentes ocorridos durante a execução do projeto sem planejamento.

Figura 49. A primeira pilha nuclear, Chicago. Gary Sheahan, pintura (1942).

O homem no comando, de pé no balcão dessa quadra de *squash* adaptada, segurando uma régua de cálculo, é Enrico Fermi, um fugitivo da Itália fascista. À direita, a estrutura de tijolos em degraus é a pilha nuclear contendo material radioativo. Como um esquadrão suicida, três homens jovens aparecem sentados sobre ela, prontos a interromper com produtos químicos o funcionamento da pilha, se algo der errado. No piso inferior, outro cientista opera manualmente uma haste de cádmio, para controlar a intensidade da fissão. Depois de horas de espera e de uma pausa não planejada para o almoço, Fermi diz a ele que retire um pouco a haste. Os cliques do contador de nêutrons transformam-se em rugido, as agulhas do medidor saem do eixo, e Fermi ergue a mão, interrompendo o teste e anunciando o sucesso da experiência.

Aquele foi um dia decisivo – mais do que Hiroshima, sob certos aspectos –, quando ficou claro que a bomba atômica era possível. Os observadores relataram uma sensação de tristeza, ao se verem forçados a pensar nas consequências imprevisíveis daquele suposto triunfo. Eles transmitiram mensagens telefônicas em código, referindo-se a Fermi como o "novo Colombo", em referência ao navegador italiano que havia chegado ao Novo Mundo, quando descobrira que os nativos eram, na verdade, amigáveis. Fermi logo mudou-se para a comunidade fechada de Los Álamos, um distrito industrial autossuficiente escondido no deserto do Novo México, onde soldados, cientistas e engenheiros trabalhavam juntos em busca da solução de um sério problema prático: como a energia nuclear poderia acontecer, com segurança, dentro de uma bomba a ser transportada?

Para administrar Los Álamos, Groves indicou Oppenheimer, um físico quântico sem experiência organizacional. Embora aparentemente formassem uma dupla improvável, o general inflexível e workaholic e o intelectual nervoso com tendências esquerdistas construíram uma excelente parceria no trabalho (Figura 48). Abrindo caminho com suas decisões, eles abandonaram os protocolos normais dos esquemas piloto e investiram maciçamente em seu objetivo. Depois da rendição da Alemanha, em 1945, a justificativa original de que a bomba era necessária como meio de intimidar a Europa perdeu toda a validade. Os envolvidos, porém, hesitavam em interromper o trabalho justamente quando o objetivo parecia tão próximo. De qualquer forma, os norte-americanos continuavam em guerra contra o Japão, e até mesmo o filho de cinco anos de Fermi já sabia cantar *We'll wipe the Japs / Out of the maps* ("Vamos varrer os japoneses do mapa").

Oppenheimer criou um teste completo, ao qual deu o nome de Trinity, em uma interpretação particular do conceito cristão de que a redenção vem com a morte. Tal como em Chicago, os trabalhadores enfrentavam condições terríveis: no deserto, sofriam com o calor sufocante de dia e o frio à noite, a vegetação cortante, os escorpiões e as tarântulas. Além disso, só podiam tomar banho frio e precisavam caçar antílopes para ter o que comer. Em julho de 1945, por volta da época em que uma bomba real era embarcada em um navio no Pacífico, içava-se uma bomba experimental sobre o Marco Zero, uma torre de ferro fundido que se estendia a 30 metros de altura e 6 metros solo adentro. Nas primeiras horas da manhã, começaram a chegar ônibus lotados de visitantes interessados em assistir à detonação, mas ninguém estava preparado para o tamanho da devastação. Imagens fotográficas e relatos verbais de bolas de fogo e nuvens em forma de cogumelo foram muito divulgadas. Algumas consequências, porém, são menos conhecidas: a quase 800 metros de distância, coelhos explodiram; a mais de 1 quilômetro, a temperatura ultrapassou os 400 graus C e pessoas que estavam a quase 15 quilômetros do local da detonação sofreram cegueira temporária. Na Figura 48, o cientista e o militar contemplam o que restou da torre. Oppenheimer lembrou as palavras de Vishnu, nas escrituras sagradas do hinduísmo – "Agora eu me tornei a morte, a destruidora dos mundos" – e comentou-se que saiu caminhando pomposamente, como um caubói do filme *Matar ou Morrer*; enquanto Groves comentava que a guerra só terminaria quando duas bombas fossem lançadas sobre o Japão.

No mês seguinte, Groves e Oppenheimer apoiaram o lançamento de bombas sobre Hiroshima e Nagasaki. Em Los Álamos a satisfação foi geral, quando os participantes do projeto perceberam que os anos de empenho eram recompensados pelo sucesso. Ao menos, foi o que aconteceu de início. Depois da divulgação das fotografias e do número de vítimas, e do surgimento de doenças causadas pela radiação, já não havia tanta certeza. Como disse um imigrante alemão, seria "mórbido celebrar a morte repentina de centenas de milhares de pessoas, ainda que inimigas". Nesse caso, a satisfação pode parecer de uma insensibilidade absurda, mas militantes patriotas acreditavam (e ainda acreditam) que aquela foi a decisão certa.

De repente, os físicos eram heróis nacionais. Alguns conseguiram patrocínio para desenvolver armas nucleares mais eficientes, que matassem pessoas sem destruir os prédios. Muitos tentaram aliviar a consciência, trabalhando em projetos universitários de pesquisa que, embora custeados por organizações militares, não se voltavam imediatamente para a guerra. E outros, ainda, nunca mais quiseram saber de morte e de radiação, e passaram a dedicar-se ao estudo da vida.

O inspirador desse último grupo foi o austríaco Erwin Schrödinger, um pioneiro da Mecânica Quântica que havia fugido para Dublin durante a guerra. Na foto da Conferência de Solvay de 1927, mostrada na Figura 47, Schrödinger está de pé na última fileira, atrás de Einstein, e não é coincidência que vista roupas diferentes das usadas pelos outros; o hábito de vestir-se esportivamente afastou-o diversas vezes de funções oficiais. Embora responsável por importantes equações matemáticas que descrevem ondas e partículas, Schrödinger – tal como Einstein – nunca aceitou as probabilidades como respostas definitivas. Em 1945, em um livro pequeno, mas muito influente, chamado *What Is Life?* ("O Que é a Vida?"), ele incentivava os cientistas a procurarem o equivalente biológico das leis quânticas, para formular descrições físicas do crescimento, da hereditariedade e de outros fenômenos inexplicáveis. Em um mundo arrasado pela guerra, apenas os Estados Unidos, a Inglaterra e a França tinham condições de financiar a pesquisa, e foi a esses países que os físicos recorreram, em busca de dinheiro e de um futuro na Biologia, a nova manifestação da Grande Ciência.

CAPÍTULO 44
HEREDITARIEDADE

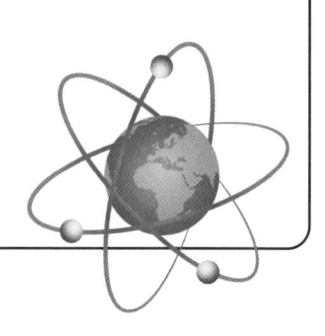

Pois o mais doce se torna amargo por seus feitos;
Lírios mais fétidos do que ervas daninhas.

- William Shakespeare, *Soneto 94*

Os jornais de 1953 anunciaram diversos momentos importantes. Naquele ano, os presidentes Tito e Eisenhower assumiram o poder, e Josef Stálin perdeu o cargo; foi estabelecida a ligação entre o câncer de pulmão e o fumo; a União Soviética testou uma bomba de hidrogênio; e dois homens chegaram ao topo do Monte Everest. Decorridos 50 anos, essas histórias que um dia dominaram os noticiários já não parecem tão impactantes. As lembranças da época giram ao redor de um pequeno artigo publicado na revista *Nature*, uma publicação acadêmica britânica. A conclusão desse artigo escrito por dois cientistas desconhecidos de Cambridge foi ignorada pelos jornalistas em busca de uma grande notícia: "Não escapou à nossa observação", disseram os dois pesquisadores laconicamente, "que os pares formados sugerem um possível mecanismo de cópia para o material genético." Para traduzir a linguagem seca da ciência, pode-se dizer que, ao revelarem a estrutura das moléculas complexas no interior dos genes, Francis Crick e James Watson desvendaram os segredos da hereditariedade. Aquele discreto artigo da *Nature* simboliza o início de uma nova era na Biologia Molecular.

Desde então, a hélice dupla do ácido desoxirribonucleico (DNA) tornou-se um ícone cultural. As primeiras estruturas toscas, de grampos e placas feitas à mão (Figura 50), foram estilizadas por artistas em duas elegantes espirais, reproduzidas não só em livros de Biologia, como em esculturas, vidros de perfume e braceletes. Infelizmente, os puxadores em forma de DNA, na porta da Royal Society de Londres, foram de início instalados de cabeça para baixo. Como um caduceu – o símbolo da Medicina, com duas cobras entrelaçadas – dos tempos modernos, esse modelo molecular está sintetizado em uma hélice dupla que representa toda a atividade científica, e é reconhecido de imediato, mesmo quando não entendido. No entanto, tal como um "símbolo Frankenstein", ele aparece com frequência na propaganda contra estudos polêmicos, como a clonagem, os alimentos geneticamente modificados e as armas biológicas.

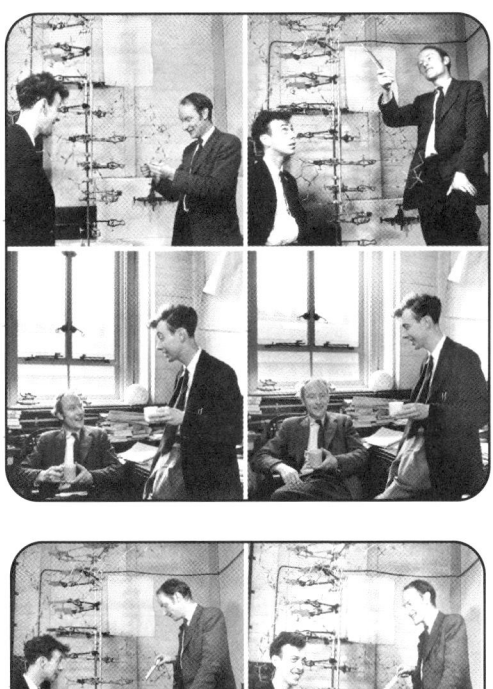

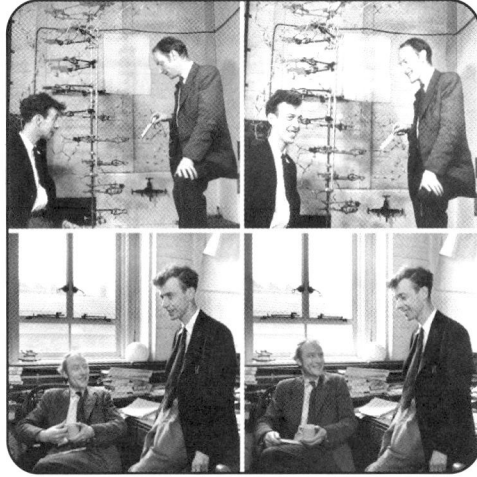

Figura 50. Fotografias de James Watson (de paletó escuro) e Francis Clark (de paletó claro) com um modelo de DNA, Laboratório Cavendish, Cambridge (maio de 1953). Cópias de contato de fotografias de Antony Barrington-Brown.

A transformação do modelo tosco de Crick e Watson em um símbolo universal envolveu muita publicidade e autopromoção. Como o próprio Crick gostava de dizer, não foi a dupla de cientistas que fez o modelo; foi o modelo que fez a dupla. Das cópias de contato da Figura 50, Watson escolheu a segunda, que se tornou um ícone da descoberta científica, pois parece captar a dupla de Cambridge em seu momento de triunfo. A estrutura feita de material reutilizável e o laboratório simples, com uma pia antiga, indicavam que os jovens estudiosos da Biologia Molecular haviam superado a austeridade imposta pelo Pós-Guerra. Gesticulando com a régua de cálculo, de modo que se veem os reforços em couro no paletó, à altura dos cotovelos, Crick assume o papel de herói intelectual dedicado, enquanto Watson olha para cima, como um jovem gênio americano maravilhado diante de sua incrível molécula. Embora evidentemente não seja uma cena espontânea, a fotografia apresenta uma visão privilegiada do trabalho científico.

A câmera não mente, mas... Aquele não foi o modelo demonstrativo utilizado na descoberta; a régua de cálculo na mão de Crick não passava de um elemento de composição do cenário; e as fotografias foram feitas meses mais tarde – apesar de não se ter certeza da data. A segunda imagem só se tornou um ícone mais de 15 anos depois, quando Watson a incluiu em *The Double Helix* – livro publicado em português sob o título "A Hélice Dupla" –, um trabalho científico de leitura agradável, sobre a pesquisa do DNA. Sucesso de vendas bastante criticado, o livro glorifica o papel do próprio autor, diminuindo a contribuição de uma equipe de cientistas londrinos, liderados por Maurice Wilkins e Rosalind Franklin, que haviam publicado suas descobertas na mesma edição da *Nature*. A Figura 51 mostra a imagem obtida com raio X, feita por Franklin e divulgada por Wilkins, que forneceu uma pista decisiva a Watson. "Quando vi a imagem, fiquei de boca aberta e coração disparado", ele disse.

A foto que merece destaque não é a da dupla de Cambridge, mas a da Figura 51, pela evidência definitiva da estrutura do DNA. Embora não fosse um especialista, Watson imediatamente reconheceu que a notória forma em "X" revelava uma hélice. Mais tarde ele perceberia que as barras e os losangos revelam uma espiral dupla – e não simples – carregando um padrão atômico repetitivo em toda a sua extensão. A análise da complexidade dessa foto envolve cuidadosas medições e longos cálculos. Ainda assim, a intuição de Watson o inspirou a caminhar em nova direção.

Watson imaginava a ciência como uma corrida implacável e emocionante. Inteligente, apesar de impulsivo e vaidoso, ele se mostra em A "Hélice Dupla" no papel de um paladino norte-americano preocupado com o destaque de Cambridge e obcecado por tênis e sexo. Segundo relatou, havia desafiado heroicamente as instruções de seu chefe, no sentido de dedicar-se ao próprio trabalho, e encontrara-se às escondidas com Crick, para tentarem resolver juntos o maior enigma da ciência. Embora tivessem bagagens intelectuais diferentes – Crick era físico, e Watson, biólogo – eles compartilhavam o interesse por Genética, e as áreas de especialização se complementavam. Para preencher as lacunas de conhecimento, pesquisavam em artigos e interrogavam os "medalhões" que cruzavam os corredores de Cambridge.

Pelas regras de Watson, todos os meios eram válidos para alcançar o tão sonhado objetivo de ser o primeiro a encontrar a resposta certa – ainda que isso significasse apropriar-se dos resultados de Rosalind Franklin, descrita por ele como uma mulher malvestida que se recusava a usar batom, e se intrometera em um mundo masculino. Assim como Watson, Franklin se considerava uma forasteira, pouco à vontade na cultura de um laboratório britânico, depois de um período de estudos em Paris. Certa de estar no comando de um projeto próprio, ela não gostava de interferências, e trabalhava sozinha, para proteger-se de preconceitos. Em comparação com a abordagem de ensaio e erro, adotada por Watson, Franklin trabalhava com método, investigando sistematicamente as moléculas que isolava. Enquanto Watson e Crick construíam modelos experimentais como ferramentas de investigação, Franklin conferia a eles um papel secundário, como meio de visualizar estruturas deduzidas analiticamente.

Na verdade, foi o acaso que uniu Crick, um doutorando de cerca de 30 anos, e Watson, um jovem e ambicioso estudante de pós-doutorado, em busca de um assunto para pesquisar. Naquela época, cientistas do mundo inteiro já haviam chegado à conclusão de que a informação genética não é carregada por proteínas, como se acreditava até há relativamente pouco tempo, mas por ácidos nucleicos; uma cadeia intricada de moléculas ligadas a estruturas ainda mais complexas. Movidos pela emoção da pesquisa, Crick e Watson decidiram concentrar-se em um desses ácidos – o DNA. A escolha foi feita por pura sorte, uma vez que ainda não se sabia da importância do papel exercido pelo DNA. Ao contrário do que acontece nas substâncias inertes, nas células vivas as sequências de unidades químicas aparecem arrumadas em uma ordem definida. Essa ordem é determinada geneticamente, e deve haver um código, um conjunto de instruções que de algum modo, em algum lugar, organizem essa arrumação. Em retrospecto, a descoberta da necessidade de um código parece um lampejo de inspiração. Na realidade, porém, tal como muitos conceitos científicos, essa descoberta resultou de incontáveis e meticulosos projetos de pesquisas.

Aproveitando-se de descobertas feitas em outros laboratórios, Crick e Watson uniram três abordagens diferentes que já existiam. Alguns grupos de pesquisa se concentravam em explorar a estrutura física de moléculas complexas, enquanto outros as examinavam sob uma perspectiva química. Além disso, inspirados pela obra de Schrödinger "O Que é a Vida?", alguns cientistas defendiam uma abordagem radicalmente diferente para o enigma da vida. Eles acreditavam que, assim como o desenvolvimento da Mecânica Quântica tinha como objetivo tratar das incertezas do mundo subatômico, havia a necessidade de um salto similar de imaginação intelectual que explicasse os mistérios da hereditariedade. Para eles, a chave do entendimento desses mistérios era a informação. Como as células vivas transmitem suas características de uma geração a outra?

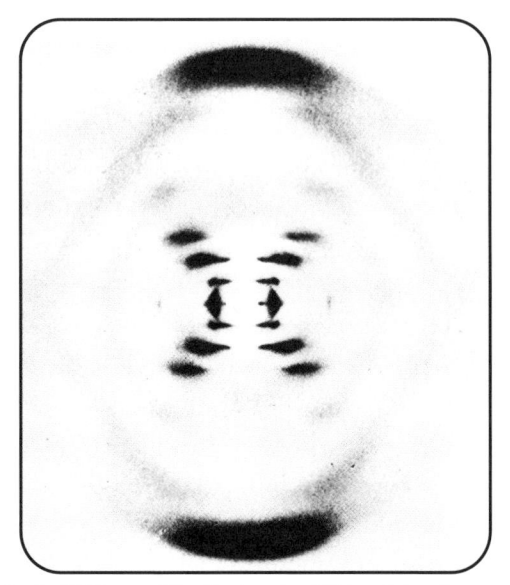

Figura 51. Fotografia do DNA por difração de raios X (do núcleo de uma célula de timo de bezerro), tirada por Rosalind Franklin e Ray Gosling (2 de maio de 1952).

A escolha do organismo certo a estudar é crucial na Biologia. No começo do século 20, os cientistas estudaram os genes da mosca das frutas (*Drosophila*, Figura 44), mas a geração seguinte trabalhou com organismos muito mais simples – fagos, pequenos vírus constituídos de uma capa de proteína em volta de um ácido nucleico. De fácil crescimento, reproduzindo-se em cerca de meia hora e compostos por apenas duas moléculas, os vírus fagos eram os objetos de estudo ideais para decidir se proteínas ou ácidos são os responsáveis pela hereditariedade. Um ano depois de se conhecerem em Cambridge, Crick e Watson ficaram sabendo que um recente experimento feito com fagos havia sido concluído a favor do DNA, e resolveram combinar o foco na informação a investigações mais tradicionais sobre a estrutura mecânica e o comportamento químico das moléculas.

Watson estava cansado da genética de fagos e da Química, além de ter pouca experiência em explorar a arquitetura de moléculas grandes, um tipo de pesquisa especialmente importante na Grã-Bretanha. A técnica mais utilizada era a cristalografia de raios X, uma especialidade que abrigava um número surpreendentemente elevado de mulheres em posição de destaque, como a cristalógrafa Dorothy Hodgkin (Figura 46), chefe do laboratório de Oxford e ganhadora de um Prêmio Nobel. Na teoria, a técnica é simples: ao lançar feixes de raios X através de um cristal, os pesquisadores produzem um padrão de pontos sobre uma tela, a partir do qual descobrem a estrutura interna de uma molécula. Mas a prática é bem diferente. Como indica a Figura 51 de Franklin, a produção de uma imagem nítida exigia altas doses de paciência e habilidade, e mais difícil ainda era montar uma estrutura tridimensional a partir de imagens em duas dimensões. A utilização de raios X exige química cuidadosa, medição precisa e interpretação experiente.

Para Franklin, como especialista, essa foto representava apenas uma entre muitas evidências que foram analisadas sistematicamente, até que ela aprendesse a dominar todas as técnicas necessárias, em uma abordagem metódica apoiada por Hodgkin. Ao contrário, Watson descrevia como saltava de uma hipótese equivocada para outra, perseguindo a hélice dupla por meio de lampejos de intuição e de informações fornecidas por outros especialistas. No esforço para montar o quebra-cabeça em três dimensões, Watson e Crick reuniam apenas peças que os ajudassem a construir uma estrutura compatível com os dados coletados. Depois de uma série de impasses e acasos felizes, eles chegaram a uma versão que fazia sentido e levava em conta todos os aspectos.

Por vários anos, muitos biólogos moleculares dedicaram-se a esclarecer os detalhes, descrevendo como as moléculas de DNA se separam em dois filamentos, antes de se combinarem a novos parceiros, formando um padrão único.

> QUANDO O DNA FOI DECIFRADO, COMEMOROU-SE UM GRANDE TRIUNFO, MAS O ENIGMA DA VIDA CONTINUOU SEM RESPOSTA.

A Genética Molecular juntou duas linhas independentes da Biologia: as atividades eletroquímicas no interior das células e as teorias darwinistas acerca da evolução por meio da seleção natural. Para traçar as linhas da evolução, alguns cientistas já haviam se concentrado em examinar características visíveis, como esqueletos de animais ou órgãos reprodutivos de plantas. A revelação da estrutura interna dos genes forneceu àqueles cientistas uma nova ferramenta para estabelecer as relações evolutivas, que, por sua vez, produziram novas evidências, confirmando as teorias de Darwin. No entanto, isso de pouco adiantou, quanto a convencer os céticos; pelo contrário: com o crescimento do apoio científico à evolução por meio da seleção natural, na segunda metade do século 20, a oposição se intensificou. Cristãos fundamentalistas recorriam aos relatos bíblicos, enquanto outros grupos trocavam o Deus tradicional por um Projetista Inteligente, sem explicar que tipo de inteligência possui alguém que projeta pessoas com deformações na coluna vertebral e bebês com a cabeça desproporcionalmente grande.

Quando o DNA foi decifrado, comemorou-se um grande triunfo, mas o enigma da vida continuou sem resposta. Para resolver esse problema, o reducionismo voltou à tona na ciência. Na versão do século 20, os genes conquistaram a reputação de serem os elementos fundamentais da vida e da sociedade, determinando a aparência e o comportamento dos organismos. No mundo inteiro, grupos de pesquisadores iniciaram um ambicioso programa internacional de mapeamento do genoma humano, com o objetivo de descobrir a disposição dos subgrupos químicos que compõem cada gene. As ciências da vida, antes consideradas fáceis, nas quais mulheres e amadores se sentiam à vontade, passaram a receber dos governos subvenções milionárias voltadas para a pesquisa genética, a nova rival da Física e dos voos espaciais. Tal como a chegada à Lua, o mapeamento do genoma humano forneceu material de propaganda a determinados países e aos cientistas, que aproveitavam as tensões políticas para pedir patrocínio oficial. Na França, por exemplo, eles alegaram a necessidade de evitar o predomínio americano, enquanto os britânicos alertavam para os perigos do esvaziamento intelectual, caso os melhores cientistas fossem viver nos Estados Unidos.

A pesquisa genética também deixou os laboratórios, passando a analisar a sociedade. Uma nova disciplina científica surgiu nos anos 1970 – a Sociobiologia, liderada por Edward Wilson (chamado normalmente de EO Wilson). Pesquisador norte-americano originalmente dedicado ao estudo das formigas, ele desenvolveu uma teoria geral para os seres humanos que compreendia dois estágios básicos: primeiro, os sociobiólogos estudavam a sociedade em que viviam e outras sociedades, a fim de descobrir elementos em comum; em seguida, davam um salto teórico, afirmando a universalidade dessas características, por estarem codificadas nos genes das pessoas. De acordo com essa lógica, como a divisão de tarefas de acordo com o sexo é quase universal, os homens estariam geneticamente programados para trabalhar, e as mulheres para ficar em casa. Os oponentes acusavam os sociobiólogos de validar cientificamente a repressão política, entre outras coisas afirmando que a mudança é inútil, porque as pessoas são predestinadas pelos genes, que sobreviveram a três bilhões de anos de luta pela evolução.

Um paradoxo, porém, persistia: se a vida é uma batalha pela sobrevivência, então por que as pessoas trocam gentilezas e comportam-se com altruísmo, sem um claro benefício pessoal? Um dos discípulos de Wilson, o zoólogo britânico Richard Dawkins, criou a expressão "gene egoísta", uma metáfora que logo se solidificou na realidade. Quando Darwin apresentou sua teoria de sobrevivência agressiva, incorporou o etos competitivo do capitalismo vitoriano; na versão de Dawkins, o interesse próprio está codificado nas nossas moléculas. Dawkins apontou a crueldade do mundo natural, afirmando que os genes individualmente, e não organismos inteiros, tentam eliminar seus competidores moleculares. Por essa perspectiva sociobiológica, ainda que os atos de generosidade humana pareçam altruístas, escondem lutas travadas no interior das células, por meio das quais os genes egoisticamente influenciam nossos comportamentos, para garantir o próprio futuro. Dawkins apresentou um modo memorável de explicar as interações químicas, mas na realidade – como dizem seus críticos – sendo os genes incapazes de pensar, não têm motivos, egoístas ou não. Apesar das limitações, esse modelo verbal teve muitos seguidores.

Nos anos 1980, já havia desaparecido qualquer noção idealista de que a pesquisa genética fosse direcionada apenas à descoberta das verdades da natureza. A Biologia Molecular foi suplantada pela Biotecnologia. Os genes deixaram de ser descobertos, passando a ser criados em laboratório pela Engenharia Genética; podiam ser patenteados, portanto. A ideologia da independência científica sofreu outro golpe quando empresas entraram no mercado dos componentes básicos da vida. As universidades pareciam grandes empresas: contratavam pesquisadores e exigiam deles sigilo absoluto, a fim de desenvolver invenções lucrativas, que pertenceriam à instituição e não ao indivíduo.

A esperança inicial de que os segredos da vida fossem descobertos na hélice dupla não se concretizou. As moléculas da vida real mostraram-se ainda mais complicadas do que os modelos de laboratório, cheios de erros e repetições. Longe de ser carregada de informação de modo organizado, uma molécula de DNA contém relativamente poucos genes efetivos, que ficam espalhados entre detritos químicos. E o problema cresceu. Começou a ficar claro que os genes não são responsáveis por tudo: seres humanos e chimpanzés compartilham quase 99% do DNA, o que não deixa muito espaço para explicar as diferenças entre eles. O antigo debate entre hereditariedade e meio ambiente reapareceu em uma nova versão: as influências ambientais passaram a incluir o ambiente químico que cerca os genes no interior das células.

Embora o projeto do genoma humano prometesse grandes benefícios para a Medicina, poucos se realizaram, porque as interações genéticas se mostraram muito complicadas. Não existem genes individualmente ligados às doenças cardíacas ou ao câncer, muito menos à magreza, à inclinação sexual ou à inteligência. De qualquer forma, surgiram novos problemas éticos. Programar as células a serem passadas às futuras gerações é uma perspectiva alarmante. Quem vai decidir quando uma diferença se torna um defeito? Muita gente se sentiria feliz com a erradicação do mal de Huntington, uma doença devastadora, progressiva e incurável, mas outras condições genéticas parecem mais questionáveis. A ideia de organizar a raça humana para eliminar características supostamente indesejadas lembra muito o esquema de purificação dos nazistas. Tal como a Eugenia, a Terapia Genética é uma ciência médica lançada com boas intenções, mas carregada de potencial político.

CAPÍTULO 45
COSMOLOGIA

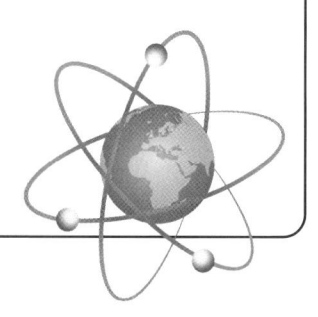

A estrada se dividiu em duas naquele bosque,
E eu escolhi a menos percorrida.
Isso fez toda a diferença.

- Robert Frost, *The Road not Taken*, "A Estrada não Trilhada", em tradução livre (1916)

James Watson passava a imagem de faz-tudo científico, o aventureiro intelectual que decodificou os segredos da hereditariedade, reunindo fragmentos de informações tomadas de diferentes disciplinas. Assim, transformou em vantagem sua condição de não especialista. No entanto, outros pioneiros que demonstraram o mesmo empreendedorismo foram ridicularizados, por se aventurarem em especialidades com as quais não estavam familiarizados. Quando o meteorologista alemão Alfred Wegener morreu no Ártico em 1930, sabia que sua nova teoria sobre a estrutura da Terra havia sido rejeitada por geólogos profissionais. Mais de 30 anos se passaram, antes que ele se tornasse um herói póstumo. Sua teoria de deriva continental foi finalmente aceita na década de 1960.

Assim como Crick e Watson, Wegener havia decidido decifrar um dos grandes desafios da ciência. E tal como eles, buscou fundamentar suas ideias em informações obtidas de outras especialidades, unindo tudo para chegar a uma nova solução. A Geologia lidava tradicionalmente com o cálculo da idade das rochas e a identificação de fósseis, mas Wegener estudou a Terra globalmente; como um cosmólogo, procurou entender o desenvolvimento do nosso planeta, desde a criação até a forma atual. Apesar de ter produzido um modelo incrivelmente simples, Wegener não possuía mecanismos para explicar seu funcionamento. Geólogos ortodoxos – os americanos, em especial – criticaram as teorias desse alemão apaixonado pela ciência, acusando-o de buscar conhecimento nas bibliotecas, em vez de sair em campo e adquirir experiência prática.

A primeira inspiração de Wegener veio em 1910, quando notou que os recortes do litoral da América do Sul e da África se encaixavam como peças de um quebra-cabeça. Não admira que outras pessoas chegassem à mesma conclusão, mas Wegener foi o primeiro a elaborar a partir dela uma teoria completa. Embora sabidamente fácil de derrubar, tratava-se de uma tentativa de resolver antigos conflitos entre diversas correntes de geólogos. Apegados ao passado, discípulos de Charles Lyell, o geólogo que havia influenciado Darwin, argumentavam que a Terra segue mudando gradual e uniformemente. Do outro lado do debate, os catastrofistas modernos sustentavam que os abalos sísmicos eram muito mais intensos e frequentes no passado do que hoje; apoiados pelos físicos, eles explicavam que, ao esfriar, a Terra encolhia, formando as cadeias de montanhas, assim como se formam rugas na pele dos idosos.

No começo do século 20, essa explicação não era mais aceita. Cálculos demonstraram que as contrações causadas pelo resfriamento não bastavam para explicar as estrias gigantescas na superfície da Terra. Outra complicação era a composição variada da crosta terrestre: ficou claro que os continentes não são feitos do mesmo material que forra o fundo dos oceanos; em vez disso, parecem balsas muito leves sobre um leito bem resistente. E, para piorar, depois da descoberta da radioatividade, os físicos afirmaram que o planeta mantém uma temperatura estável por causa do aquecimento causado pela decomposição nuclear que acontece em seu interior. Questionado por diversos grupos, cada um com ideias próprias, Wegener tentou unir as perspectivas divergentes, destacando os elementos que apoiavam sua visão do mundo.

Wegener resgatou a ideia de que havia existido um supercontinente, o qual chamou de Pangeia. Na Figura 52, o mapa de cima mostra o nosso planeta há mais ou menos 300 milhões de anos, com a maior parte da Terra concentrada em Pangeia. Segundo Wegener, essa massa única separou-se muito devagar, fazendo surgir os continentes, e enrugando-se em seguida, para formar as cadeias de montanhas. O mapa de baixo mostra os continentes há cerca de 2 milhões de anos, no começo do atual período geológico. Wegener reuniu muitos indícios que sustentavam sua teoria. Como especialista em climas de antigas eras, apontou coerência entre suas ideias e padrões históricos de glaciação longe dos polos. Ele também encontrou confirmações em registros da descoberta de fósseis e em formações geológicas, argumentando que elas são as mesmas em ambos os lados dos oceanos, como o texto de um jornal rasgado.

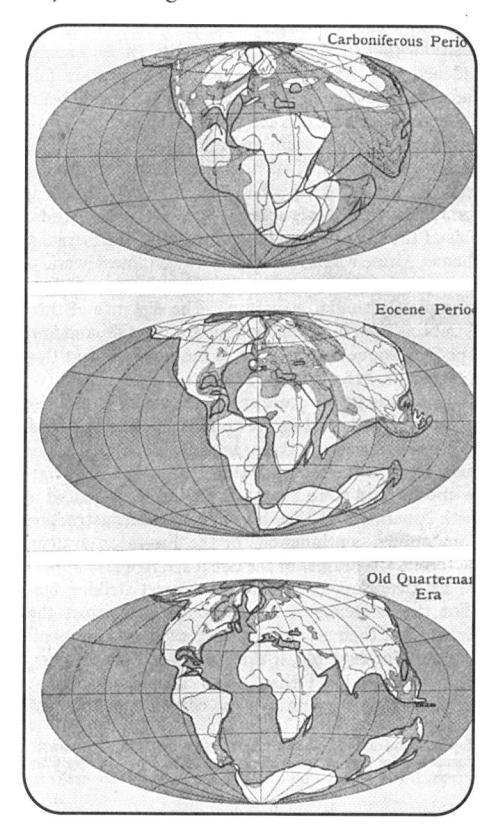

Figura 52. Mapa de Alfred Wegener mostrando três estágios do desenvolvimento da Terra. Alfred Wegener, *The Origin of Continents and Oceans*, Londres, 1924.

Os adversários de Wegener em questões geológicas continuavam céticos. Se um amador produz belos mapas, tudo bem – eles ironizavam. Mas onde estavam as provas concretas? Dos problemas que Wegener havia decidido deixar para resolver no futuro, o mais sério era a mecânica de tudo aquilo: Por que e como os continentes mudaram de lugar? Nem Wegener, nem seus seguidores encontraram uma explicação razoável. A noção de deriva continental se manteve até depois da Segunda Guerra Mundial, quando a atitude diante do estudo da Terra mudou.

Durante a Guerra Fria, o desafio de decifrar o passado remoto do planeta deixou de ser exclusividade dos geólogos tradicionais, às voltas com fósseis e camadas geológicas. A abrangente disciplina das ciências da Terra passou a incluir sismólogos, meteorologistas e oceanógrafos – especialistas em Física Matemática que enxergavam o planeta como um todo. Além de examinar a superfície, eles investigavam as estruturas internas, os oceanos e a atmosfera, e também analisavam os efeitos do ambiente cosmológico, como as tempestades magnéticas solares. Diferentemente da Geologia, as ciências da Terra eram consideradas de primeira linha, e atraíam grandes investimentos, não só de empresas à procura de minerais, como de governos em busca de status. Os Estados Unidos competiam com a Rússia soviética pela conquista espacial, e lançaram o Projeto Mohole, um plano caríssimo (abandonado mais tarde) para enviar sondas ao interior do planeta.

Alguns cientistas da Terra trabalhavam para o Exército, mapeando o fundo do mar, de modo que os submarinos inimigos fossem localizados com mais facilidade. Os resultados foram surpreendentes: em vez de compacto, antigo e uniforme, o fundo do mar revelou-se delgado, recente (em termos geológicos, é claro) e cortado por formações ainda mais jovens – cadeias que se estendiam sob a água, no sentido norte-sul. E, mais estranho, as rochas em cada lado dessas cadeias montanhosas submersas guardavam faixas magnéticas, um registro permanente do passado do planeta. Ao mesmo tempo, em terra firme, os geofísicos encontravam indícios de que o magnetismo da Terra havia sofrido várias alterações. Enquanto esses (e muitos outros) resultados se acumulavam, em 1962 foi lançado um livro que mudou a maneira como os cientistas viam a própria atividade: a obra de Thomas Kuhn *The Structure of Scientific Revolutions* ("A Estrutura das Revoluções Científicas").

A opinião pública parecia cada vez mais tomada pela desilusão, incentivada por intensas campanhas contra as armas nucleares e os pesticidas, e a favor da reformulação das prioridades de pesquisa em uma sociedade dominada por homens. Kuhn era um catastrofista, e não um uniformista. De acordo com ele, a história da ciência foi pontuada por uma série de revoluções, todas precipitadas quando o peso das evidências contra a opinião vigente tornava-se insustentável. Antes de Copérnico, por exemplo, os astrônomos elaboravam esquemas hoje considerados estranhíssimos, na tentativa de confirmar um sistema geocêntrico, insistindo em epiciclos complicados, ainda que as previsões não combinassem com as observações. Segundo Kuhn, quando se chega a um ponto de crise, o modelo antigo é abandonado, e a geração seguinte direciona seus esforços para a ciência normal, aperfeiçoando a nova versão, testando-a em relação às observações e estabelecendo um modelo para a visão das pessoas sobre o mundo... Até que as discrepâncias se acumulem, e outra revolução aconteça.

Inspirados pela gratificante perspectiva de serem considerados revolucionários, os cientistas da Terra apresentavam-se como kuhnianos reformadores de paradigmas. Seu "momento eureca" – o equivalente geológico da maçã de Newton ou da chaleira de água fervente de Watt – aconteceu em 1965, quando um padrão hipotético de linhas magnéticas combinou perfeitamente com as observações feitas por uma equipe de pesquisadores. Apesar da necessidade de muitos estudos posteriores, aquela descoberta simboliza o nascimento da placa tectônica. Convenientemente, já havia um herói disponível: Alfred Wegener, cujas ideias incluíam alguns componentes da nova teoria. Concluiu-se que os continentes em movimento, imaginados por Wegener, eram na verdade carregados sobre placas gigantescas, enquanto rochas circulavam sob os oceanos, erguendo-se em montanhas e caindo em fendas.

Parecia a revolução Kuhniana ideal. Divulgada em seguida, a teoria das placas tectônicas derrubou modelos antigos e dissolveu tensões intelectuais que se acumulavam desde o começo do século. Os cientistas da Terra voltaram à ciência normal, unindo essa visão da mudança lenta e constante ao uniformitarismo de Lyell. No entanto, esse período tranquilo de consolidação foi interrompido pela sugestão de que asteroides teriam atingido a Terra de tempos em tempos, vindos do espaço, inaugurando abruptamente um novo período geológico. Em uma situação semelhante ao atual medo de um inverno nuclear, os cientistas que estudavam cenários catastróficos imaginavam um bombardeio de meteoros produzindo densas nuvens de fragmentos que provocavam a escuridão total e a extinção de muitas espécies, inclusive os dinossauros. O uniformitarismo da Terra era desafiado novamente, dessa vez pelo catastrofismo cosmológico.

No início do século 20, Geologia e Astronomia, até então áreas distintas, passaram a desenvolver-se em conjunto. Afetadas pelas guerras, pela falta de recursos e pela matematização, foram incluídas na categoria das ciências da Terra e da Cosmologia. No entanto, mesmo os limites dessas ciências eram tênues. Os cientistas da Terra estudavam o ambiente espacial, e os cosmólogos necessitavam do conhecimento dos geólogos para analisar as rochas de outros planetas, em busca de sinais de vida. Como a teoria dos asteroides indica, eles abordavam a mesma questão central: a mudança é gradual ou abrupta? Os debates dos cientistas da Terra sobre a deriva continental foram acompanhados por dúvidas cosmológicas acerca do universo inteiro: ele é eternamente estável ou resultou de uma explosão?

> AS DISCUSSÕES SOBRE A UNIFORMIDADE OU VARIABILIDADE DO UNIVERSO TANTO RECEBIAM INFLUÊNCIA DE CONVICÇÕES PESSOAIS COMO DE EVIDÊNCIAS.

As discussões sobre a uniformidade ou variabilidade do universo tanto recebiam influência de convicções pessoais como de evidências. Apesar dos novos instrumentos, dos complexos cálculos matemáticos e dos projetos em escala industrial que caracterizavam as grandes ciências, os cientistas eram pessoas de verdade, não autômatos racionais. Vejamos o exemplo de Einstein: no que mais tarde admitiu ter sido seu maior erro, deixou que convicções sobre a estabilidade do universo o fizessem ignorar as previsões de expansão incluídas na Teoria Geral da Relatividade, elaborada por ele mesmo. Depois de resistir às críticas durante anos, Einstein soube de resultados surpreendentes, segundo os quais estava errado. Determinado a descobrir por conta própria, resolveu encontrar-se com o astrônomo Edwin Hubble na Califórnia na mesma época em que Wegener viajava para a Groenlândia, onde acabaria morrendo.

Hubble é conhecido pelo gigantesco telescópio espacial que leva seu nome, mas o comportamento aristocrático e as expressões inglesas que empregava também chamavam atenção. Logo depois de servir como oficial durante a Primeira Guerra Mundial, ele se envolveu na maior controvérsia sobre Astronomia, nos Estados Unidos. Havia apenas uma enorme galáxia, ou muitas galáxias menores se espalhavam pelo espaço, como universos insulares? Embora os cientistas supostamente chegassem a soluções com base em dados, neste caso eles não conseguiam um consenso sobre o significado das informações. Ambos os lados afirmavam possuir provas convincentes, mas as mesmas observações podiam ser usadas para defender teorias diferentes: ao alvorecer, Ptolomeu veria o Sol subindo, e Galileu veria a Terra descendo. Aos poucos, o *lobby* da galáxia única ganhou força, não porque tivesse fatos melhores, mas porque seus defensores argumentavam melhor.

Os astrônomos precisavam de uma régua para medir o universo, e ela tomou a forma de um computador humano, Henrietta Leavitt, uma das muitas mulheres contratadas durante os 300 anos anteriores como "faz-tudo" no mundo da ciência. Inteligentes o bastante para fazer cálculos, e suficientemente desesperadas por um emprego, para tolerar longas jornadas de trabalho em troca de baixos salários, elas incluem não apenas um contingente pré-calculadora eletrônica – que produzia tabelas numéricas – como donas de casa recrutadas para decifrar as trilhas deixadas em placas fotográficas pelas partículas subatômicas. Em Harvard, no começo do século 20, a tarefa dos computadores era analisar as placas fotográficas, avaliando o brilho de cada estrela de acordo com uma paleta padronizada. Apesar de ser uma semi-inválida reclusa, paga para trabalhar e não para pensar, Leavitt convenceu seu empregador a dar-lhe alguma autonomia, e conseguiu identificar uma estrela com um brilho especial. Ao representar graficamente a luz de cada estrela conforme o índice de cintilação, ela chegou a um gráfico sequencial que Hubble mais tarde usaria para medir a distância de uma estrela recém-descoberta. A repercussão foi tão ampla, que os defensores do universo único recuaram, admitindo ser mais provável a teoria dos universos múltiplos. Àquela altura, Leavitt já tinha morrido, seus dados pessoais estavam esquecidos, e a glória ficou para o diretor do laboratório.

> EINSTEIN SE CONVENCEU DA EXPANSÃO CÓSMICA, MAS O MESMO NÃO ACONTECEU COM ALGUNS DE SEUS SEGUIDORES.

Hubble elaborou um gráfico sequencial próprio, usando as estrelas brilhantes de Leavitt para calcular a distância das múltiplas galáxias e depois compará-las à velocidade. Foi esse resultado que fez Einstein rever seus conceitos, porque Hubble mostrou que, quanto mais distante está uma galáxia, mais rapidamente afasta-se da Terra. Como Einstein depois explicaria em Oxford ao voltar da Califórnia (Figura 38), o diagrama de Hubble confirmava a consequência da Teoria da Relatividade que o próprio Einstein relutara em aceitar: o universo começou como um ponto pequeno e denso, e expande-se desde então. Como noticiou o jornal da cidade onde Hubble vivia: "Jovem que saiu dos Montes Ozark para estudar as estrelas faz Einstein mudar de ideia."

Einstein se convenceu da expansão cósmica, mas o mesmo não aconteceu com alguns de seus seguidores, cujas críticas incluíam aspectos teológicos e científicos. Em meados do século 20, a polêmica estava instalada, simbolicamente liderada por dois astrônomos de Cambridge, Martin Ryle e Fred Hoyle. Do grupo de Ryle faziam parte os teóricos do Big Bang, que acreditavam na criação do universo como o resultado da explosão de um centro pequeno, porém compacto. Para eles, essa era a única maneira de explicar a expansão de Hubble e a relatividade de Einstein. E, como vantagem adicional, encaixava-se no texto da Bíblia: "No início, Deus criou o Céu e a Terra." Outros cientistas – especialmente Fred Hoyle, um ateu convicto – reprovavam essa intrusão da religião na ciência. Rejeitando a noção bíblica de que o cosmos de Deus se mantém ao longo do tempo, eles insistiam que o universo se expande gradualmente, com a criação constante de matéria, embora pareça sempre o mesmo, de onde quer que se olhe.

No começo da década de 1960, os defensores do Big Bang consideraram-se vencedores quando Ryle obteve duas confirmações práticas de suas teorias. Uma delas veio dos laboratórios da Bell Telephone nos Estados Unidos, onde astrônomos anunciaram haver descoberto a causa de ruídos nas ondas de rádio, que confundiam seus telescópios. (Chegaram até a limpar a sujeira dos pombos, na tentativa de eliminar o ruído.) Para eles, parecia claro estarem captando uma radiação de baixa temperatura que permeava todo o espaço – confirmando assim uma previsão antiga quanto ao que aconteceria se o universo tivesse esfriado depois da explosão inicial. A outra descoberta importante foi um novo tipo de estrela que emite grande quantidade de radiação e ondas de rádio, os quasares, encontrados apenas a grande distância da Terra, aparentemente em alta velocidade.

Em vez de admitir a derrota, Hoyle e seus seguidores se comportaram como kuhnianos reacionários, sustentando uma teoria insustentável, mesmo diante do acúmulo de evidências contrárias. Apesar do desaparecimento da ideia do estado estacionário, Hoyle teve grande impacto sobre a Cosmologia, cuja popularização promoveu. Quando defendeu seus pontos de vista em programas de rádio e em artigos de revistas, seus rivais, adeptos do Big Bang, acusaram-no de fazer jogo desleal. No entanto, ao expor complicadas discussões científicas em publicações não especializadas e na mídia em geral, Hoyle mobilizou a opinião pública, essencial à obtenção de patrocínio do governo. Os astrônomos que ridicularizavam Hoyle se beneficiaram, porque a pesquisa espacial entrou na moda, o que abriu caminho para grupos de cientistas exercerem pressão, em busca de apoio oficial.

Einstein finalmente concordou com a teoria da expansão do universo, mas nunca aceitou a validade definitiva da Mecânica Quântica, o que não reduz sua importância na elaboração das regras subatômicas de probabilidade. Segundo ele, essas regras representavam apenas ferramentas matemáticas, e não descrições da realidade. Einstein passou décadas procurando em vão por fórmulas abrangentes que resumissem o cosmos. Ao contrário, em meados do século 20, a maioria dos físicos teóricos concentrava-se na área quântica, criando ferramentas conceituais que podiam ser usadas em pesquisas de laboratório para investigar partículas mínimas. Assoim, o espaço-tempo curvo de Einstein tornou-se matéria estudada apenas por poucos matemáticos solitários.

Inesperadamente, a Relatividade Geral voltou à moda nos anos 1960, depois da morte de Einstein. Essa teoria sem aplicabilidade se impôs, porque os corpos celestes revelados por telescópios cada vez mais potentes eram grandes e rápidos o suficiente para serem afetados por suas equações. Na descrição dessas maravilhas relativistas, novos nomes foram criados. Depois dos quasares descobriram-se os pulsares, que também emitem radiação, mas parecem cintilar. Em um estudo de Cambridge, surgiram como breves e raros pulsos de luz, detectados por Jocelyn Bell, que repeliu com indignação os argumentos de seu cético supervisor, para quem tudo não passava de interferência dos sinais da BBC. A partir de então, ela se tornou uma das maiores ativistas pelos direitos das mulheres na ciência.

A mais comentada maravilha astronômica foram os buracos negros, cujo nome surgiu em matéria sobre pontos teóricos que Einstein havia desdenhado, considerando-os irrelevantes curiosidades matemáticas. Assim como o sorriso do gato que Alice encontrou no País das Maravilhas, um buraco negro é o centro de uma estrela que desapareceu, e só pode ser detectado pela força gravitacional. Na década de 1980, aos buracos negros já haviam se juntado os buracos no tempo, os filamentos, a matéria escura e as ondas gravitacionais, fazendo da Astrofísica uma ciência de sucesso entre pessoas que mal sabiam o significado de tais palavras. A área produziu, até mesmo, sua própria celebridade, Stephen Hawking, símbolo do gênio imaterial, cuja obra *Uma Nova História do Tempo* é provavelmente o best-seller menos lido até hoje.

Essa Cosmologia estranha confunde seus admiradores; no entanto, apesar de novas, algumas objeções parecem familiares. A distinção feita por Einstein, entre equações matemáticas que descrevem e modelos filosóficos que explicam, é fundamental para a ciência. Embora reconhecesse a utilidade da Mecânica Quântica na descrição de fenômenos extraordinários, Einstein acreditava que sua base na probabilidade era provisória, uma solução temporária para esconder a ignorância humana em relação ao plano superior projetado por um Deus que "não joga dados com o universo". De maneira semelhante, os cosmólogos reconhecem que buracos negros, filamentos e outras entidades misteriosas são conceitos importantes que funcionam matematicamente, embora sua existência física possa fazer pouco sentido.

Ao final do século 20, ateus afirmavam convictos que a ciência havia eliminado a necessidade de religião. No entanto, apesar de explorarem os limites do universo e voltarem no tempo até suas origens, os cosmólogos não conseguiam provar que Deus não existe. Traçar a história do universo desde o primeiro momento de sua existência é uma conquista admirável, mas deixa sem resposta uma questão fundamental: como o Big Bang começou? E em ciência, frequentemente a interpretação das evidências depende do que se quer ver.

CAPÍTULO 46
INFORMAÇÃO

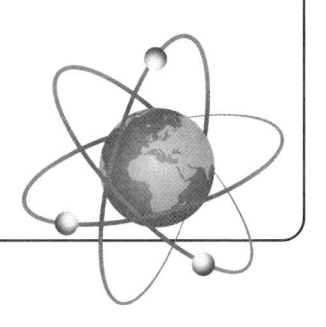

Onde está a vida que perdemos vivendo?
Onde está a sabedoria que perdemos no conhecimento?
Onde está o conhecimento que perdemos na informação?
- T. S. Eliot, *The Rock* (1934)

Ironicamente, a história do processamento da informação está envolta em segredo. O Google fornece hoje acesso instantâneo a mais do que precisamos saber, mas os computadores foram desenvolvidos sob uma política que restringia o fluxo da informação. As grandes calculadoras eletrônicas têm origem nas invenções militares, criadas para decifrar códigos inimigos ou computar a rota de mísseis; daí as precauções contra o vazamento de informações. Somente no ano 2000 o governo britânico liberou o relatório oficial sobre o equipamento de guerra desenvolvido em Bletchey Park, uma base militar camuflada; tal relatório tinha sido estranhamente disfarçado sob o título *General Report on Tunny* ("Relatório Geral sobre o Atum"). Assim, a Internet é, ao mesmo tempo, uma rede mundial de informação e de sigilo.

Na metade do século 20, com a militarização da ciência, duas ideologias se chocaram. Os cientistas acreditavam – em princípio, pelo menos – na troca livre de informações, de modo que o progresso acontecesse o mais rápido possível. O pessoal dos órgãos de inteligência, ao contrário, dividia as atividades em pequenos compartimentos, cada um com sua área de conhecimento. Essas abordagens opostas, ambas defendidas com empenho por seus simpatizantes, transformaram-se em conflito declarado quando os comandantes militares começaram a assumir projetos de guerra que envolviam pesquisas científicas – bombas atômicas, computadores eletrônicos. Em vez de compartilhar seus resultados em conferências internacionais, os cientistas eram obrigados a respeitar as restrições impostas pela segurança nacional.

Essa cultura fechada se manteve na ciência da computação durante a Guerra Fria, quando a pesquisa era feita às escondidas, direcionada para o desenvolvimento de sistemas clandestinos de defesa. Na ânsia de obter superioridade eletrônica sobre os russos, o governo norte-americano investiu não só nas Forças Armadas, mas também em universidades e empresas privadas que produziam computadores para o mercado comum. Como mostra a ilustração da Figura 53, os interesses militares, acadêmicos e comerciais estavam interligados. O computador Harvard Mark III foi produzido em um laboratório de universidade, patrocinado pela IBM e – como indicam os bordados no quepe e nas mangas de uniforme – projetado para a Marinha.

Figura 53. Máquina inteligente. Capa da revista *Time* (23 de janeiro de 1950).

Nessa relação simbiótica, parecia que todo mundo só tinha a ganhar. As empresas recebiam apoio financeiro do governo, para superar os tempos difíceis, além de se beneficiarem de um amplo mercado garantido; ao mesmo tempo, os especialistas militares tinham acesso imediato aos mais recentes resultados. Havia, porém, desvantagens. Os pesquisadores que não constavam da folha de pagamento do governo encontravam grandes dificuldades para a instalação de computadores, e os que aceitavam subvenção oficial não podiam aderir à ética da transparência, uma vez que eram obrigados a trabalhar sob sigilo.

Em segredo e separadamente, inventores militares de três países – Alemanha, Estados Unidos e Grã-Bretanha – pesquisaram computadores durante a Segunda Guerra Mundial. Os civis só ouviram falar dessas pesquisas em 1946, quando o Exército norte-americano convocou a imprensa para mostrar sua calculadora e integradora numérica eletrônica (ENIAC, Electronic Numerical Integrator And Calculator), desenvolvida no departamento de uma universidade, mas controlada por homens e mulheres de uniforme (Figura 54). Com o intuito de aumentar o impacto visual do lançamento, painéis especiais foram instalados às pressas, com lâmpadas acesas atrás de bolas de pingue-pongue cortadas ao meio. Os gigantescos equipamentos elétricos ocupavam uma sala inteira, mas nem se aproximavam da capacidade e rapidez dos laptops modernos. Ainda assim, os jornais diziam maravilhas daquela máquina artificial cujo mecanismo interno operava centenas de vezes mais rápido que os neurônios no cérebro humano – um conceito, ao mesmo tempo, engraçado e assustador.

Figura 54. Calculadora e Integradora Numérica Eletrônica (Electronic Numerical Integrator and Calculator – ENIAC), Moore School of Electrical Engineering, Pensilvânia (1945).

Embora saudada pela mídia como o primeiro computador eletrônico, a ENIAC tinha algumas desvantagens. Precisava de 18 mil válvulas eletrônicas – dispositivos que ligavam e desligavam, como lâmpadas incandescentes, e queimavam com frequência, precisando ser substituídos por operadores humanos. Ao acender e apagar, as válvulas geravam calor intenso; assim, uma das maiores dificuldades era manter frio o computador. Outro problema eram os insetos. Moscas e mariposas se instalavam no equipamento, destruindo as conexões internas. O termo "debug" originou-se das primeiras máquinas eletrônicas (*bug* é "inseto", em inglês). E o mais sério: havia limitações inerentes à capacidade da máquina. A ENIAC foi projetada originalmente para gerar tabelas de trajetórias de bombas; qualquer tarefa além dessa – fazer a previsão do tempo ou calcular como as ondas de choque se movem, por exemplo – exigia vários dias de reprogramação manual, feita sobretudo por mulheres. A ENIAC, portanto, era uma calculadora imensa, e não um protótipo de computador, pois não havia como extrair dela outro tipo de cálculo sem reconstruí-la fisicamente.

Conhecidas apenas por poucos cientistas britânicos, máquinas mais versáteis já operavam em Bletchley Park, também com um propósito militar: decifrar os códigos de comunicação dos alemães, possibilitando a invasão de suas redes de inteligência. O sigilo tinha suma importância, pois o sucesso do projeto dependia de impedir os alemães de perceberem que, embora alterassem a senha diariamente, suas mensagens diplomáticas eram compreendidas e prejudicadas. A velocidade também era essencial, porque o código tinha de ser decifrado antes de qualquer alteração, caso fossem planejados um ataque aéreo ou a manobra de um submarino. Para garantir a segurança, a equipe de Bletchley trabalhava em grupos pequenos que só tinham conhecimento de suas tarefas imediatas. Milhares desses homens e mulheres morreram sem quebrar o juramento de confidencialidade; sem revelar que, na verdade, foram os britânicos, e não os norte-americanos, os criadores do primeiro computador digital.

Ao final da guerra, havia dez máquinas eletrônicas do tipo Colossus para examinar os textos interceptados, comparando-os rapidamente com numerosos padrões de letras, até encontrar semelhanças que apontassem o código secreto do dia. Essa tarefa só era possível porque o Colossus sabia fazer escolhas. Em vez de analisar todas as possibilidades, ele eliminava imediatamente as combinações impossíveis, fosse de acordo com instruções já programadas ou pedindo ajuda a um operador humano. Embora muito menos adaptável do que os computadores modernos, o Colossus era diferente da ENIAC, porque tomava decisões. Sua base funcionava como uma gigantesca máquina processadora de informações, que pegava mensagens obscuras e transformava em detalhes inteligíveis dos planos dos alemães. Dentro dele, componentes humanos, mecânicos e eletrônicos interagiam conforme as instruções recebidas.

Desconhecido da maioria das pessoas da época, o maior especialista em tomada de decisões feitas com base na Matemática – Alan Turing – trabalhou em Bletchley Park. Atualmente, Turing é reconhecido como o fundador da moderna sociedade da informação, na qual dinheiro e poder dependem do controle da comunicação global; no entanto, sua vida e sua reputação foram afetadas pela necessidade de manter silêncio. Além do sigilo que cercava boa parte de seu trabalho, ele agia com discrição, para esconder sua homossexualidade, na época considerada ilegal. No entanto, depois de descoberto e forçado a confessar-se diante de um tribunal, Turing foi submetido durante um ano a uma terapia experimental à base de hormônios. Ele morreu em 1954, depois de comer uma maçã envenenada. Considerado em vida um indivíduo misterioso, excêntrico e um traidor em potencial, vulnerável a chantagens, Turing representa hoje um trágico ícone *gay*, um guru da informação que patrioticamente atrapalhou os planos dos alemães.

Cumprindo a promessa de sigilo, Turing e seus colegas nada revelaram sobre suas atividades durante a guerra, e os primeiros computadores programáveis foram desenvolvidos sem a ajuda de suas pesquisas. Ainda assim, Turing exerceu forte influência, porque não pensava apenas na tecnologia para fazer os computadores funcionarem, mas também em sua importância. Depois da guerra, organizações militares e comerciais concentraram-se em desenvolver computadores maiores, mais rápidos, mais possantes e – essencialmente – que pudessem ser programados para trocar rapidamente de tarefa. Turing levantou questões fundamentais sobre a inteligência das máquinas, aproximando cada vez mais a mente humana do conjunto de circuitos eletrônicos. Desde a morte, ainda na adolescência, de seu amigo mais próximo, ele questionava a noção cristã de alma, uma convicção ética que levou para sua filosofia das máquinas. De maneira semelhante aos deterministas biológicos, que procuravam a vida em moléculas complexas, Turing acreditava que, assim como as pessoas, os computadores podem pensar, embora sejam compostos de circuitos eletrônicos, e seja qual for a difícil definição de "pensar".

Adotar a posição de Turing significava estabelecer novas visões, tanto em relação aos seres humanos como em relação às máquinas. Os computadores imitavam os cérebros – ou seria o contrário? A Figura 53 pergunta: "O homem pode construir um super-homem?" Além disso, sugere que acessórios eletrônicos são capazes de substituir olhos ou braços. A comparação era aplicável em ambas as direções. Cientistas inicialmente diziam que os circuitos eletrônicos lembravam neurônios super-rápidos, mas logo passaram a afirmar que o sistema nervoso humano funciona como os sistemas eletrônicos. Na visão desses cientistas sobre a psique humana, as pessoas tomam decisões depois que sinais pulsam através de uma série de pontos de desvio, que agem como interruptores eletrônicos cuja função é escolher entre dois caminhos. Um dos exemplos favoritos era a datilógrafa: os ouvidos da secretária captam as ondas sonoras do ditado do chefe, e seu corpo/cérebro as transforma em sinais eletrônicos simples que ativam seus dedos. Os especialistas em computação levavam adiante a comparação, dizendo que ela podia até mesmo acessar a memória, para corrigir a gramática.

> PSICÓLOGOS DESCREVIAM O CÉREBRO HUMANO COMO SE FOSSE UM CIRCUITO ELETRÔNICO.

Nos projetos visionários de Turing, misturavam-se experiências reais e conceituais. Nos anos 1930, antes que os computadores eletrônicos fossem fisicamente possíveis, ele havia inventado uma máquina imaginária que recebia instruções em uma longa tira de papel onde se viam sequências de marcas e espaços em branco. Em princípio, segundo Turing, essa máquina se comportava como um ser humano. Em 1950, parecia possível que tal inspiração matemática se tornasse realidade (Figura 53), e Turing levou a analogia mais longe. Refletindo sua familiaridade com a decifração de códigos e a dissimulação da sexualidade, ele primeiro perguntou como alguém poderia determinar se um entrevistado era homem ou mulher, somente a partir de respostas escritas. E deu mais um passo em seu universo imaginário: o entrevistador conseguiria distinguir entre uma pessoa e uma máquina?

Essa dissolução dos limites entre homem e máquina continuou durante a Guerra Fria, quando as pesquisas sobre inteligência artificial recebiam apoio oficial. Enquanto engenheiros tentavam fazer os computadores se comportarem como pessoas, psicólogos descreviam o cérebro humano como se fosse um circuito eletrônico. Em uma extensão das relações simbióticas desenvolvidas em Bletchley Park, as estruturas sociais eram compatibilizadas com os sistemas de computação, estes projetados como extensões interativas dos seres humanos. Para ajudar os militares a transmitir ordens às máquinas eletrônicas sob seu comando, linguagens de programação pareciam-se cada vez mais com as linguagens humanas; para melhorar a eficiência das armas, construíam-se computadores capazes de analisar eventos em tempo real. Com o rápido avanço da tecnologia de computação, essas aplicações militares logo foram adotadas para fins civis, como organizar sistemas de pagamento, simular agendas de entrega, reduzir os custos de produção. E na década de 1970, quando os microcircuitos ficaram cada vez menores, os fabricantes se voltaram para as residências, criando outro mercado lucrativo.

Assim como muitos viciados em computador, Turing era bastante otimista quanto ao futuro. Segundo suas previsões seria lugar-comum, ao final do século, a noção de que as máquinas pensam. Muitos especialistas faziam a mesma previsão temerária, iludidos pelas mudanças incrivelmente rápidas na tecnologia eletrônica, que produzia computadores menores, mais velozes e mais baratos. No entanto, embora tenha derrotado o campeão mundial de xadrez em 1997, o computador Deep Blue adotou táticas diferentes de qualquer adversário humano. Em vez de os computadores ficarem mais parecidos com os seres humanos, os seres humanos foram se adaptando às exigências da máquina, e a realidade física começou a perder a importância. Atividades de guerra na vida real – disparar mísseis, entregar provisões, testar estratégias – eram simuladas em enormes sistemas; travavam-se batalhas fictícias em computadores domésticos; chegavam aos cinemas filmes como 2001, *Uma Odisseia no Espaço* ou *Blade Runner*, histórias visionárias de um futuro próximo no qual computadores reinam ou são indistinguíveis de humanos. Ao final do século 20, o treinamento militar acontecia no mundo virtual: pilotos voavam em simuladores em vez de arriscarem a vida em aviões-bombardeiros de verdade, e soldados aprendiam *online*, em segurança, as técnicas de combate corpo a corpo. Enquanto isso, *hackers* civis disparavam vírus contra os inimigos, pelo simples prazer da batalha. Assim, não admira que, para a geração de *Guerra nas Estrelas*, a "segunda vida" pareça mais familiar do que a vida real.

Turing não era o único especialista em computação com visões utópicas. Durante os anos 1960, 30 anos antes do advento da World Wide Web, o canadense Marshall McLuhan, especialista em mídia, cunhou um aforismo, dizendo que a tecnologia eletrônica iria recriar o mundo como uma aldeia global. Enquanto os governos desenvolviam computadores como instrumentos militares, gurus californianos lutavam para que a informação fosse divulgada livremente em uma comunidade virtual baseada no acesso igualitário. Em seu lema, equivalente ao "Faça amor, não faça guerra", os computadores seriam usados para a democratização dos governos e a educação universal. Primeiro veio a indústria dos computadores pessoais, quando a capacidade de processamento foi redistribuída, das grandes máquinas para as mesas de trabalho. Em seguida, veio a Internet, cujo sucesso não se deve a um planejamento central, mas ao fato de ser controlada por todos e por ninguém.

Os sonhos de Turing e de outros utópicos da informação ainda não se realizaram. A Internet se espalha pelo mundo, mas a necessidade de conexões elétricas aumentou – em vez de diminuir – a distância entre pobres e ricos; a informação pode ser distribuída livremente, mas boa parte dela é inútil ou mesmo perigosa; o anonimato *online* favorece o acesso à pornografia infantil e aos manuais de terrorismo. Além disso, quando tudo está codificado eletronicamente, a privacidade desaparece: na versão moderna e computadorizada da aldeia global de McLuhan, câmeras ocultas gravam as atividades diárias das pessoas, tão eficientemente quanto os bisbilhoteiros que tomam conta da vida alheia. Ao que parece, os segredos e a guerra ainda permeiam a informática.

CAPÍTULO 47
RIVALIDADE

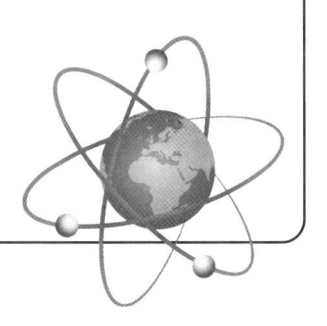

O espaço não é nada remoto. Está a apenas uma hora de distância, se o seu carro puder seguir em linha reta para cima.

- Fred Hoyle, *Observer* (1979)

Ao fim da Segunda Guerra Mundial, muitos cientistas acreditavam existir vida em outros planetas. Afinal, há 100 bilhões de estrelas apenas em nossa galáxia; por que o planeta Terra seria único? Para Enrico Fermi, o físico nuclear italiano que ajudou a desenvolver a bomba atômica norte-americana, esse argumento continha um erro fatal. Como, perguntava ele, ainda não encontramos sinais de seres extraterrestres? A resposta óbvia para a pergunta de Fermi é que tais seres não existem. No entanto, depois de Hiroshima, uma hipótese mais sinistra surgiu: a evolução da inteligência levaria inevitavelmente à autodestruição? Durante a Guerra Fria, com a proliferação de reatores nucleares e o recrudescimento da tensão internacional, a destruição do planeta parecia bem provável. O paradoxo de Fermi caracterizou a Geopolítica da época.

Esse medo da aniquilação global foi reforçado pelo confronto que havia entre duas potências mundiais. O filme *Star Wars* ("Guerra nas Estrelas"), de 1977, retrata esse período como uma batalha entre o bem e o mal, uma luta pela sobrevivência entre a luz e a escuridão, como se o mundo inteiro estivesse dividido em duas facções rivais. Assim como ficção e fatos se misturavam em visões utópicas sobre a inteligência artificial, versões em celuloide do conflito cósmico começaram a interagir com a realidade terrena. Quando Ronald Reagan, o primeiro presidente dos Estados Unidos saído de

Hollywood, propôs construir um gigantesco escudo de mísseis no espaço, o projeto recebeu o nome de Star Wars.

A ciência nunca estivera tão misturada à política. Durante a Guerra Fria, programas de pesquisa aparentemente científicos também se voltavam para a busca do poder. No mundo inteiro, os governos disputavam posições, investindo boa parte do orçamento anual em duas áreas decisivas: voos espaciais e energia nuclear. Estados Unidos e União Soviética, em especial, usavam o sucesso científico para conquistar aliados e consolidar sua influência. Apesar de jamais travarem um conflito nuclear, ambos faziam guerras de propaganda para justificar internamente as implicações políticas de seus projetos. Um exemplo é a ilustração da Figura 55, produzida na União Soviética, que exalta a supremacia tecnológica da Rússia e procura conquistar a simpatia das nações em desenvolvimento. Em 1961, quando Yuri Gagarin se tornou o primeiro homem a voar para o espaço, a nave tinha um nome simbólico – *Vostok*, que quer dizer "Leste". Para os cidadãos soviéticos, isso significava a contínua ascendência sobre o Ocidente, uma mensagem destinada a conquistar seguidores na África, na Ásia e na América do Sul. Eles já haviam alcançado uma vitória anterior na Guerra Fria, quando foi lançado o Sputnik, o primeiro satélite artificial na órbita da Terra. O voo de Gagarin parecia confirmar a alegação de que somente o comunismo poderia garantir o progresso necessário para livrar o mundo em desenvolvimento da anacrônica opressão imperialista.

Ironicamente, o Sputnik foi lançado durante um projeto que pretendia incentivar a cooperação científica, o Ano Geofísico Internacional (IGY – International Geophysical Year), de 1957-8. O IGY foi um empreendimento global sem precedentes. Dele participaram 67 países, e cerca de 60 mil cientistas gastaram bilhões de dólares investigando a Terra como um todo – não só a superfície, mas também a atmosfera e os oceanos, o clima e os vulcões, o magnetismo solar e as radiações cósmicas. Para garantir a colaboração também no futuro, o espaço sideral e o continente antártico foram declarados laboratórios internacionais. Originalmente concebido como uma demonstração definitiva de que o trabalho científico em equipe transcende as diferenças políticas, o IGY chegou ao final celebrado pelos importantes avanços que proporcionou ao conhecimento humano.

Os governos investiram no IGY porque reconheciam que outros interesses estavam em jogo. Ao lado do conhecimento científico, a pesquisa geofísica trazia sérias implicações comerciais e militares: as mesmas redes internacionais que monitoravam os terremotos podiam detectar testes subterrâneos com bombas; além da importância científica, o mapeamento de extensos depósitos de minerais tinha um valor incalculável em termos financeiros; o estudo das regiões polares do Norte e do Sul, estrategicamente essenciais aos sistemas de defesa, levantou novos dados biológicos e geológicos; os navios permitiam que oceanógrafos traçassem mapas do fundo do mar, mas seus sonares também podiam identificar submarinos inimigos. Até a previsão do tempo sugeria um novo tipo de arma – afastando nuvens para destruir plantações, ou fazendo chover para devastar cidades inteiras.

O mais excitante era a perspectiva de viajar pelo espaço, o que se tornou possível graças à pesquisa com foguetes feita ainda na Segunda Guerra Mundial. Enquanto os cientistas se animavam com a possibilidade de explorar a parte superior da atmosfera, os governos se concentravam nas oportunidades políticas. Esses objetivos acabaram se confundindo. Já não se percebiam os limites entre comunidades científicas e militares, e durante o IGY ficou ainda mais difícil distinguir entre suas atividades. Os físicos espaciais, por exemplo, anunciaram que seria uma excelente ideia detonar bombas de hidrogênio centenas de quilômetros acima do solo, para investigar o cinturão externo de radiação da Terra. Hoje, parece ingênua a crença de que tal experimento global não representasse uma operação militar. Sob o codinome de Projeto Argus, ele foi assumido pelo Exército norte-americano, mais tarde questionado em discussões internacionais acerca dos estranhos clarões que surgiram sobre o Oceano Pacífico, provocados pelos testes. Quando a polêmica finalmente veio a público, os cientistas americanos se esquivaram da obrigação de trocar informações, sob a alegação de que o Argus não fazia parte do IGY, e era apenas um esforço do Departamento de Defesa.

O Sputnik e os primeiros satélites podiam ser chamados de "instrumentos científicos", mas também eram invenções da Guerra Fria, capazes de fazer observações militares. No começo da corrida espacial, a ideologia antiga de ciência pura já se tornara insustentável. Os cientistas podiam acreditar que aceitavam verbas governamentais para fazer pesquisas, mas a ciência estava militarizada, e a política militar havia se tornado científica. As políticas de governo orientavam-se pelas possibilidades da ciência; por outro lado, o tipo de conhecimento que os cientistas desenvolviam era afetado por necessidades políticas. Isso não quer dizer que a informação produzida pela ciência militarizada esteja incorreta, e sim que é diferente da que seria produzida sob outras condições. A rivalidade internacional, por exemplo, canalizou fundos para as técnicas de vigilância: a política da Guerra Fria exigia satélites de reconhecimento e câmeras de alta precisão. Durante os anos 1960, a Terra foi vista de fora pela primeira vez, e as imagens em que ela aparece como uma esfera azul suspensa no espaço dominaram a pesquisa geofísica, mudando para sempre a maneira como as pessoas enxergavam seu lar planetário.

Figura 55. "Em sintonia com o tempo. África!" Do espaço, Yuri Gagarin saúda a África. BOCTOK [Vostok] quer dizer O LESTE. The Morning of the Cosmic Era, Moscou, 1961.

Com o lançamento do Sputnik, os cientistas soviéticos venceram o primeiro *round* da intensa campanha publicitária travada entre as duas grandes potências. Os políticos soviéticos também marcaram pontos na área diplomática, ao escolherem um evento do IGY na embaixada russa em Washington para anunciar o sucesso do satélite. O rival do Sputnik ainda não deixara o solo, e embora sua sofisticação tecnológica talvez tenha servido de consolo aos cientistas norte-americanos, um segundo lugar não melhorava em nada a reputação nacional. Um dos maiores impactos do projeto Sputnik foi convencer o governo dos Estados Unidos de que deveria investir em programas de educação, defesa e pesquisa científica, todos voltados para o objetivo final de alcançar a Lua. A fim de afastar os críticos que protestavam contra os gastos e a escalada de hostilidades, os líderes do governo enfatizavam os potenciais resultados positivos da pesquisa espacial, muitos deles impossíveis de prever, como robôs, equipamentos microeletrônicos, comida desidratada, panelas antiaderentes e óculos de esqui que não embaçam. Os políticos norte-americanos estavam empenhados em uma disputadíssima corrida em direção à Lua, o que aumentava o orgulho nacional e desviava as atenções de empreitadas menos atraentes, como a Guerra do Vietnã.

Para os nacionalistas norte-americanos, o principal objetivo era chegar à Lua antes dos outros países rivais. De seu ponto de vista, a corrida tinha começado mal. Sob as ordens do presidente Khruschev, os cientistas da União Soviética queriam manter a liderança, e alcançaram diversos primeiros lugares em sequência: mandaram à Lua a primeira nave não tripulada; os cachorros soviéticos foram ao espaço antes dos chimpanzés americanos; e o cosmonauta soviético Yuri Gagarin entrou em órbita, logo seguido por uma astronauta soviética. Mas o ritmo começou a diminuir. Depois de uma série de lançamentos desastrosos, os governantes soviéticos já não tinham tanta certeza se deveriam investir maciçamente em uma corrida na qual poderiam ser derrotados. Era preciso pesar as vantagens de arriscar-se a ver as nações mais pobres julgarem que o comunismo só se interessava pelas melhorias tecnológicas, negligenciando áreas mais carentes, uma vez que os recursos eram canalizados para a corrida espacial.

Nos Estados Unidos, as críticas se voltavam contra os pesados gastos, prejudicando os programas sociais, mas os apelos pela colaboração, em lugar de competição, foram abafados. Quando dois astronautas norte-americanos chegaram à Lua em 1969, o governo se esforçou ao máximo para transformar o feito em um grande evento de publicidade. Tal como o voo de Gagarin, o pouso representava uma importante oportunidade de propaganda. Fotos como a da Figura 56 espalharam-se ao redor do mundo, mostrando o solo pedregoso coberto de sombras e pegadas dos astronautas, que se aventuravam fora de sua nave futurista. A primeira frase dita na Lua foi preparada cuidadosamente, para caracterizar uma conquista da espécie humana, e não do povo norte-americano: "Um pequeno passo para um homem, um salto gigantesco para a humanidade." No entanto, a bandeira americana, que parece levada pela brisa, havia sido fabricada em material rígido, a fim de compensar a ausência de atmosfera. Da mesma forma, embora dissesse *We came in peace for all mankind* ("Viemos em paz por toda a humanidade"), a placa deixada na superfície lunar estava escrita apenas em inglês, e era resultado da rivalidade. Conduzido em conflito direto com a União Soviética, o projeto lunar produziu artefatos militares, tais como satélites-espiões, redes de comunicação e sistemas de defesa.

Figura 56. Pouso dos Estados Unidos na Lua. Neil A. Armstrong e Edwin F. Aldrin (20 de julho de 1969).

Com toda a retórica, a paz mundial não parecia mais próxima, depois do pouso simbólico. A competição continuou e ainda se expandiu de tal modo, que, antes do final do século, diversos países haviam lançado satélites e faziam planos de avançar pelo sistema solar, uma zona até então livre da rivalidade global. Nessas disputas internacionais por prestígio, mesmo nações pequenas se dispunham a gastar muito dinheiro, como um meio de demonstrar independência e modernidade. Vários governos lançaram programas nucleares, aproximando o planeta cada vez mais da destruição. Como o ministro de Defesa da França disse, em 1963: "Quem não é nuclear é insignificante."

Tal como a França, os países que buscavam poder nuclear queriam poder político. Em um primeiro momento, a devastação causada no Japão pelas bombas provocou uma pausa nas pesquisas. Muitos físicos se assustaram de tal forma com o resultado do próprio trabalho que se uniram em grupos de pressão, determinados a divulgar informações sobre os perigos da guerra nuclear e a livrar-se do controle militar. Outros, no entanto, continuaram com os trabalhos de defesa, fascinados pelas descobertas atômicas e convencidos de que o desenvolvimento de bombas melhores era essencial à manutenção da paz.

Nos Estados Unidos, Edward Teller – um imigrante húngaro judeu que havia trabalhado com Fermi durante a Segunda Guerra Mundial – ignorou as reservas dos colegas, insistindo que o poder explosivo das ações nucleares seria mais bem aplicado se fossem copiadas algumas atividades do Sol. Nas bombas de fissão lançadas sobre o Japão, a energia havia sido liberada pela divisão de grandes átomos. Teller propôs construir uma arma mais poderosa, com base na fusão, forçando átomos muito pequenos a se juntarem, liberando energia. Depois de a espionagem norte-americana revelar que a Rússia estava produzindo uma bomba, o governo deu o sinal-verde para a superbomba de hidrogênio de Teller.

Cientistas militares norte-americanos transformaram o sul do Pacífico em área de testes, detonando explosivos nucleares cujos efeitos sobre habitantes das ilhas próximas e os pescadores japoneses foram ainda mais terríveis do que se imaginava. Determinados a manter a supremacia e evitar que outros países construíssem bombas, os Estados Unidos impuseram restrições tão sérias à distribuição de material radioativo que impediram os cientistas estrangeiros de fazer experimentos ou desenvolver terapias médicas. Parcialmente em resposta a esse comportamento agressivo, outros países começaram a instalar programas nucleares, e a guerra parecia cada vez mais próxima. Para enfatizar o risco de aniquilação da espécie humana, físicos norte-americanos inventaram o "relógio do fim do mundo", um cronômetro simbólico que não tinha números – apenas a meia-noite. Em resposta às crises políticas, o ponteiro dos minutos aproximava-se ou afastava-se da posição vertical. Em 1953, o relógio esteve a apenas dois minutos da meia-noite, quando as superpotências testaram artefatos termonucleares, e em 1963 recuou para 12 minutos quando elas assinaram um tratado que bania os testes atômicos. Na década de 1980, chegou a marcar três minutos para a destruição, durante o projeto norte-americano Star Wars. A margem de segurança se expandiu ao máximo durante os anos 1990, ao fim da Guerra Fria, mas voltou a encolher, quando vários países começaram a testar suas armas.

A destruição global parecia iminente. E por que não aconteceu? Uma resposta é que o principal objetivo estava na intimidação, e não no ataque. Era necessário demonstrar capacidade de retaliação, para que ninguém lançasse o primeiro míssil. Nessa batalha de ameaças, as nações queriam o poder. Assim, divulgavam informações suficientes para mostrar que os testes continuavam. Outras estratégias diplomáticas estavam em curso. Algumas usinas nucleares foram adquiridas, tanto com finalidade de uso como de exibição. Na Índia, por exemplo, os reatores nucleares tinham as mesmas funções políticas das represas hidroelétricas e usinas siderúrgicas – instalações tecnológicas essenciais, porém destinadas a impressionar os cidadãos e celebrar a recente independência do controle britânico. Além disso, a energia nuclear era promovida como agente da paz, e não da guerra. Enquanto aprovavam os testes de bombas no atol de Bikíni, os políticos norte-americanos se vangloriavam de que os avanços em Física Nuclear revolucionariam a Agricultura, a Medicina e a Indústria. Segundo eles, a energia atômica moveria o mundo.

Até as aplicações pacíficas da energia atômica serviam a manobras políticas, sem um plano uniforme de desenvolvimento. Quando os Estados Unidos decidiram afrouxar o controle e disseminar os produtos nucleares, foi por interesse próprio, e não por altruísmo científico. Ao compartilhar o conhecimento atômico, os Estados Unidos podiam dar a impressão de um país generoso, mas, com isso, aumentavam os lucros das próprias indústrias e conquistavam aliados, consolidando seu poderio global. As redes de poder internacional mudaram quando países africanos e asiáticos começaram a promover os próprios objetivos políticos, tirando proveito de sua capacidade nuclear e suas reservas de urânio, forçando assim a participação em discussões internacionais. As nações europeias também seguiam agendas diversas. A Grã-Bretanha, por exemplo, iniciou com grande entusiasmo a construção de usinas de energia atômica, mas interrompeu o projeto por causa de impasses administrativos e da crescente conscientização dos perigos a longo prazo. Depois de tomar a mesma medida, a França mudou de ideia e logo produzia atomicamente três quartos de sua eletricidade.

> A CIÊNCIA AINDA HOJE É RESPONSÁVEL PELO PODER QUE MOVE A POLÍTICA MUNDIAL.

As disputas pelo poder durante a Guerra Fria fizeram da própria ciência um instrumento político. Em manobras diplomáticas e negociações comerciais, o conhecimento científico funcionava como uma alavanca poderosa para as nações em busca da independência. Como declarou o Primeiro Ministro indiano Jawaharlal Nehru, a bomba mostrou que a força econômica e militar "vem da ciência, e se a Índia quiser progredir e tornar-se uma das nações mais fortes, atrás de ninguém, temos de desenvolver a nossa ciência". Tirando proveito de sua localização geográfica, algumas regiões pobres construíram observatórios em locais intocados, como na região equatorial, e assim se transformaram em fontes indispensáveis de dados científicos. Ex-colônias ricas, como Austrália e Canadá, concentraram-se em construir estações de pesquisa com alta tecnologia que operassem sem a interferência de britânicos ou norte-americanos. Uma tática mais ousada era boicotar projetos internacionais: para exercer pressão política, os cientistas se recusavam a colaborar com pesquisadores de determinados países. Quando a Guerra Fria chegou ao fim, a rivalidade entre Estados Unidos e a atual Rússia desapareceu, mas a ciência ainda hoje é responsável pelo poder que move a política mundial.

CAPÍTULO 48
MEIO AMBIENTE

Celebram até hoje o zelo visionário
de quem quer que tenha inventado a roda;
mas não dedicam uma só palavra ao pobre sujeito
que, com visão ainda mais aguçada, inventou o freio.

- Howard Nemerov, *To the Congress of the United States, entering Its Third Century*,
"Para o Congresso dos Estados Unidos, no início de Seu Terceiro Século" (1989)

Quando o explorador Frances Louis de Bougainville viajava pelo Taiti em 1768, declarou entusiasmado: "Fui levado ao Jardim do Éden. Cruzamos um gramado onde regatos corriam e belas árvores ofereciam seus frutos... Em toda a parte encontramos hospitalidade, calma, alegria inocente e toda a expressão de felicidade." Embora visitantes europeus invadam este paraíso com novidades tecnológicas e doenças sexualmente transmissíveis, essa região do Pacífico continua a ser vista como uma Arcádia idílica. As preocupações recentes com a sobrevivência do planeta reforçaram essas visões românticas de uma era de ouro perdida, quando a harmonia natural reinava, sem ser ameaçada por buracos na camada de ozônio ou espécies em extinção.

No entanto, a preservação da pureza ambiental do passado não é tão simples quanto parece, pela seguinte razão: boa parte da natureza é artificial; cenários que parecem ter existido sempre foram feitos pelo homem. A Grã-Bretanha, por exemplo, inicialmente coberta por densas florestas, guarda pouca semelhança com a paisagem retratada na Figura 57, um pôster da Segunda Guerra Mundial. A paisagem de extensos campos, aparentemente intocada, foi composta no século 18, quando ricos proprietários decidiram

MEIO AMBIENTE

tornar suas terras mais rentáveis, unindo os terrenos que pertenciam a diversas famílias. Nada conservacionistas, esses reformadores agrícolas ignoraram os protestos dos defensores da vida tradicional nas aldeias, destruídas para a formação dos pastos que hoje caracterizam a Grã-Bretanha mostrada nos álbuns de fotografias.

Figura 57. *Your Britain... Fight for it Now...*
Pôster da Segunda Guerra Mundial por Frank Newbould.

A preservação do meio ambiente parece fazer parte de um ideal universal, mas na verdade representa uma questão política adotada por várias correntes. Embora esse cartaz dos tempos de guerra convocasse os cidadãos a proteger seus campos ensolarados, os inimigos do outro lado do Canal da Mancha (aqui apenas uma visão distante) recorriam à natureza para defender a causa nazista. Adolf Hitler era um vegetariano cujo governo reflorestou terras desmatadas pela agricultura. Ele também usava medicina orgânica à base de ervas e incentivava pesquisas sobre terapias naturais. Hermann Goering, seu braço direito, é hoje deplorado pela criação da Gestapo e dos campos de concentração, mas foi um pioneiro do ambientalismo. Depois de recuperar as florestas polonesas destruídas pela ocupação nazista, Goering reinstalou nelas animais nativos, inclusive um rebanho de bisões (um forte símbolo teutônico), criado pelas técnicas mais modernas adotadas pelos eugenistas pós-darwinianos. Apesar das campanhas genocidas que empreendeu contra os seres humanos, Goering insistia em manter aquela floresta primitiva como um lugar sagrado, onde os animais deveriam permanecer intocados.

> A PRESERVAÇÃO DO MEIO AMBIENTE PARECE FAZER PARTE DE UM IDEAL UNIVERSAL, MAS NA VERDADE REPRESENTA UMA QUESTÃO POLÍTICA ADOTADA POR VÁRIAS CORRENTES.

A natureza muitas vezes parece mais bela quando é artificial. Por isso o paisagista Capability Brown criou tranquilas paisagens inglesas: cavou lagos, plantou árvores e removeu vilarejos inteiros – incluindo seus habitantes. O naturalista John Muir ficou maravilhado com os prados californianos que visitou, mas preferiu ignorar a influência dos fazendeiros nativos que durante séculos fizeram queimadas, abrindo espaço para as plantações onde havia a floresta original. O artista James Audubon acumulou uma pequena fortuna com a venda de gravuras de pássaros tendo como fundo as montanhas distantes. As peças bem trabalhadas eram produzidas em estúdio, com o objetivo de representar os valores norte-americanos de força e liberdade. Audubon, no entanto, não era um preservacionista. Pelo contrário, caçava incansavelmente as raridades de que necessitava para completar sua coleção, sem se preocupar com a possibilidade de extinção das espécies.

O interesse pela natureza selvagem é relativamente novo. Durante milênios, a paisagem natural foi algo a ser dominado e suprimido, para que as pessoas tivessem uma existência confortável. A sobrevivência dependia de domar a natureza; por isso, montanhas de difícil acesso e florestas densas eram consideradas locais de refúgio para os proscritos, os pecadores banidos do Jardim do Éden. Esses lugares começaram a ser valorizados há cerca de 200 anos. À medida que os produtos da civilização começaram a parecer menos atraentes, viajantes românticos passaram a descrever como alcançavam um estado de êxtase quase religioso ao contemplar a beleza sublime de desfiladeiros ou de longínquos santuários naturais. Depois de se aventurarem por outros continentes, eles relatavam ter vivido uma volta ao passado, no contato com sociedades primitivas nas quais a vida era mais simples e pura.

Esse forte anseio pelo sublime e primitivo manifestou-se com especial intensidade nos Estados Unidos. Durante o século 19, os escritores românticos descreviam os pioneiros como gente corajosa que avançava para o Oeste, impondo a civilização aos indígenas. Essa visão triunfante misturava-se a arrependimentos nostálgicos, pois os norte-americanos aos poucos perdiam contato com suas origens de imigrante; o progresso destruía as experiências autênticas e simples, vividas pelos primeiros colonizadores. Na tentativa de resolver esse dilema sentimental, naturalistas empreendedores criaram parques nacionais com dois objetivos: proporcionar santuários a quem quisesse fugir do capitalismo bem-sucedido e lembrar o pioneirismo norte-americano.

Muir, um fazendeiro nascido na Suíça, hoje saudado como o pai do ambientalismo, resolveu fazer de Yosemite uma zona selvagem construída pelo homem. Ele queria que o parque nacional parecesse natural, embora jamais tivesse existido ali uma paisagem que lembrasse seu projeto. Aparentemente alheios às ironias de sua missão, Muir e seus contemporâneos trabalhavam com zelo quase religioso, não só para simular a terrível realidade dos limites da sobrevivência, mas recriando um verdadeiro Jardim do Éden. No entanto, a construção de um reduto de harmonia não habitado significava obrigatoriamente remover os habitantes nativos, muitos dos quais foram mortos ou condenados à miséria em reservas artificiais. A fim de garantir o acesso seguro e evitar que a natureza destruísse os cenários cuidadosamente escolhidos, esses ambientalistas construíam trilhas camufladas e criaram programas de manutenção.

Resgatar um passado natural imaginário sempre foi uma empreitada dispendiosa, e aquela exigia interferência e opressão: remover índios norte-americanos de Yosemite, destruir fazendas familiares, realocar vilarejos. Atualmente, privilegiados ecoturistas que vivem nas cidades fazem campanhas para preservar espécies ameaçadas e manter as maiores extensões possíveis de natureza intocada, como refúgios das pressões urbanas. Preservar a biodiversidade pode parecer um ideal mais valioso e científico do que a busca de Muir por um paraíso terrestre. No entanto, tal como em Yosemite, a demarcação às vezes impõe sacrifícios aos moradores locais. Com o objetivo de preservação, muitas vítimas do reassentamento involuntário – índios da Amazônia, quenianos e tailandeses, por exemplo – tornaram-se refugiados ambientais, miseravelmente confinados em terras que não eram as deles.

O principal paradoxo é que as pessoas também fazem parte da natureza. Em 1964, os Estados Unidos aprovaram uma lei para a preservação da vida selvagem, ou seja, de locais "onde o homem é um visitante que ali não permanece". No entanto, se as pessoas forem excluídas da natureza, ela se torna intrinsecamente artificial. Na Figura 57, o homem se integra ao campo e faz parte da herança natural da Inglaterra, assim como as árvores e os animais. Caminhando pelo cenário delicado de belas montanhas, o pastor solitário conduz seu rebanho de ovelhas, em uma imagem repleta de simbolismo cristão. Na Bíblia, Deus entregou aos seres humanos a responsabilidade de guardar o mundo, explorando-o em benefício próprio. Essa mensagem confusa ainda persegue as preocupações ambientais.

Para expressar esse conflito em termos científicos, o empenho pela preservação contraria a luta competitiva pela sobrevivência, inerente à evolução humana. Essa herança darwiniana teve várias interpretações durante a segunda metade do século 19. Capitalistas ricos justificavam suas táticas cruéis citando o mantra cunhado pelos discípulos de Darwin: "A sobrevivência dos mais aptos." No entanto, o sucesso dessa fórmula impiedosa levou os críticos a ressaltarem o lado ruim da exploração. Foi então que surgiu na Alemanha um darwiniano muito diferente: Ernst Haeckel. Enquanto ambientalistas norte-americanos tentavam recriar paraísos intocados, Haeckel adotava para a Biologia uma abordagem menos opressiva, mais holística, que viria a influenciar fortemente os movimentos ambientalistas.

A ciência da Ecologia foi fundada por Haeckel, que inventou a palavra em 1866. Embora tenha hoje uma interpretação moral – sabão em pó ecológico é melhor, mas é caro – a Ecologia começou como um estudo da relação entre os seres vivos e seu ambiente. Assim como "economia", ela vem da palavra grega para "lar", e Haeckel sugeriu que todos os organismos da Terra coexistem em uma unidade integrada, competindo entre si, mas também oferecendo ajuda mútua. De acordo com a versão de Haeckel para a evolução de Darwin, se as pessoas querem melhorar, devem respeitar as leis desse sistema universal, em vez de tentar dominá-lo. Essa abordagem não exploradora atraiu seguidores, especialmente na Alemanha, onde suas filosofias místicas tentavam restaurar uma dimensão espiritual para o universo físico.

Os físicos também se preocupavam cada vez mais com o futuro da Terra. Enquanto tentavam aumentar a eficiência (e o lucro) das fábricas, eles formularam as leis da Termodinâmica. Segundo tais leis, se não houver uma fonte exterior, a quantidade de energia disponível vai inevitavelmente diminuir. Quando esses cientistas começaram a pensar no universo como uma gigantesca máquina autorregulada, perceberam alarmados que ela poderia simplesmente parar de funcionar. Na pior das hipóteses, tudo ficaria uniformemente frio, e a informação deixaria de fluir. Em termos mais técnicos, a desordem do sistema teria chegado ao máximo. Para diminuir o ritmo da deterioração e garantir o futuro, os físicos passaram a defender a redução de dejetos e a preservação dos recursos não renováveis.

Durante a primeira metade do século 20, os ecologistas sintetizaram essas abordagens biológicas e físicas, criando uma visão da natureza como uma grande máquina econômica. Empregando termos da indústria, pode-se dizer que eles inventaram um novo vocabulário ecológico. Começaram a falar de cadeias alimentares que partiam dos mais humildes trabalhadores da Terra – as bactérias e plantas – passavam pelos animais e chegavam aos seres humanos, os consumidores finais. Eles concebiam a energia como um agente de trocas, um equivalente natural do dinheiro que move a Economia humana, e substituíram as comunidades colaborativas de organismos vivos pelos ecossistemas, nos quais as plantas absorvem e processam a energia solar, armazenando-a para ser consumida mais tarde. Esses conceitos se tornaram termos comuns na política global, mas têm origem nos estudos conduzidos por ecologistas nas florestas à beira do Tâmisa e nos campos de milho de Illinois.

Uma vez que o mundo foi entendido como uma máquina, pareceu certo – e até natural – que os seres humanos fizessem intervenções, para que ela funcionasse melhor. Uma abordagem era aumentar a produtividade da natureza por meio de manipulação tecnológica. Engenheiros construíram represas e esquemas de irrigação, enquanto especialistas em agricultura recorriam à indústria química, produzindo pesticidas que permitiam aos fazendeiros aumentar a produção e os lucros. Antes que se passasse muito tempo, porém, cientistas de mentalidade ecológica conduziam projetos de pesquisa que apontavam os perigosos efeitos da eliminação dos insetos que se alimentam das plantações, ou os riscos de inundar algumas áreas e deixar outras sem água. Eles usavam esses resultados para mostrar os perigos das políticas de curto prazo que convertem a natureza em um conjunto de componentes com alto desempenho, operando em sua capacidade máxima.

Os primeiros protestos apareceram, sobretudo, em artigos acadêmicos, mas tiveram impacto maior quando os críticos vieram a público. O meio ambiente se tornou uma questão central não só porque a atitude científica estava mudando, mas também porque a mídia se expandia – em especial a televisão, um novíssimo meio de se obter visibilidade, que se tornou praticamente universal nos últimos 30 anos do século 20. Cientistas de diversas áreas aproveitaram a oportunidade de alcançar uma audiência maior, e assuntos antes misteriosos – buracos negros, códigos genéticos, teorias do caos – tornaram-se familiares (pelo menos em um nível superficial) por meio de documentários e artigos de revista. A influência, porém, atuava nos dois sentidos. Essa exposição deixava os cientistas mais vulneráveis a críticas, o que limitava seus planos e aspirações. Os pesquisadores perceberam que, para obter apoio financeiro, não bastava provar a validade científica de um projeto, mas também demonstrar sua importância política, comercial e ética. Aos poucos, eles aprenderam a manipular a mídia e atrair recursos. Para isso, faziam pronunciamentos bombásticos acerca de descobertas revolucionárias ou catástrofes iminentes.

Os primeiros debates sobre a sobrevivência do planeta Terra foram lançados por Rachel Carson, uma bióloga marinha que trabalhava para o governo americano. Em 1962, ela publicou *Silent Spring*, que recebeu o título em português de *Primavera Silenciosa*. A intenção do título era evocar um futuro potencialmente próximo, no qual todas as aves seriam dizimadas pela toxicidade de produtos químicos. Carson escreveu de maneira poética, mas com base em dados cuidadosamente coletados, tornando a argumentação científica compreensível para todos. Ela apreciava o poder da objetividade, e assim alertou os leitores: "Pela primeira vez na História, todos os seres humanos estão sujeitos ao contato com produtos químicos perigosos, do momento da concepção até a morte."

Silent Spring teve um impacto fortíssimo. Além das histórias aterrorizantes sobre *sprays* cancerígenos, reservas de água envenenadas e queda do índice de natalidade, as críticas do livro se encaixavam nas preocupações acerca do recrudescimento da Guerra Fria e da ligação entre ciência e Estado. Fazendo coro com outros movimentos de protesto da década de 1960, Carson convocava os cidadãos a exercerem mais controle sobre o próprio destino. Como servidora civil do governo dos Estados Unidos, ela escrevia com a autoridade de conhecedora, ao atacar o fracasso dos políticos em desafiar as conclusões de cientistas que agiam por interesse próprio. Conforme Carson explicou, os governos que permitiam a poluição da atmosfera com DDT eram os mesmos a apoiar programas nucleares que geravam radiação invisível. Era de se esperar que líderes políticos e industriais unissem forças para afrontar aquela mulher insolente que ousava criticar o sistema, apresentando informações científicas de uma forma desmistificada, que todo mundo podia entender.

Campanhas pela preservação do ambiente começaram a misturar-se à oposição a governos convencionais. Na Alemanha, por exemplo, o Partido Verde era uma poderosa força política nos anos 1970, apesar de embaraçosas associações históricas, como o apoio do Partido Nazista aos movimentos de volta à natureza. De uma forma mais geral, a desilusão com a ciência estatizada forçou os pesquisadores a reconhecerem a importância de conquistar a aprovação do público, e não apenas o apoio oficial para seus projetos. Na década de 1970, os debates sobre meio ambiente eram travados pela imprensa e pela televisão. Na época, James Lovelock, um químico especializado em poluição, ficou famoso por sua Hipótese de Gaia, apesar das severas críticas de cientistas ortodoxos. Em seu modelo interativo, Lovelock imaginou a Terra como um enorme sistema autorregulador, um ser quase orgânico, capaz de proteger-se contra os danos causados pelos seres humanos. Sob uma atraente embalagem espiritual, a alternativa holística de Lovelock à ciência materialista e seus produtos tecnológicos despertou forte apoio popular.

Por outro lado, a maioria dos cientistas preferia apoiar a antiga abordagem mecânica, que tanto sucesso fizera: dividir o mundo em componentes menores que pudessem ser analisados separadamente. Essa metodologia de fracionar um problema em partes administráveis havia funcionado extremamente bem nos laboratórios, mas mostrou-se menos eficiente quando se tratava de fenômenos globais. Vejamos o clima, por exemplo. Os meteorologistas perceberam que era inútil analisar a atmosfera como unidades separadas, porque mesmo a mais leve perturbação podia afetar suas previsões lógicas. O caos reinava, eles concluíram, de maneira que – no entender da mídia – uma borboleta batendo as asas no Brasil podia causar um furacão no Texas. A fim de lidar com essa interferência indesejável, os climatologistas empregavam a força bruta de computação, uma opção recente nos anos 1970. Embora fossem desenvolvidos programas cada vez mais complexos para simular o comportamento da atmosfera, "maiores" não significava necessariamente "melhores", e os modelos digitalizados ficavam sobrecarregados por atualizações e cheios de erros indetectáveis. Como diziam os críticos, ao se aproximarem da estrutura da Terra, as estruturas virtuais se tornariam tão confusas quanto a realidade.

Para os ambientalistas, prever catástrofes era o meio mais eficiente de conquistar o apoio público e o dinheiro governamental. Um cientista da NASA certa vez falou francamente na televisão: "É mais fácil conseguir patrocínio se você puder mostrar alguma evidência de um desastre climático iminente... A ciência se beneficia de cenários assustadores." Durante os anos 1970, os especialistas em clima afirmavam que uma nova era do gelo se aproximava. Segundo eles, análises estatísticas de dados históricos forneciam provas de que o mundo logo estaria congelado. Decorridos 20 anos, essa fria visão foi substituída pelo cenário do aquecimento global. De acordo com as mais recentes interpretações, os efeitos gerados por dois séculos de industrialização vêm interferindo nas condições naturais do clima da Terra. Ao final do século 20, os debates sobre o aquecimento global ficaram mais acirrados, envolvendo acusações de interesses escusos. Os especialistas tanto questionavam os méritos relativos de diversas técnicas especializadas, como examinavam os motivos em relação aos fatos. Enquanto isso, quem não pertencia à área da ciência queria comportar-se como cidadão global preocupado com o futuro, mas desconfiava de pronunciamentos científicos carregados de conclusões conflitantes e acusações cruéis.

> PREVER CATÁSTROFES ERA O MEIO MAIS EFICIENTE DE CONQUISTAR O APOIO PÚBLICO E O DINHEIRO GOVERNAMENTAL.

Ao longo dos últimos 50 anos, os cientistas preocupados com a imagem aprenderam que a melhor maneira de chamar atenção e conseguir apoio oficial é fazer previsões apocalípticas – destruição nuclear, bombardeio de meteoros, nova era do gelo, aquecimento global. As previsões científicas modernas parecem atender a necessidades psicológicas, tal como os profetas religiosos que apontavam o fim do mundo como punição de Deus para os pecadores. Nesse sentido, o aquecimento global é mais satisfatório do que a era do gelo, porque a culpa pode ser lançada sobre os seres humanos. Ao contrário dos desastres naturais, o efeito estufa e a redução da camada de ozônio são atribuídos às atividades industriais que movem o moderno capitalismo baseado no lucro. Seguindo essa retórica, as pessoas podem ser responsabilizadas pela destruição do mundo do qual dependem, mas os cientistas oferecem a elas a possibilidade de redenção por meio de uma mudança de comportamento. Ao pedirem às pessoas para "pensar verde" e salvar o meio ambiente, os cientistas se convertem, de agentes da destruição a salvadores do planeta.

CAPÍTULO 49
FUTURO

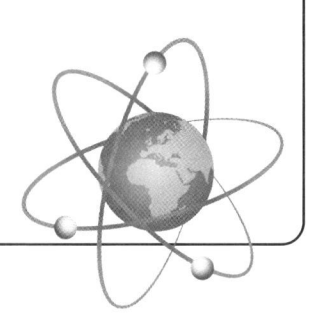

Às minhas costas sempre ouço
A carruagem alada do tempo a se aproximar:
E além, diante de nós, estendem-se
Desertos de vasta eternidade.
— Andrew Marvell, *To his coy mistress*, "A Sua Modesta Dama" (1681)

Prever o futuro é uma empreitada perigosa. Ao final do século 19, a Western Union rejeitou os telefones, considerando-os inúteis, e Lorde Kelvin afirmou ser impossível que máquinas mais pesadas que o ar levantassem voo. Essas reações inadequadas, no entanto, foram superadas quando o diretor da IBM disse, em 1943, que cinco computadores seriam suficientes para abastecer o mercado mundial. Por outro lado, os profetas tecnológicos têm sido mais otimistas em relação às possibilidades criadas por novas invenções. Quando o poeta Percy Shelley estudava em Oxford, afirmava entusiasmado que a eletricidade manteria os pobres aquecidos no inverno, e os balões voariam sobre a África para mapear seu interior e acabar com a escravidão para sempre. Assim como tantos outros visionários utópicos, Shelley ainda não havia aprendido que a viabilidade técnica em si não basta; a motivação política também é essencial.

Melhorar o futuro tem sido um ideal científico nos últimos 300 anos. O progresso surgiu como grande motivador durante o Iluminismo, quando reformadores declararam que a melhor maneira de progredir era pelo incentivo à ciência. Desde então, entusiastas afirmaram repetidamente que o investimento em pesquisa tornaria um país mais rico e melhoraria a vida de seus cidadãos. E eles estavam certos; se erraram em algum aspecto, foi por terem subestimado o alcance da ciência na transformação da sociedade e do planeta. Embora o futuro seja insondável, muitos avanços podem ser previstos com segurança: novas drogas vão aparecer; a Internet vai se tornar mais versátil; as técnicas genéticas vão melhorar; os computadores, cada vez mais utilizados, terão preço e tamanho reduzidos; e, conforme o local as pessoas viverão mais e melhor.

Em algumas partes do mundo, porém, as condições só pioraram. Os futurólogos preveem que a tecnologia vai continuar em sua curva ascendente, incentivada pela própria força. Da mesma forma, algumas tendências negativas também chegaram a um ponto difícil de se reverter: as reservas naturais vão ficar cada vez mais escassas; as doenças infecciosas vão proliferar; e a superpopulação das favelas vai aumentar. O resultado líquido da inovação científica foi ampliar – e não reduzir – visivelmente a divisão entre ricos e pobres. Agora que a pesquisa científica está intimamente ligada a interesses políticos, o tratamento dispensado às disparidades tornou-se uma questão global na qual todos os cidadãos do mundo têm interesse.

> OS FUTURÓLOGOS PREVEEM QUE A TECNOLOGIA VAI CONTINUAR EM SUA CURVA ASCENDENTE, INCENTIVADA PELA PRÓPRIA FORÇA.

De tempos em tempos, os defensores da tecnologia preveem que esta ou aquela invenção vai mudar o comportamento humano e revolucionar a sociedade. Durante os últimos 200 anos, o mundo realmente encolheu, com o advento de trens e navios, de telefone e rádio, e agora da Internet, que facilitou a comunicação. No entanto, apesar das esperanças de que um mundo conectado se entendesse melhor, a paz mundial não parece mais próxima. O caminho tecnológico oposto, em busca da harmonia global – armas cada vez mais poderosas, para impor a submissão aos inimigos – também mostrou-se ineficaz. Outro benefício social repetidamente afirmado pela inovação tecnológica é a igualdade. De acordo com essa linha de argumentação, as invenções libertam grupos oprimidos. Em diversas épocas passadas, otimistas tecnológicos previram que os operários da indústria têxtil se beneficiariam da automação das fábricas, que as mulheres seriam emancipadas pelas máquinas de lavar roupa e os aspiradores de pó, e que a discriminação racial desapareceria na era da informática. Tudo seria bom!

Um meio de prever o futuro é contar o número de invenções que aparecem todos os anos, e fazer a projeção. O problema é que o foco exclusivo em datas pode ser um modo enganador de mapear o progresso tecnológico. Outra abordagem possível é considerar quantas pessoas estão usando as novas tecnologias: a utilização é mais reveladora do que o ineditismo. Se olharmos para o passado, parece claro que mesmo as invenções mais bem-sucedidas não eliminaram necessariamente as antigas, muitas das quais continuaram em uso ou tornaram-se ainda mais populares. Nos Estados Unidos, o rebanho equino não parou de expandir-se depois da invenção dos carros, porque os animais eram necessários à produção agrícola. Apesar de bombas, gases venenosos e outras inovações militares do século 20 terem sido muito divulgadas, em termos de resultados – o número de mortos –, as armas de fogo continuaram imbatíveis. Diferentemente do que acontecia 30 anos atrás, o número de bicicletas fabricadas anualmente é hoje, tranquilamente, o dobro do número de carros.

Durante o século 20, governos incentivavam os cidadãos a depositar na ciência e na tecnologia suas esperanças para o futuro. Quando, porém, esse futuro chegou, nem sempre atendia às expectativas. O DDT aumentou a produção agrícola, mas dizimou os campos; os reatores nucleares deixaram de usar carvão, mas acidentes liberaram radiação; e a Internet prometeu acesso democrático, mas favoreceu a expansão da pornografia. Na Medicina, a invenção mais aclamada foi a penicilina, que se popularizou durante a Segunda Guerra Mundial, para salvar a vida dos soldados feridos. Daí a 50 anos, surgiam nos hospitais as bactérias resistentes, e nos Estados Unidos, metade dos antibióticos fabricados eram misturados às rações animais, para melhorar a criação.

Ainda assim, o sucesso inegável da ciência faz dela a melhor perspectiva para um futuro melhor. Depois da Segunda Guerra Mundial, quando as nações industrializadas se uniram para banir a pobreza mundial, a ciência foi recomendada como o remédio óbvio, e criaram-se esquemas de desenvolvimento para elevar as regiões mais pobres do mundo ao mesmo nível tecnológico das regiões desenvolvidas. Apesar de muito bem-sucedidos em certos aspectos, esses projetos não eram tão desinteressados politicamente quanto poderiam parecer. Com a distribuição dos benefícios de seu conhecimento industrial, as nações ricas e poderosas reforçaram o poder. A disseminação da ciência afirmava a supremacia, o que fazia dos programas filantrópicos de desenvolvimento uma forma disfarçada de imperialismo.

A globalização da política científica aconteceu durante a Guerra Fria, quando um novo personagem apareceu no cenário: o "Terceiro Mundo", um termo criado em 1952. Enquanto o bloco ocidental, formado pela América do Norte e pela Europa, brigava com o Leste, dominado pela União Soviética, "Norte" e "Sul" também se enfrentavam. Essas aspas são um meio de indicar que o mundo pode ser metaforicamente dividido em dois: as ricas potências industrializadas (originalmente no noroeste da Europa, e hoje incluindo a Austrália) competiam pelo apoio dos países do Terceiro Mundo, muitos dos quais (mas nem todos) estavam no Hemisfério Sul. Como ilustra a Figura 55 (a nave russa de Gagarin sobrevoando a África), a assistência tecnológica era uma das maiores recompensas oferecidas. Nessas assimétricas interações "norte-sul", a ajuda científica tinha um preço político. Embora menos visíveis durante a Guerra Fria, tais interações foram, sob muitos aspectos, tão importantes quanto as hostilidades entre Leste e Oeste.

A riqueza do norte garantia a predominância dos estilos tecnológicos e científicos, bem-sucedidos nas relações com o mundo, adotados pelas nações industrializadas. Esse centrismo científico é delicado, porque organiza todos os países à sua imagem. Não que o centrismo científico ignore outras maneiras de pensar; o problema é que ele torna impossível pensar de outra forma. O mapa australiano invertido no começo deste livro (Figura 1) protesta contra essa visão estreita de que a perspectiva europeia é a única possível. Ele revela a arrogância subjacente não só na Geografia terrestre, mas também nas visões do Norte, sobre o conhecimento e as crenças de um modo geral.

O próprio conceito de desenvolvimento implica não só que a ciência e a tecnologia modernas são intrinsecamente superiores, mas também que o Norte sabe mais. Com falhas básicas, as estratégias de desenvolvimento que visavam à melhoria do futuro não conseguiram solucionar as desigualdades científicas. A distribuição de equipamentos altamente tecnológicos às nações de Terceiro Mundo fazia o doador rico parecer generoso, mas não era necessariamente a melhor solução para a pobreza. A aceitação desses presentes acarretava subordinação política e impunha a modernidade a povos que nem sempre queriam isso. Colômbia e Paraguai, por exemplo, concordaram em receber reatores nucleares norte-americanos, embora não precisassem gerar energia nem pretendessem detonar uma bomba; seu único objetivo era demonstrar lealdade política. Em vez de se desenvolverem, muitas nações ficaram ainda mais pobres – miseráveis, mesmo – durante a segunda metade do século 20.

Os projetos de desenvolvimento levaram o Terceiro Mundo a um estado de dependência científica que obrigava à utilização de equipamentos produzidos pelas nações industrializadas do Norte. Àqueles países foi negada a possibilidade de igualdade científica, porque os únicos projetos de pesquisa neles realizados dedicavam-se a aplicações tecnológicas que tivessem um benefício social imediato. Por mais generosas que fossem as doações, destinavam-se a aliviar a pobreza, e não a criar centros de pesquisa de alto nível. Investigações teóricas abstratas, o aspecto mais complexo da ciência, continuavam restritas aos países ricos, que se recusavam a desviar recursos de suas instituições. Projetos educacionais incentivavam as crianças de países pobres a estudar ciência, mas se quisessem seguir a carreira de cientista profissional, elas eram forçadas a emigrar. A pesquisa científica tornou-se um luxo inatingível para o Terceiro Mundo.

Os programas de desenvolvimento científico foram projetados para ajudar o Terceiro Mundo a alcançar os países industrializados "do Norte". No entanto, em vez de se aproximarem, as nações seguiram direções diferentes, como espécies que se separam ao longo da evolução. Os países mais pobres não se mantiveram como meros recipientes passivos dos métodos do Norte; em vez disso, adaptavam o que recebiam, para criar caminhos tecnológicos próprios, em direção ao futuro. Em vez de importar motocicletas ou carros modernos, as pessoas criaram meios de transporte adequados às condições locais – os tuque-tuques na Índia e na Indonésia, os botes movidos por bombas de irrigação em Bangladesh. As gigantescas favelas da África e da Ásia parecem inabitáveis quando olhadas de fora, mas servem aos habitantes porque inventores locais produziram novas versões de materiais existentes, como chapa de ferro corrugada, hoje relativamente rara nas nações desenvolvidas, e amianto, banido em países que se preocupam com a segurança.

As decisões sobre o emprego da ciência e da tecnologia carregam decisivas implicações políticas. Em diversos países, os industriais preferiram continuar a usar ferramentas manuais, mais cansativas – máquinas de costura, por exemplo – a construir fábricas de alto custo que necessitassem de equipamento automático estrangeiro. O poder tecnológico e o poder político caminham juntos. Mahatma Gandhi disse que preferia a produção feita pela massa à produção em massa, e a bandeira indiana exibe a figura de uma roca, para indicar que o país se tornou independente da Grã-Bretanha industrial. Ao final do século 20, esse peso da atividade individual permitiu que os indianos especializados em programas de computação superassem os profissionais norte-americanos, e graças à eficiência dessa força de trabalho, a Índia começou a surgir como força política internacional a ser levada a sério.

O mais ambicioso projeto de desenvolvimento científico ficou conhecido como Revolução Verde. Em meados da década de 1960, governos e organizações internacionais decidiram transformar a agricultura global, em uma tentativa de reduzir a pobreza no mundo. Para acabar com a fome e aumentar a produção de alimentos em áreas densamente povoadas, iniciou-se a substituição dos métodos tradicionais pelas mais recentes técnicas científicas. Os bem-intencionados especialistas em Economia garantiam que, ao adotar uma agricultura baseada na ciência, as nações do Terceiro Mundo conseguiriam sustentar-se e até mesmo lucrar com a exportação de vegetais e frutas tropicais para os países do Norte. Assim, além de introduzir os fertilizantes químicos e os sistemas de irrigação, em poucos anos os cientistas distribuíam sementes geneticamente modificadas pelos novos especialistas em Biotecnologia.

De início, a Engenharia Genética parecia uma contradição, pois unia metaforicamente duas disciplinas anteriormente localizadas em lados opostos de um espectro que ia das trabalhosas ciências masculinas às delicadas ciências femininas. Biólogos começaram a se parecer com industriais, adotando termos da Mecânica – "emendar" e "secionar", por exemplo – para descrever como estudavam a hélice dupla do DNA manipulando seus grupos químicos. A modificação genética em si não era novidade. Os capítulos iniciais do livro de Charles Darwin sobre a evolução descrevem como fazendeiros e criadores de pombos usavam a criação seletiva para produzir gado e pombos adequados a determinadas tarefas. Diferentemente, os novos biotecnólogos alteram os genes a partir de dentro. E, tal como os industriais, abriram empresas para comercializar produtos derivados do mundo natural.

A princípio, as soluções científicas para a pobreza global pareceram funcionar maravilhosamente bem. Em 1980, a Índia tornou-se autossuficiente em trigo e arroz, enquanto outras regiões do mundo registravam colheitas recordes. A ciência finalmente cumpria sua missão de fornecer uma receita mágica que representasse garantia de prosperidade. Ainda assim, a Revolução Verde sofria pesadas críticas. Muitos céticos apontavam os danos ambientais causados pela transferência sem precedentes, de plantas de uma parte do mundo para outra, criando consequências imprevisíveis. Além disso, produtos químicos poderosos, introduzidos para melhorar o solo improdutivo ou eliminar as pragas, acabaram tendo efeitos nocivos sobre a cadeia alimentar, e os projetos de irrigação alteraram os sistemas de drenagem existentes, de maneira que algumas áreas se beneficiaram, mas outras enfrentaram períodos de seca.

A modificação genética foi um dos aspectos mais criticados. Por um lado, plantas desenvolvidas especialmente para determinadas áreas transformavam grandes extensões de terras improdutivas em terrenos férteis. Surgiu, porém, uma consequência inesperada: essas plantas artificialmente adaptadas acabavam matando outras espécies. Os oponentes enfatizavam a possibilidade de um cenário de pesadelo. Se as culturas eram desenvolvidas para repelir insetos, o cruzamento delas poderia também acabar gerando ervas daninhas resistentes, que se multiplicariam sem controle. Havia ainda a possibilidade terrível de uma supercultura substituir milhares de outras variedades, correndo então o risco de ser eliminada por um futuro superpredador. Na Europa, os produtos geneticamente modificados (GM) foram chamados de "frankenfoods", que se pode traduzir como franken comida, em alusão a Frankenstein.

Além disso, a Revolução Verde teve diversas consequências sociais, por incorporar poderosas estruturas políticas. Em vez de importar comida, as nações mais pobres adquiriam produtos químicos caros, sementes e a informação de que precisavam para conseguir manter o novo estilo de agricultura. Enquanto crescia o lucro dos grandes proprietários de terras, os pequenos agricultores que eram alijados do setor tinham de migrar para as cidades, inflando ainda mais as favelas. Organismos geneticamente modificados eram produzidos em laboratórios distantes, enviados dos países ricos para os pobres – em especial da América do Norte para a América do Sul. Os benefícios financeiros, porém, seguiam a direção oposta: os genes manipulados saíam do Sul e, transportados para o Norte, iam aumentar os lucros e o prestígio das empresas de biotecnologia.

O desenvolvimento implica o acompanhamento de países pobres, a fim de que alcancem a mesma situação financeira e científica dos privilegiados de quem receberam ajuda. No entanto, tal como aconteceu com a tecnologia da indústria pesada, a Revolução Verde resultou em mudanças irreversíveis que aumentaram as diferenças. Em todo o mundo, a pesquisa científica voltava-se para a modernização das técnicas agrícolas, mas essas técnicas se aperfeiçoaram muito mais rapidamente em países ricos, onde os governos podiam proteger os produtores contra produtos importados a preços baixos. Embora os reformadores idealistas tivessem imaginado um futuro glorioso, no qual países pobres alimentariam o Norte industrializado, acontecia o oposto. Os Estados Unidos, por exemplo, começaram a exportar trigo para a União Soviética e algodão cru para a China, onde fábricas recentemente inauguradas o processavam, produzindo roupas para serem vendidas aos norte-americanos ricos.

Encontrar falhas na ciência é relativamente fácil; difícil é decidir como melhorar seu impacto. Os reacionários sempre protestaram contra a queda dos padrões, afirmando que o futuro só pode piorar. Tecnofóbicos românticos desprezam a inovação e suspiram por um passado imaginário idealizado, acusando a ciência de criar novas formas de destruição, não só pelo desenvolvimento de bombas poderosas, como por tornar-se uma arma política em si. Escrevendo em processadores de texto, no conforto de seus lares com aquecimento central, eles usam a visão seletiva, ignorando as inúmeras maneiras pelas quais a pesquisa científica resultou em benefícios inegáveis.

O problema não é a tecnologia científica ser intrinsecamente ruim, mas poder, com muita facilidade, transformar-se em ferramenta de dominação e repressão. Não faltam previsões futurísticas acerca das maravilhas tecnológicas que nos aguardam no século 21, como minúsculos implantes cerebrais que unirão os seres humanos em redes eletrônicas globais, genes artificiais e pilhas termoelétricas (pequenas pilhas permanentes baseadas em interações químicas). Ao mesmo tempo, ambientalistas insistem que a raça humana chegará à extinção, se não forem tomadas medidas urgentes para impedir a intensificação do aquecimento global. Uma análise do passado deixa claro que a escolha do caminho para o futuro não é só questão de entender as equações científicas, mas também de tomar as decisões políticas acertadas.

Posfácio

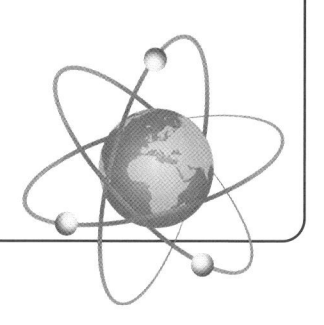

As pessoas sempre tentaram entender o mundo que as rodeia. No entanto, um olhar sobre o passado mostra que não há uma única maneira correta de se impor a ordem, embora os esquemas antigos possam parecer estranhos. O aristotelismo medieval enxergava três cores no arco-íris, enquanto Newton contava sete cores; antes de os relógios medirem o tempo em unidades iguais, dias e noites eram divididos em períodos de durações diferentes; e enquanto colecionadores organizavam as flores conforme as cores ou pétalas, Linnaeus as classificou pelo número de órgãos reprodutivos. O sistema ao qual nos acostumamos é aquele que parece óbvio; qualquer outro dá a impressão de estar errado, por mais racionalmente que tenha sido desenvolvido.

O escritor argentino Jorge Luís Borges destacou esse dilema taxonômico, imaginando uma enciclopédia chinesa com esta divisão dos animais:

(a) pertencentes ao imperador, (b) embalsamados, (c) adestrados, (d) leitões, (e) sereias, (f) fabulosos, (g) cães de rua, (h) incluídos nesta classificação, (i) que se agitam furiosamente, (j) inumeráveis, (k) desenhados com um pincel muito fino de pelo de camelo, (l) outros, (m) que acabaram de quebrar um vaso de flores, (n) que de longe parecem moscas.

Embora seja possível imaginar situações da vida real nas quais uma categoria individual tenha utilidade, essa lista fictícia é cheia de ambiguidades e sobreposições, e ironiza a universalidade almejada pelos classificadores científicos.

Borges concebeu essa paródia para seu relato enigmático sobre John Wilkins, um acadêmico do século 17 que, ao criar uma linguagem internacional, dividiu o universo em 40 categorias, cada uma subdividida em partes menores com símbolos próprios de identificação. Segundo Wilkins, depois de aprender seu método, os leitores seriam capazes de entender o significado de uma palavra e também de descobrir como o objeto ou a ideia representados por ela encaixavam-se no grande esquema das coisas. Isso parece o ideal – até o momento em que se percebe que, do ponto de vista moderno, as categorias de Wilkins parecem tão insatisfatórias quanto as da enciclopédia fictícia de Borges. Ele reconhece, por exemplo, quatro tipos de pedra: comuns, preciosas, transparentes e insolúveis. A ardósia deve ser classificada entre as comuns ou as insolúveis? As safiras são transparentes ou preciosas? Um sistema que parecia universalmente válido para Wilkins seria inútil para os mineralogistas modernos.

Wilkins não foi um excêntrico inexpressivo, e, sim, um dos líderes da Royal Society, em seu início, tendo até presidido a reunião em que foi decidida sua fundação. Como representou um papel importante na formulação da abordagem experimental da Sociedade, ele pode ser considerado um dos primeiros cientistas da Inglaterra. Por outro lado, em retrospecto, Wilkins não se encaixa em nenhum esquema moderno de classificação. Para começar, ele foi ordenado e exerceu diversos cargos religiosos antes de ser consagrado bispo de Chester. Além de trabalhar na sua linguagem filosófica visionária, dedicou-se a diversos projetos, hoje não aceitos como ciência legítima: moto-contínuo, ilusionismo, vocabulário naval, códigos secretos.

Como Borges concluiu, em sua história, todos os esquemas humanos são provisórios. Agora que a ciência domina o mundo, é difícil acreditar que apenas 200 anos atrás, a palavra "cientista" nem havia sido inventada. Nos últimos milênios, muita gente – babilônios e chineses, fazendeiros e navegadores, colonizadores e escravos, mineiros e monges, muçulmanos e cristãos, astrofísicos e bioquímicos – contribui para construir o modo como hoje entendemos o cosmos. Assim como as sociedades, o conhecimento nunca é definitivo; muda constantemente à medida que categorias antigas desaparecem e formam-se novas. Absolutamente nada garante que a Ciência hoje considerada avançadíssima não se encontre, no futuro, no lugar hoje ocupado pela Alquimia. Ainda assim, uma coisa é certa: a Ciência mudou o universo e seus habitantes para sempre.